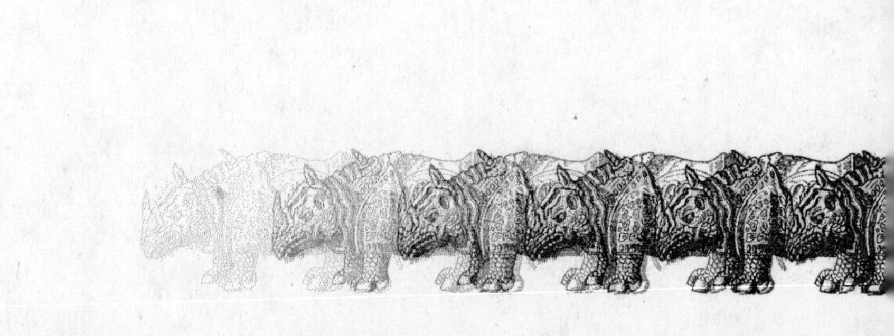

Tiempo de México

El segundo disparo

La narcodemocracia mexicana

El dedo en la llaga

El segundo disparo

La narcodemocracia mexicana

Eduardo Valle

OCEANO

EDITOR: Rogelio Carvajal Dávila

EL SEGUNDO DISPARO
La narcodemocracia mexicana

D. R. © EDITORIAL OCEANO DE MEXICO, S.A. DE C.V.
Eugenio Sue 59, Colonia Chapultepec Polanco
Miguel Hidalgo, Código Postal 11560, México, D.F.

PRIMERA REIMPRESIÓN

ISBN 968-6321-35-7

IMPRESO EN MÉXICO / PRINTED IN MEXICO

ÍNDICE

ANEXOS

Introducción

1

Menos de dos meses antes de las elecciones del 6 de julio de 1988, un grupo de dirigentes del Partido Mexicano Socialista firmamos el "Pacto de Unidad" con la Corriente Democrática –encabezada por Cuauhtémoc Cárdenas y Porfirio Muñoz Ledo. A Heberto Castillo lo sustituiría el ingeniero Cárdenas como candidato a la presidencia de la república y, según el contenido de ese documento político, con el Pacto de Unidad se abría un enorme campo de acción político-electoral para ambas organizaciones. El pacto representaba un acuerdo de todas las tendencias del PMS, pues mientras muchos dirigentes ya pensaban "todo con Cárdenas", otros mirábamos con recelo y distancia a los expriístas.

Firmado el pacto, se violó de inmediato. Arnoldo Martínez Verdugo, Gilberto Rincón Gallardo, Jorge Alcocer y los compañeros de la Trisecta y del exPST (Graco Ramírez y Jesús Ortega, entre otros), en realidad, estaban interesados en la fusión a toda costa. Unos soñaban con dominar, a final de cuentas, el aparato de la nueva coalición de partidos; otros, se sentían ya poseedores de escritorios ejecutivos. "Se ganarían las elecciones"; quién sabe cuál magia les hacía asegurarlo. Heberto también se adhería a este punto de vista: con pena lo vimos hablar y escribir empleando expresiones que decían exactamente lo contrario de lo afirmado unas semanas atrás. Comenzaba el declive del antiguo y siempre respetable luchador social; ya acelerado en momentos.

De aquellos que firmaron el Pacto de Unidad, de hecho, el único opositor a la fusión orgánica era yo. Cuando se presentó como un proceso irreversible, renuncié al comité ejecutivo nacional, y disuelto el PMS, terminé con mi militancia partidaria: adiós a veinte años con carnet.

De repente, me encontré con una libertad personal desconocida: no más reuniones de comité; ya no dirigir asambleas o negociar y elaborar documentos para que se publiquen en unas horas... Quizá era demasiado.

Sin que yo lo supiera, varios periodistas se habían reunido para decidir si podía encabezar o no la desfalleciente Unión de Periodistas Democráticos. Concluyeron que sí y en una cantina –como debía ser– me comunicaron su decisión. Yo era miembro de la UPD y había presentado en el pleno de la cámara de diputados la solicitud gremial para establecer el salario mínimo profesional; la petición había ya avanzado, pero no lo suficiente. Todos los compañeros sabían que se podía contar conmigo a la hora de defender a cualquiera del gremio que hubiera sido agredido con violencia o en forma injusta.

Acepté la proposición. Por qué llegaron a ella, es todavía un misterio para mí. Quizá algún día, el Mandarín Agustín Granados pueda explicarlo. De haber sabido en el amargo asunto en el cual me embarcaba, habría rechazado la proposición, pagado otra botella de ron y no hubiese pasado nada por unos meses. Me hubiera alcanzado otro lío, pero no el de que se me acusase de "fraude electoral" y de pretender la dirección de la UPD para regresar a la cámara de diputados.

Se integraron las planillas: Tere Gil, Juan Bautista; otros compañeros del DF y de Tamaulipas, Hidalgo, Oaxaca, completaban la lista. Frente a nosotros: compañeros del diario *El Día* (como Abraham García Ibarra) y periodistas de Chihuahua y Sinaloa. La competencia fue mucho más ruda de lo que esperaba y la votación dividida en extremo. Ganamos por unos pocos votos, gracias al apoyo de los muchachos de *Proceso* y ¡a la participación de Tamaulipas! Aun así (o por ello), se cuestionó el resultado final de las elecciones y surgieron acusaciones de fraude. Con argumentos de buena fe nos defendimos y, finalmente, comenzamos a trabajar con un comité mixto. Como ordenaban los estatutos.

Nunca funcionaría en pleno la dirección nacional de la UPD; unos cuantos nos quedamos con el trabajo. Realmente eso no me preocupaba, excepto por lo relacionado con una representación real.

Quizá después se comprendiesen nuestras verdaderas intenciones: reconstruir la UPD con la participación de sus afiliados.

Demasiado tarde; en verdad nunca se logró ese objetivo. Otro fracaso.

2

Llegó y pasó la tempestad de las elecciones de 1988: Carlos Salinas de Gortari tomó la presidencia de la república.

Joaquín Hernández Galicia fue encarcelado; Javier Coello Trejo "plantó" en la casa del líder petrolero en Ciudad Madero el cadáver de un agente del Ministerio Público Federal y cientos de armas. Bien que metieran a la cárcel a la Quina; mal que le fabricaran pruebas —en forma inepta, por lo demás. César Fentánez, buen amigo mío y estrechamente relacionado con la Quina, me dio pruebas de la maniobra; escribí varios artículos sobre este asunto en *El Universal*. Mencionaba a los inefables Coello Trejo (subprocurador general de la república) y a Fernando Gutiérrez Barrios (secretario de Gobernación). Enrique Álvarez del Castillo era ¡procurador general de la república! Vaya trío que escogió Salinas para asuntos de gobierno y justicia.

Con Álvarez del Castillo había yo chocado de frente en octubre de 1987, cuando se desempeñaba como gobernador de Jalisco; le denuncié en la cámara de diputados como "complaciente con los narcotraficantes". Al final, publiqué la serie "La Ruta del Pacífico" donde reconstruía los pasos de Rafael Caro Quintero durante los días previos y posteriores al asesinato de Enrique Camarena, el agente de la Drug Enforcement Administration (DEA) salvajemente torturado y muerto en Jalisco el año de 1985.

Por otra parte, Manuel Buendía —uno de los más importantes periodistas mexicanos— había sido asesinado el 30 de mayo de 1984. Varios indicios apuntaban al interior del aparato federal de gobierno. Publiqué —el 30 de mayo de 1985— "Fábula de mayo". Señalaba a "El Zorrillo" como el autor intelectual del crimen. La lectura de la fábula no dejaba dudas: el Zorrillo era José Antonio Zorrilla Pérez, de la policía política: la Dirección Federal de Seguridad. Cada 30 de mayo recreaba la fábula original: castiguen al Zorrillo. Costaría atentados contra mi vida; de algunos logré salvarme teniendo que usar la pistola.

El primer procurador de Justicia del Distrito Federal con Salinas fue Ignacio Morales Lechuga. El 26 de mayo de 1989 le entregué un escrito; finalizaba:

[C. procurador]: Al menos en un caso, la representación social —por expresión propia— está consciente de que se han cometido delitos contra la administración de justicia. En nuestra opinión los asesinos materiales y los autores intelectuales del asesinato de Manuel Buendía recibieron durante el gobierno de Miguel de la Madrid [el señor Manuel Bartlett era secretario de Gobernación y jefe de Zorrilla] una definitiva y continua protección política que les garantizó durante años impunidad. Esperemos que esto no suceda ahora, esa protección termine, la impunidad acabe y se actúe conforme a derecho, aun cuando se afecte al anterior gobierno de Miguel de la Madrid.

Firmaba por el comité ejecutivo nacional de la UPD, pero se había presentado la denuncia de hechos también por derecho propio.

José Antonio Zorrilla fue perseguido y enjuiciado. La UPD protestó y, al final, Morales Lechuga ordenó se elaborase un acuerdo; se afirmaba:

6. Manuel Bartlett Díaz, en su carácter de secretario de Gobernación, carecía de competencia para llevar a cabo la averiguación de un delito del fuero común, como lo fue el homicidio del periodista Manuel Buendía Tellesgirón. Consecuentemente, no incurrió en conducta alguna contraria a la administración de justicia, prevista en el Código Penal del Distrito Federal.

7. El señor licenciado Miguel de la Madrid Hurtado, como presidente de los Estados Unidos Mexicanos y titular originario del gobierno del DF, ordenó se investigara el homicidio del periodista Manuel Buendía Tellesgirón, y durante su mandato constitucional se creó la Fiscalía Especial que llevó a cabo la indagatoria, la cual concluyó en los términos expresados en el apartado 1 de esta resolución. Por lo tanto, no incurrió en acto alguno contra la administración de justicia [...] Se resuelve: Primero. Por lo que respecta a los señores Miguel de la Madrid Hurtado, Manuel Bartlett Díaz, Victoria Adato viuda de Ibarra, Renato Sales Gasque, Miguel Ángel García Domínguez y Jesús Miyazawa Álvarez, se propone el no ejercicio de la acción penal, por no haber delito que perseguir. [...] Segundo. Por lo que respecta al señor José Trinidad Gutiérrez Sánchez, se propone el no

ejercicio de la acción penal, por prescripción de la misma. [...] Tercero. Por lo que se refiere al señor José Antonio Zorrilla Pérez, estése a lo señalado en el punto uno de la presente resolución.

Firmaba el titular de la Mesa Tres del Sector Central de la Procuraduría de Justicia del DF, Martín Gabriel Rodríguez López.

El 19 de diciembre de 1989, el comité ejecutivo de la UPD cumplía formalmente esa determinación: la parte final de nuestro documento (ocho cuartillas) decía:

El acuerdo [primero de diciembre de 1989] reconoce que el entonces secretario de Gobernación carecía de competencia para llevar a cabo la averiguación de un delito del fuero común como el homicidio en agravio de Manuel Buendía. Sin duda. Entonces, ¿por qué se encargó a Zorrilla, que también carecía de esa competencia, que lo hiciera? Estaba haciendo el encargo de la investigación de un homicidio al propio autor intelectual del mismo; y aunque no supiera sobre esa autoría intelectual, ha quedado suficientemente demostrado que la participación de Zorrilla en la averiguación del delito entorpeció dicha averiguación. Por ello, resulta inexplicable que en el acuerdo se exculpe al señor Bartlett con el solo argumento de que no tenía competencia; pues el hecho de que no la tuviese, aunado a que se la tomó, es decir, que ordenó una investigación sin facultades para hacerlo, fue lo que propició el retardo en la administración de justicia. En efecto, si Bartlett no comisiona a Zorrilla, éste no interviene en la averiguación y ésta no se entorpece ni se retarda.

Por lo que hace a Miguel de la Madrid, el acuerdo lo exculpa con base en que ordenó que se investigara el homicidio. Era su deber ordenarlo pero a la única autoridad competente: la Procuraduría General de Justicia del DF y no a la Secretaría de Gobernación, cuya corporación –la Dirección Federal de Seguridad (DFS)– entorpeció la indagatoria. El exmandatario incurrió en la misma responsabilidad que Manuel Bartlett, pero doblemente grave pues se trataba del presidente de la república. Sin perjuicio de que se presentase otro delito que perseguir, pues resulta inconcebible que funcionarios de menor jerarquía realizaran omisiones y acciones y él no se enterara. Quede pendiente ante la historia saber si Miguel de la Madrid ordenó o favoreció el entorpecimiento de la justicia en el caso del homicidio de Manuel Buendía.

C. procurador de Justicia del DF: La UPD manifiesta su indignación porque se utilizara el trabajo del fiscal especial García Domínguez para proteger a malos funcionarios que violaron las leyes o los reglamentos, como sería el caso del Reglamento Interior de la Secretaría de Gobernación que señalaba que la DFS era ajena a la investigación de delitos. Asimismo, consideramos que el Ministerio Público de la Mesa Tres ha actuado de mala fe al incluir entre los inculpados al doctor García Domínguez, situación que no aparece en nuestra denuncia. Por el acuerdo del mencionado funcionario de la Mesa Tres, el expresidente Miguel de la Madrid, principal responsable ante la nación de la violación de ordenamientos constitucionales, podrá seguir en la impunidad total.

En virtud de lo anterior, por propio derecho y a nombre del CEN de la UPD, solicito de usted, señor procurador: Primero. Se me tenga por presentado en los tiempos y formas establecidos por los ordenamientos internos de la Procuraduría; en especial, la circular 02-84. Segundo. Se dicte acuerdo de esa Procuraduría General de Justicia del DF en relación con la denuncia de hechos SC-3977-989.05 y la institución a su cargo obre conforme a derecho ejerciendo la acción penal a fin de que no queden en la impunidad los funcionarios señalados en esta denuncia, encabezados por Miguel de la Madrid Hurtado.

En la redacción de esta inconformidad participamos Tere Gil, quien, de joven, estudió derecho; nuestro amigo Luis de la Barreda Solórzano y el gran Eduardo Deschamps. No pudimos avanzar más allá: un fracaso a medias.

Zorrilla en la cárcel; Bartlett renuncia a la Secretaría de Educación Pública. (¡!) Uff. Con todo, algo creció el prestigio de la UPD como instrumento de defensa de los periodistas.

3

Con Jorge Meléndez al frente de la UPD se hizo también un trabajo serio de investigación sobre los asesinatos de periodistas. En particular, Rogelio Hernández se la jugó también en el asunto Buendía, desde el diario *Excélsior*. Hasta que Zorrilla fue encarcelado, no dejó de molestarle; su enjuiciamiento se debió —entre otras razones— al eficaz trabajo de relaciones públicas de Rogelio.

Jorge se dejó llevar por una idea de Rogelio: con Fernando Gutiérrez Barrios era posible entablar una relación seria y positiva para presionar en la investigación oficial de homicidios de periodistas. Acepté la idea con profunda desconfianza. "El Policía Caballero" (al decir de Fidel Castro –otro mafioso) fue uno de los principales responsables de la masacre del 2 de octubre de 1968; dirigía, entonces, la Dirección Federal de Seguridad y los hombres de la policía política en Tlaltelolco dispararon contra todo lo que se moviera. Tuve razón: Gutiérrez Barrios nos mandó con un burócrata quien trató de manipularnos. Lo mandamos al demonio en menos de una semana.

Asesinaron en Culiacán a Norma Corona. De ese crimen nació la Comisión Nacional de Derechos Humanos. Carlos Salinas designó como presidente de la comisión a Jorge Carpizo MacGregor: un hombre de extraordinaria honradez personal, pasional y despistado. Sin clara idea en cuestiones de táctica política; también muy inteligente. Magnífico para la guerra de trincheras; pésimo para la de movimientos.

Salinas tiene el don de calibrar milimétricamente a las personas. Cuando designó a Carpizo pensó que esto le ayudaría políticamente a nivel nacional; y en imagen internacional. Carpizo –a pesar de su inteligencia y por su buena fe– no crearía problemas sin solución al presidente. No, en cuestiones que involucraran la estructura general de la Procuraduría General de la República o al ejército. Se equivocó: Carpizo estuvo a un milímetro de llegar a toda la verdad en casos como el de Llano de la Víbora o la masacre de los Quijano. Su fortaleza –que expresa también en tozudez– es enorme.

En la UPD necesitábamos un conducto para presionar en los casos de periodistas heridos o asesinados. Con Carpizo en la CNDH había una posibilidad concreta para actuar; en algún momento del segundo semestre de 1990, nos reunimos y platicamos de ello. Él aceptó de buena gana. Ahora había que convencer al comité ejecutivo nacional de la UPD. Con problemas, se logró.

El 27 de septiembre de 1990 se radicaron en la CNDH docenas de casos de periodistas agredidos o asesinados. La lista era muy larga. La gente de Carpizo actuó con energía y en meses la lista de casos críticos sin solución (colegas muertos en circunstancias que involucraban a narcotraficantes) se reducía sensiblemente a veinte. Entre esos casos: Héctor Félix Miranda (*Zeta* de Tijuana; Jorge Hank Rhon); Norma

Alicia Moreno y Ernesto Flores Torrijos (*El Popular* de Matamoros; Juan García Ábrego); Jesús Michel Jacobo (Culiacán) y Manuel Burgueño (Mazatlán). A Michel y Burgueño (y Roberto Mancilla) me referiré más adelante.

Como lo he señalado, en muchos casos de periodistas acribillados, la Comisión de Derechos Humanos avanzó; cooperábamos con todo lo que podíamos. Obvio es decirlo, sobre todo, con información de los colegas locales, quienes nos decían cosas que a nadie más le hubieran contado. El trabajo era muy difícil; problemas de todo tipo, empezando por los financieros. Hasta propiedades personales vendí y acabé pidiendo ayuda a varios amigos; nunca dos veces a la misma persona y solamente en casos de absoluta emergencia. Había que pagar todo: gasolina y café, casetas (viajábamos por carretera; casi nunca por avión), hoteles, teléfono. La UPD era un pozo sin fondo. Lo peor: la incomprensión de la mayoría y los pleitos internos. ¿La delegación más problemática? Por supuesto, Tamaulipas. Ahí cada tres meses estallaba una crisis interna. Chismes y pleitos personales se confundían con intereses nunca definidos.

En Tampico un tipo gordo se trató de pasar de vivo con la UPD –usándola para chantajear políticos y dirigentes sociales. Disolví la delegación de un solo golpe. Sin dudarlo, los otros compañeros del comité me apoyaron.

A cambio, crecía el prestigio de la organización. Se le hacían reconocimientos nacionales e internacionales. La sabiduría y prudencia de Luis Suárez ayudaban en mucho.

Los "fidelitos" me odian. Desde el asunto de un narcotraficante apellidado Guillot Lara (en donde se mezclaban guerrilla y narcotráfico colombiano, Gutiérrez Barrios y Castro, en 1982), sabía que el gobierno cubano estaba profundamente involucrado en cuestiones de droga. El hecho repugnaba; estábamos afiliados a la Organización Internacional de Periodistas con sede en Praga y ahí los "fidelitos" tenían gran fuerza. A pesar de ello, realmente se tomaba en cuenta a la delegación mexicana. Más todavía: la agencia española EFE nos nombró parte del jurado en un concurso de periodismo en idioma español. Teníamos buenas relaciones internacionales con los periodistas. Y Luis Suárez atemperaba los conflictos con los "fidelitos" mexicanos y de otros países.

Por fin, llegó el momento de entregar la UPD a un nuevo comité ejecutivo. Se hicieron reformas estatutarias y en un congreso en Oaxaca me libré de las responsabilidades de la UPD. La organización, sin base real en la ciudad de México, languidecería hasta casi desaparecer. Adiós a los problemas originados por la UPD. Bueno, eso creía.

4

Héctor Félix Miranda, codirector de *Zeta*, fue asesinado en Tijuana el 20 de abril de 1988. Se sospecha de Jorge Hank Rhon, hijo del poderoso e inmensamente rico Carlos Hank González. Él lo habría mandado matar; móviles desconocidos, todavía.

Con Luis Donaldo Colosio como presidente del PRI se reconoció la victoria del panista Ernesto Ruffo y éste tomó posesión como gobernador de Baja California. No se había presentado esa situación política: un gobernador no priísta. Eso repercutió directamente en el caso del Gato Félix. Se encontraban sujetos a proceso algunos de los cómplices del asesinato, pero no los principales ejecutores. De repente, en Los Ángeles, California, cayó el principal autor material del crimen: Antonio Vera Palestina. Y, luego, Emigdio Narváez; extrañamente, Narváez sería liberado y, luego, asesinado en Tijuana el 24 de julio de 1992.

La CNDH había archivado el expediente. De inmediato lo reabrió cuando el diputado Jorge Moscoso, amigo estimadísimo, leyó en el pleno una carta enviada por mí a Carpizo donde se involucraba indirectamente a Hank Rhon en el crimen. El 12 de agosto, la CNDH recomendaba a Ruffo: "Solicitar de usted la prosecución de la investigación correspondiente, ordenando, si a su juicio procediere, la práctica de las diligencias tendientes a establecer si hubo o no participación en los hechos de la persona o personas señaladas [...] y proceder conforme a sus resultados" (*Proceso*, núm. 830).

Cuando Jorge Hank Rhon se enteró de que la CNDH iba a rendir un "informe especial", él y su padre perdieron los nervios. Y solicitaron amparo de la justicia federal para Hank Rhon y Alberto Murguía, su secretario o amigo. En mi opinión, era un buen momento para actuar judicialmente contra Hank Rhon y Murguía; sin embargo, el procurador del estado (Francisco Franco Ríos) no quiso o no pudo avanzar. De cualquier forma, ahí estaba yo, de nueva cuenta en medio de la pelea. Y nada menos que con la familia de Carlos Hank González. Se puso peor.

Luego de muchos años de tomar, entonces el alcohol me ganaba: me estaba convirtiendo en alcohólico. Lo sabía y me dejaba llevar. Rosa María y mis hijas lo advirtieron y actuaban en consecuencia. Nada; en un afán realmente autodestructivo, tomaba sin medida ni conciencia plena del peligro. Hice el ridículo en varias ocasiones. No todo fue malo; cuando una vez me dormí en las butacas reservadas para el público en la cámara de diputados –adonde acudía por nostalgia y para obtener información del día– muchos compañeros me reclamaron en tono de amistad. Poco a poco comencé a reaccionar. El "todavía no soy un alcohólico incurable" me salvó. Si bien el gusano de la inconciencia alcohólica me había tocado, tenía fuerzas para intentar derrotarlo. Muchas veces lo lograba; otras pocas, no. Seguí tomando y, algunas veces, mucho. Pero casi siempre lograba evitar el ridículo de la inconciencia. Tenía que volver a aprender a ganar.

Precisamente, entonces, estalló el escándalo de Matamoros (en 1992): al realizarse el recuento de votos de las elecciones locales, una turba había asaltado el local de la comisión electoral y unos golpeadores profesionales habían atacado brutalmente a los periodistas que cubrían los comicios.

Ya el 31 de julio de 1992, en relación con los casos de Norma Moreno y Ernesto Flores Torrijos, y como reacción a declaraciones de la procuradora de Justicia del estado, le había enviado a Carpizo una nota:

Enterado de que la procuradora general de Justicia del estado de Tamaulipas, María del Refugio Martínez Cruz, da por concluidas las investigaciones de crímenes contra periodistas, Ernesto Flores Torrijos y Norma Moreno Figueroa, considerando como presuntos responsables a Saúl Hernández Rivera y a Jesús Encarnación Ávalos Fabián (el primero, asesinado en enero de 1988 y, el segundo, muerto violentamente en mayo de 1991 en Matamoros, Tamaulipas), manifiesto a usted:

a) En reiteradas ocasiones y de manera formal, les comentamos a los investigadores de la CNDH que esos homicidios deberían investigarse en relación con los de David Cárdenas Rueda y Jorge Brenes Araya (muertos el mismo día –17 de junio de 1986–; el primero, en Veracruz, Veracruz, y el segundo, en Reynosa, Tamaulipas). También debería buscarse alguna probable relación con el caso del señor Roberto Azúa Camacho, muerto el 4 de abril de 1990, en Reynosa, Tamaulipas.

b) Comentamos in extenso con los investigadores que al menos en los homicidios contra Brenes, Cárdenas y Azúa había directas relaciones entre estas tres personas, al extremo de que Azúa era empleado de Brenes y Cárdenas (asesinado el mismo día que Brenes) había sido integrante de la Policía Judicial en Matamoros.

c) Comentamos que los casos de Flores y Moreno y los otros tres asesinatos tenían que examinarse en la perspectiva de una posible venganza de uno de los más poderosos narcotraficantes de la frontera con Texas, Juan García Ábrego, o del, en ese entonces, alcalde de Matamoros, Jesús Roberto Guerra Velasco, vinculado directamente a García Ábrego por su parentesco familiar con Juan N. Guerra Cárdenas, protector de García Ábrego, quien tiene como campo de operaciones para el tráfico de drogas los estados de Tamaulipas y Veracruz.

d) En forma reiterada solicitamos de los investigadores de la CNDH informes sobre la evolución de sus actuaciones y de los resultados sobre estos casos. Muy poca cosa nos dijeron; fue por informes directos de nuestros colegas en Tamaulipas que nos enteramos de que en el caso de Brenes algo se avanzaba y usted, al rendir su cuarto informe semestral manifestó que se han obtenido "buenos avances", al igual que en el caso de Víctor Manuel Oropeza Contreras, de Ciudad Juárez, Chihuahua.

Por todo lo anterior manifiesto mi desconcierto con la pretensión de la Procuraduría General de Justicia de Tamaulipas de dar por concluidas las investigaciones y, respetuosamente, solicito de usted se den a conocer en la forma conveniente los resultados de las investigaciones sobre la probable relación o vínculo de Juan García Ábrego y de Jesús Roberto Guerra Velasco con estos cinco asesinatos. (Carta de Eduardo Valle (EV) a Jorge Carpizo; México, D. F., 31 de julio de 1992.)

Ahora se presentaba una feroz agresión contra periodistas en ejercicio, precisamente, en Matamoros. Lo curioso de todo era el perfecto montaje de la agresión a los colegas. Televisa había hecho un extraordinario trabajo con varias cámaras de video y televisión. Existía un antecedente: meses atrás en Nuevo Laredo –con Raúl Loza Parra en la comandancia de la Policía Judicial Federal–, cuando se filmó la destrucción de unas oficinas federales; también gracias a un motín.

Televisa se lanzó al ataque contra quienes habían agredido a los colegas. Resultado: Jorge Cárdenas González fue desprestigiado nacionalmente, perdió la oportunidad de pelear el triunfo que reclamaba frente a Manuel Cavazos Lerma. Varios de sus seguidores huyeron a Texas y solicitaron asilo político. Finalmente, Jorge Cárdenas llegaría a un convenio con Gutiérrez Barrios y lograría permanecer en Matamoros, sin que se molestasen sus muchas propiedades. Televisa-Matamoros-Cárdenas González; un curioso triángulo mezclado en asuntos electorales en Tamaulipas.

Desde el 13 de noviembre reaccioné: recordaba el escrito a Carpizo enviado hacía unos meses; otra vez Juan García Ábrego lastimando periodistas. Les envié una carta a Rosalbina Garabito y a Diego Fernández de Cevallos, coordinadores perredista y panista, respectivamente, en la cámara de diputados. Y una copia a *El Financiero*.

Los graves acontecimientos ocurridos en las últimas horas en Tamaulipas suceden en un contexto electoral. Pero también en un contexto social, en el cual el elemento "narcotráfico" se convierte en esencial.

La absolutamente justificada indignación de quienes observamos cómo se golpeaba brutal y *profesionalmente* a varios trabajadores de medios de comunicación (¿provocadores o enardecidos "opositores"; habrá quien investigue a fondo?) no debe ocultar un hecho determinante: la familia Guerra vuelve a tomar el control de Matamoros. O, lo que es lo mismo, Juan García Ábrego (el más poderoso y peligroso narcotraficante de Texas-Tamaulipas) vuelve a controlar esa frontera. El hecho de que el candidato priísta a la plurinominal sea Carlos Arturo Guerra Velasco (hermano del exalcalde Jesús Roberto, de los mismos apellidos) y que éste sea el coordinador del PRI en la zona fronteriza de Tamaulipas abre esa probabilidad concreta: Nuevo Laredo, Reynosa y Matamoros se convertirán pronto en lugar de máxima prioridad de la DEA y el FBI.

Ello toma mayor importancia cuando se cuenta que el campo de maniobra de los narcotraficantes se ha reducido gracias a la presencia panista en los gobiernos de Baja California y Chihuahua; en particular, Tijuana y, ahora, Ciudad Juárez.

Para los narcotraficantes y sus cómplices, perder ese margen de maniobra también en Tamaulipas representaría un duro golpe.

¡Cuál no será el poder económico y político de los narcotraficantes que las investigaciones sobre seis asesinatos, tres de los cuales afectaron a periodistas en ejercicio, se mantuvieron congelados por muchos meses! Sólo por presiones directas de Jorge Carpizo y de muchos colegas, se logró localizar a los "autores materiales" de los crímenes. Lamentablemente, todos ellos estaban reportados como muertos. Y últimamente, a raíz de la masacre de Iguala, se estableció que uno de los "muertos" estaba vivo y al servicio de Julio Ochoa, uno de los lugartenientes de Miguel Félix Gallardo, encarcelado en Tamaulipas.

Ya en el cuarto informe semestral de la CNDH, se manifestó que se lograban "buenos avances" en los casos de los periodistas asesinados en Matamoros y Reynosa. "Se encuentra pendiente –diría, en septiembre 22, el doctor Carpizo– la identificación del autor o autores intelectuales."

Y uno de esos posibles autores intelectuales –al decir de muchos colegas a nivel local y nacional– es Jesús Roberto Guerra Velasco, hermano del coordinador del PRI en la zona fronteriza y quien promoviera la candidatura del exsecretario particular de Manuel Cavazos Lerma y del señor Tomás Yarrington, para la alcaldía de Matamoros.

Como fácilmente puede observarse, la lucha electoral en –al menos– Matamoros y en general en la frontera Texas-Tamaulipas tiene que ver directa e inmediatamente con el control de la frontera por una de las cabezas más relevantes del narcotráfico en Estados Unidos y México. Así nadie podrá llamarse a engaño si las importantes consecuencias locales, estatales, nacionales e internacionales de este control renovado se manifiestan más temprano que tarde.

Hacer del conocimiento público esta situación permitirá que muchos mexicanos entendamos plenamente cuál es el fondo del asunto en la frontera de Tamaulipas. (Carta de EV a Rosalbina Garabito y Diego Fernández de Cevallos; México, D. F., 13 de noviembre de 1992.)

La carta, publicada en *El Financiero*, era una bomba. Pero Rosalbina y Diego nada público hicieron con la carta. Seguramente fue sólo un elemento más de negociación política con el PRI y el gobierno. Los más enojados: Manuel Cavazos Lerma y el PRI de Tamaulipas.

5

Terminó 1992; en la casa recibimos nada más la canasta que año tras año, sin falta, envía otro de los mejores amigos. Desde 1986, este dirigente priísta se ha de divertir ordenando que –sin falta– se entregue la preciosa canasta cada fin de año.

Enero de 1993: Salinas de Gortari siempre nos entregaba algo especial en enero; desde "El Quinazo". ¿Y ahora?: ¡Jorge Carpizo a la Procuraduría General de la República! Caramba: la audacia de Salinas es enorme; se demostraba otra vez.

Ignacio Morales Lechuga me invitó a tomar un café en su notaría. Acudí sin mayores reservas. Básicamente por chismoso. El exprocurador del DF estaba muy enojado.

Yo le había ayudado una vez a localizar a Juan García Ábrego en un rancho de Veracruz, propiedad del "compadre Rentería". A final de cuentas, Morales Lechuga falló. Y puso en peligro a mucha gente en la frontera mexicana con Texas. Pero, con todo, no nos teníamos animadversión. Esa vez, le robé un cognac XO y le escuché. Nos despedimos en Reforma... le esperaba París. Curioso encuentro, lleno de cosas vanales. Casi incomprensible. Aunque no tanto; luego, el lector verá por qué.

Bueno, en ésas andaba. Escribía en una pequeña revista dirigida por Adolfo Montiel y con Luis Gutiérrez en *unomásuno*. Y en *Zeta*, de Tijuana. Fue en las oficinas de *Toque* donde la señora González (mi eficaz secretaria de casi una década) recibió la llamada del nuevo procurador de la república. Carpizo me invitaba a platicar; con toda confianza, acudí a las oficinas centrales de la PGR.

Declaración de Armando Barrera

1

En la ciudad de Brownsville, Texas, condado de Cameron, siendo las catorce horas del día diecinueve de diciembre de mil novecientos noventa y uno, la C. cónsul Martha Elvia Rosas Rodríguez, titular del consulado de México en esta ciudad, hace constar se constituye en el Departamento de Policía de Brownsville, para tomar declaración al C. mexicano Armando Barrera Caballero, quien se encuentra en estas instalaciones a disposición de la Policía Municipal, en atención al oficio procedente de la Procuraduría General de la República de fecha dieciocho de los corrientes, en la que solicitan se tome declaración a la persona mencionada en relación a los hechos sucedidos el día siete de diciembre del año en curso, en la colonia Voluntad y Trabajo en Matamoros, Tamaulipas. Presente ante la suscrita el que dijo llamarse Armando Barrera Caballero, se le protesta para que se conduzca con verdad y se le advierte de las penas en que incurren las personas que declaran con falsedad; manifestó: el cinco de diciembre, desde la ciudad de México, por vía telefónica, me comuniqué con mi esposa y me informó que Américo Barrera Caballero (mi hermano) se encontraba detenido por la Policía Judicial Estatal de Tamaulipas, pues mi prima, Carmela Caballero Rodríguez, le acusaba de robarse unos aparatos eléctricos de su domicilio, debido a que mi prima no le entregó el dinero de una tanda cuando le correspondía. Logré trasladarme de inmediato a Matamoros y comunicarme con mi hermano —también por teléfono. Confirmó que estaba detenido por robo pero había algo más: el comandante de la Judicial de Tamaulipas, Sergio

González Hinojosa, estaba enterado de que Américo era buscado por la policía de Brownsville como responsable del homicidio de Rigoberto Rodríguez Delgado, quien fuera sobrino del actual director de la Judicial de Tamaulipas. Por dejarlo en libertad y no entregarlo, le solicitaban cinco mil dólares; que por el dinero pasarían unos agentes a mi casa.

El día seis de los corrientes se presentó en mi casa el agente de la Judicial Natividad Pintor con otros dos que no conozco; que juntara el dinero para la noche o consignaban a mi hermano o le entregaban a los policías de Brownsville. Les dije que era mucho pero que hablaría con mi cuñado Arcadio Pérez González (*a*) el Cayo para que me ayudara. Era para salir del paso y ganar tiempo, pues en realidad me comuniqué vía telefónica con Oliverio Chávez Araujo, interno en la prisión de Almoloya de Juárez, persona quien me ofreció hablar con el Checo, como se conoce a Sergio González Hinojosa, y dijo que les diera unos mil dólares. Más tarde recibí una llamada de Oliverio quien afirmó que ya no había problema. Esa noche mi esposa se presentó en las instalaciones de la Judicial a efecto de entregar los mil dólares, los cuales fueron recibidos por un secretario quien exigió otros mil dólares para ser entregados el día siete, sábado. Mi hermano fue liberado y con mi esposa fue a mi casa y ahí dijo que el Checo le explicó que se iba libre gracias al Cayo, lo cual no era cierto pues nunca hablé con Arcadio. Luego le acompañé a su casa.

El sábado siete como a las veintidós horas recibí en mi casa una llamada: era mi cuñada, Dora González de Barrera, quien me informó que frente a la casa de Américo, en varios autos, paseaban el Cayo, Andrés Arriaga, Pepe de la Rosa (*a*) el Amable, quienes son conocidos como gatilleros y narcotraficantes, y solicitó me trasladara a su domicilio, lo cual hice de inmediato, solicitándole a mis amigos Francisco Cárdenas Longoria, Aristeo Vargas González y otro amigo me acompañaran, todos armados con pistolas que les proporcioné. Cuando llegamos a casa de Américo, él llevó a su familia a casa de su suegra y regresó. Nos apostamos en diversos lugares y, efectivamente, nos dimos cuenta de que en varias camionetas y dos automóviles —todos de reciente modelo— pasaban frente a la casa aproximadamente veinticinco sujetos, entre los cuales reconocí a Arcadio Pérez González (*a*) el Cayo, a Andrés Arriaga, Leobardo García (de la PJ estatal),

Eduardo Coronado Gatica (también de la PJ), Leoncio Sánchez Magallanes (de la misma corporación), Epifanio Pérez Solís, Pepe de la Rosa, Prisciliano García Medrano, Sergio Hernández Longoria (*a*) el Zorro, Germán y Fernando (*a*) los Venados, Alfredo Alatorre Franco, Erasmo y Toto Alanís Govea (*a*) los Conejos, Melitón (*a*) el Meli, otro de apodo el Toro, Adolfo de la Garza (*a*) el Borrado, Gerardo el Nene y su hermano el Cali, otro conocido como el Quince, otro la Zorra y, por último, el Beto Toques, personas a las que conozco bien pues he convivido con ellos y además formé parte del grupo como guardaespaldas de José Pérez de la Rosa (*a*) Pepe el Amable. Se retiraban y regresaban.

A la una de la mañana del domingo, se encendieron de pronto unas luces muy potentes enfocando el exterior de la casa y se escuchó la voz de mi cuñado el Cayo, quien tartamudeaba diciendo "tengan cuidado porque éstos andan armados y también tiran". De inmediato se escucharon varias detonaciones de "cuerno de chivo". Nos tiramos al piso y nos protegimos como pudimos. Después de cinco minutos de tiroteo escuchamos a Pepe el Amable que decía "vámonos, vámonos".

Cuando se fueron hablé con mi madre para que pasara con su automóvil por nosotros, lo cual hizo, trasladándonos a la casa de Cárdenas Longoria, en donde nos refugiamos; antes dejamos a Antonio de los Santos herido en el hospital, en donde fue interrogado por los judiciales.

Le pedí a mi mamá se fuera a nuestra casa porque supuse que el Cayo la respetaría, pero no fue así pues se presentaron en el domicilio y le dijeron a mi madre que sabían que yo andaba con Oliverio Chávez Araujo, que me manifestara que no me metiera con ellos porque no andaban con juegos. Le amenazaron diciéndole que si los denunciaba ante la policía regresarían a matarla junto a sus nietos. Se llevaron a un inquilino de mi madre llamado Armando, a quien golpearon preguntando por mi paradero y luego lo soltaron. De mi casa se robaron un reloj de oro con diamantes rolex modelo Presidente; una cadena torzal de oro de dieciocho quilates, de cuarenta gramos de peso; un dije de oro –dieciocho quilates– cara de cristo como de cincuenta gramos; tres mil dólares; dos metralletas ingram nueve milímetros y ocho cargadores de las mismas; dos pistolas browning nueve milímetros y diez cajas de tiros. También se llevaron cuatro o cinco anillos de dieciocho quilates como de diez gramos cada uno. Se fueron y mi madre nos avisó de todo.

Mis amigos y yo nos trasladamos a otra casa –no la voy a ubicar. Ya por la mañana, Francisco Cárdenas se retiró a su hogar donde fue detenido por la Judicial del estado, pues De los Santos le había mencionado como su acompañante al momento del tiroteo. Nosotros fuimos a una casa en construcción propiedad de una hermana de Cárdenas. A la una de la mañana del lunes nos encontraron. Llegaron todos los sujetos que ya mencioné y se apostaron frente al domicilio; incluso se subieron a algunas azoteas y comenzaron a disparar por espacio aproximado de veinte minutos. Mi hermano corrió por atrás de la construcción, respondiendo al fuego con dos pistolas, y salió precisamente al lugar donde se encontraban el Amable y el Cayo; en tanto que Aristeo Vargas y yo salimos por un tiradero de basura donde nos ocultamos y parapetamos. Desde su escondite, Pepe de la Rosa gritó: "ya cayó uno; fíjate si es Armando o el Negro", refiriéndose a Américo. Momentos después se encendieron los motores y supuse que se estaban retirando. Salí de mi escondite, alcancé a ver una camioneta chevrolet pick up con cuatro sujetos. Les apunté con mi arma y vacié la carga de una de mis pistolas, ignorando si lesioné a alguien.

En un solar de la parte posterior de la construcción se encontraba el cadáver de mi hermano el Negro, con un arma en cada mano. Las tomé y acompañado de Aristeo llegué hasta la frontera; cruzamos el río Bravo ayudados por dos personas que no conozco, a las cuales les pagaría con dos armas. Una vez internados en Estados Unidos nos sorprendió Migración y, aunque mis acompañantes huyeron, fui detenido. Como supuse que Migración me regresaría a Matamoros, donde me buscan para matarme, solicité contactaran con la policía para solicitar protección, aquí, en Brownsville.

2

En primer lugar deseo aclarar que en la muerte de mi hermano está implicado Sergio González Hinojosa (*a*) Checo el Loco, jefe de grupo de la Policía Judicial estatal. Él fue el único que conoció de la intervención de Oliverio Chávez Araujo y se lo comunicó a la banda de Luis Medrano, quien es lugarteniente del conocido narcotraficante Juan García Ábrego; parte de esa banda son los mencionados arriba. En segundo lugar aclaro que mi hermano Américo era gatillero de esa banda y dependía de mi cuñado Arcadio Pérez González, el Cayo, y de Pepe de la Rosa, el Amable. El Cayo conectó al Negro con Luis Medrano y mi hermano ejecutó a varias personas por órdenes de Medrano y de los otros dos mencionados. En tercer lugar, me consta que el Checo acudía a la casa del Amable por dinero para que no se investigaran las muertes de los ejecutados por la banda; además, a él se le entregaban raciones de cocaína para el consumo de sus elementos y esa entrega se hacía en las mismas instalaciones de la Judicial y las llevábamos el Amable, Pérez Solís y yo. Cada ración era un sobre de correo con un terrón o varios de cocaína. Llenado el sobre se le ponía el nombre de cada policía; la ración era para una semana y eran aproximadamente treinta sobres. De las personas que recuerdo y actualmente son efectivos: Sergio González Hinojosa, Juan González Hinojosa, Ramiro Garza, Leobardo García, Eduardo Coronado Gatica, Adolfo de la Garza, Trinidad Ibarra, Rolando Ibarra, René González, Eloy Treviño Gracia, Natividad Pintor Saldívar, Leoncio Sánchez Magallanes, Eduardo Serna, Valentín Lara, Ernesto Morales, Israel Castellanos, Joel Juárez, Ezequiel Cavazos Beiza y Nicolás de la Cruz. El Amable vivía entonces en la colonia Buenavista, entre la calle dieciocho y la veinte, junto a una familia de apellido Peña. Aclaro que Oliverio Chávez Araujo y Juan García Ábrego son rivales en el narcotráfico y es por eso que cuando el Checo recibe la llamada de Oliverio, le avisa al Amable y al Cayo y éstos me persiguen para matarme y ése también es el móvil de la muerte de mi hermano.

3

Narraré algunos de los asesinatos cometidos por la banda de Luis Medrano. La muerte de Alfonso Medina Zavala, hermano de Jesús Medina Zavala, quien actualmente se encuentra en el penal de Matamoros, acusado de posesión de una tonelada de cocaína y, al parecer, gente de Oliverio Chávez. Alfonso no tenía relación alguna con el narcotráfico y se dedicaba a la venta de vehículos. Deseo aclarar que las muertes narradas las supe por versión de mi hermano. Ahora bien, el homicidio de Alfonso nos fue narrado a mi hermano y a mí por uno de los participantes de nombre Tiburcio García Medrano, y nos dijo que el móvil fue que Alfonso visitaba a su hermano Jesús cuando estaba en un reclusorio de la ciudad de México. Alfonso fue secuestrado en el ejido La Luz rumbo a la carretera de Ciudad Victoria y participaron Cayo, Andrés Arriaga, Leoncio, De la Rosa, mi otro cuñado Epifanio Pérez Solís, Leobardo García y Eduardo Coronado, Alfredo Alatorre Franco, Germán el Venado, Prisciliano García Medrano –quien es concuño de Luis Medrano–, el mismo Tiburcio, Lucas Vázquez. Tiburcio se encargó de vigilar a Alfonso en una motocicleta, rondando por su domicilio hasta que se presentó Alfonso. Le avisó al Amable y todos los participantes se dirigieron al ejido La Luz en tres camionetas. Se introdujeron al domicilio de Alfonso y lo secuestraron por varios días. Por último, cavaron una fosa en el ejido San Lorenzo, le rociaron con gasolina el cuerpo y lo quemaron vivo.

En la muerte de Williams Botero y Judith Pontón –colombianos– y una abogada mexicana de la cual no recuerdo el nombre, participaron: Cayo, el Amable, Leobardo García, Coronado, Arriaga, uno apodado el Raffles, excomandante del Sector Naval, Cristóbal Garza, Ramiro Garza, Leoncio Sánchez y Miguel Botello Lucio. También Ramón Uriarte Solís –comandante de la Policía Judicial Federal–, Indalecio Ríos (*a*) el Indio, jefe de grupo de la Policía Judicial Federal, Prisciliano García Medrano y mi hermano Américo, quien manejó una de las camionetas junto con Ramón Uriarte. En otra de las camionetas se quedó Margarito Castro Orozco (*a*) el Mago con Indalecio Ríos; en la tercera y última de las camionetas estaba Germán, el Venado. Hace aproximadamente siete u ocho meses, en la Puerta México en Matamoros –junto al Puente Nuevo Internacional–, las autoridades del penal entregaron a los dos colombianos a las autoridades de Migración, pues ya habían purgado su sentencia por delitos contra la salud, para ser deportados. La licenciada estaba ahí como abogada del hombre y la mujer. Llegaron los mencionados anteriormente en tres suburban, propiedad de Luis Medrano, y sacaron por la fuerza a las tres personas de las oficinas trasladándolas a un rancho propiedad de Margarito Castro, en donde los torturaron para obtener información sobre Oliverio y un mensaje que los dos colombianos posiblemente llevaban de Oliverio a una importante banda de narcotraficantes en Colombia. El rancho se encuentra frente al rastro municipal en la denominada carretera nacional. Después de torturarlos, los acribillaron con los "cuernos de chivo" y cruzaron los cuerpos por el río Bravo, desde un rancho rumbo a la carretera a la playa, propiedad de Melquiades Sosa, actualmente detenido en Matamoros por tráfico de drogas.

El Cayo, Andrés, el Biulo Medrano –primo hermano de Luis Medrano–, Leobardo, Coronado, Leoncio, ejecutaron a dos personas de apodos el Gringo y el Sinaloa. El primero era el cuarto jefe de la organización (estaba casado con una colombiana, Pilar Hincapié (*a*) la Comadre Pilar). También esta banda es responsable de la muerte de Porfirio Chávez, medio hermano de Oliverio. La orden la dio Luis Medrano en virtud de que Porfirio ganaba terreno en Estados Unidos y, además, para quitarle siete millones de dólares. En una ocasión, Leoncio Sánchez Magallanes le dio un aventón a mi hermano hasta la casa y se quedaron platicando afuera largo rato. Cuando entró mi hermano platicó que los asesinos de Porfirio fueron Indalecio Ríos, Ramón Uriarte y otro elemento de la Judicial Federal llamado Pablo Aceves Vázquez y los judiciales del estado de Tamaulipas Leobardo García, Eduardo Coronado y los "madrinas" Miguel Botello Lucio y el propio Sánchez Magallanes, mi cuñado Arcadio Pérez y Rubén Serrano. Cuando Porfirio salió del penal después de visitar a su medio hermano, fue secuestrado; de ahí lo llevaron a una casa de seguridad en el fraccionamiento Victoria y le sacaron la información sobre los siete millones. Luego lo llevaron al ejido La Reforma donde le dieron muerte. Además participó otro judicial federal de apellido Ríos, cuñado del Indio Ríos.

Luis Medrano ordenó directamente el asesinato de un policía fiscal pues mantenía relaciones sexuales con la esposa de Luis. Arcadio invitó a mi hermano Américo y a Leoncio para cometer el crimen prometiéndoles quince mil dólares a cada uno. En relación con la muerte de Gregorio Betancourt Meza, hace aproximadamente tres o cuatro meses, fue ordenada por Luis Medrano en virtud de que Gregorio comandaba un grupo especial de la Dirección de Seguridad Pública y en 1989 intervino en la detención de Luis Medrano, Sergio Balboa Peña, el Amable, el Gringo y la mayoría de los miembros de la banda. Gregorio golpeó a Medrano en las instalaciones de la Policía Municipal. Remitieron a todos los detenidos a la Policía Judicial Federal a cargo del comandante Juan Benítez Ayala, quien dejó en libertad a todos, menos al Güero Balboa, al que consignó al Juzgado Cuarto de Distrito por posesión de armas, quedando recluido en el penal de Matamoros donde perdió la vida junto con dieciocho internos más, miembros de la banda de Luis Medrano.

4

Otra muerte ordenada por Luis Medrano fue la del agente de la Policía Judicial del estado Mario Camacho; la razón fue porque Camacho detuvo a Baldemar Medrano (*a*) el Biulo, primo hermano de Luis, además de que este agente nunca se quiso alinear con la banda de Luis y parece que golpeó al Biulo. Mario Camacho renunció a la Policía Judicial pues no estaba de acuerdo con la forma de trabajar del actual subdirector de la Policía Judicial del estado, Silvio Bruzzolo Torres, quien es gente de Luis Medrano, pues fui testigo de cuando se arreglaron en el restaurante Denny's a mediados de 1988. Ahí acudió Óscar Malherbe de León y fuimos como guardaespaldas Martín Barrales, Epifanio, Adolfo de la Garza [y yo]. Y por lo que hace al director de la Policía Judicial, Porfirio Castillo Delgado, supongo que también está arreglado con Luis Medrano ya que no exige resultados en las investigaciones de los homicidios que ordena éste. Lo creo capaz de arreglarse pues en el mes de marzo de 1990 la Policía Judicial trató de entrar al penal, pero fueron repelidos por los internos por órdenes de Oliverio Chávez, muriendo uno de los agentes de apellido Merino Delgado, primo hermano del director de la Judicial, y otro agente se quedó atrapado en el interior. Oliverio habló con Porfirio Castillo y permitió la entrada de la policía con la condición de que lo hicieran desarmados, y en las oficinas del alcaide Oliverio entregó dinero a Porfirio a cambio de que no revisaran el área donde estaba su gente.

Otra de las muertes fue la de un licenciado de Oliverio Chávez, quien fue secuestrado a mediados del presente año en el aeropuerto de Matamoros. Luego lo llevaron a un rancho en el ejido Santa Teresa, municipio de San Fernando, lo ataron de pies y manos y lo torturaron para arrancarle confesiones relacionadas con la defensa de Oliverio. Al día siguiente tiraron su cuerpo en un brecha del municipio. En esta ocasión participaron los Conejos: Erasmo y Toto Alanís Govea. Estos dos han gozado de la protección de los hermanos José María y José Luis Larrazolo Rubio, comandantes de la Policía Judicial Federal, originarios de Matamoros. Y hasta han trabajado como "madrinas" de José María (*a*) el Chema, quien se encuentra en la plaza de Sonora. También supe que trabajaban juntos porque tengo dos primos que son efectivos de la Policía Judicial Federal, de apellidos Castillo Caballero, quienes me lo contaron. Y ellos, al parecer, trabajan con José Luis.

En la muerte de Jaime Eduardo Garza Venegas participaron mi cuñado el Cayo, el Amable, Arriaga, Leoncio, Prisciliano García Medrano, Adolfo de la Garza y dos hermanos de apellido Vidal. Ese homicidio, ordenado por Luis Medrano, fue porque relacionaban a Jaime con Gerardo Quintanilla y a éste con Oliverio Chávez. Ocurrió cerca de Valle Hermoso y previamente fue secuestrado en la colonia Modelo. Por lo que hace a Gerardo Quintanilla, el 17 de mayo de este año fue ejecutado aquí en Brownsville por el Cayo, Arriaga y Miguel Botello, quien se encuentra detenido por ese motivo y le fueron confiscados 5.7 millones de dólares, vehículos y joyas.

Ricardo y su esposa fueron asesinados en las orillas del río Bravo. La mujer del lado de Estados Unidos y el hombre del lado mexicano. Ricardo, al salir de la cárcel se dedicó a ser el mandadero de Oliverio: hasta le proporcionaron un vehículo para sus actividades. En la muerte de Edelmiro López Silva participaron Epifanio (mi otro cuñado), Jesús Bueno López y Martín Barrales Félix. Luis Medrano ordenó matarlo para vengar la muerte de Brígido Sauceda, quien fue guardaespaldas de Jesús Roberto Guerra Velasco y su principal ejecutor. Brígido fue muerto a balazos por Edelmiro porque aquél mató a su vez a Rolando López Azócar, tío de Edelmiro. Brígido hizo acto de presencia en la funeraria, acompañando al entonces presidente municipal de Matamoros, Jesús Roberto Guerra Velasco, supuestamente a dar el pésame, lo que Edelmiro consideró una burla para Rolando. La banda también ejecutó a un señor que usaba silla de ruedas y a su esposa Ramona (*a*) la Mona, asesinados en el Hotel Matamoros, antes El Paraíso; ignoro el motivo, pero sé que la pareja era adicta a la heroína. Participaron Leobardo García, Eduardo Coronado y Adolfo de la Garza, en esa época efectivos de la Policía Judicial del estado. Actualmente se encuentran en el penal dos personas purgando sentencia por este homicidio y a estos "culpables" los fabricó el Checo.

5

Mi cuñado Epifanio Pérez Solís me platicó sobre el aniquilamiento de la banda de Erasmo Ibarra, ordenada por Luis Medrano. Ignacio Ibarra (*a*) el Nachín, a principios de 1988, en la calle Trece en Matamoros, mató a un primo hermano de Luis, de nombre Enrique Medrano. Las dos bandas trabajaban para Juan García Ábrego y para Juan Nepomuceno Guerra e incluso se turnaban la custodia de Juan N. Guerra. Pero el Nachín mató a Enrique y por su culpa detuvieron a Fernando Treviño Chávez, cuñado de Óscar Malherbe, achacándole la muerte de un policía apodado el Pantera, el cual fue victimado realmente por el Nachín. A principios de 1988 fueron concentrados en el ejido Los Arados todos los elementos de la banda de Erasmo, con excepción del Nachín, a quien fueron a detener al restaurante-bar Piedras Negras, propiedad de Juan N. Guerra, a quien custodiaba en esos momentos, por lo que supongo que Guerra dio su visto bueno para el asesinato múltiple. Quince miembros de la banda de Erasmo fueron acribillados y a los cuerpos les prendieron fuego. Para el final separaron a los cabecillas. En el vehículo de Epifanio llevaron al Nachín y en otro vehículo llevaban a Erasmo Ibarra y a otro individuo de nombre César. Cuando los bajaban de las camionetas, luego de la masacre, los Ibarra aprovecharon un descuido y se apoderaron de una metralleta uzi que portaba Melitón (*a*) el Meli, y dispararon contra sus captores, lesionando a Óscar Malherbe de León y a José Luis Sosa Mayorga. Así lograron darse a la fuga. En la masacre participó casi toda la banda; los ya mencionados y el Toro, de la colonia San Rafael; el hermano del Nene, conocido como el Cali, el Quince, Rafael Ledezma, el Mortero, Javier Balboa Peña –quien actualmente se encuentra interno en el Penal Nuevo de Matamoros–, José Guadalupe Sosa Mayorga (*a*) el Pitochín, quien se encuentra en esta ciudad, Rogaciano Aranda (*a*) el Chano –detenido en Corpus Christi, Texas–, Rogaciano González. De la Judicial del estado, además de los ya señalados, Trinidad Ibarra, Rolando Ibarra (*a*) el Perro, René González (*a*) la Rana, Eduardo Serna, Valentín Lara, Ernesto Morales –quien es actualmente chofer del comandante Alberto del Ángel, comandante en Valle Hermoso–, Alberto Betancourt (*a*) el Chacho. Por otra parte, a principios de este año fue asesinado en Pharr, Texas, un sobrino de Miguel Ángel Félix Gallardo, del cual no recuerdo el nombre e ignoro el móvil; pero lo ejecutaron a bordo de un grand marquís blanco en presencia de su esposa e hijo. Los ejecutores fueron el Amable, Andrés Arriaga y mi cuñado Arcadio Pérez González. Fue su primer asesinato para la banda, a quien también se le conoce como La Gente.

Hace aproximadamente tres meses el Cayo, Arriaga, Leoncio, Prisciliano y el Amable asesinaron a una persona de apellido Laurents, a quien ataron vivo a un trozo de metal y lo lanzaron a un canal de Reynosa. Por cierto, dos hermanos del occiso de apellidos Laurents Ayala trabajan como "madrinas" del comandante federal Gerardo de Ávila, quien sé, por voz de mi hermano, también estaba arreglado con Luis Medrano.

6

Cuando me encontraba en la cárcel de Matamoros asesinaron a Enrique Ocampo, jefe de Luis Medrano y victimado por Rigoberto Vargas Burgos (*a*) el Colombiano. Oliverio Chávez le pidió a Ramón Uriarte que investigara de dónde provenía la orden. Uriarte e Indalecio el Indio Ríos interrogaron a Rigoberto en mi presencia (Oliverio pidió que estuviese presente) y Rigoberto confesó que mediante Gerardo el Nene, Luis Medrano le ofreció veinte mil dólares por matar a Ocampo y el dinero lo recibió su esposa. Por otra parte, el gerente de la agencia Dodge, Arturo Hurtado, colabora con La Gente, proporcionándole vehículos según las necesidades de la banda. Arturo es hermano de Dante Hurtado, guardaespaldas de Luis Medrano. La organización de Juan García Ábrego está estructurada de la siguiente manera: el jefe máximo es la persona mencionada; en segundo término se encuentra Luis Medrano García, de quien dependen Óscar Malherbe, José Luis Sosa Mayorga y Adolfo de la Garza, quienes se encargan de recibir y transportar cocaína y todo lo relacionado con ello. El Amable y Arcadio Pérez se encargan principalmente de ejecutar a los enemigos de la banda. La Policía Judicial Estatal y la Policía Judicial Federal se encargan de participar en operativos, proporcionar credenciales, custodiar a los jefes y de cubrir a los miembros de la banda en sus delitos, ya sean autores materiales o intelectuales, para que no se les relacione en las investigaciones oficiales. Además de custodiar la transportación de droga y la bajada de aviones procedentes de Colombia. La Gente monta guardias afuera de las instalaciones del Ejército y la Policía Preventiva, principalmente cuando aterrizará algún avión, para protección del cargamento. También hay guardias en las salidas de las carreteras de Ciudad Victoria a Reynosa y a la playa para detectar cualquier contingente que entre o salga de la ciudad. Se trata de un individuo dotado de trasmisor y vehículo para poder seguir a la policía en sus acciones. Los marinos también se encuentran arreglados con La Gente e incluso una de las pistas se encuentra en el rancho El Galaneño, a espaldas del cuartel de la marina, desde donde se puede ver perfectamente cuando aterrizan las avionetas. Margarito Castro Orozco hace poco tiempo recibió del presidente municipal, Jorge Cárdenas González, la concesión del rastro y al Mago, según una nota periodística, un "grupo misterioso de amigos" lo está apoyando con mil millones de pesos. Para bajar los aviones, La Gente cuenta con una base de radiotrasmisión a cargo de Beto Toques, encargado de comunicarse con la tripulación de los aviones o avionetas procedentes de Colombia; además él maneja la frecuencia privada de la banda y los coordina en los operativos.

7

Ya he hablado de los domicilios y vehículos de los sujetos mencionados en esta declaración. Ahora me referiré al Raffles o Rafael Olvera. No debe confundirse con el Rafa, puesto que el Rafa es un ejecutor bajo las órdenes exclusivas de Juan García Ábrego y se llama Rafael García y reside en Reynosa. Rafa es un hombre ya mayor, muy fuerte y tranquilo. Muy buena persona, no acostumbra torturar ni matar sin necesidad. Y sólo asesina cuando lo ordena Juan García Ábrego. No; el Raffles o RR es un comandante del sector naval quien desertó para unirse a la banda de Luis Medrano. Es de la siguiente media filiación: aproximadamente treinta y cinco años, 1.85 metros de estatura, complexión atlética, frente amplia, ceja poblada, cabello negro quebrado y corto, ojos café oscuro, nariz recta, boca grande, labios gruesos, bigote abundante y cuadrado y puede ser localizado en la calle de Francisco González Villarreal –entre las calles 20 y 18– en la colonia Buenavista, frente a la casa del Cabezón Sosa y junto a una casa del dirigente de la UNE del PRI. La casa es de estilo americano, con una barda alta, con puerta metálica de una hoja y otra de dos hojas que corresponde al garage. Esta casa tiene paredes blindadas y debe tener un túnel para escapar.

Por último, quiero manifestar que están pendientes de ejecutar un gran número de personas: el abogado Adolfo Villela y su hermano, por encargarse de la defensa de la esposa de Oliverio Chávez; el policía preventivo Román Azócar; el padre del mismo nombre y el hermano de Edelmiro López, por miedo a su venganza; los sobrevivientes de los hechos de Los Arados, Erasmo e Ignacio Ibarra y César; don Chago, el Rambo, el Diablo y Fidel; estos últimos de la banda de Erasmo; Iliana Salinas Niño, quien fuera mi primera esposa, testigo del homicidio de Enrique Medrano y quien está pendiente en virtud de que fue amante de Luis Medrano, de Erasmo Ibarra y de César, ocasionando muchos conflictos entre las dos bandas. También el padre de dos personas de apellido Alanís, las cuales fueron asesinadas por Luis Medrano. Hay miedo de que tome venganza. Todo lo anterior lo supe por versión de mi hermano. Es todo lo que tengo que declarar.

Armando Barrera Caballero fue asesinado a balazos en la ciudad de Brownsville, Texas, el primero de abril de 1993. Su declaración fue ratificada finalmente por la cónsul mexicana y sirvió de base para la apertura (por parte del Grupo Especial que después comandé cuando fui asesor personal del procurador Jorge Carpizo) de un nuevo proceso, en donde, por primera vez, se acusa a Juan García Ábrego de homicidio, entre otros delitos federales. La declaración está integrada también a la esencial averiguación previa 501-CS-1992, la cual reconstruimos con muchas dificultades.

REYNOSA: JUNIO DE 1994

Carlos y Víctor seguían al autobús en automóvil. Uno, capaz de usar mi nombre para conseguir quinientos dólares prestados, con plena conciencia de no pagar nunca. Pero nada más. El otro, fiel como un mastín. Los dos, valientes hasta la inconciencia. Llevaban las pistolas con buena cantidad de munición. También mi colt 7.62 (el R-cuerno), la uzi y el norinco de Víctor. Sus órdenes eran claras: si en algún retén de la carretera Monterrey-Reynosa la policía detenía al autobús, tenían que esperar hasta el último momento para rescatar la maleta; lo importante eran los papeles. Eso les dije; inclinaron la cabeza, cruzaron miradas y se rieron. No iban a cumplir; si la gente de la Policía Judicial de Tamaulipas examinaba el vehículo, me reconocía y maltrataba, se iba a armar una balacera del demonio. ¿Los documentos? Su destino era la oficina de la U. S. Customs en Brownsville, Texas.

Pude comprender entonces que mis informes terminarían donde se guardan los reportes de los agentes sin control: en una caja cerrada, abajo de una computadora que maneja alguien que nada sabe de la vida real de la frontera mexicana con Texas. Y debí entenderlo mucho antes, pero me engañé cuando Carlitos Ramírez escribió que una comisión de alto nivel del gobierno de Estados Unidos se había entrevistado con Luis Donaldo Colosio para tratar asuntos de "narcopriísmo".

Antes, en diciembre de 1993 –luego de burlar a mi escolta–, había viajado a Brownsville para informar a la U. S. Customs y –por medio de ella– a una fiscal federal de Estados Unidos de lo que pasaba en el equipo de Colosio.

Dos días antes –el primero de junio de 1993–, había entregado la mayor parte del archivo de mi oficina a la PGR. Ya tenía copia de los principales documentos (una buena parte, precisamente, en Brownsville), pero necesitaba la firma de recibido. Sin ella, la gente de la PGR siempre podría decir que la documentación se había inventado con ayuda de la CIA, la DEA y el Pacto de Varsovia. Un mes para entregar la oficina: la pelea más larga. Pero ese papel era mi verdadero pasaporte. El otro, el formal, tenía fecha del 24 de marzo de 1994. Al día siguiente de la muerte de Luis Donaldo Colosio.

Con el recibo en la mano, me fui a comer a un restaurante de Chapultepec. La cita era con Federico Gómez Pombo; finalmente, él se equivocó de salón y cada quien bebió y comió por su lado. Pero en el mismo lugar se encontraba Alejandro Alegre, el antiguo jefe del CENDRO (la oficina multisecretarial contra el tráfico de drogas del gobierno federal mexicano), y platicamos un momento. Federico me encontró al final de la comida, algo me dijo sobre el peligro de la paranoia. Yo le demostré que en un ejercicio de tiro le había engañado (él es un gran tirador). Y me despedí. De ahí mismo salimos para Monterrey. Víctor manejando y yo durmiendo para recuperarme de la borrachera.

En Monterrey me disfracé y Carlos compró el boleto de autobús para Reynosa. Sin lentes, con una playera escandalosa (una mujer desnuda en la espalda), con tenis, pasé frente a los policías en la estación y nadie me reconoció ni tomó en cuenta las pesadas maletas que llevaba en las manos. Nada pasó en el trayecto y en Reynosa me bajé del autobús antes de llegar a la estación. Ahí me recogieron Carlos y Víctor y nos dirigimos a un centro comercial para abordar un taxi. Abracé a mis compañeros y todos —cada quien en su automóvil— nos dirigimos al puente internacional de McAllen.

Crucé la frontera. Cambié de taxi casi de inmediato; ya estaba en territorio de Estados Unidos. El chofer sabía dónde estaba la Oficina Federal de Investigaciones (FBI) y hacia ahí nos dirigimos. Estaba cerrada y ahí no había nadie. Los policías gringos no trabajan el fin de semana y menos en la tarde. Mejor ir a Houston.

Tomé el autobús para esa ciudad, pero en el retén de migración me detuvieron porque no tenía el permiso para internarme en Estados Unidos. Al jefe de la oficina le mostré una tarjeta del FBI; el hombre entendió que algo raro había con mi presencia ahí. Me trató amablemente y pidió regresara a la frontera para obtener el permiso de la "migra". Para él se trataba de un "asunto policiaco" y no iba a interferir con el trabajo del FBI. Nada más me preguntó por qué no hacía el viaje en avión. Respondí que eso era muy peligroso. Todos nos reímos.

Deseaba fumar y fuera de la oficina prendí un cigarrillo. Un hombre me regañó en mala forma. El jefe se dio cuenta y, con amabilidad, dijo que podía fumar en la parte de atrás del conjunto, cerca de la carretera. Consumí dos o tres cigarrillos y me aburrí.

El autobús de regreso a México pasaría hasta cerca de las cinco de la mañana. Me fui a la parada y esperé ahí, en la oscuridad. Por fin, pude hacerle la parada al autobús. En la primera ciudad cambié de transporte y, de esta forma, llegué a Brownsville. Todavía era temprano. Por eso me dio pena despertar tan temprano a uno de mis contactos en esa ciudad. ¡Caramba!, el hombre cumplió sin molestarse y unas cuantas horas después platicábamos con los hombres de la U. S. Customs en la oficina de agentes encubiertos.

A los jefes les comuniqué mi decisión de dirigirme lo más pronto posible a Washington, Distrito de Columbia. Les gustó la idea. De buena fe trataron de darme algún dinero; no lo acepté. Ése era un compromiso que en forma alguna aceptaría nunca.

Asesor personal

La mayor parte de mi vida he circulado con una pistola o revólver en la cintura. Me enseñó a disparar mi tío Héctor Valle quien –hace cerca de treinta años– lo primero que me dijo fue: "Hay dos balas importantes: la que va y la que viene". Lo segundo: "Antes que la puntería, vas a dominar el sonido del disparo". Y acercó una .38 super a mi oreja y disparó: "El sonido entra a tu cuerpo; tiene que ser parte de él". La tercera lección fue: "Nunca confíes en un tiro solitario. La escuadra se diseñó para cadencias de dos o tres disparos; con el revólver es un poco distinto. Es, casi siempre, un arma defensiva y de corta distancia. No lo olvides: cadencia y contar. Eso es parte del secreto". Cuando mi padre, Cosme Valle –quien le ganaba a Héctor con el tiro de pistola–, se enteró, me llamó: "Está bien: es necesario. Pero métete algo en la cabeza: no mates. Hazlo lo mejor que puedas, de tal forma, que puedas defenderte hasta sin matar. No mates; ya lo comprenderás cuando te sientes a comer frente a tu familia o con los amigos, y ellos sepan que aun cuando puedes o es necesario, no matas".

Con Zorrilla en la calle –y después de varios atentados (los narré en *El Universal*)–, obtuve mi permiso legal de portación de armas. Así, cuando llegué a la PGR esa mañana de enero de 1993, mostré mi permiso y dejé mi revólver bajo resguardo. Subí a la oficina de Carpizo y me recibieron de inmediato. Jorge Carpizo me dijo que necesitaba le elaborase un documento sobre el crimen organizado: él conocía mis artículos sobre tráfico de drogas relacionados con la Ruta del Pacífico y el Cartel del Golfo ("Las ciudades de oro", en *El Universal*, abril de 1989). Acepté por simpatía por este hombre honrado, ahora enfrentado a una formidable y difícil tarea.

A Ignacio Morales Lechuga le había sugerido algunas medidas cuando fue procurador; se las pensó y después creó el CENDRO. Por esos días yo no conocía la operación o las funciones del CENDRO; a Carpizo le entregué el siguiente escrito:

SISTEMA NACIONAL DE INFORMACIÓN Y ANÁLISIS
(SOBRE EL CRIMEN ORGANIZADO)

Se trata de crear un sistema nacional –regionalizado, pero encabezado por las oficinas generales de la ciudad de México– dedicado en forma exclusiva a:

1. La obtención de información general y especializada sobre las diversas modalidades del crimen organizado y, en especial, sobre el narcotráfico en sus múltiples modalidades. Desde el transporte de la producción nacional e internacional de estupefacientes, hasta el lavado de dinero. También contempla otras actividades del crimen organizado, como contrabando de mercancías, de autos, de armas, de indocumentados, de arte, de obras arqueológicas. Y delitos “de cuello blanco”, como quiebras fraudulentas, evasión de impuestos, delitos bancarios o de bolsa. (Véase el punto 9.)

2. La producción de análisis y estimaciones (material de inteligencia) que permita identificar redes, grupos, estructuras, rutas y flujos (incluyendo operadores, organizadores, financieros y protección política y policiaca) del crimen organizado y actuar contra él con elementos jurídicos incontrovertibles.

Esto último basado en una estrategia de investigación que inicia con la recopilación de información para estimar estructura, nómina y actividades criminales; descubrir nexos y relaciones, responsabilidades directas e indirectas en la jefatura del grupo o red; identificar bienes e intereses patrimoniales y colectivos. Sigue con continua vigilancia de la estructura del grupo o red criminal y sus principales responsables para obtener evidencias penales exhaustivas (incluyendo vigilancia electrónica y telefónica autorizada, testimonial pública y confidencial, y documental pública y privada) para iniciar el procedimiento de consignación penal ante autoridad judicial competente.

3. La producción de propuestas legislativas (para expresiones interestatales e incluso internacionales del crimen organizado; para

congelamiento de bienes y activos –y su resguardo– de las redes y grupos del crimen organizado); estadísticas; propuestas de coordinación y cooperación interinstitucional contra el crimen organizado.

En relación con este último aspecto, adquiriría la mayor relevancia la *constitución de un Grupo Interistitucional Federal* (GIF) contra el crimen organizado –necesariamente presidido por el procurador general de la república–, en el cual se integrasen representantes de alto nivel de la Policía Federal de Caminos y Puertos, el Centro de Investigaciones de Seguridad Nacional, las direcciones de inteligencia de las tres ramas de las Fuerzas Armadas, el CENDRO, la Policía Fiscal y Migración (Secretaría de Gobernación). Este GIF se constituiría para intercambio de información, coordinación y cooperación en la lucha cotidiana del gobierno federal contra el narcotráfico y el crimen organizado. Se reuniría periódicamente para hacer balances, estimaciones y planificación interinstitucional.

Este GIF deberá conservar permanentemente las mejores relaciones con el poder judicial de la federación para obtener información de los procesos sobre delitos contra la salud y otros con modalidades internacionales. Y con la Secretaría de Hacienda y Crédito Público para efectos de investigación profunda de los delitos de lavado de dinero, "cuello blanco" y otros delitos económicos.

4. La Oficina Nacional de Información y Análisis (ONIA) de la PGR también producirá propuestas y analizará resultados sobre la cooperación y coordinación de autoridades estatales y municipales, quienes muy rápidamente pueden ser rebasadas por las empresas de crimen organizado, dada su fuerza económica, elaboración técnica compleja y hasta por limitadas jurisdicciones legales y capacidades logísticas. O, más simplemente, por la protección política (administrativa o periodística) a las actividades criminales organizadas.

5. La ONIA generará acciones para la valoración de personal altamente calificado para enfrentar a las empresas del crimen organizado, como fiscales especiales e investigadores calificados. También para la ejecución de estrategias globales que preparen a los representantes del Estado y de la sociedad en relación con la creciente internacionalización y complejidad del crimen organizado.

Incluyendo acopio de información institucional de carácter estructural y relevante en el ámbito internacional. Por ejemplo: las lecciones pertinentes para México en la lucha contra las mafias en Italia, Estados Unidos y Francia.

En especial, deberán investigarse a fondo los vínculos del crimen organizado en México con los de Estados Unidos y Canadá; Guatemala, Belice y Panamá; Colombia, Perú, Brasil y Argentina, y con algunos centros asiáticos (Hong Kong, Taiwán y Filipinas).

Más aún, dada la perspectiva que impone el Tratado Trilateral de Comercio que ha generado intensa preocupación en Washington por la regionalización de todo el subcontinente norteamericano y las oportunidades que ello abre al crimen organizado en las tres naciones.

6. La ONIA-PGR deberá contar con todos los elementos tecnológicos (particularmente de informática y computación); en especial en lo que se refiere a la identificación y seguimiento (huellas, fotos, procesos, residencia, condenas, asociaciones) de presuntos narcotraficantes.

7. Si bien la ONIA-PGR deberá tener sus oficinas centrales en la ciudad de México —con contacto inmediato y directo con el procurador— es indispensable la regionalización:

- *Monterrey*: Coahuila, Nuevo León, Tamaulipas.
- *Villahermosa*: Veracruz, Tabasco.
- *Mérida*: Campeche, Yucatán, Quintana Roo.
- *Chilpancingo*: Morelos, Guerrero.
- *Oaxaca*: Chiapas, Oaxaca.
- *México* (oficina regional): Distrito Federal, Puebla, Tlaxcala, México.
- *San Luis Potosí*: San Luis Potosí, Aguascalientes, Guanajuato.
- *Pachuca*: Querétaro, Hidalgo.
- *Hermosillo*: las Californias, Sonora.
- *Guadalajara*: Jalisco, Nayarit, Sinaloa.
- *Morelia*: Michoacán, Colima.
- *Chihuahua*: Zacatecas, Durango, Chihuahua.

Éstas son las trece sedes regionales que parecen naturales por los precedentes históricos del narcotráfico y otros delitos relacionados (tráfico de armas, contrabando de mercancías y tráfico de precursores químicos) y por la incidencia regional y peso económico y social en las regiones anotadas. Sin embargo, podrían presentarse otras opciones para *reducir* las oficinas regionales.

8. Por supuesto, la metodología de la investigación debería ser tratada aparte, pero obligadamente consideraría, además de lo anotado arriba:

- Estudios económico-financieros (en particular, de la mecánica bancaria) a nivel federal y regional.
- Entrevistas formales e informales con representantes relevantes y responsables de la comunidades (empresarios, banqueros, periodistas, autoridades gubernamentales y administrativas) en los diversos niveles afectados (estatal y municipal).
- Estudio, seguimiento y análisis de las notas de policía; especialmente cuando se involucren armas de alto calibre y crímenes masivos.
- Estudio, seguimiento y análisis de las actas de la Policía Judicial Federal y los pliegos de los Ministerios Públicos Federales.
- Otras actividades informales.

9. *Muy importante: la ONIA no es operativa. Entrega sus resultados a las autoridades constitucionales que actuarán conforme a derecho. Bajo ningún concepto se involucrarán en las acciones del Ministerio Público Federal y la Policía Judicial Federal. Sólo analiza propuestas y resultados.* (Informe de EV a Jorge Carpizo; México, D. F., 12 de enero de 1993.)

No recibí noticias del procurador durante dos semanas. Luego, me volvió a citar. Acudí con gusto porque algunos puntos de mi escrito se habían reflejado en su discurso. En la segunda plática, el nuevo procurador general de la república me dijo que necesitaba mi trabajo como "asesor personal". No dependería de nadie más; acordaría con él. Sonaba a una extravagancia: un expreso político izquierdista, notorio crítico del gobierno, ahora colocado en la oficina principal de "la ley". Era tan inusitada la petición que sugerí a Carpizo lo consultara con el presidente Salinas: "Si él hace el menor gesto de desagrado o inconformidad, no acepto y te continúo ayudando como ahora. Totalmente por fuera". Para mi sorpresa, cuando Carpizo lo comentó con Salinas, el presidente aceptó de buen grado. Pero, dijo: "No queremos más aventuras del Búho. Que se cuide". Acepté.

Iniciado el mes de febrero de 1993, de inmediato comencé a trabajar. El mismo día 2 de febrero se envió al procurador un documento que definía a las bandas de narcotraficantes como "organizaciones multinacionales complejas".

SOBRE EL COMBATE A LAS BANDAS DE NARCOTRAFICANTES

Se trata de organizaciones multinacionales complejas que poseen enormes recursos económicos, redes y sistemas, información y protección federal y local. Generalmente están encabezadas por un operador de primer nivel (cabeza principal), de quien depende una amplia gama de decisiones, pero *no todas* las decisiones. De ahí la necesidad de un comando (o estado mayor) relativamente especializado.

El conocimiento exacto de redes y sistemas (producción o contrabando en México, a Estados Unidos; transportes; comunicaciones; finanzas; rutas, información y protección; rivalidades). Necesariamente debe contemplarse a dos niveles: el general (la pandilla) y el personal (la cabeza principal). Si para cada una de las pandillas no puede responderse el diagrama 1.1 (al menos), hay algo podrido en Dinamarca.

El conocimiento exacto de sistemas, redes y comandos tiene dos sentidos: la represión de primera intención a la operación de las bandas y, en segundo lugar, una intención *preventiva* pues –como en política– en el narcotráfico no hay vacíos. Caído un operador de primer nivel, surgirá casi de inmediato su sustituto, quien procurará reconstruir redes y sistemas.

De ahí la absoluta necesidad de un análisis sistemático y no sólo represivo de primera intención. Sólo el análisis de sistemas, redes y comandos permite a la autoridad tener posibilidades preventivas.

Se agregan dos propuestas de análisis (diagramas 1.1 y 1.2). (Véanse pp. 51 y 52.)

Agenda: leyes de los sistemas de inteligencia.

Primera ley: No somos tan vivos como creemos.

Segunda ley: Nadie es tan listo como parece (Alfred Bester en *Los impostores*).

Tercera ley: La táctica puede ser un error y el error estratagema. Lo que importa es la estrategia y su realización.

Dos reglas *inquebrantables* de los sistemas de inteligencia (hay otras flexibles):

Primera: El sistema de inteligencia no es ejecutivo (toma información, produce análisis y planifica; nada más).

Segunda: No hay favores para nadie pero sí negociaciones con todos (excepto cuando hay decisiones de Estado, y entonces se cum-

DIAGRAMA

1.1. PROPUESTA DE ANÁLISIS DE ESTRUCTURA DE BANDAS CRIMINALES (GENERAL)

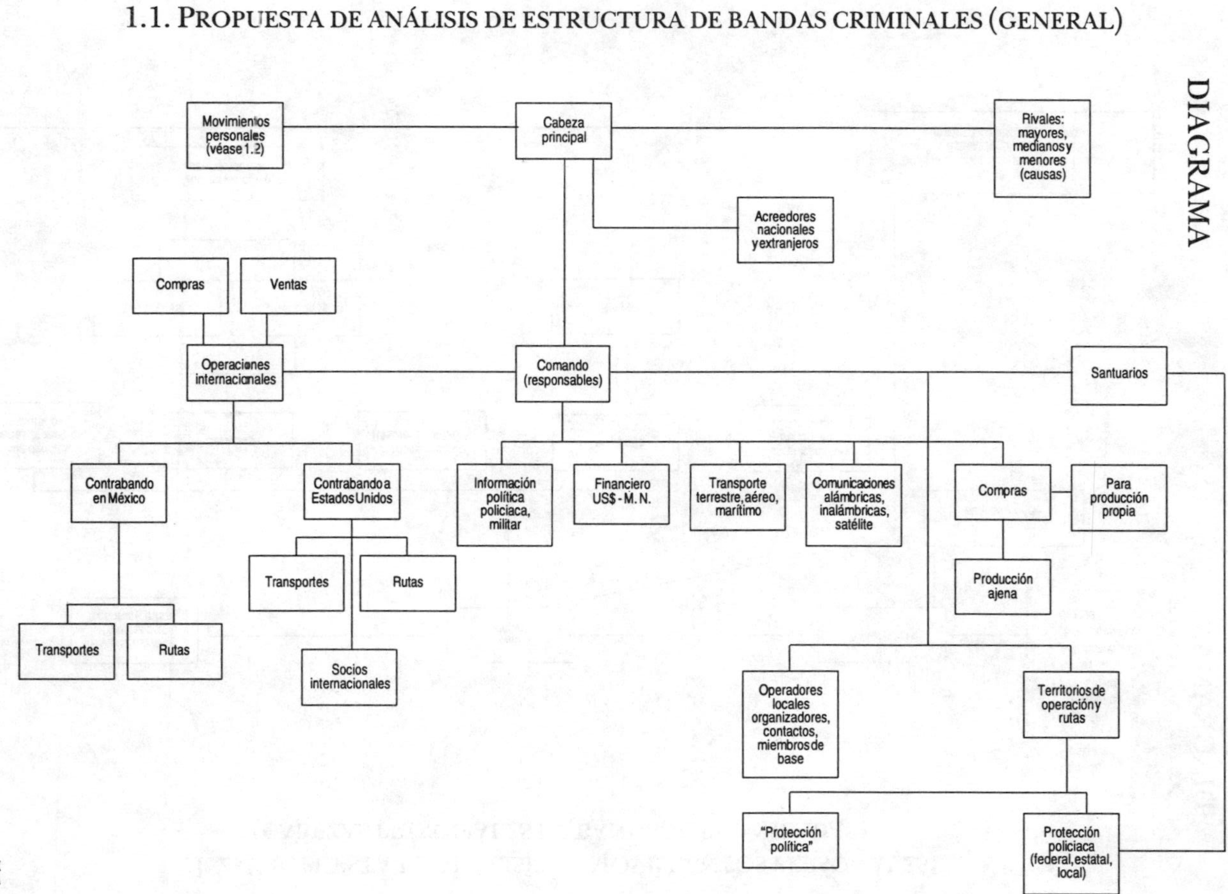

DIAGRAMA

1.2. PROPUESTA DE ANÁLISIS DE MOVIMIENTOS PERSONALES (CABEZAS PRINCIPALES DE BANDAS ORGANIZADAS)

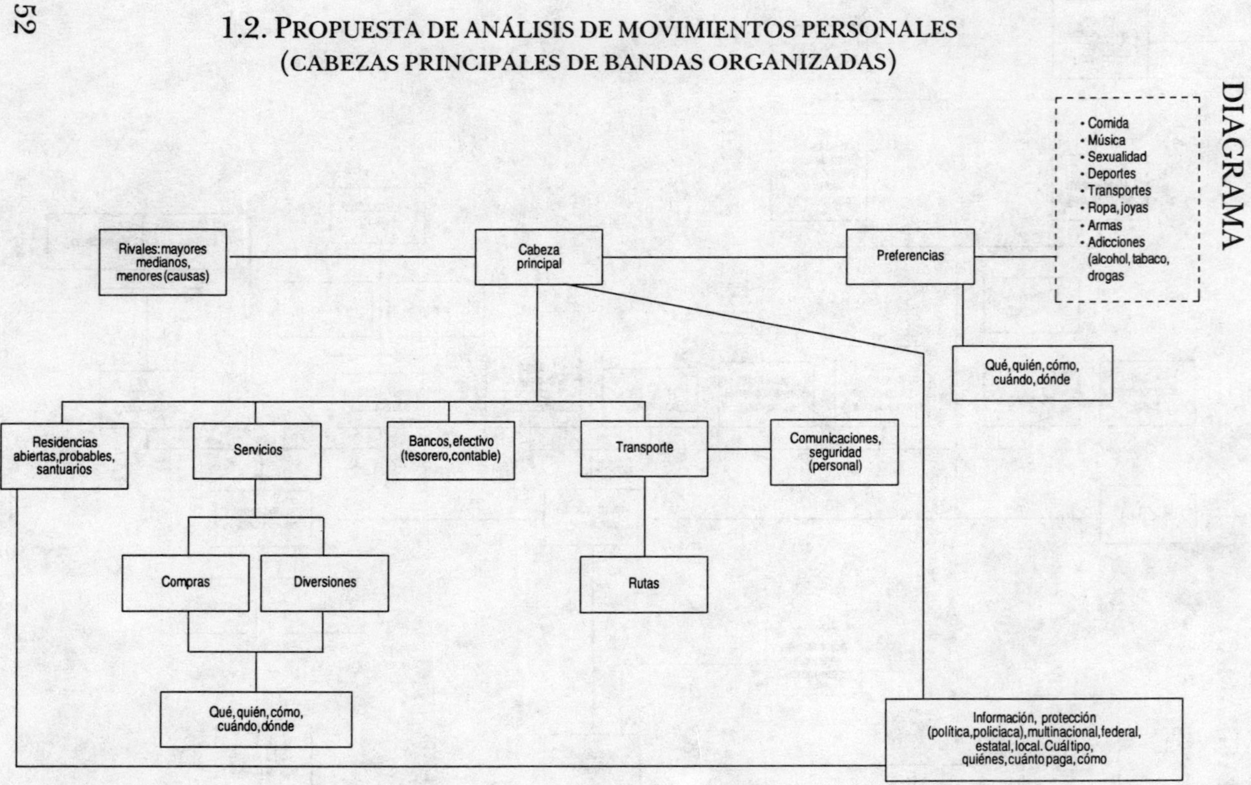

plen órdenes y, una vez cumplidas, el recuerdo de las decisiones y su materialización dejan de existir). (Memorándum de EV a Jorge Carpizo, 2 de febrero de 1993.)

Unos cuantos días después asesinaban a Roberto Mancilla (véase el capítulo siguiente). Carpizo me envió a Chiapas para dar garantías a los periodistas. Allá, por enésima ocasión, me encontré chocando de frente con Juan García Ábrego y lo que conoceríamos después como el Cartel del Golfo.

Al regresar a la ciudad de México, continué enviando memos a Carpizo en relación con la fuerza creciente de los narcotraficantes. Resaltaba siempre la necesidad de "una sistemática e intensa labor de inteligencia".

SOBRE EL GRUPO DE CONTROL EN EL TRIÁNGULO DE ORO

1. Los recientes acontecimientos de explosiva violencia en el estado de Sinaloa nos obligan a una pregunta: ¿cuál es la razón última de estos enfrentamientos? ¿Es solamente el control de Culiacán y Sinaloa, o hay mayor fondo y trascendencia en esta pelea? Participo de la segunda opinión: lo que se pelea en Culiacán no es sólo el dominio de la producción, el transporte y el tráfico de estupefacientes en el Triángulo de Oro (Sinaloa, Chihuahua y Durango) sino también y principalmente la entrada a Los Ángeles, California, uno de los mayores mercados de droga en el mundo.

2. Como es conocido, las bandas organizadas de narcotraficantes que abastecen de cocaína, mariguana y opiáceos la región de Los Ángeles son principalmente las que dominan la Ruta del Pacífico y el Triángulo de Oro (Amado Carrillo, Chapo Guzmán, Miguel Ángel Beltrán Lugo (*a*) Ceja Güera, Ramón Arellano Félix y sus hermanos, Miguel Caro Quintero, Ismael Zambada, Clemente Soto, Rubén Cabadas, Jesús Vizcarra, Fidencio Díaz, Felipe Gurrola).

Sin embargo, el Cartel de Ciudad Juárez (Rafael Aguilar) y el de Texas-Tamaulipas (Juan García Ábrego) han intentado penetrar y abastecer esa vital región de tráfico y consumo de estupefacientes. Ello, por supuesto, ha generado delaciones, enfrentamientos y roces entre las bandas.

3. Ahora bien; también es público que la banda organizada que dirige Miguel Ángel Félix Gallardo ha sido sistemáticamente gol-

peada por sus rivales. De esta suerte, los narcotraficantes relacionados con Félix Gallardo (José Escobar, Marcos Padilla, Felipe Gurrola, Fidencio Díaz y hasta Ismael Zambada) han perdido capacidad de control y respuesta frente a sus rivales, ahora fortalecidos.

4. De esta forma surge *la posibilidad* de un acuerdo de control y reparto de la costa, la sierra y las carreteras de la Ruta del Pacífico (para efectos de producción o transporte de los alijos de droga) entre los narcotraficantes más señalados (ya fuera del control de Félix Gallardo) o que son sus rivales desde hace años.

5. La experiencia indica que este tipo de acuerdos da origen casi siempre al surgimiento de un líder de todo el grupo. ¿Quién está dominando ya el Triángulo de Oro? ¿Quién comienza a dominar la Ruta del Pacífico? ¿Amado Carrillo? También resulta indispensable conocer los movimientos de los financieros, lavadores de dinero de las bandas; ¿Joel Valenzuela en Culiacán?

La respuesta a estas dos preguntas es esencial por sí misma. Pero también por su repercusión a nivel nacional.

Imaginemos un espectacular movimiento de los mayores carteles de narcotraficantes (Amado Carrillo-Rafael Aguilar-Juan García Ábrego): un acuerdo sobre rutas y territorios. Ello implicaría establecer una línea cuyos extremos se localizarían en Culiacán y Matamoros. La zona de influencia de estos tres capos abarcaría todo el norte y noroeste de la república. Se convertirían así en un grave problema de seguridad nacional.

Propuestas:

Primera. Promover una sistemática e intensa labor de inteligencia sobre el Triángulo de Oro (Sinaloa, Durango y Chihuahua) y la Ruta del Pacífico, para conocer —y neutralizar en su caso— del surgimiento de un fuerte liderazgo en la producción, transporte y contrabando de drogas.

Segunda. Promover una producción sistemática e intensa labor de inteligencia en relación con los carteles de Texas-Tamaulipas y Ciudad Juárez, para encontrar o no indicios firmes sobre acuerdos y repartos de territorios o rutas.

Tercera. Promover una labor adecuada de inteligencia para conocer si existen grupos de apoyo a las bandas de narcotraficantes en el sur de Sinaloa, como la conocida con el nombre de Los Airados, y el papel que pueden jugar en su desempeño antiguos jefes policiacos como Lorenzo Gorostiza, Servando Ramírez Sotelo y James Adams (comandante de la Judicial Estatal en el sur de Sinaloa). (Memorándum de EV a Jorge Carpizo, 26 de febrero de 1993.)

Entonces estalló una bomba: el profesor Óscar López Olivares aceptó una entrevista con el diario *El Norte*. López Olivares había pertenecido al Cartel del Golfo y colaboró directamente con Juan García Ábrego; hombre de sus confianzas, se encargaba de la distribución y transporte de cocaína colombiana a través de territorio mexicano. (Actualmente se encuentra bajo el Programa de Protección a Testigos del gobierno estadunidense.) Las denuncias del Profe sonaron lógicas y coincidían con muchos datos (parciales y no sistematizados) que yo tenía en relación con García Ábrego. Era obvio que estaba hablando con conocimiento de causa; los motivos no los entendía. Pero ahí estaba la entrevista. Mandé una nota sobre ella, justipreciándola. La otra cosa notable era que el periodista Juan José Coello –quien había ganado un premio nacional de periodismo– estaba jugando limpio, con profesionalismo.

Regresaba yo de Culiacán, donde había investigado el asesinato de Michel y de Burgueño (véase capítulo LOS NARCOPERIODISTAS). Por eso, lo que afirmaba Óscar López Olivares me llamaba tan poderosamente la atención. Ese hombre –a su manera– estaba diciendo cosas muy importantes.

Continué enviando memos sobre asuntos generales de la PGR. La violencia de los narcotraficantes nos ganaba. Moría Aguilar Guajardo en Cancún, a principios de abril; moría Quintero Payán en el Estado de México, a fines del mismo mes; asesinaban a Guillermo Álvarez Farber en el Distrito Federal; ajustes de cuentas en Ciudad Juárez. En la minúscula oficina respondíamos analizando los casos y relacionándolos.

SOBRE EL GRUPO DE CONTROL (TRIÁNGULO DE ORO)
SEGUNDA NOTA

1. En relación con la nota fechada el 26 de febrero "Sobre el Grupo de Control en el Triángulo de Oro", hay algunos elementos nuevos y una preocupación que debe ser manifestada.

a) El análisis del CENDRO para enero y febrero de 1993 (páginas 8 y 9, enero; página 10, febrero) confirma la creciente presencia de plantíos de mariguana y amapola y la comercialización de heroína en el norte del estado de Sinaloa.

b) El CENDRO no lo reporta, pero la prensa local señala la presencia de pistas y aviones pequeños que salen del control de la Policía Judicial Federal y de las autoridades de la PGR.

c) Conversaciones confidenciales con informadores particulares conocedores del narcotráfico en Durango y Sinaloa, revelan:

- La creciente fortaleza de Amado Carrillo en esa región.
- Graves contradicciones entre Carrillo y los hermanos Arellano Félix, especialmente *Benjamín*, quien podría estar preparando una respuesta a la presión del primer narcotraficante citado. Dentro de esta respuesta, Benjamín está contemplando la posibilidad de entregar a la PGR información sobre las operaciones de Carrillo; *posibilidad que debería ser alentada*.

2. Ahora bien, la preocupación puede expresarse de la siguiente forma:

a) El gobernador del estado, ingeniero Renato Vega Alvarado, ha mostrado el mayor interés por coordinarse con la PGR en la lucha contra el narcotráfico y el crimen organizado.

Sin embargo, en la estructura de la Procuraduría de Justicia del estado y en la Policía Judicial de Sinaloa se presentan varios problemas.

Primero: El procurador, Juan Luis Torres Vega, se muestra proclive a la conservación del equilibrio de fuerzas políticas al interior del PRI y el gobierno del estado. Se trata del equilibrio que llevó al poder a Renato Vega; un equilibrio viciado de origen, si se recuerda la penetración de los narcotraficantes en la vida política del estado en el último cuarto de siglo (desde el gobierno de Leopoldo Sánchez Celis).

Esa penetración culminó con la presencia de Manuel Lazcano Ochoa como procurador —primero— y luego como secretario general de gobierno de Francisco Labastida. De igual manera, la presencia en los organismos de Seguridad Pública de Lorenzo Gorostiza y Héctor Sandoval se convirtieron en triunfos de las bandas de narcotraficantes.

Segundo: A esta especie de funcionarios pertenece el *actual* coordinador operativo de la PJ estatal, señor Pedro Peñuelas.

Tercero: El subprocurador de la zona centro (señor Liogón Beltrán) ha dado evidentes muestras de una conducta de obstrucción de las investigaciones sobre el crimen organizado en Sinaloa. A tal extremo que tuve que solicitar autorización del gobernador para violentar –con la presencia del procurador Torres Vega– su archivo confidencial para obtener copia de la investigación de Carlos López Lugo. La conducta del subprocurador Centro ha llegado al extremo de castigar y amenazar al agente del Ministerio Público del Fuero Común, Héctor López, quien ha jugado un papel positivo en la investigación sobre el homicidio de Michel y Burgueño.

Cuarto: Por si algo faltara, las estadísticas del CENDRO sobre Sinaloa dejan ver un ligero decremento en aseguramientos de los diversos estupefacientes y hasta en detenidos (febrero en relación con enero).

Tanto el delegado Rodrigo Esparza como el subdelegado Juan Alberto Larrazolo Rubio (PJF) han prometido el cumplimiento de "una orden de aprehensión al día" como meta de la PGR. Pero, *a reserva de otros partes y del conocimiento personal del procurador de la república*, la situación en Sinaloa puede describirse como "mucho ruido y pocas nueces". Es más, hasta podría asegurarse objetivamente que la PGR se muestra desequilibrada en contra de los narcotraficantes de apellido Félix.

Propuestas:

Exactamente las mismas que las de la nota del 26 de febrero de 1993. (Memorándum de EV a Jorge Carpizo, 8 de marzo de 1993.)

SOBRE APREHENSIONES RELEVANTES

1. El combate cotidiano de la PGR en contra del narcotráfico debe tener también algunos impactos de imagen que demuestren a la población que la tarea es seria, responsable y sistemática. Sin importar que las cabezas del crimen organizado tengan la complicidad de funcionarios federales y locales, de diversos niveles y posición.

Ese impacto se llama: *aprehensiones relevantes*. Y debe sustentarse en un adecuado sistema de inteligencia, para lo cual debe fortalecerse el CENDRO con una oficina de información y análisis.

Con toda evidencia hay algunos nombres que la opinión nacional identifica como operadores del primer nivel del narcotráfico: Juan García Ábrego, el Güero Palma, el Chapo Guzmán, Amado Carrillo, Félix Gallardo, los hermanos Arellano Félix.

2. Veamos un caso concreto: Juan García Ábrego.

Es notorio que García Ábrego controla la frontera Texas-Tamaulipas. Laredo y Nuevo Laredo; McAllen, Reynosa; Brownsville y Matamoros, son las seis ciudades donde se localiza su principal área de influencia en la frontera. Sin embargo, no puede descartarse que en Monterrey se encuentra *uno* de sus cuarteles generales.

Ahora bien; Tamaulipas se relaciona con *el corredor del golfo de México* mediante Veracruz, Tabasco, Campeche, Yucatán y Quintana Roo.

¿Es casualidad que Tabasco y Quintana Roo estén reportadas por el CENDRO como zonas de la mayor incidencia de "bombardeos" de cocaína?

En mi opinión: rotundamente no.

Si tomamos en cuenta el profundo y largo dominio de García Ábrego sobre el corredor del golfo de México y específicamente sobre Tamaulipas y Veracruz (en este último estado su principal lugarteniente es *Eduardo Colorado Guzmán*), resulta perfectamente lógico que la droga lanzada a Quintana Roo y Tabasco esté controlada por la pandilla de García Ábrego.

Al analizar el eje frontera de *Tamaulipas-Monterrey-Veracruz-Villahermosa-Cancún*, resulta ser que el polo que reúne mejores condiciones de comunicación y mimetismo social es precisamente Cancún.

Resulta lógico *presuponer que una residencia habitual de Juan García Ábrego es Cancún.*

Pero García Ábrego necesita santuarios y estos sólo pueden ser, *en Belice* las ciudades de Caledonia, Orange Walk y Corosal, y *—en territorio mexicano—* Tulún, Felipe Carrillo Puerto y, principalmente, *Chetumal*.

Por lo tanto, si lo anterior es correcto, para aprehender a García Ábrego debemos instalar *un equipo especial de vigilancia y seguimiento* en Cancún, Chetumal y en la frontera con Belice. Así como *emprender la búsqueda y captura* de Eduardo Colorado Guzmán.

Por otra parte, hay que *monitorear las líneas aéreas privadas* (¿Aerolitoral?) *que dan servicio de Cancún a Veracruz y Monterrey*.

Un esfuerzo de este tipo rendirá resultados.

3. Esta metodología puede implantarse para otros operadores de primer nivel como el Güero Palma (quien reside en Sonora) o Benjamín Arellano Félix (Culiacán) o el Chapo Guzmán (Culiacán).

4. Pero *lo esencial* es que el procurador establezca una política firme y decidida de aprehensiones relevantes, que debe ser acompañada de una política de seguridad interna. (Memorándum de EV a Jorge Carpizo, 9 de marzo de 1993.)

ABSOLUTAMENTE PERSONAL

ALGUNOS ASUNTOS GENERALES DE LA PGR

1. Las entidades de la república *más penetradas por el narcotráfico son: Baja California, Sonora, Sinaloa, Nayarit, Jalisco, Michoacán, Guerrero,* Oaxaca y Chiapas (el litoral del Pacífico); Tamaulipas, Veracruz, Quintana Roo (en menor medida *Tabasco* y Yucatán) en el golfo de México; Chihuahua y *Nuevo León* en la frontera norte (en menor medida, Coahuila).

2. Las entidades donde el dinero producto del narcotráfico se muestra con mayor relevancia e impacto económico son: *Baja California, Sonora, Sinaloa, Jalisco, Michoacán, Tamaulipas, Guerrero y Tabasco.*

3. Las residencias de las cabezas de bandas poderosas de narcotraficantes se localizan *principalmente* en: *Sonora, Sinaloa, Jalisco, Guerrero, Nuevo León*, Querétaro, Morelos.

Conclusiones:

Primera: La lealtad institucional y la capacidad real de los delegados (PGR) y subdelegados (PJF) debe estar garantizada lo máximo posible en: Baja California, Sonora, Sinaloa, Jalisco, Michoacán, Guerrero, Chiapas, Tamaulipas, Veracruz, Tabasco, Quintana Roo, Nuevo León, Chihuahua.

Estas trece entidades son clave del esfuerzo de la PGR contra las bandas organizadas de narcotraficantes. El procurador debe estar seguro del trabajo de delegados y subdelegados. El conocimiento del procurador sobre el desarrollo de la institución en esos estados debe ser *sistemático y constante.*

Segunda. El procurador debe conocer los curricula (cargos y movimientos) de los responsables de la institución en esas trece entidades (mandos medios, agentes del MPF y jefes de la PJF).

Por ejemplo: resulta extraordinario que los actuales jefes de la PJF *en Tabasco* en su mayoría hayan ejercido antes esas funciones *en Tamaulipas*. Eso significa que los exjefes de la Policía Federal en Tamaulipas ahora residen en Tabasco (¡!) (Véase la nota sobre Aprehensiones Relevantes.) ¿Tabasco ya es bodega de Tamaulipas?

4. El control *real* del procurador sobre la institución depende *en buena medida* de lo que suceda *en la calle* (investigaciones, aprehensiones, conducta y profesionalismo de la PJF).

Las áreas que definen esto son:

a) La Dirección Operativa de la PJF.
b) ¿Existe secretario técnico de la PJF?
c) Supervisión; ¿incluye el área de inteligencia?
d) Técnica.
e) Aprehensiones.

El procurador debe tener garantizada la lealtad institucional, honradez y capacidad operativa de estos funcionarios. Si ello no sucede más temprano que tarde se presentarán problemas importantes.

5. Se insiste en la absoluta y urgente necesidad de una decidida e inteligente política de aprehensiones relevantes:

a) Juan García Ábrego
b) Rafael Aguilar
c) Amado Carrillo
d) Emilio Quintero Payán
e) El Chapo Guzmán
f) Pedro Díaz Parada
g) El Güero Palma
h) Los hermanos y primos Herrera (Durango)
i) Los Arellano Félix
j) Los Muñoz Talavera
k) Los hermanos Morales (de la familia del Pelacuas)

6. No resulta superfluo señalar que la dirección del CENDRO, de Intercepción y *(si se crea)* la Oficina Nacional de Información y Análisis, son vitales para el procurador.

7. En otro nivel, los mandos de la PGR y PJF son definitivos en Tijuana, Ciudad Juárez, Monterrey, San Luis Potosí, Nuevo Laredo, Matamoros, Guadalajara, Culiacán, Hermosillo, Morelia, Tuxtla Gutiérrez, Cancún, Veracruz, Acapulco.

8. Preguntas:

a) ¿El procurador confía en verdad en el comandante Francisco Sánchez Naves, quien fuera señalado como corrupto y al servicio de García Ábrego por el Profe Óscar López Olivares?

b) De por sí la designación de Paz Horta en la Delegación Metropolitana de la PGR fue controvertida (Paz Horta estuvo con Victoria Adato en los peores tiempos de la PGJDF). ¿No resulta demasiado polémico que Sánchez Naves tenga una alta posición en la Delegación Metropolitana?

c) El caso de los "madrinas" y mandos de la PJF que dependían de Guanajuato y Chiapas, ¿no merece una mayor atención y una enérgica llamada de atención a los subdelegados (PJF) en esas entidades? (Memorándum de EV a Jorge Carpizo, 12 de marzo de 1993.)

PANORAMAS ESTATALES SOBRE DELINCUENCIA ORGANIZADA

El procurador se dirigió a la nación el 14 de enero de 1993 y estableció "acciones concretas y compromisos de la PGR 1993-1994".

En particular el procurador dio relevancia a que "nadie, ni la autoridad ni los particulares, pueden solicitar estar por encima de la ley o que ésta no se les aplique". También está dentro del programa concreto: "agilizar con mayor calidad el área de las averiguaciones previas; agilizar el área de cumplimiento de las órdenes de aprehensión; fortalecer la capacidad de investigación de la PJF e intensificar la lucha contra el narcotráfico".

Para cumplir adecuadamente estos objetivos el procurador podría:

- Solicitar en forma inmediata copia de los panoramas estatales sobre la delincuencia organizada y las personas con fama pública de narcotraficantes o personas involucradas potencialmente en ilícitos federales.

Seguramente los delegados (PGR) y subdelegados (PJF) cuentan con esta información sistemática y que ella llegue a manos del procurador es de gran importancia para efectos de su conocimiento y análisis. (Memorándum de EV a Jorge Carpizo, 19 de marzo de 1993.)

HACIA UNA POLÍTICA DE INFORMACIÓN CONFIDENCIAL DE LA PGR

1. ¿Existe un sistema real de inteligencia de la PGR? Hoy una respuesta pragmática sería: "lo más cercano a eso es el CENDRO". ¿Y para el futuro inmediato y mediato? Una respuesta pesimista sería: "La corrupción en la PJF y en la propia PGR impide que ese sistema se ge-

nere y desarrolle. La 'inteligencia' de la PJF da grima o escándalo y si al CENDRO se le quita el control aéreo, esa dependencia se cae por sí sola".

La optimista sería: "el desarrollo del CENDRO da base para pensar que ese sistema esté surgiendo y podrá desarrollarse si se aplican políticas adecuadas de información e inteligencia".

2. Es cierto que si al CENDRO se le quitase hoy el control aéreo —el cual, por cierto, no se ejerce sobre *todo* el territorio nacional, dejándose *enormes hoyos* para los aviones que transportan alijos de narcóticos—, la juventud de ese organismo impediría que entregase buenos resultados a corto y —quizá— a mediano plazo.

La prueba la tenemos en estos días. En la medida en la cual se efectúan menos vuelos transportando cocaína por más de una tonelada de Colombia o Centroamérica hacia México, o la técnica aérea incluye aviones de menor carga pero capacitados para vuelos rasantes o de baja altura (y así escapar al control de la navegación aérea), en esa medida disminuye la captura de cargamentos de cocaína, realizada por la policía mexicana. También debe tomarse en cuenta que, en efecto, la vía marítima adquiere mayor importancia.

A cambio, en Estados Unidos, gracias a nuevos métodos masivos de vigilancia e intercepción de contrabando de drogas, los cuales incluyen hasta elementos de sus fuerzas armadas, los decomisos crecen.

Nuevo Laredo, Tamaulipas, y Laredo, Texas, son las dos ciudades ejemplares de esta situación. Mientras del lado mexicano en los últimos tres meses del año no se ha capturado *ni un kilo* de cocaína, la Task Force en el operativo Round Up ha logrado el decomiso de ¡1.6 toneladas de cocaína! en Laredo, Texas.

La conclusión es preocupante: *se localizan e identifican menos vuelos ilegales en el territorio mexicano. Pero la cocaína sigue fluyendo en grandes cantidades hacia nuestra frontera norte y la sur de Estados Unidos.*

Hay menos vuelos ilegales y hay menores decomisos de cocaína. *¡Cuidado!* Porque esto implica que "la productividad" del CENDRO está disminuyendo aceleradamente. Lo cual, a su vez, implica que "la productividad" de los nuevos métodos de introducción y transporte de estupefacientes en territorio mexicano (con destino a Estados Unidos) está creciendo proporcionalmente.

3. ¿Qué significa Sistema Integral de Inteligencia?

a) Un grupo especializado de operadores, analistas y directivos de la PGR (preferentemente integrados al CENDRO), capacitados para captar y evaluar estratégica y tácticamente los indicios, testimonios, informaciones y pruebas acerca de la evolución y acciones sistemáticas de (principalmente) las redes y grupos organizados de narcotraficantes.

b) Ese grupo estará dotado de claras políticas en relación a:

- La infiltración de redes y grupos nacionales o regionales; una operación compleja y cara por sí misma.
- La estructura y operación de una red de informadores permanentes.
- La estructura y operación de una red de testigos casuales o *comprometidos*.
- En relación *con estos últimos*, la promoción y aliento de la información confidencial (que preferentemente debe convertirse en testimonio judicial) sobre la base de factores como la rivalidad, el interés, la venganza o cualesquiera otros motivos.
- La erradicación de la corrupción en la PJF y en la PGR, tomando en cuenta mecanismos de control y manipulación.
- La puesta en marcha de un Programa Federal de Protección a testigos casuales o comprometidos.
- La regionalización y mando central de este sistema integral de inteligencia de la PGR.

4. Quien esto escribe insiste en la pertinencia y sentido positivo de lo establecido en el escrito del 12 de enero; la única salvedad de importancia es que esa Oficina Nacional de Información y Análisis (ONIA) bien podría integrarse al CENDRO.

Pregunta:

¿Es de interés del procurador se desarrollen con mayor detalle cada una de las siete políticas establecidas en el punto tres de este documento?

P. D.: Esto vale aun con la noticia, dada hoy, sobre el descubrimiento de una bodega de cocaína en La Paz, B. C.

Mejor dicho: el buen seguimiento de un asunto da resultados. (Memorándum de EV a Jorge Carpizo, 12 de abril de 1993.)

Acerca de una política de recompensas a particulares por información proporcionada a la PGR

1. El procurador recaba opiniones sobre la conveniencia de establecer recompensas para las personas que entreguen información sobre narcotraficantes.

La opinión de quien esto escribe es que *no debe establecerse este sistema de recompensas* y me baso en tres razonas prácticas y otra de orden general.

Razón general:

Nada tiene que ver con el sistema de justicia en México. Sí es verdad que en Estados Unidos (principalmente) y en algunas naciones latinoamericanas existe ese sistema, pero el mismo está basado en una tradición histórica (especialmente en Estados Unidos) que abarca desde los "cazarrecompensas" y la acción de los particulares –individual o colectiva– contra notorios trasgresores de la ley (abigeos, asaltabancos, asaltantes de caminos) hasta jurisprudencia de la Suprema Corte de Justicia para validar plenamente esa tradición. En México, apenas se han ensayado primarios estímulos a los servidores públicos que actúan contra quienes afectan la hacienda federal (contrabando, evasión de impuestos).

Razones prácticas:

a) Carecemos de un Programa de Protección a Testigos el cual, desde luego, requiere de fuertes gastos a corto y largo plazos.

b) Carecemos de un Sistema Nacional de Inteligencia PGR y PJF y –por lo tanto– de efectivo y confiable control y capacidad de seguimiento de la información que se nos proporcione.

c) Y, sobre todo, temo que los resultados prácticos serían dudosos y hasta contraproducentes.

¿Quién se atrevería a entregar información sobre García Ábrego, el Chapo Guzmán y Amado Carrillo sin la garantía de que se le protegería de represalias a él y a su familia?

¿A quién entregaría esa información? ¿A los delegados estatales de la PGR, o a los subdelegados de la PJF? ¿No estaría arriesgándose a que le eliminaran de inmediato si se filtrase su conducta?

¿Cuánto y cuándo se le pagaría? ¿Un porcentaje de los bienes asegurados cuando éstos se vendiesen gracias a una determinación judicial definitiva? ¿O dinero en efectivo, inmediatamente después de la captura del o de los narcotraficantes?

En fin, mientras no se resuelva el problema central de la política de información confidencial de la PGR, el tema no tiene solución positiva. El cual también implica la certeza de que la PGR puede dar garantías reales a los informadores casuales o comprometidos a todos niveles. (Memorándum de EV a Jorge Carpizo, 12 de abril de 1993.)

REAJUSTES Y COINCIDENCIAS

En la nota del 2 de febrero de 1993 Sobre el Asesinato de Carlos Aguilar Garza escribí: "Este homicidio ocurrido en Nuevo Laredo tiene varios aspectos interesantes: a) el más importante: que si se trata de un 'ajuste de cuentas' entre capos eso significa que, por fortuna, todavía no hay un acuerdo sobre reparto de rutas y territorios".

Luego de este crimen ha ocurrido una impresionante cadena de hechos:

a) El homicidio en Querétaro del recién nombrado comandante de la PJF en la ciudad de Puerto Vallarta.

b) El homicidio de Rafael Aguilar Guajardo, en Cancún.

c) El homicidio de Jessica Elizalde de León, en Ciudad Juárez.

d) El homicidio de Guillermo Álvarez Farber, en el Distrito Federal.

e) El homicidio de Emilio Quintero Payán, en el Estado de México.

f) El probable homicidio de Cuauhtémoc Ortiz, principal lugarteniente de Rafael Aguilar Guajardo, hecho apenas ocurrido el jueves 6 de mayo, en Ciudad Juárez.

Entre el 2 de febrero y el 6 de mayo *–día que coincide precisamente con la liberación en el penal de Almoloya de Juan José Esparragoza* (a) *el Azul, una leyenda en el mundo de los grandes cabezas del narcotráfico, quien reside (otra coincidencia) en Ciudad Juárez–* también se han presentado masacres de grupos de narcotraficantes en Sinaloa, Tamaulipas y Jalisco.

En particular, se ha ejecutado a exjefes de la desaparecida Dirección Federal de Seguridad y a exjefes de la PJF.

Destaca el caso de Samuel Quirarte Ramos, el día 5 de abril, en Guadalajara, que desempeñaba el cargo de comandante de la División de Investigación de Robos de la Policía Judicial Estatal de Jalisco. Los presuntos responsables fueron detenidos en la brecha que desemboca al rancho Tecuan, que fuera propiedad del general Marcelino García Barragán. También el asesinato de Ernesto Hernández

Rivas, quien participara en los sucesos que culminaron con la muerte de Manuel Salcido Uzeta (*a*) el Cochiloco.

Todos estos acontecimientos no deben entenderse en forma anárquica o espontánea. Una parte responde obligadamente a reajustes en la dirección del crimen organizado. Otra, a ajustes de cuentas (nuevas o viejas). Pero, en todo caso, es notable la tensión presente en los medios de narcotraficantes y de expolicías involucrados directamente en el tráfico de drogas.

Uno de los elementos que provocan estas tensiones es, indudablemente, incuestionablemente, la liberación de *Juan José Esparragoza* (a) *el Azul*.

Recomendación:

Localización, seguimiento y severa vigilancia de este individuo y todas sus actividades (incluyendo visitas, reuniones y entrevistas). Sin descuidar medios electrónicos. (Memorándum de EV a Jorge Carpizo, 11 de mayo de 1993.)

Así las cosas, ocurrió la masacre de Guadalajara y asesinaron al cardenal Juan Jesús Posadas Ocampo, el 24 de mayo de 1993. (Véase el capítulo El caso Posadas y otras hipótesis.)

Cada día tenía más trabajo; el torrente de acontecimientos nos rebasaba. Algo muy serio estaba ocurriendo: las tres bandas principales y la docena de grupos regionales se pegaban sin respetar nada ni a nadie. Carpizo aguantaba todo y aunque respondía sin una estrategia de largo plazo, el hombre, apoyado por su fiel y eficaz secretario particular, Alfonso Navarrete Prida, trabajaba sin descanso. Pero ("Estoy rodeado de traidores", dijo) con Jorge Carrillo Olea controlando la lucha "contra" el narcotráfico y con Jorge García Torres en la Subprocuraduría de Delegaciones (controlando la estructura de la PGR), los sucesos eran caóticos y los resultados del trabajo de la oficina de Carpizo... también. Pero la confianza de la gente del pueblo aumentaba. La imagen de Carpizo crecía a pesar de todo: un hombre enfrentado a la corrupción secular en los asuntos del gobierno. Tres grandes fallas en su gestión: el caso Moussavi, el caso Posadas y los narcoperiodistas. A pesar de esto, se avanzó en el trabajo.

Me cambiaron de oficina. Soy extremista cuando hablo: todo el tiempo hablo en voz más alta de lo necesario; igual cuando me comunico por teléfono. Carpizo me llamó la atención varias veces por ello. Y porque tomaba licor en público. Eso era lo que más le molestaba. Y no dejaba pasar ocasión sin comentarlo; alguna vez, con energía. Carpizo se apoyaba cada vez más en gente de su confianza: singularmente, en Mario Ruiz Massieu. Finalmente, la lucha entre García Torres y Ruiz Massieu se resolvería cuando Mario tomó el control de la Policía Judicial Federal. Cuando Carrillo Olea salió de la PGR, para poder ser postulado candidato priísta a la gubernatura de Morelos, Ruiz Massieu surgió como un poder formidable. Sin embargo, una oficina no controlaba: la del asesor personal.

A finales de marzo de 1993, el procurador Carpizo me entregó la documentación principal sobre Juan García Ábrego y la organización. Comencé a trabajar en ella. Inesperadamente, también recibí ayuda inestimable. Uno de mis buenos amigos –quien había cubierto la fuente de la PGR– había entrado en contacto con un comandante de la Policía Judicial Federal, quien conservaba copias de la documentación original de un cateo hecho en Matamoros, Tamaulipas. Él estaba dispuesto a entregar esa documentación. Pero nada más al procurador de la república. Lo convencimos de que la entregase a la oficina del asesor personal. Así lo hizo. Cruzando la información del procurador y la del comandante, descubrí que se ocultaban cuestiones esenciales (véase el capítulo ENGAÑOS AL PROCURADOR). Así lo reporté.

Comencé a recibir alguna información de la Ruta del Pacífico; se trasmitía al procurador y al entonces director de la PJF, Rodolfo León Aragón (cuando Carpizo lo consideraba conveniente). Mi "hombre del Pacífico" era una fuente casi cien por ciento confiable; un antiguo amigo de Sinaloa.

Acabo de recibir la siguiente información:

Isabel Castro (*a*) el Chabelo, hombre de confianza del Güero Palma, llegó el domingo en una camioneta suburban y dos autos más, a la calle que se localiza en Carranza 29 en San Luis Río Colorado.

Pocas horas después, en el ejido Chiapas que se encuentra hacia adentro del ejido Hermosillo, del mismo municipio, se mostró un gran movimiento de gente armada.

Recomendación:

Sugiero enviar esta información, de inmediato, al director de la Policía Judicial Federal. (Memorándum de EV a Jorge Carpizo, primero de junio de 1993.)

SOBRE LAS BANDAS DE NARCOTRAFICANTES

Tiene razón el procurador cuando habla de *tres grandes bandas* de narcotraficantes. Pero la realidad de los hechos y el proceso de constitución del crimen organizado en materia de narcotráfico, nos permite identificar *catorce* (y no sólo tres) grandes organizaciones nacionales de traficantes. Por economía las identificamos por los nombres de sus cabezas o principales dirigentes, aunque Aguilar Guajardo y Emilio Quintero Payán están muertos:

- Juan García Ábrego
- Amado Carrillo Fuentes
- Rafael Aguilar Guajardo (†)
- Joaquín Guzmán Loera (*a*) Chapo
- Hermanos Arellano Félix
- Los Herrera
- Emilio Quintero Payán (†)
- Pedro Díaz Parada
- Ismael Zambada
- Miguel Ángel Caro Quintero (*a*) el Mike

Además, habría que tomar en cuenta a lo que queda de las bandas de:

- Ernesto Fonseca Carrillo
- Rafael Caro Quintero
- Miguel Félix Gallardo

Y no olvidarse de que se profundiza el proceso de recomposición de la organización del astuto y experimentado Juan José Esparragoza (*a*) el Azul, dado que este peligroso delincuente acaba de recuperar su libertad. (Memorándum de EV a Jorge Carpizo, 8 de junio de 1993.)

SOBRE ENRIQUE ARENAL ALONSO

Diversos diarios mencionan que se investiga a Javier Coello Trejo, en relación con el expediente 2710-SC-90.

Uno de los hombres de mayor confianza de Javier Coello lo era Enrique Arenal Alonso. Esta persona se desempeñó como agente del Ministerio Público Federal de 1982 a 1984. Fue visitador general adjunto en 1982; coordinador de asesores en 1984 y director de Control de Estupefacientes de 1985 a 1988. Culminó su carrera en la PGR como director general de Relaciones Internacionales de diciembre de 1988 hasta la salida de Coello (octubre de 1990).

Ahora el señor Arenal es un hombre muy rico. Como ha prescrito la responsabilidad oficial en términos de un posible enriquecimiento ilícito, hay una posibilidad concreta de investigar los ingresos y gastos del señor Arenal en los últimos cinco años. *Puede solicitarse la intervención de la Secretaría de Hacienda, de conformidad con el Código Fiscal de la Federación.*

La investigación, de ser positiva, podría derivar en enriquecimiento ilícito o lavado de dinero. Javier Coello estaría colocado en una muy difícil posición.

La actual dirección de Enrique Arenal es:
Calle Somosierra 11, esquina Tibirica
Colonia Jardines de la Montaña
Tlalpan, México, D. F.
Teléfono: 652-93-62.

P. D.: Se investiga ya el origen y desarrollo de este fraccionamiento de lujo. (Memorándum de EV a Jorge Carpizo, 9 de junio de 1993.)

Por denuncia anónima me permito informar a usted que el Güero Jaibo, probable asesino del cardenal Posadas Ocampo, reside habitualmente en Los Mochis, Sinaloa. El comandante operativo de la Policía Judicial Estatal, señor Francisco Javier Bojórquez Ruelas, cuenta con suficientes antecedentes para ubicar o dar seguimiento a dicho individuo. (Oficio de EV a Rodolfo León Aragón, director de la Policía Judicial Federal, 21 de junio de 1993.)

Sobre probable fuga de narcotraficante

Por denuncia anónima: el "licenciado" (opera con cédula profesional falsificada) Adolfo Jiménez Luna, "secretario de Comercio Exterior" de *Periodistas Revolucionarios Unidos (organismo relacionado con el Chapo Guzmán)*, está planificando la fuga del narcotraficante de origen peruano *Luis Felipe Have Huagal*, sentenciado a quince años de prisión por delitos contra la salud (Juzgado Primero en Zacatecas, Zacatecas; expediente 100-91). El interno Have apenas ha cumplido dos años seis meses de prisión y actualmente se encuentra en el Reclusorio Norte.

Recomendaciones:

1. Trasladar a penal seguro (¿Almoloya?) al interno Have Huagal.

2. Comenzar el proceso de ubicación y seguimiento del "licenciado" Adolfo Jiménez Luna, quien posee o poseía un despacho en José María Lafragua 3, piso 9. No aprehenderlo de momento. (Memorándum de EV a Jorge Carpizo, 20 de julio de 1993.)

Sobre el Precos de San Roberto

Por mucho tiempo el retén de la PJF en San Roberto, Nuevo León, se coloca a un lado y al frente de la gasolinería de esa población para controlar la carretera federal 57.

Las razones de esta localización son importantes. Hay espacio para registrar vehículos como pipas, trailers, tortons; hay luz eléctrica y otros servicios, y una mayor seguridad para los viajeros y el personal de la PJF. Todo esto es razonable.

Sin embargo, se dejan abiertas *de par en par* las puertas de Monterrey para el trasiego de drogas. Unos cuantos kilómetros más atrás del retén *se encuentra la entrada de San Roberto a Linares*. Es decir, cualquier narcotraficante experimentado o integrante de una organización criminal (por ejemplo: la de Juan García Ábrego) no tiene que pasar por San Roberto para llevar droga a Monterrey y de ahí a la frontera norte. Basta con dar vuelta a la derecha y tomar la carretera San Roberto-Linares para cumplir su objetivo.

Podría argumentar que con "volantas" de la PJF puede controlarse la estatal 60. Pero el esfuerzo y costo que esto representaría sería muy grande; además del peligro que significaría para los elementos de la PJF y, también, para los viajeros.

Recomendación:

Es indispensable mover *unos cuantos kilómetros atrás* el Precos de San Roberto para controlar *también la* carretera Nuevo León 60.

Sólo hace falta localizar un lugar con espacio, tener una planta pequeña de luz y garantizar algunos servicios indispensables como agua. (Memorándum de EV a Jorge Carpizo, 29 de octubre de 1993; se remitió copia a Mario Ruiz Massieu, subprocurador de Delegaciones.)

Las responsabilidades de la oficina crecían; los recursos también, pero en mucho menor medida. Ya desde principios de julio de 1993, se inició el trabajo de campo en Matamoros: se creó el Grupo

Especial. Desde entonces, mi vida se dividiría en tres partes (Matamoros, Monterrey y ciudad de México) y en dos frentes: el de los Operativos y el de Inteligencia. Para cualquiera, era demasiado. Y luego, encima, el peso del alcohol. La borrachera era la salida fácil; por fortuna, amigos y escoltas me cuidaban en serio y reprimí brutalmente toda tendencia a la violencia irracional. Casi siempre lo logré. Cuando fallé, mi conciencia de culpa era tan grande que me servía de freno racional cuando la nube de la borrachera invadía mi cabeza. Tuve suerte, mucha suerte. Y no hay nada irreparable que lamentar. No robé; no torturé; no maté. En decenas de operativos apenas se dispararon algunos tiros. Gracias a la planificación, a la cordura, al apoyo de los compañeros de la Policía Federal. Y a la suerte. Yo mismo había violado la primera ley inquebrantable de la inteligencia: actuaba en información y análisis y, al mismo tiempo, planificaba y realizaba operativos. Fue, lo juro, absolutamente indispensable. Entraba primero a los cateos y aprehensiones; había que mostrarle al Grupo Especial la capacidad operativa de su jefe. Y al Cartel del Golfo, que no estaban tratando con un cobarde o un simple "licenciado". En realidad, era absolutamente necesario meterles un poquito de miedo. Cuando trasladé a Luis Medrano a Almoloya y lo traté de tal forma que lloró (ese increíble asesino) –sin torturarlo física o psicológicamente–, supe que ahí había una veta para explotar. Ahí supe que de verdad podía ganar.

Mis memos al procurador cambiaron de tono y contenido. Trataban de alguna información sobre la Ruta del Pacífico o de cuestiones generales. Pero ya eran pocos; la inmensa mayoría hablaba del Cartel del Golfo.

SOBRE EL NUEVO CÓDIGO DE LA PJF

Durante mucho tiempo la clave 103 en el código de señales de la PJF significó "agente efectivo de la Policía Judicial Federal". Los elementos de esta corporación constitucional –la policía de mayor jerarquía jurídica y responsabilidad– decían con orgullo "soy 103".

En forma inconcebible, en el nuevo código de la PJF significa "muertos". Muerte. Esto representa seguramente un fuerte golpe a la moral de la corporación.

Recomendación:

Debe sustituirse el significado de la clave 103 por cualquier otra cosa. *De preferencia*, el grupo de claves que significan personal de corporaciones policiacas debe continuar igual; como en el viejo código se usaba. (Memorándum de EV a Jorge Carpizo, 29 de octubre de 1993; se remitió copia a Adrián Carrera Fuentes, director de la Policía Judicial Federal.)

SOBRE LOS ARELLANO FÉLIX

Se envió, conforme a sus instrucciones, toda la información pertinente en relación con los Arellano Félix a don René González de la Vega; se trasladó de inmediato al agente de la PJF de Nuevo León [se omite el nombre por razones de seguridad], que sería el responsable del contacto con quien podría delatar al menor de los Arellano en Mexicali y Tijuana. Esta persona esperó varios días a que lo recibiesen.

Lamentablemente, surgió un imprevisto y este agente de la PJF tenía que cumplir con una comisión urgente en Nuevo León.

Solicitamos autorización del señor subprocurador de Averiguaciones Previas para que el agente cumpliese su comisión y luego se reportase. El señor subprocurador autorizó este movimiento y estamos en espera. (Memorándum de EV a Diego Valadés, primero de marzo de 1994; se remitió copia a René González de la Vega, subprocurador de Averiguaciones Previas.)

Roberto Mancilla

"Eduardo, mataron a un periodista en Chiapas: ¿puedes ir a investigar?", preguntó Carpizo. Era un reto para el antiguo presidente de la Comisión Nacional de Derechos Humanos, quien había impulsado las investigaciones sobre homicidios de periodistas desde esa posición.

Era un reto triple para mí: el del procurador, el profesional y el personal. Mancilla había dirigido el voto de la Unión de Periodistas Democráticos de Chiapas a favor de la planilla encabezada por mí. Acepté de inmediato.

Confidencial

En cumplimiento de instrucciones recibidas me trasladé el día martes 3 de febrero a la ciudad de Tuxtla Gutiérrez con motivo de coadyuvar, con pleno respeto a las instituciones, autoridades y leyes del estado de Chiapas, en el esclarecimiento del homicidio del periodista Roberto Mancilla, quien fue muerto a balazos en la madrugada del día 2 de febrero.

Llegué a tiempo para asistir al sepelio, donde declaré, frente a los deudos y los medios de comunicación, cuál era mi misión y cómo la PGR daba garantías a los trabajadores de los medios de comunicación. Resaltando que veníamos a respetar a la constitución del estado de Chiapas. La ola de confianza se generalizó entre la población, la propia familia y los periodistas.

Se formó una comisión de cinco periodistas como coadyuvantes de la Procuraduría del estado. Entre ellos designaron a Miguel Ángel de los Santos Cruz como la persona que tendría acceso al expediente del caso, cuestión que fue confirmada por el propio procurador de Justicia del estado, señor Rafael González Lastra.

Antes habían llegado a la ciudad los señores agentes del Ministerio Público Federal, abogados Adalberto Mendoza y Cuauhtémoc Peña, quienes se dedicaron exclusivamente a observar el cumplimiento de las formalidades de ley en las actuaciones de la Procuraduría de Chiapas. Lamentablemente, a pesar de mi insistencia en contrario, los agentes del MPF no mostraron disposición para continuar atendiendo el caso, retirándose a la ciudad de México.

Para estos momentos, se habían presentado deficiencias procedimentales en actuaciones judiciales de carácter técnico-criminalístico, como en el cateo realizado en la casa de una profesora de nombre Myrna León, realizado con descuido. Posteriormente, se filtrarían a determinados medios declaraciones de personas que ocurrieron a la procuraduría del estado con el convencimiento de que éstas serían reservadas. La "reconstrucción de los hechos" también presentó deficiencias.

Al observar todo esto, me permití solicitar la presencia de peritos de la PGR y de elementos de la PJF. Ellos se trasladaron de inmediato a esta ciudad, produciéndose de inmediato resultados positivos desde el punto de vista técnico y en el de la investigación. Por ejemplo, se localizó uno de los proyectiles que impactaron a la víctima.

Conforme a los peritos de la PGR, los hechos incontrovertibles en la escena del homicidio son: a) Mancilla murió en el lugar donde fue encontrado su cuerpo; b) la hora más probable de la muerte: 3 a. m. del 2 de febrero; c) se dispararon tres balazos (proyectiles calibre .45) en cadencia de dos-uno y los dos primeros disparos causaron la muerte en un máximo de diez minutos, aunque para efectos prácticos fue instantánea; d) el periodista había practicado coito poco antes de morir; e) el automóvil era notorio por diversos ángulos desde, al menos, veinticinco metros a la redonda, dadas las condiciones de visibilidad en el lugar y la identificación de la SRA —propietaria del vehículo— colocada en la puerta izquierda; f) las únicas lesiones que presenta son por impactos de arma de fuego; g) el cuerpo no presenta lesiones por maniobra de lucha pero sí maculación de pólvora en mano izquierda, indicadora de maniobra instintiva de defensa o de obstrucción en tentativa de disparo; h) el primer disparo fue hecho a menos de diez centímetros y el segundo entre veinte y veinticinco centímetros de la boca del cañón a la zona impactada.

De lo anterior se concluye: la persona que disparó tiene conocimiento de técnicas policiacas y experiencia en el manejo de armas de fuego. Nuestros peritos estiman –como probable– la altura del homicida no menor a 1.70 metros.

En lo personal atendí y escuché a toda clase de personas vinculadas a la vida y el trabajo del periodista. Como sucede en muchos casos de comunicadores asesinados, las versiones e imputaciones se multiplican ad infinitum. Pero los hechos definidos por los peritos de la Procuraduría del estado y de la PGR dejan como probables sólo dos hipótesis generales: 1. El homicidio fue cometido por motivos pasionales; o 2. El móvil fue la represalia por alguno de sus escritos.

En cordial plática con los señores gobernador y procurador de Justicia del estado se determinaron dos estrategias a seguir en función de estas hipótesis. En relación con la primera, se busca esclarecer si Roberto Mancilla se encontraba, hasta cerca de las 3 a. m. de febrero 2, en la casa de la profesora Myrna León (con quien sostenía relaciones sexuales desde hace varios años) y, al salir de la casa de la profesora, fue agredido por alguno de sus conocidos. También se pretende aclarar si al subir a su automóvil (al salir de la casa de la señora León o llegando de otro lugar) fue atacado por algún conocido (la ventanilla abierta del lado del chofer indica claramente que el señor Mancilla conocía a su agresor).

El señor Mancilla tenía relaciones de diverso tipo con otras mujeres, además de su viuda y la profesora León. Por ejemplo, la señora Yadira Yee, funcionaria del gobierno del estado y relacionada con un diputado local, está vinculada a la compra de dos boletos para viajar a la ciudad de México con el señor Mancilla en diciembre de 1992. También se conocen otros incidentes; uno de ellos incluso con respuesta violenta de reales o supuestos ofendidos.

En relación con la segunda hipótesis general, se ha llevado a cabo un exhaustivo análisis de los artículos publicados por el señor Mancilla durante los últimos meses, en particular los de diciembre y enero, cuando el señor Mancilla deja ver serias muestras de preocupación tanto a su familia como a colegas.

Este análisis indica, con toda evidencia, que los comentarios más duros y críticos se dirigen a los señores Walter León, locatarios de mercados –dirigidos por Mario Maldonado Andrade–, Abelardo

Santillán Bárcenas, secretario de educación del gobierno estatal. Y a los propietarios de taxis; uno de ellos, funcionario de la Policía Judicial del estado, señor Óscar Mancilla Chávez.

No puede descartarse la investigación de personas que resultaron afectadas por la actividad del señor Mancilla en años pasados, como el exdirigente magisterial y excapitan del ejército, señor Rodolfo Tovilla.

Por otra parte, se definirán el fundamento legal y las razones por las cuales el señor Jorge Obrador Capellini entregó un auto de propiedad federal para uso de Roberto Antonio Mancilla.

En mi opinión se puede lograr el pleno esclarecimiento de este homicidio si se llevan a la práctica dos cuestiones:

- La creación de una fiscalía especial, encabezada por un abogado notable de Chiapas y con participación de los periodistas del estado.
- El desarrollo profesional y cuidadoso de las dos estrategias aprobadas por el gobernador del estado, señor Elmar Setzer.

Deseo resaltar la labor desarrollada por el médico Julián Pedro Coca, el criminalista Gregorio A. Ávila y el perito José Luis Zamora. También la dedicación y capacidad de trabajo de los integrantes de la Policía Judicial Federal encabezados por el primer comandante Eduardo Piñeiro; en especial, la del agente Jaime Rivera García (placa 576), quien se ha responsabilizado de mi seguridad personal. (Informe de EV a Jorge Carpizo; Tuxtla Gutiérrez, Chiapas, 12 de febrero de 1993; se remitió copia a Elmar Setzer, gobernador del estado de Chiapas.)

Sobre la inseguridad pública en Chiapas

La sociedad chiapaneca se encuentra sujeta a un grave estado de inseguridad pública. Las causas son diversas (falta de comunicaciones, una geografía diversa y accidentada, presencia de etnias con costumbres particulares –incluyendo alcoholismo y cacicazgos). Pero, sin duda, en la actual situación incide la corrupción, ineptitud y falta de profesionalismo de los organismos de seguridad.

Debe destacarse el hecho de que todos los organismos de seguridad pública (policías municipales, Dirección de Seguridad Pública en el estado, Policía Judicial y un sui géneris aparato político de escucha, instrumentado por medio de taxis) son coordinados por un hombre (Ignacio Flores Montiel) que se encuentra bajo el mando del procurador de Justicia del estado y, luego, del gobernador.

En los hechos, el coordinador de Seguridad Pública es el tercer hombre más importante del gobierno del estado y tiene en sus manos los instrumentos necesarios para bloquear o neutralizar órdenes del procurador y del propio gobernador.

El actual coordinador perteneció al grupo Jaguar de la policía del DF, el cual operó en tiempos de Arturo Durazo. También perteneció al grupo el señor De la Iatta, el hombre que controla la seguridad pública de la costa de Chiapas, limítrofe con Guatemala.

De esta manera, Flores Montiel, De la Iatta y el dueño de los taxis para escucha (Óscar Mancilla Chávez, primo del periodista asesinado, Roberto Antonio Mancilla), son los tres hombres más importantes de la policía de Chiapas.

¿A la PGR institucionalmente debe importar esta situación? Sí. Y mucho. Porque se multiplican exponencialmente las facilidades para la siembra de mariguana y amapola y para el contrabando desde Guatemala de cocaína, goma de opio y heroína.

Sabemos (véanse los análisis del CENDRO) que desde Guatemala –usando lanchas rápidas– se generan desembarcos en la costa sur de Chiapas de fuertes cantidades de cocaína. Sabemos también que hay contrabando de goma de opio y hasta de mariguana (se ha sembrado amapola y mariguana en grandes extensiones al sur de nuestra frontera). Sabemos también que hay sembradíos (grandes y "hormiga") de amapola y mariguana en territorio mexicano. Chiapas es una región de producción y tránsito de estupefacientes hacia la frontera norte.

Un solo mando en los organismos municipales y estatales (Seguridad del estado y Policía Judicial) facilita en gran medida la penetración del narcotráfico en los organismos de Seguridad Pública. Y esas oportunidades no pueden ser fácilmente contrarrestadas por la presencia de la PGR en el estado, aun cuando estuviese más diversificada y los responsables de la PGR fuesen los mejores. Chiapas puede tomar creciente importancia en el tráfico de drogas.

Propuestas:

a) Diversificar y mejorar la presencia de la PGR en el estado; en particular, la de la Policía Judicial Federal quien requiere, en forma inmediata, de los más modernos equipos de comunicación, transporte terrestre y aéreo y de armamento adecuado. Buscar las mejores relaciones operativas con el ejército y la marina mexicanos.

b) Con los medios adecuados, promover la eliminación de la "coordinación" de los servicios de Seguridad Pública del estado de Chiapas, revalorando el papel de la Procuraduría del estado, sus Ministerios Públicos y su Policía Judicial Estatal. (Memorándum de EV a Jorge Carpizo, 14 de febrero de 1993.)

CHIAPAS: CRECIENTE IMPORTANCIA EN EL NARCOTRÁFICO

Las estadísticas del CENDRO para Chiapas, de los meses de enero y febrero, confirman lo señalado el 14 de febrero en la nota Sobre la Inseguridad Pública en Chiapas. En particular, la afirmación: "Chiapas puede tomar creciente importancia en el tráfico de drogas".

Enero. Detección de un avión turbo commander al noroeste de Tapachula; localizado en Oaxaca con incautación de *sólo* 237 kgs de cocaína.

Perdido el contacto con aeronave sospechosa en las inmediaciones de Palenque.

Febrero. Lanzamientos de droga en la Laguna de Santa Clara, municipio de Bonampak, y en Chajulillo (catorce objetos en paracaídas).

Aeronave detectada al sur de Guatemala y en Costa Rica, con "lanzamiento" de drogas en ambos países.

Seguimiento de aeronave que entró por Tapachula para dirigirse a Texas.

1. La página 3 del análisis del CENDRO para febrero contiene un párrafo (el 2.1.1.2 Aeronave detectada en Guatemala) que fortalece decididamente lo señalado al procurador en la nota del 14 de febrero.

2. Por si algo faltara, la nota anexa publicada en *Ovaciones* el 6 de marzo, muestra las condiciones de operación de algunos mandos de la PJF en el estado de Chiapas.

Propuestas:

Exactamente las mismas contenidas en la nota del 14 de febrero. Mientras Flores Montiel continúe dominando las policías de Chiapas, nosotros tendremos serios problemas en la lucha contra el narcotráfico. (Memorándum de EV a Jorge Carpizo, 8 de marzo de 1993.)

CAPTURAN EN CHIHUAHUA
A COMANDANTE FEDERAL NARCO

Heriberto Lachica, comandante de la Policía Judicial del estado de Chihuahua, con base en Ciudad Juárez, capturó al comandante de la PJF, Pedro Francisco Acosta Ortiz, destacado en Tuxtla Gutiérrez, Chiapas, por los delitos de narcotráfico y el uso de "madrinas".

Declaró que al comandante se le encontró una onza de cocaína y la cantidad de quinientos dólares, con lo que pretendían comprar una camioneta ram charger, modelo 1992, la cual fue robada posiblemente en el extranjero.

Opinión: En relación con la denuncia anterior, es necesario que el delegado estatal de la PGR en Chihuahua verifique este delito; en caso de ser positivo, considere la sanción penal que amerite, pues éstas son medidas con las que podrá resarcirse la imagen de la institución y ganar la confianza de la ciudadanía por lo que se refiere a malos funcionarios de la PGR. (Comentario de la PGR a la nota aparecida en *Ovaciones*.)

Con los compañeros corresponsales en Tuxtla Gutiérrez, hablando durante horas y horas sobre el asesinato, una noche me emborraché. Me comuniqué a la guardia de la PJF para que me acompañaran al hotel cuando declinaba la borrachera gremial. Se presentó ¡el comandante de la plaza!: Pedro Francisco Acosta Ortiz. Se indignó por atender la llamada de un borracho. A Acosta Ortiz lo volvería a encontrar muchos meses después ¡en Reynosa, Tamaulipas, como comandante efectivo de la PJF! Ese día –avanzado el año de 1993– toda la plaza de Reynosa cruzó la frontera hacia Estados Unidos, creyendo que el Grupo Especial pensaba arrestarlos a todos. Cuando realizamos un cateo, ya en la noche, finalmente se presentaron para saludar al asesor personal del procurador.

Patrocinio González Garrido, entonces secretario de Gobernación, había cultivado la amistad de Jorge Moscoso Pedrero, antiguo y buen amigo mío. En aquellos días el diputado por el PRD apenas se comunicaba conmigo. Muy de cuando en cuando. Pero Patrocinio sabía que éramos amigos. Por supuesto, recurrí a él en el caso de Mancilla. Eso seguramente preocupó a González Garrido (la opinión pública estaba consternada por el asunto de los homicidios en serie de los homosexuales en Chiapas). Uno de los asesores principales de Patrocinio –un tamaulipeco– trató de comunicarse conmigo. Para su mala suerte –y para mí buena fortuna– habló ¡la noche de la borrachera con los periodistas! Exigí, nada más, que alguien me explicara lo que estaba sucediendo en Chiapas. Por supuesto, nunca más pude volver a comunicarme con González Garrido y su gente. Ni siquiera cuando lo intenté en los mejores términos. Para lo mismo: que alguien me explicara lo que estaba ocurriendo en Chiapas.

Ocurrió un incidente muy confuso; algo insinúo en las últimas líneas del informe del 12 de febrero: reconstruí varias veces el asesinato de Roberto, a la hora del homicidio. En una de esas ocasiones –acompañado de mi escolta el joven Jaime Rivera– trataba de realizar exactamente los movimientos de los asesinos. Nos encontrábamos en un parque público, en una esquina muy oscura, frente a la casa de la profesora. Surgidos de la nada se presentaron cuatro hombres, vestidos con uniforme de artes marciales. Me encontraba a unas decenas de metros de Jaime Rivera; le había dado instrucciones de tener listo el AK-47. No estábamos jugando; pero debía esconder el arma. A la mano pero no a la vista. Los cuatro hombres trataron de rodear a Jaime, pero Rivera se movió con inteligencia; cuando sintió el acoso se recargó en la suburban y mostró su arma, ya sin seguro. En ese momento me hice el aparecido, precisamente a espaldas de estos individuos.

Le pidieron un cigarro; Jaime se negó. "No tengo", les dijo sin soltar el arma y sin descuidarse. Los hombres se retiraron mirando hacia Jaime y hacia donde me encontraba. ¡Vaya susto para todos!

Jaime se metió en líos. Lo retiré de mi escolta luego de conocidos esos problemas en la ciudad de México.

Curioso: se dieron instrucciones de regresar a la ciudad de México. El comandante Eduardo Piñeiro ofreció una comida a todos nosotros. Ya nos íbamos de Chiapas. En la comida, Piñeiro trató a toda costa de emborracharme con buen tequila. Tomé todo lo que me sirvieron (las copas eran una larga fila) pero el intento falló. Ni me emborraché ni hablé de más. A Piñeiro lo expulsaron de la PJF el 15 de junio de 1993.

Meses después, las autoridades de Chiapas buscaron dos "chivos expiatorios" en el caso de Mancilla. Los "presuntos responsables" se encuentran ahora en libertad y el asesinato todavía no se resuelve.

Los narcoperiodistas

Mataron a Carlos Aguilar Garza, otro exintegrante de la Dirección Federal de Seguridad, involucrado en el narcotráfico a gran escala. La DFS cobró las "tareas sucias" de la lucha antiguerrilla (especialmente contra Los Enfermos de Sinaloa y la Liga Comunista 23 de Septiembre) buscando la impunidad en el narcotráfico. Tenían capacidad y experiencia nacional. Sabían relacionar el más sureño de los puntos de nuestra geografía con la frontera con Estados Unidos. Tomaron el liderato en forma natural, sin mayores problemas. La alianza estratégica de "gomeros" (por la recolección de "goma de opio" en el Triángulo de Oro mexicano: Sinaloa, Durango y Chihuahua) y la DFS se realizó en Sinaloa, allá en los viejos tiempos de Miguel Nassar Haro y Miguel Ángel Félix Gallardo y los Fernández de Tierra Blanca, Culiacán. Con la ayuda de Matta Ballesteros, un hondureño, contacto del Cartel de Medellín, el triángulo "gomeros"-DFS-Medellín, inundaría de cocaína a Estados Unidos. ¿Su apoyo internacional?: la CIA, al momento de usar a los narcotraficantes para apoyar a los "contras", estacionados particularmente en Honduras.

Sobre el asesinato de Carlos Aguilar Garza

El 31 de enero fue ascsinado Carlos Aguilar Garza, quien fuera coordinador regional de la Campaña Permanente contra el Narcotráfico de la PGR a finales de los años setenta (Operación Cóndor).

Este homicidio, ocurrido en Nuevo Laredo, tiene varios aspectos interesantes:

a) El más importante es que si se trata de un "ajuste de cuentas" entre capos, eso significa que, por fortuna, todavía no hay un acuerdo sobre reparto de rutas y territorios. Aguilar estaba directamente vinculado a Miguel Félix Gallardo (Ruta del Pacífico) y pudo ser el conducto para llegar a acuerdos con Juan García Ábrego (Ruta de Tamaulipas).

Pero –muy importante– debe recordarse que a finales del año 1992, García Ábrego estuvo muy presionado por la Policía Judicial Federal (fue detenido uno de sus principales lugartenientes) y –según Ignacio Morales Lechuga– él mismo iba a ser arrestado.

b) Ello da pie para *conjeturar* que si García Ábrego supuso que Carlos Aguilar Garza entregó información a las autoridades, entonces simplemente se vengó. Ello resulta posible por las relaciones *privilegiadas* que García Ábrego tiene de mucho tiempo con jefes de la Policía Judicial Federal.

c) Ahora bien: hay una *derivación muy importante* en relación con el Programa de Agravios contra Periodistas de la CNDH. Jesús Michel Jacobo y Manuel Burgueño afectaron seriamente el trabajo de la PJF y la PGR pues, hasta su muerte en Culiacán y Mazatlán, denunciaron sistemáticamente la conducta violatoria de los derechos humanos de los policías y agentes del Ministerio Público.

Carlos Aguilar personalmente amenazó de muerte a Michel Jacobo, según testimonios de periodistas de Culiacán.

Por lo tanto, *recomiendo*:

1. Tomar comunicación inmediata con la CNDH para promover el total esclarecimiento de la muerte de Burgueño y Michel, aprovechando el hecho de que el excomandante de la Policía Judicial del estado de Sinaloa, señor Humberto Rodríguez Bañuelos, está dispuesto a declarar, si se le otorgan las garantías suficientes. Y considerando que Renato Vega Alvarado, de llevarse a cabo una investigación *completa y a fondo*, verá con agrado se aclarasen estos crímenes y se pusiese al descubierto la antigua relación del narcotráfico con los dirigentes de organismos de seguridad pública.

P. D.: Además, habría que investigar las derivaciones probables sobre los casos de Ernesto Flores Torrijos y Norma Figueroa (editores de *El Popular* cuando fueron asesinados en Matamoros). (Memorándum de EV a Jorge Carpizo, 2 de febrero de 1993.)

Renato Vega Alvarado, gobernador de Sinaloa, le pidió a Carpizo se investigasen los casos de homicidios de periodistas. Carpizo me envió a Culiacán.

Debo aclarar algo esencial: cuando un asesor con funciones federales se traslada a cualquier lugar, su primera obligación es poseer una óptica que subordina los intereses locales a una visión mucho más amplia y organizada. Si esa obligación se cumple o no, es responsabilidad del asesor o funcionario federal.

Por si fuera poco, en este caso, Jesús Michel Jacobo era mi amigo desde los tiempos de la Federación de Estudiantes de Sinaloa (1967), cuando me convertí –sin desearlo– en un elemento motor (junto al propio Michel, Jorge Medina Viedas, Liberato Terán Olguín y otros muchos) de la izquierda socialista en el Pacífico mexicano. Bueno, eso es otra cosa.

CONFIDENCIAL

En respuesta a la atenta solicitud hecha a usted por el gobernador constitucional del estado de Sinaloa, me trasladé a la ciudad de Culiacán el día miércoles 17 de febrero con las instrucciones de coadyuvar en las investigaciones de los homicidios de los periodistas Jesús Michel Jacobo y Manuel Burgueño. Debo destacar la amplia y eficaz colaboración prestada por el abogado Héctor Manuel López Ibarra, agente del Ministerio Público del Fuero Común en la agencia tercera de la ciudad de Culiacán.

Sobre el caso Michel:

1. Se encuentra plenamente identificado el principal autor material del homicidio. Se trata del delincuente Armando Osuna Tirado. Los otros dos autores materiales ya fallecieron: Adolfo Osuna Tirado y Héctor David Osuna Saucedo. En relación con estas muertes hay queja ante la CNDH porque sus familiares las consideraron una ejecución de la Policía Judicial del estado. En particular la de Héctor David.

La identificación de Armando Osuna como autor material es positiva en retrato hablado, huellas dactilares en el auto usado por los homicidas, y por una confesión hecha frente al agente especial de la Policía Judicial de Sinaloa, señor Carlos López Lugo, quien ahora reside en la ciudad de México.

2. Para abril de 1991, las autoridades de Justicia del estado de Sinaloa conocían perfectamente estas circunstancias. En lo particular, los señores procurador de Justicia, Manuel Lazcano Ochoa, y direc-

tor de Averiguaciones Previas, Fernando B. Torres Gómez, conocían por escrito y en detalle los resultados concretos de la investigación realizada por el comandante López Lugo. Sin embargo, por razones desconocidas, se abstuvieron de actuar en contra del grupo de homicidas en lo relacionado con el homicidio de Jesús Michel. El señor Torres Gómez es director de Asuntos Jurídicos del actual gobierno del estado. Ello a pesar de que el 12 de marzo de 1991 fue capturado Armando Osuna Tirado y ya se conocía de su probable responsabilidad en la muerte del periodista.

3. La probable autoría intelectual del homicidio se orienta hacia Antonio Ruiz Escalante, empresario de Mazatlán, quien (al decir de Armando Osuna Tirado) pagó la cantidad de ochenta millones de pesos por la ejecución. También en este caso la Procuraduría de Justicia del estado, en forma inexplicable, se abstuvo de actuar.

4. Se debe investigar una hipótesis que podría relacionar a la abogada Jana Piedad López Acosta (funcionaria de la Procuraduría de Justicia de Sinaloa en tiempos de Lazcano Ochoa, y madre de un hijo procreado con Jesús Michel Jacobo) con Ruiz Escalante en Mazatlán. Si esto se confirma, sin dejar lugar a dudas ello significaría localizar a otra autora intelectual del homicidio.

5. Armando Osuna Tirado (y su pandilla) se encontraban integrados a una de las más poderosas, influyentes y peligrosas bandas de delincuentes del sur de Sinaloa (Los Airados). El jefe de esta numerosa y peligrosísima banda de delincuentes es un antiguo lugarteniente y pistolero de Manuel Salcido Uzeta (*a*) el Cochiloco. Este gatillero es conocido en la región como el Mascarieles y cuenta con amplia protección política y policiaca en la zona de Mazatlán, tanto de la Policía Municipal como de la Judicial del estado.

Propuestas:

a) Recapturar a Armando Osuna Tirado.

b) Investigar sobre la probable autoría intelectual de Ruiz Escalante, presentándolo ante autoridad competente.

c) Investigar las relaciones probables entre Piedad López y Ruiz Escalante y de estas personas con dos funcionarios del gobierno de Sinaloa (Francisco Labastida Ochoa) llamados Óscar Valdez y Guillermo Velázquez, quienes tienen (o tenían) relaciones íntimas con Piedad López.

d) Presentar ante autoridad competente a Carlos López Lugo para que confirme sus partes informativos y declare formalmente.

e) Establecer las responsabilidades oficiales en lo relacionado con la conducta de Manuel Lazcano Ochoa y Fernando Torres Gómez.

f) Presentar a declarar ante autoridad competente al teniente del ejército mexicano, señor Benito Cruz, excomandante del destacamento militar de San Ignacio, Sinaloa, señalado en un desplegado elaborado por Michel y firmado por varias familias de la zona, como "el azote" de la región.

Sobre el caso Burgueño:

1. Los autores materiales del homicidio de Burgueño actuaron con similar modus operandi que en el caso Michel.

2. Las placas sobrepuestas usadas en el automóvil celebrity que transportaba a los asesinos de Michel en Culiacán, corresponden a un auto atlantic, modelo 1987, color verde, propiedad de Óscar Osuna Tirado (uno de los asesinos de Michel).

3. En el homicidio de Manuel Burgueño en Mazatlán, el auto que transportaba al menos a tres individuos que ejecutaron al periodista es precisamente un atlantic, modelo 1987, color verde, sin placas.

4. Puede afirmarse razonablemente que Los Airados también actuaron en contra del periodista Manuel Burgueño. Ahora bien; es conocido que la autoría intelectual del homicidio le fue imputada al excomandante de la Policía Judicial estatal, señor Humberto Rodríguez Bañuelos (*a*) el Ranas, quien ejerciera su cargo en Mazatlán hasta unos meses antes del homicidio, cuando el jefe de la Policía Municipal mazatleca era Lorenzo Gorostiza.

5. Como un ejemplo de la extraordinaria protección que han logrado Los Airados es conveniente mencionar que Zacarías y Esteban Castillo Osuna (este último también involucrado en el caso Michel) y otro individuo apodado el Chino, han obtenido reiteradamente su libertad condicional a pesar de contar con múltiples órdenes de aprehensión y numerosos antecedentes delictivos.

6. Julio Verdagué, empresario de Mazatlán, se lio a golpes con Burgueño y le amenazó de muerte unos días antes del asesinato. Debe señalarse que la fama pública relacionaba directamente a Verdagué en inversiones hoteleras con el propio Manuel Salcido (*a*) el Cochiloco.

Propuestas:

a) Presentar para efectos de declaración ante autoridad competente, a Julio Verdagué.

b) Capturar a los hermanos Humberto y Rigoberto Rodríguez Bañuelos, siguiendo la pista de la Pescadería La Morena en el Mercado del Mar en Zapopan, Jalisco, propiedad de un familiar de los Rodríguez y en donde se ha visto a Humberto con alguna frecuencia.

Propuestas especiales:

Primera. Designar a un grupo de agentes del Ministerio Público y a un grupo de la Policía Judicial estatal (especial) para preparar y efectuar las aprehensiones de los integrantes de la banda de Los Airados, dirigida en el sur de Sinaloa por el Mascarieles.

Segunda. Crear una agencia especial del Ministerio Público para actuar en relación con el crimen organizado (fuero común) y en los casos de homicidios múltiples. Esta agencia especial deberá estar en permanente y cercana relación con el personal de la PGR, para efecto de combatir eficazmente a las gavillas y bandas organizadas de delincuentes. (Informe de EV a Jorge Carpizo; Culiacán, Sinaloa, 23 de febrero de 1993; se remitió copia a Renato Vega Alvarado, gobernador de Sinaloa.)

CONFIDENCIAL
SEGUNDA NOTA SOBRE LOS AIRADOS

En relación con la nota entregada al procurador general de la república sobre los homicidios cometidos en contra de Jesús Michel Jacobo y Manuel Burgueño y recibida por el gobernador Vega Alvarado, tanto el suscrito como el abogado Héctor López (quien fue trasladado de la tercera a la sexta agencia del Ministerio Público en Culiacán) hemos continuado la investigación, tanto en Culiacán como en Mazatlán.

Logramos algunos nuevos resultados sobre la banda de narcotraficantes y criminales conocida en el sur de Sinaloa como Los Airados:

1. Nombre del Chino: Simón Santos García.

2. Probable nombre del jefe de la banda, conocido como el Mascarieles: Jesús Flores López o Jesús López Flores.

3. La localización de diversos expedientes sobre graves hechos delictivos cometidos por los hermanos Esteban y Zacarías Castillo

Osuna y por otros integrantes de la banda como Ramón Alberto Tirado Osuna, gatilleros de esa banda. (En el penal de Mazatlán, bajo la dirección del abogado Santoyo).

4. Declaración ministerial de Simón Santos (*a*) el Chino, del día 11 de diciembre de 1992, sobre el homicidio de Baldomero Milán, hecho cometido por Zacarías Castillo Osuna, usando un andrei kalashnikov calibre 7.62 mm (AK-47, "cuerno de chivo").

Debe recordarse que Los Airados (en particular Zacarías y Esteban Castillo) se han beneficiado de una extraña y extraordinaria influencia política, judicial y policiaca de carácter federal y local y se encuentran en libertad.

5. La promoción de un testimonio del interno (penal de Mazatlán), señor Luis Carlos Saldaña Guevara, quien ocupara la dirección de la "sección segunda" (Inteligencia) bajo el mando de Lorenzo Gorostiza (se envía anexo dirigido al doctor Francisco Frías Castro, secretario general del gobierno de Sinaloa).

El testimonio de Luis Carlos Saldaña puede resultar clave en la investigación del homicidio cometido contra Manuel Burgueño (decisión pendiente del doctor Frías).

Recomendaciones especiales:

Exactamente las mismas que las de la primera nota. (Memorándum de EV a Renato Vega Alvarado, gobernador de Sinaloa; Culiacán, Sinaloa, 5 de marzo de 1993; se remitió copia a Jorge Carpizo.)

REPORTE SOBRE TESTIMONIO (TERCERA NOTA SOBRE LOS AIRADOS)

1. Como fue informado en la segunda nota sobre Los Airados (5 de marzo de 1993), se presentó ante el secretario general de gobierno, el procurador de Justicia del estado y el asesor del procurador, testimonio del señor Luis Carlos Saldaña Guevara. La reunión se efectuó el 6 de marzo en el palacio de gobierno en Culiacán.

2. El testimonio no fue tan productivo como se esperaba. Sin embargo, el responsable de Inteligencia de la Policía Municipal de Mazatlán, cuando esta corporación fue dirigida por Lorenzo Gorostiza, confirmó:

a) Los asesinos materiales pertenecían al grupo criminal de Los Airados.

b) Fueron localizados y contactados la misma noche del homicidio de Manuel Burgueño (22 de febrero de 1988) en un retén de la Policía Municipal. El doctor Jorge Conde García –responsable del retén– liberó de inmediato a los probables homicidas porque se identificaron como "policías" de Sinaloa.

c) Identificó a Braulio Escobosa Larriaga y a José Nilo Rojo (hermano del político sinaloense Cuauhtémoc Nilo) como lugartenientes de Manuel Salcido (*a*) el Cochiloco. Al decir de Saldaña, él mismo mató –en la primera quincena de abril de 1988– a Braulio Escobosa, cuando éste y otros tres pistoleros intentaron asesinarle.

(Comenzamos a investigar la fecha y circunstancias de la muerte de Escobosa Larriaga para comprobar el dicho.)

d) James Adams manejaba un "equipo especial" de la Seguridad Pública de Mazatlán, acordando directamente con el presidente municipal José Ángel Pescador Osuna.

e) Burgueño, en efecto, fue severamente golpeado unos días antes de su homicidio e ingresó al hospital del Seguro Social a causa de ello.

f) Saldaña insistió en que *el móvil de la golpiza a Burgueño es el mismo de su asesinato.*

3. Debe recordarse que Manuel Burgueño escribió sobre Julio Verdagué, cuando éste fue nombrado "empresario del año", burlándose del hotelero y vinculándolo con el narcotráfico. La respuesta de Verdagué es conocida.

4. Manuel Burgueño habló con los periodistas Fernando Zepeda y Francisco Chiquete, minutos antes de morir.

5. Sugerí que se tomase la declaración formal del señor Saldaña, pero al procurador Torres Vega le pareció mejor no hacerlo y presionar al señor Saldaña un poco más. El señor Saldaña no aportó ningún dato más y regresó al penal de Mazatlán.

Propuesta:

Primera. Resulta indispensable entrevistarse –en la ciudad de México– con los periodistas Chiquete y Zepeda. (Memorándum de EV a Jorge Carpizo, 9 de marzo de 1993; se remitió copia a Renato Vega Alvarado, gobernador de Sinaloa.)

SOBRE RIGOBERTO RODRÍGUEZ BAÑUELOS

Adjunto una nota de prensa sobre el homicidio –cometido en Guadalajara el 5 de abril– del ganadero Ernesto Hernández Rivas, que demuestra que la banda de Los Airados continúa operando.

El procurador seguramente recordará que el señalado Rigoberto Rodríguez Bañuelos se encuentra mencionado en el primer reporte sobre los homicidios de Manuel Burgueño y Jesús Michel Jacobo. Igualmente el sujeto apodado el Chino. En ese reporte señalamos una pista concreta para localizar a los hermanos Rodríguez Bañuelos en el Mercado del Mar en Zapopan, Jalisco.

Lamentablemente el gobernador Renato Vega Alvarado se ha abstenido de actuar contra Los Airados de Mazatlán.

Recomendación:

Insistir con el gobernador de Sinaloa en la conveniencia de desmembrar lo más pronto posible a esa banda de asesinos y narcotraficantes. (Memorándum de EV a Jorge Carpizo, 7 de abril de 1993.)

Así las cosas, a principios de abril de 1993, en la PGR nos amanecimos con declaraciones de Carpizo sobre "los seudoperiodistas vinculados al narcotráfico". ¡Increíble! Carpizo se lanzaba al ruedo contra los "narcoperiodistas", tenía a un periodista como asesor personal y nada se me había dicho. En mis memos del 26 de abril traté de componer el asunto. Lo logré en cierta medida, pero en forma tardía e insuficiente.

Debo explicar que, además, tenía coraje especial contra Juan Bustillos. Sabía de su cercanía con José Córdoba Montoya y con el propio presidente Salinas (véase *Proceso*, núm. 961). Pero también sabía que Bustillos se había burlado de mí: ¡nunca pagó mis colaboraciones en su revista *Impacto*! Y, por su culpa, perdí miles de dólares en equipo fotográfico, empeñado en el Nacional Monte de Piedad en agosto de 1991. Se me había ofendido gravemente: un día Bustillos dijo que mi problema era "cómo gastar el dinero que ganaba con la columna de *Impacto*". Precisamente cuando vendía o empeñaba lo que podía para poder sobrevivir: ¡porque Bustillos no me pagaba!

Era un buen momento para mi pequeña venganza. No la logré porque al "coordinador de asesores" de Carpizo (José Luis Ramos Rivera), a la hora de entrarle al toro, le dio tal miedo que la diarrea se olía a varios metros de distancia.

Sobre Juan Bustillos Orozco

Juan Bustillos Orozco, según fama pública, se encuentra profundamente involucrado con los carteles de Ciudad Juárez (Rafael Aguilar Guajardo) y de Matamoros (Juan García Ábrego).

Hemos localizado una orden de aprehensión contra "Juan Bustillos" (*podría tratarse de un homónimo*) y se trata del expediente 42-88 en el segundo distrito de Monterrey, Nuevo León; fue liberada el 13 de septiembre de 1989.

Resulta absolutamente urgente (y conveniente) que el procurador conozca en detalle de quién en verdad trata esta orden de aprehensión contra "Juan Bustillos". Por cierto, la columna dominical "Pasarela Política", de *El Universal,* no apareció este domingo 25.

Por otra parte, la opinión pública conoce de la *denuncia de hechos* que fue promovida por dos funcionarios de la PGR (de la Dirección de Aseguramiento de Bienes) cuando se equivocaron de puerta en la calle de Fuego, en el Pedregal de San Ángel, y en lugar de acceder a la casa de Rafael Aguilar Guajardo, llegaron a una inmediatamente contigua propiedad de ¡Juan Bustillos Orozco! Ellos fueron golpeados por la guardia de Bustillos y Morales Lechuga ordenó que se levantara una denuncia de hechos.

Es absolutamente indispensable que el procurador conozca de esta denuncia de hechos.

No se puede evitar mencionar que cuando se presentó el conflicto en la Federación Mexicana de Futbol –el equipo Puebla (Maurer de gerente) vs. Televisa– Juan Bustillos Orozco (quien era accionista del equipo Puebla) sacó del bolsillo ¡millones de dólares! y se adueñó totalmente del equipo. Y luego negoció con Televisa un acuerdo.

Tampoco puede evitarse mencionar que cuando el que esto escribe intentó públicamente el caso del Cartel de Juárez y de su jefe Rafael Aguilar Guajardo en el semanario *Impacto,* dirigido por Bustillos, fue despedido sin explicación alguna. (Memorándum de EV a Jorge Carpizo, 26 de abril de 1993.)

Sobre periodistas y narcotraficantes

1. Cuando el procurador era presidente de la CNDH, se instaló el Programa de Agravios a Periodistas. Inicialmente se conocieron cincuenta y cinco casos, algunos de los cuales se habían presentado des-

de 1982. El 2 de marzo de 1992 se dio a conocer un informe especial sobre el Programa de Agravios a Periodistas; de los cincuenta y cinco casos mencionados, doce de ellos (más de veinte por ciento del total) estaban claramente vinculados a asuntos de narcotráfico. Eran los asuntos de Odilón López López, Odilón López Urías, Ernesto Flores Torrijos, Norma Alicia Moreno Figueroa, Jorge Brenes Araya, Eliseo Morán Muñoz, Jesús Michel Jacobo, Martín Heredia Sánchez, David Cárdenas Rueda, Elías Mario Medina Valenzuela, Manuel Burgueño Orduño y Roberto Azúa Camacho.

2. Ahora bien, en cinco casos de los señalados arriba (Ernesto Flores Torrijos, Norma Alicia Moreno Figueroa, Jorge Brenes Araya, Jesús Michel Jacobo y Manuel Burgueño Orduño) quedó meridianamente claro que los periodistas habían sido asesinados por su actividad de denuncia de grupos de narcotraficantes y de diversos elementos integrados a la seguridad del Estado. Desde la CNDH se promovió, en forma sistemática y persistente, que se hiciera justicia en estos y en otros casos, no importando que se lastimaran intereses como los de Manuel Salcido Uzeta (*a*) el Cochiloco, o los de Juan García Ábrego, quien domina el circuito del narcotráfico en el golfo de México. Tampoco que se exhibiera a malos elementos de la PGR, la PJF o las procuradurías y policías judiciales estatales. Gracias a los esfuerzos del gremio de los periodistas, de autoridades estatales y de la propia CNDH, se fue conociendo a algunos de los autores materiales y comenzaron a investigarse diversas hipótesis sobre autores intelectuales.

Demandamos justicia para todos los periodistas asesinados por los narcotraficantes, aun cuando sabíamos que en varios casos los comunicadores no estaban alejados de las mismas redes del narcotráfico y sus complicidades y simulaciones. Como se ilustra ejemplarmente en el caso de Martín Heredia Sánchez, desaparecido el 11 de noviembre de 1989 en Córdoba, Veracruz, quien era socio de una "escuela de modelaje" en esa ciudad y asiduo visitante del Hotel Paso Real, de Miguel Álvarez, hotel que también era visitado por Toribio Gargallo, Domingo Murguía, Rufino Medorio y Víctor Rodríguez (*a*) la Jaiba, integrantes de la tristemente célebre Sonora Matancera.

3. Recientemente, ya como procurador general de la república, se giraron instrucciones precisas para adelantar y profundizar en las investigaciones relativas a los homicidios de Manuel Burgueño,

Michel Jacobo, Jorge Brenes Araya, Ernesto Flores Torrijos y Norma Moreno Figueroa.

Respecto de los casos correspondientes al estado de Sinaloa, la PGR ha mantenido constante comunicación con el gobernador del estado para mantenerlo plenamente informado de los avances en la investigación. En el caso de los periodistas tamaulipecos, la PGR no ha disminuido ni un momento su atención y conoce e investiga las diversas denuncias realizadas aquí y en territorio de los Estados Unidos de América que vinculan a estos homicidios al accionar de una de las redes del crimen organizado (narcotráfico) más importantes de Norteamérica.

Si bien se trata de homicidios bajo la jurisdicción del fuero común, en la PGR sabemos que esos asesinatos de periodistas se encuentran relacionados con las acciones de pandillas, peligrosas pandillas, como la de Los Airados de Mazatlán, Sinaloa, o Los Texas de Nuevo Laredo, Tamaulipas, que sirvieron —y sirven— a los objetivos de poderosas bandas de narcotraficantes.

No se nos escapa que los gatilleros han recibido una inconcebible protección por parte de antiguas autoridades de los tres niveles de gobierno. Pero, con la indispensable colaboración de las autoridades locales, esperamos terminar con esa viciosa impunidad y fincar las responsabilidades conducentes a los asesinos materiales e intelectuales de los periodistas.

4. Recientemente hemos conocido de otros tres homicidios contra trabajadores de los medios de comunicación. Contra Roberto Mancilla Herrera —en Tuxtla Gutiérrez, Chiapas—, Jessica Elizalde de León —en Ciudad Juárez, Chihuahua— y José Salomón Herrera Cañas y su novia Claudia Elena Feria.

Por aquellos días iniciales de febrero del 93, la PGR desarrollaba intensa actividad para capturar a los responsables de la muerte de Roberto Mancilla y la mercancía de un alijo de estupefacientes estimado en varias toneladas de cocaína, las cuales se pretendía introducir en la costa sur de Chiapas para luego llevarlas a la frontera norte del país. También, la opinión pública se conmocionaba con el asesinato múltiple de homosexuales radicados en aquella ciudad.

Si bien el trabajo de la PGR por ahora ha concluido y, como lo señalamos en su momento, son las autoridades de justicia del estado de Chiapas quienes deben "dar a conocer los resultados de la investigación y el debido ejercicio de la acción penal", manifestamos que seguimos el caso de Roberto Mancilla con detenimiento y cuidado.

El 14 de marzo, la exreportera de radio, Jessica Elizalde de León, fue asesinada al abrir la puerta principal de su domicilio. Las notas de los periodistas de Ciudad Juárez muestran que esta mujer, asesinada alevosamente, se encontraba relacionada con información sobre el narcotráfico en la frontera de Chihuahua y se le vincula con antiguos jefes policiacos federales que han sido destituidos o se encuentran prófugos.

En relación con este caso podemos informar que las investigaciones sobre el homicidio de esta periodista continúan y no puede desligarse —en forma alguna— de investigaciones más generales, como la del reciente homicidio de Rafael Aguilar Guajardo, cabeza visible del Cartel de Juárez, ocurrido en Cancún, Quintana Roo.

5. El 4 de marzo, en la colonia Díaz Mirón, en el DF, fueron localizados los cuerpos, torturados y con balazos mortales, de José Salomón Herrera Cañas y de la joven Claudia Elena Feria Morales. El primero había colaborado en una revista singularmente especializada en cuestiones que afectan a la Policía Judicial Federal y al desempeño de la lucha contra el narcotráfico. Ella era funcionaria de un banco metropolitano. Era el tiempo inmediatamente posterior a la consignación y huida de Guillermo González Calderoni, hecho que tuvo —y tiene— enormes repercusiones en el mundo del narcotráfico.

A nadie escapa la posibilidad —insisto, posibilidad— de que este doble homicidio se encuentre relacionado con los sucesos ocurridos esos días. Nosotros estamos investigando si ello efectivamente ocurrió, sobre la base de que hasta ahora la jurisdicción es del fueron común.

6. Es conocido de la opinión pública que el gobierno federal está por concluir una rigurosa investigación para establecer con precisión en cuáles medios de comunicación hay capitales provenientes del narcotráfico. No se puede actuar con ligereza en este asunto; pero el gobierno federal tiene la obligación de indagar el origen de los recursos utilizados para establecer radiodifusoras locales, nuevas publicaciones o la inyección de fuertes capitales a publicaciones que tienen años de circular y hasta para comprar equipos de futbol.

No se trata de una cacería de brujas o de usar instrumentos ilegítimos para la autoridad. Se trata de eso: de aclarar, dejando a un lado toda duda, el origen de esos capitales. Se trata de investigaciones particulares que tienen que ver con determinados medios y administradores. Precisamente los que se encuentran en las circunstancias mencionadas arriba. No del conjunto nacional de los medios de comunicación, quienes realizan una respetable y respetada labor de informar, analizar y criticar nuestras acciones y conductas.

7. Cuando nosotros hablamos de "seudoperiodistas" nos referimos específicamente a casos como los de dos individuos detenidos recientemente en Hermosillo, quienes mostraron credenciales del siguiente tenor: "corresponsal en Mazatlán" de un periódico de Ciudad Juárez, o "colaborador en Hermosillo" de otro periódico en Nogales. ¿Credenciales de corresponsales y colaboradores de diarios de escasa —muy escasa— circulación y aparición no sistemática? ¿De qué se trata? No hay duda: de seudoperiodistas involucrados en el narcotráfico. Ellos deben saber que las autoridades de la PGR conocen de su existencia y no se amilanan por la auténtica usurpación que realizan de las tareas de los auténticos periodistas que pueden —y deben— trabajar, investigar y publicar los resultados de su trabajo. Y para ello ofrecemos las garantías posibles; como las hemos ofrecido desde hace mucho tiempo, aquí y fuera de la PGR. (Memorándum de EV a Jorge Carpizo, 26 de abril de 1993.)

Lo increíble es que aún ahora (¡!) hay colegas que me preguntan, con tono hipócrita y voz tersa: "Cuando usted era asesor del procurador se presentó el caso de los narcoperiodistas, ¿cómo se dieron las investigaciones y cuáles fueron sus resultados?". Ufff.

El caso Posadas y otras hipótesis

A mediados de abril de 1993 mataron a Rafael Aguilar Guajardo. Los asesinos trataron de hacer las cosas bien, a la mexicana. El problema era con él, no con su familia, la cual le acompañaba. Pero, con todo, estuvieron muy cerca de matar a toda la familia. De hecho, algún hijo de Aguilar, resultó herido. En México no existe la tradición colombiana de "hijo liberal (o conservador), padre liberal, abuelo liberal, esposa liberal e hijos de hijo liberal: ¡mátenlos a todos!". La primera regla de oro es: "El problema es conmigo, no con mi familia". Cuando no se respeta, se generan graves problemas que terminan por perturbar a todos. Si un padre y su hijo están "metidos", el problema es con ellos, no con la esposa y los otros hermanos.

Lo mismo vale para la policía; cuando violaron a la esposa de uno de los más famosos narcotraficantes de Chihuahua, el "narco" esperó. Cuando el comandante violador cayó en la cárcel, aquel hombre se encargó de hacerle pagar la ofensa una y otra vez: lo golpeaba y, cuando salía del hospital, lo golpeaba nuevamente. Por fin, el excomandante pudo arreglar su libertad con algunos millones de dólares y el apoyo de uno de los "capo di tutti capi", compadre del comandante. El homicidio de Rafael Aguilar estuvo a punto de generar uno de estos conflictos, llenos de sangre y odios.

Aguilar era un "macho"; le pegaron de tiros. Casualmente, se encontraban cerca unos buceadores. Herido de muerte, lo alimentaron con oxígeno de sus tanques. Él se sintió reconfortado: "Ya la libré; ya la libré". Así se murió.

Su muerte en Cancún fue un episodio más de la lucha por el control de Ciudad Juárez (la joya de la corona). Con los Tapia Anchondo en la cárcel, los carteles del Golfo y del "señor de los cielos" (Amado Carrillo) pelean con todos los recursos a la mano por el control de Juárez.

Quien gane Ciudad Juárez, gana todo. De Juárez hacia el este, el capo es García Ábrego; de Juárez al oeste, lo es Amado Carrillo. En Tijuana mandan los Arellano Félix; especialmente en lo relacionado con la heroína: blanca (de Pakistán, Afganistán o Burma) o "brown sugar" o "negra"; la goma de opio que se cosecha en Guatemala, Belice o México y refina en la república mexicana. Por Juárez es la pelea entre el Cartel del Golfo y sus amigos, los Arellano Félix, y el "señor de los cielos". En Ciudad Juárez trabaja el Tío. Los buenos hombres de la DEA no lo han identificado positivamente; lo consideran un cartel independiente. ¡Pobrecitos! Es el Tío porque lo es de Juan García Ábrego; él es el segundo hombre de la organización criminal multinacional: Francisco Guerra Barrera.

Los asesinos de Rafael Aguilar salieron en avión de Cuernavaca; ahí los despidió "don Jorge". Cuando escribí los memos del 21 de abril y el 18 de mayo, no sabía cómo identificar a Jorge "N. N.". Ahora sé que se trata de un seudónimo de Guerra Barrera: Jorge Álvarez Romero, nacido el 22 de abril de 1934: 1.70 metros de estatura, tez blanca, ojos cafés, pelo castaño. Con extraordinario parecido a Raúl Salinas Lozano, cuando el padre del expresidente contaba unos cincuenta años de edad. Para mi oficina lo notable fue el punto de salida: Cuernavaca, Morelos. La pista tiene más de nueve mil pies, sin apoyo para aterrizajes nocturnos. Pero, al igual que La Pesca en Tamaulipas, es una de las pistas aéreas más interesantes de la república. En "la ciudad de la eterna primavera" tienen casa todos los capos que se respetan.

Segunda nota sobre Rafael Aguilar Guajardo

El procurador seguramente ha considerado la necesidad de conocer los antecedentes de la organización de RAG.

Sugiero al procurador se solicite a la autoridad indicada (PGR o PJF) un dossier sobre estos antecedentes. En él deben contemplarse necesariamente los profundos vínculos de los excomandantes de la PJF, Joaquín Salvador Galván y Rafael Chao López (*a*) el Chino, y el importante papel de Efraín Herrera, quien pudiera convertirse en el nuevo líder del Cartel de Ciudad Juárez; también, la posición de Arturo García (*a*) el Pecas. ¿Y Ranulfo Galindo?

Ahora bien, en relación con los hechos de Cancún:

¿Ya se obtuvo la lista de aviones, planes de vuelo, tripulantes y pasajeros?

¿Ya se localizó el origen de las armas decomisadas en el incidente? ¿Podrían ser propiedad de alguna Procuraduría de Justicia Estatal?

¿Ya se conoce a satisfacción el recorrido del auto (o automóviles) involucrados? ¿Pudieron salir de alguna "casa de seguridad" cercana al restaurante? ¿Quiénes son los propietarios de las casas más relevantes de la zona cercana al sitio del ametrallamiento?

¿Ya sabe el procurador de las actividades de RAG previas a su muerte: visitas, entrevistas, reuniones?

¿Ya se conoce a los propietarios y pasajeros de los yates localizados en Cancún?

¿Se ubicó en los hoteles a grupos como los mencionados en la nota anterior; hubo grandes pagos *en efectivo* en dólares americanos por razones de hospedaje y gastos?

¿Puedo dirigirme ya al licenciado García Torres para recibir el expediente de Cancún? (Memorándum de EV a Jorge Carpizo, 21 de abril de 1993.)

SOBRE EL HOMICIDIO DE RAG
(EXPEDIENTE DE CANCÚN)

- Las averiguaciones tanto de fuero común como de fuero federal son muy débiles, no van al fondo del asunto.
- Las consignaciones por homicidio y acopio de armas no están muy firmes. Tenemos el testimonio de un menor de edad y la flagrancia.
- Será difícil —si no imposible— cumplimentar la orden de aprehensión en contra de Jorge "N. N.", con domicilio en Cuernavaca, Morelos.
- No se ha citado a comparecer a:

  Joaquín Salvador Galván
  Francisco Rodríguez Sandoval
  Antonio Chávez
  Miguel Zepeda
  Andrés Cárdenas
  Dolores Suárez
  Samuel Guerrero

Capitán P. A. Baños (lic. 3448)
Copiloto capitán Sánchez (lic. 7056)
Recamarera Lorena (Hotel Regina)
Pedro Rubio López (dueño de las placas 857-FRT)
Licenciado Lucio Cano Barraza (¿qué hacía en Cancún?, de repente apareció)
Ricardo Herrera Visoza (gerente del restaurante Gypsis)

- No se hicieron periciales para obtener huellas dactilares de las armas.
- Después de este homicidio, siguieron otros dos: el del exprocurador de Justicia de Sinaloa, licenciado Álvarez Farber, y el del conocido narcotraficante Emilio Quintero Payán.
- El día 6 de mayo secuestran (?) a Cuauhtémoc Ortiz, exdelegado de la DFS y la CISEN en Ciudad Juárez, Chihuahua, quien tenía fama pública de ser el segundo de Rafael Aguilar Guajardo, coincidiendo esto con la libertad absoluta, y salida del reclusorio de Almoloya, del conocido narcotraficante Esparragoza (*a*) el Azul, quien tiene su residencia en Ciudad Juárez.

Existen ciertos rumores en la frontera de Ciudad Juárez, en el sentido de que el territorio de Rafael Aguilar Guajardo se fraccionó en tres, quedando a la cabeza de cada uno las siguientes personas:

1. Efrén Herrera
2. Arturo García (*a*) el Pecas
3. Lucio Cano Barraza

Recomendaciones:
Se sugiere investigar:
Radiotrasmisor portátil bendix king núm. 117446
Localizador skytel núm. 227 79 79, clave 527 46 76
Placas auto 857-FRT, del Distrito Federal
Placas auto 867-FRM, del Distrito Federal
Placas auto URB-5643, de Quintana Roo
Tel.: 62/58 30 68, de Hermosillo, Son.
Tel.: 16/26 57 60, de Cd. Juárez, Chih.
Tel.: 501 55 17, de México, D. F. (celular)
Tel.: 17 41 12, de Cuernavaca, Mor.
Tel.: 17 44 17, de Cuernavaca, Mor.
Tel.: 13 78 18, de Cuernavaca, Mor.
Tel.: 526 33 75, de México, D. F.

Tel.: 626 33 75, de México, D. F.
Tel.: 91 800/903 45 (Lada 800)
Tel.: 557 16 57, de México, D.F.
Tel.: 845 19 19, de México, D. F.
Planes de vuelo y bitácora del avión sabre liner 60, matrícula XA RTP, de Aero Útil, S. A., base DF
En el aeropuerto de Cancún:
Aviones privados, vuelos a Cuernavaca, Cancún, el día 8 de abril, y arribo entre 20:00 y 21:00 hrs., y vuelos privados del 5 al 12 de abril.
Solicitar expediente de:
Joaquín Salvador Galván
Francisco Rodríguez Sandoval
Solicitar antecedentes de:
Antonio Chávez
Refugio Chávez Urías
Erick Linares Villa
Silvino Aguirre Fierro
Miguel Zepeda
Andrés Cárdenas
Dolores Suárez
Samuel Guerrero

Esta información se puede solicitar a las procuradurías de los siguientes estados: Tamaulipas, Nuevo León, Morelos, Sinaloa, Chihuahua, Sonora y Baja California Norte.

Investigar a:
Fernando Zárate O.
Mepasa Mexicana
Proveedora de Albercas, S. A. de C. V., Guayabo núm. 3, colonia Miguel Hidalgo, Cuernavaca, Mor., tels.: 56 57 26, oficina; 23 13 38, particular
en relación con:
Refugio Chávez Urías
Erick Linares Villa
Jorge "N. N."
Tarjeta de crédito Bancomer 4555 0015 0039 0082
¿Quién llegó el miércoles, 7 de abril, al Hotel Regina?

Los inculpados llegaron el jueves 8. Pedir registro de firmas al hotel.
Renta de yates en Cancún.
Hotel Hyatt Cancún Caribe (cuentas, llamadas, teléfonos, etcétera).
(Memorándum de EV a Jorge Carpizo, 18 de mayo de 1993.)

Después de la de Aguilar Guajardo siguió la muerte de Emilio Quintero Payán. En medio, la del exprocurador de Sinaloa, Guillermo Álvarez Farber. La zona metropolitana del DF comenzaba a conocer lo que se vive en Guadalajara, Culiacán, Nuevo Laredo o Ciudad Juárez: "el rafagazo". De repente, se desata una balacera con armas de grueso calibre y los muertos se quedan en el suelo. Es afortunado el que sabe por qué se dispara, aunque se muera desangrado o con el cráneo destrozado. Los otros, los inocentes e ignorantes, nada más se murieron por casualidad.

Sobre el homicidio de Quintero Payán

He conocido una versión por demás inquietante y delicada. Circula entre elementos de la Policía Judicial Federal.

Estoy obligado a informarle a usted de esta *versión*, pero solicito que estas líneas no se consideren como información confirmada y mucho menos como imputaciones directas a nadie.

Adrián Pérez Meléndez y su hermano han sido detenidos como presuntos responsables en el homicidio del señor Álvarez Farber. Pérez Meléndez habría estado tomando licores con el detenido Enrique Hernández la noche anterior al asesinato en el Parque Hundido. Ese mismo día (martes 27 de abril), la esposa de Quintero Payán (detenido en el Estado de México) habría arribado al aeropuerto de la ciudad de México, procedente de Guadalajara, Jalisco. Y cuatro elementos de la PJF le otorgarían atenciones y seguridad.

Durante el día martes, Quintero Payán se habría reunido con otras personas para tratar negocios en el rumbo de la avenida Las Palmas, a la altura del restaurante Vips.

Pero –lo cual es mucho más importante– por la noche habría asistido a una reunión con altos jefes de la Policía Judicial Federal en una casa ubicada en Malpaso 110 (Echegaray).

Según la versión, a esta casa los federales que asistieron fueron: Fulvio Jiménez F., quien llegó solo, y el comandante Sánchez Naves, *a bordo de una patrulla de la Policía Municipal.* La versión se *aventura* en señalar a Fulvio Jiménez como amigo, protector y socio de Emilio Quintero Payán. En particular, lo vinculan con la cocaína decomisada recientemente en Baja California Sur.

La versión indica que el señor Álvarez Farber estaba esperando a una persona muy importante, contra la cual se iba a actuar para matarlo. Esa persona "muy importante" no llegó y entonces el operativo se dirigió contra el distinguido abogado sinaloense.

Adrián Pérez se justifica con el desempeño de su comisión y con los recados que supuestamente envió a su hermano mediante el bip. Pero una investigación a fondo demostraría que estaba al servicio de Emilio Quintero Payán.

El día jueves 29 de abril, Emilio Quintero Payán se dirigió al restaurante El Borreguito, acompañado en el auto por su chofer y dos individuos más. En el restaurante ya se encontraban cuatro elementos, supuestamente efectivos de la PJF, para brindar seguridad al narcotraficante; personal, según se afirma, bajo el mando del comandante Fulvio Jiménez F.

Al llegar el automóvil a El Borreguito, dos supuestos policías federales se acercan para abrirle la puerta y el que va atrás del primero dispara contra Quintero Payán. Precisamente en esos momentos, elementos de la Policía Judicial del Estado de México localizan el auto de Quintero Payán y lo confunden con otro automóvil, al cual han perseguido por haber participado en un robo en una zona cercana.

Los supuestos agentes de la PJF se identifican y permiten que se saque el auto de Quintero Payán. Él habría llevado cerca de dos millones de dólares, armas, granadas, *dos celulares* y bips. Todo se ha extraviado, incluyendo los maletines con dinero.

El jueves, ya avanzado el día, personal de la PGR habría tomado huellas digitales del cadáver y el comandante de la PJF en Naucalpan ya habría conocido la identidad del occiso desde la noche del mismo jueves.

Recomendaciones:

a) Entrevistar al comandante de la Policía Municipal de Naucalpan para conocer si alguna de sus patrullas llevó a alguna persona a la dirección mencionada el martes 27 de abril.

b) Verificar cuáles comandantes conocían la orden de aprehensión contra Emilio Quintero.

c) Conocer las razones del comandante (PJF) en Naucalpan para no informar inmediatamente de la identidad del occiso.

d) Identificar al personal de la PGR que a pocas horas del deceso tomó huellas del cadáver.

e) Investigar en el Hotel María Bárbara quiénes ocuparon las catorce habitaciones y quién las reservó.

f) Investigar las llamadas telefónicas desde los cuartos rentados por Quintero Payán; vehículos registrados en el hotel y visitantes.

g) ¿Quiénes integraban la escolta de Quintero Payán? Nuevamente nos encontramos –como con Rafael Aguilar Guajardo– con seguridad ridículamente reducida para los usos y costumbres de este tipo de cabezas del crimen organizado. (Memorándum de EV a Jorge Carpizo, 6 de mayo de 1993.)

Así las cosas (con Carpizo muy lastimado por el asesinato de Álvarez Farber, un hombre a quien en verdad estimaba y respetaba), se vinieron encima los hechos de Guadalajara: ¡un cardenal asesinado! Elaboré una hipótesis y la presenté a Carpizo. Unas horas antes de la presentación en Televisa de la "Muerte en el Nintendo", Carpizo reunió a toda la plana mayor para discutir su presentación con Jacobo Zabludowsky. El procurador presentó su intervención para la crítica. Todos dijeron que era maravillosa. El único que discrepó fui yo. Estaba muy confuso todo el asunto. Carpizo aceptó que era necesario simplificar. Al final de la reunión dije: "Lo único que me gustaría saber es qué llevaba el Tigrillo en la maleta; eso explicaría todo". El Chino, Rodolfo León Aragón, y yo fuimos los únicos que nos reímos de la pequeña broma. El entonces director de la Policía Judicial Federal sabía de qué se trataba la broma. Creo que el Chino siempre reconoció que yo no estaba "haciéndole al asesor". Hasta me regaló un R-cuerno (un AK-47 que tenía todas las ventajas del AR-15, pero en calibre 7.62). El R-cuerno se convertiría en mi arma personal, con la sig-sauer 226, calibre 9 mm. No las dejaba ni para dormir, donde quiera que estuviese.

Hipótesis sobre Guadalajara

En diversos medios policiacos –incluyendo la PFC y P– circula una hipótesis lógica y coherente. Me permito exponerla a usted.

A Guadalajara llegarían cerca de cincuenta kilos de heroína blanca propiedad del Chapo Guzmán. El valor del estupefaciente rebasa las decenas de millones de dólares. En línea comercial llegaron dos hombres con maletas y un portafolios para entregar su contenido al Chapo.

Los Arellano Félix se enteraron del envío y planearon quedarse con la heroína para cobrarse mercancía que antes, en diversos momentos, había sido robada por el Chapo y el Güero Palma. Por ejemplo: la pérdida de 3 (tres) toneladas de cocaína en Mexicali, operativo que provocó la muerte de Miguel Ángel Bazán Padilla. El operativo fue dirigido por Baldemar Escobar, hombre de extrema confianza del Güero Palma. El Chapo habría ayudado a Palma para la exportación y venta de la heroína en Estados Unidos.

Cuando quienes transportan la heroína y el portafolios *salen* del aeropuerto, son atacados por la gente de Arellano Félix. Ellos lanzan *el portafolios negro al interior* del automóvil del cardenal (lo confunden con el automóvil *de la escolta* del Chapo). Debe destacarse que *tres* automóviles se encuentran *juntos*: el century en el que viaja el chofer de un presidente municipal importante *(quien guarda parecido físico con el Chapo)*; el grand marquís del cardenal y una camioneta con dos jóvenes. Es decir, que este "convoy" bien pudo ser confundido por los narcotraficantes que custodiaban cocaína y portafolios con la escolta de la banda del Chapo.

La heroína es tomada por la gente de los Arellano. Se lanzan por el portafolios. Matan al chofer del presidente municipal (Martín Alejandro Aceves) confundiéndolo con el Chapo. Para rescatar el portafolios matan al cardenal y a su chofer.

El Chapo Guzmán y 5 (cinco) gentes más huyen del lugar en el auto blindado, que lleva las llantas ponchadas. Al salir el aeropuerto detienen dos taxis y se van.

Los Arellano y sus hombres –9 (nueve) en total– salen para Tijuana con la heroína y el portafolios.

El Chapo habría huido a la ciudad de Aguascalientes para refugiarse en una casa donde vivió el excomandante de la PJF, Guillermo Salazar Ramos.

Recomendaciones:

a) Hacer una investigación cuidadosa sobre el portafolios: ¿era del cardenal o lo lanzaron a su auto?

b) Investigar en Aguascalientes (en las propiedades de Salazar Ramos) para ver si se localiza al Chapo. (Memorándum de EV a Jorge Carpizo, primero de junio de 1993.)

Engaños al procurador

"Rodeado de traidores", así trabajaba Carpizo. Lo sabía mejor que él. Pero sabía algo más: no era por casualidad ni maldad de los seres humanos. Se trataba de un problema político esencial, consecuencia de una estructura corrupta frente a la cual un hombre o un equipo poco podían hacer. Había que confiar en alguien: nadie mejor que Alfonso Navarrete Prida, su secretario particular. En nadie más: no en Jorge García Torres o en Mario Ruiz Massieu. Más allá de Carpizo y Navarrete (y algunas de sus secretarias, las más cercanas), todo era territorio enemigo o, al menos, minado. Un neutral: Ignacio Cabrera; su gente no actuaría contra mí sin verdaderas razones. Ya existía una base para ir más adelante. El cálculo fue correcto: todavía, cuando ya me encontraba en Washington, fue posible prevenir a Carpizo de alguna trampa o peligro, gracias al antiguo contralor interno de la PGR.

El 28 de junio se presentó una oportunidad extraordinaria: ¡habían detenido a Luis Medrano y a José Pérez de la Rosa! Fue un pitazo de la DEA y el Chino León Aragón, no pudo hacerse tonto. Ya detenidos, su presentación judicial fue "arreglada". El Amable se quedaba como primodelincuente en la ciudad de México y Medrano se iba para Matamoros; su Matamoros querido, su rancho. De donde podría escaparse cuando quisiera. Uno esperaba la libertad bajo fianza; el otro, la oportunidad de escaparse. ¿De veras? Intervino la oficina del asesor personal.

Desde Matamoros, Tamaulipas

Al encontrarme en la ciudad de Culiacán, Sinaloa, realizando investigaciones sobre Santos Humberto Arellano Bazán y el caso de Norma Corona Sapién *(las cuales no obtuvieron resultado relevante positivo)*, fui informado de la aprehensión de Luis Medrano García, José Pérez de la Rosa (en adelante el Amable), Adolfo de la Garza Robles (en adelante el Borrado) y otros sujetos. La alegría de nuestro equipo fue grande.

Pero inmediatamente disminuyó, cuando nos enteramos de que se cumplía la orden de aprehensión librada en el proceso 87-90 y se había dividido al grupo: Luis Medrano fue enviado a Matamoros, mientras se concentraba al Amable, y a los demás, en la ciudad de México.

En el proceso 87-90 todos aquellos que incriminan a *Luis Medrano están muertos y ello facilita enormemente la defensa.*

También se cumplió la orden de aprehensión librada en el proceso 185-90, la cual *es una de las más débiles* en relación con la organización de Juan García Ábrego, pues involucra un asunto de posesión y reparación de armas exclusivas del ejército.

Al enterarnos de esta situación reaccionamos de inmediato. Desde Culiacán solicitamos autorización para trasladarnos a Matamoros, Tamaulipas (por tierra), y un avión trasladó al mayor López González y al agente del Ministerio Público Federal, licenciado David E. Rozillio Oro, también a esta ciudad. Todo el equipo (dos agentes, el mayor López, Ángel Tapia —mi ayudante personal— y el que esto escribe) nos reunimos a las 3:00 a. m. (sábado) en la ciudad de Matamoros. Dormimos unas horas.

El día sábado 26, los dos agentes del MPF (licenciado Rozillio Oro y López Pérez) comenzaron el análisis de los diversos procesos penales relacionados con la organización, contando con el apoyo directo del Ministerio Público Federal adscrito al Juzgado Cuarto del Distrito de Matamoros, Tamaulipas.

Ese mismo sábado por la mañana, nos informaron que tres elementos de la Policía Judicial Federal trasladarían a Luis Medrano del reclusorio a los juzgados. Nos opusimos de inmediato y solicitamos autorización para pedir apoyo del ejército, *lograr que* el juez se trasladara al *reclusorio* y participásemos directamente en los interrogatorios del Amable y de Luis García Medrano o Luis Medrano García.

Rodolfo León Aragón nos informó que a las 18:00 horas llegarían a esta ciudad 20 (veinte) efectivos de la PJF para auxiliar en la custodia del reclusorio.

Al mismo tiempo, Adame y Rozillio lograron que el juez se trasladara al reclusorio y se rindiera la declaración preparatoria de

Medrano, veinticuatro horas después, respetando el término de las setenta y dos horas.

Piedad Silva Arroyo dictó el acuerdo que faculta como coadyuvante al licenciado Rozillio en los juzgados Cuarto y Quinto de Distrito en Matamoros.

Se inició la concentración (para nuestro estudio) de todos los procesos penales que involucran a Medrano, al Amable y a los operadores de primer nivel de la organización de García Ábrego.

Llegaron dos efectivos más de la PJF, adscritos a mi oficina.

A las 18:00 horas del sábado, celebramos (Valle, López González y el agente del Ministerio Público López Pérez) una entrevista con dos cuadros superiores de la DEA (uno de ellos, el señor Héctor Martínez, de Monterrey, y otro, el señor Tamayo, de Brownsville, Texas) para intercambiar –de igual a igual– información sobre la banda de García Ábrego. La entrevista terminó a las 20:00 horas, *con resultados positivos para la colaboración directa en el combate a esta organización criminal.* Los oficiales de la DEA reconocieron que la oficina del procurador, en materia de inteligencia e información, "está un punto arriba" de sus oficinas de la DEA.

El sábado 26 a las 21:30 horas, salimos en avión a la ciudad de México, a las oficinas de Jaime Nunó; llegamos a las 6:00 a. m. del domingo 27.

Nos enfrentamos a un problema: ya se había iniciado la declaración en la averiguación previa del Amable. De manera *inconcebible consta de una hoja*; encontramos cierta resistencia en el subdelegado y en el agente del Ministerio Público Federal revisor. Llamé a la oficina del procurador y el secretario auxiliar, Carlos Bátiz, logró que nos permitieran entrevistarnos con el Amable, previo consentimiento.

La entrevista con el Amable fue *extraordinariamente positiva* en dos sentidos:

a) Permitió la elaboración de un parte informativo que se integró al proceso contra Luis Medrano en Matamoros, el cual contiene elementos de prueba que inciden directamente en el proceso contra Luis Medrano (de puño y letra del Amable).

b) Confirmó información de inteligencia obtenida por esta oficina los dos meses anteriores; en particular, sobre protección federal a la banda de Juan García Ábrego.

La entrevista con el Borrado obtuvo menores resultados, pero se confirmó información de inteligencia (de puño y letra del Borrado); en particular, sobre protección de la Policía Judicial del estado a la banda de Juan García Ábrego.

Terminamos a las 4:00 a. m. del lunes 28 y salimos de regreso a Matamoros a las 9:00 a. m., llegando a las 10:30 horas de la mañana del mismo día.

Mientras tanto, los agentes del MPF Rozillio y Adame estudiaron los expedientes y formularon el boceto de interrogatorio, y se solicitaron copias certificadas del proceso donde está involucrado Elías García García, para fortalecer acusaciones contra Luis Medrano (185-90 y 87-90).

De las 12:00 a las 21:00 horas —en el reclusorio— se tomó la declaración preparatoria de Luis Medrano. La conducta de los agentes del MPF Adame y Rozillio se orientó a dar mayor solidez a nuestras acusaciones; se abrió un gran abanico de posibilidades para la investigación y se buscó romper los argumentos de la defensa y —sobre todo— se integró al proceso el parte informativo que vincula directamente a Luis Medrano con otros operadores del primer nivel de la banda.

Los abogados defensores de Luis Medrano son: Rubén González Barrera y Rubén González Chapa; este último, también fue defensor de Elías García García.

Se tramitó una necesaria (indispensable) reunión con el gobernador, Manuel Cavazos Lerma. El conducto para tramitar esta entrevista fue Luis Donaldo Colosio. *Ello se hizo sin la autorización del procurador*. ¿Las razones?: *una y muy sólida*: la cercanía de Colosio con Cavazos, que atenuaría la indisposición de Cavazos hacia quien esto escribe. De esta manera, además, *el procurador no es mencionado para nada en este aspecto del trabajo*.

A las 19:00 horas de ese día, el mayor López González y el licenciado López Pérez celebraron otra reunión con Martínez y Tamayo (DEA) y se obtuvieron fotocopias del organigrama manejado por la DEA para la ramificación mexicana de la banda de Juan García Ábrego; fotocopias de certificados de nacimiento (Las Palomas, Texas) de Juan García Ábrego y Luis Medrano García, y copias fotostáticas de dos órdenes de arresto contra Juan García Ábrego y Luis Medrano. El mayor López González ratificó el parte de la PJF ante el Juzgado Cuarto, con la asistencia jurídica del agente del MPF Rozillio.

Se confirmó la entrevista con el gobernador Cavazos. Se inician investigaciones para dar seguimiento a la información sobre propiedades y negocios de la banda.

Recomendaciones:

1. Celebrar o ratificar por el procurador y el gobernador Cavazos el convenio de colaboración entre la Procuraduría General de la República y la Procuraduría General de Justicia de Tamaulipas para el cumplimiento de órdenes de aprehensión del fuero común relacionadas con la organización criminal encabezada por Juan García Ábrego.

2. Enviar a esta ciudad inmediatamente a la agente del Ministerio Público Federal, Cristina Cruz Vidal, de Averiguaciones Previas.

3. Autorizar una partida de gastos de investigación.

4. Nombrar temporalmente al mayor Marco Antonio López González como subdelegado de la Policía Judicial Federal en el estado de Tamaulipas (bajo mi estricta y personal responsabilidad).

5. Nombrar temporalmente subdelegado de Averiguaciones Previas en Matamoros, Tamaulipas, al agente del Ministerio Público Federal David E. Rozillio Oro.

6. Dictar oficio de comisión para el agente del Ministerio Público Federal Adame, para dar seguimiento a las investigaciones en toda la república mexicana sobre la organización criminal encabezada por Juan García Ábrego.

7. Desarrollar la actividad jurídica necesaria en todos los procesos que existan contra la organización de Juan García Ábrego y asociados, así como las diligencias de Averiguaciones Previas, en las indagatorias que existan en el país, solicitando el apoyo necesario de la SHCP (existe acuerdo de cooperación) para consolidar los procesos penales y aseguramientos de bienes y numerarios producto de sus actividades ilícitas de narcotráfico y derivados; con el ánimo de conseguir sentencias condenatorias y los decomisos correspondientes.

Pregunta esencial (para ser respondida antes *de la entrevista con el gobernador Cavazos Lerma)*:

¿En la entrevista con el gobernador estoy autorizado para informarle que me encuentro al frente de las investigaciones federales en relación con la organización criminal de Juan García Ábrego, para buscar los mejores procedimientos de colaboración entre la PGR y el gobernador del estado de Tamaulipas? (Memorándum de EV a Jorge Carpizo, 28 de junio de 1993.)

Pues bien: el Amable había declarado sus generales (media hoja) y se presentaba casi como inocente palomita. Tenía varios cuernos de chivo a la mano, apenas por curiosidad. En los hechos se le presentaba como "primodelincuente" y así obtendría libertad bajo fianza. ¡Bravo por René Paz Horta!, delegado metropolitano de la PGR (ahora director del Instituto Nacional "contra" las Drogas). Como puede verse en los "balances jurídicos" (anexo III), "se le cayó la casa" gracias a nuestro trabajo en relación con el Amable y Luis Medrano.

Rozillio y Adame hicieron un buen trabajo con Medrano y no hubo dudas: le dictarían auto de formal prisión. Con todo cuidado y sigilo, comencé a planificar el traslado de Medrano a Almoloya. Superados todos los obstáculos jurídicos (gracias al apoyo directo del procurador Carpizo y de Alfonso Navarrete), el traslado se hizo en una operación relámpago. Cruzamos Matamoros en dirección al aeropuerto a ciento veinte kilómetros por hora. El convoy constaba de más de diez vehículos; si lo atacaban, el primer muerto se llamaría Luis Medrano García; lo esposamos a uno de mis escoltas y en el avión de la Policía Federal creyeron que los dos iban para Almoloya. Mejor para mí; así mi escolta pudo viajar exactamente en las mismas condiciones que Medrano. En toda la operación (de Matamoros a Almoloya) ordené absoluto silencio; no se debía cruzar palabra con el detenido. El viaje fue para él una total pesadilla: nunca esperó verse en esa situación.

Lo entregué en Almoloya ("Vaya —dijo una funcionaria—, primera vez que nos entregan a uno de este tamaño sin que venga drogado o golpeado"). Luego viajamos a la ciudad de México, adonde llegamos temprano. Ahí ocurrió un hilarante incidente.

Tan sudado y mugroso como cualquiera de los muchachos de la PJF y portando un intratec 9 mm sin mayor chiste —parado como cualquier otro en el hangar central de la PGR—, me había quedado sin cigarrillos. Me acerqué a un agente que estaba fumando y le pedí un cigarro. "Tengo dos nada más, pero para que veas que no soy gacho, te regalo uno." Y me lo dio. Examinó mi arma —en perfectas condiciones, pero pequeña— y exclamó: "¿Con eso estás armado? Vaya si estamos jodidos; y mientras tanto, los pinches funcionarios en sus suburban y nosotros enfermos y hasta sin balas". Con cierta pena —yo era de los "pinches funcionarios con suburban"– me retiré a fumar unos pasos alejado de él. Se acercó el primer comandante –un hombre muy atento– y preguntó: "¿Se le ofrece algo, licenciado Valle?; a sus órdenes, señor". El compañero de la PJF casi se traga el cigarro prendido. Le había regalado un cigarro y se había burlado de un "pinche funcionario". De esos de suburban.

A todos invité tamales, atole y jugo de naranja. El último vaso de jugo lo compartí con el compañero de los cigarrillos. Y, de repente, ahí estaba –¡otra vez!– en medio de un mitin –pero ahora de policías judiciales federales. Escuchando sus quejas y justos reclamos. Luego, escribí una furiosa nota al procurador; algunas cosas se arreglaron por intervención directa de Carpizo.

De ahí en adelante, cuando me paraba en Jaime Nunó (la sede de la PJF), fuese o no vestido como "pinche funcionario", muchos policías me saludaban con simpatía. Y hasta respeto. El operativo de traslado de Medrano había sido ejecutado a la perfección. Luego le acumulamos proceso tras proceso. (Véase el anexo BALANCES JURÍDICOS.)

Pero todo (casi) era terreno minado o enemigo. El Chino León Aragón sabía de la existencia de la averiguación previa 501-CS-92. Sólo desarrollarla era dar un formidable golpe a la banda de García Ábrego. (Véase el capítulo DECLARACIÓN DE ARMANDO BARRERA.) La fui a encontrar en Matamoros.

SOBRE LA AVERIGUACIÓN PREVIA 501-CS-92

Le informo sobre la reunión de trabajo celebrada en el palacio de gobierno en Ciudad Victoria el día de hoy a las 11:00 horas, en la cual participaron el gobernador, el procurador de Justicia del estado, el director de la Policía de Tamaulipas y el subdirector de esta corporación, y el licenciado Rafael Quintanilla y Eduardo Valle por la PGR.

Usted recordará la importancia de esta averiguación que se inicia con la declaración del ciudadano mexicano Armando Barrera ante nuestra cónsul, en la ciudad de Brownsville. En la declaración de Barrera se narran hechos de extraordinaria violencia (incluyendo masacres y múltiples homicidios) y se describe una buena parte de la estructura de la organización de García Ábrego en Matamoros. Barrera describe su intervención y la de otros en varios hechos delictivos y, en algunos casos, manifiesta haber escuchado de su propio hermano y varios integrantes de la organización la intervención de éstos en actos ilícitos.

Armando Barrera fue asesinado en Brownsville en abril de 1993. Pero su declaración dio pie al inicio de la averiguación mencionada. La cónsul mexicana en Brownsville ha ratificado que efectivamente se hizo esa declaración.

La averiguación previa 501-92 fue literalmente abandonada por mucho tiempo. Sólo los comandantes Esquivel y Parada realizaron un serio esfuerzo por aclarar aspectos de la declaración de Barrera, actuando en completa desventaja.

Como en mi oficina conocíamos indirectamente de la existencia de esta averiguación previa, una de las primeras tareas nuestras fue reconstruirla y darle debida forma jurídica, lo cual se logró.

Como en la declaración de Barrera se hacen graves imputaciones contra elementos de la Policía Judicial del estado, adopté el compromiso con el señor gobernador de dar la información suficiente para que se actuara en contra de estos elementos al servicio de García Ábrego. Como en la plaza de Matamoros no puedo confiar en nadie, se celebró la reunión de trabajo arriba citada.

Los resultados de la reunión de trabajo son positivos:

a) Se forma un grupo de trabajo integrado por un agente del Ministerio Público Federal (licenciado Gabriel Díaz) y dos del fuero común (de la confianza del gobernador), para fortalecer la averiguación previa 501-92 con investigación y actuaciones coordinadas de ambas procuradurías, hasta llegar a la debida integración de las averiguaciones previas 501-92 y las del fuero común que resulten.

b) En su caso, el fuero federal (con anuencia del gobernador y del procurador del estado) atraerá delitos del fuero común.

c) En términos de opinión pública, este esfuerzo común, según apreciación del procurador, dará relevancia a las investigaciones y resultados. (Memorándum de EV a Jorge Carpizo; Matamoros, Tamaulipas, 19 de agosto de 1993.)

El personal comisionado ha iniciado los trabajos relativos a la revisión física de cada una de las causas penales radicadas ante los Juzgados Cuarto y Quinto de Distrito en esta ciudad.

Con la finalidad de conocer la actuación que guarda cada expediente y la etapa procesal en que se encuentran, se realizó una entrevista con el juez Cuarto de Distrito por parte de los comisionados de esta Visitaduría, para la autorización respectiva, y los secretarios de la

Mesa Penal los proporcionarán de inmediato; siendo los siguientes: 20-88, 34-89, 54-89, 87-90, 185-90.

Y correspondientes al Juzgado Quinto de Distrito, se analizarán los expedientes de la averiguación judicial 35-90, y también el proceso penal 296-92.

En otra referencia, la síntesis elaborada de la *averiguación previa 501-CS-92* arroja la siguiente información:

1. Radicado el expediente por la denuncia que hizo el señor *Armando Barrera Caballero* respecto de los hechos sucedidos el día 7 de diciembre de 1991 en esta ciudad, en los que resultaron dos personas muertas, el cónsul de México en Brownsville, Texas, se trasladó al condado de Cameron a efecto de tomarle su declaración.

2. El disidente señaló que al enterarse de la detención de su hermano *Américo Barrera Caballero*, quien estaba detenido por la Policía Judicial del Estado [y] era buscado a su vez por la Policía de Brownsville, Texas, por dos homicidios, y que por no entregarlo a las autoridades norteamericanas el director de aquella corporación le pidió cinco mil dólares, situación que resolvió finalmente mediante la entrega de mil dólares; debido a lo anterior, se originó un enfrentamiento entre *Andrés Arriaga* (a) *el Cayo*, y *Pepe de la Rosa* (a) *el Amable* y agentes de la Policía Judicial Estatal.

3. Por otra parte, el declarante manifestó también la estructura de la organización de *Juan García Ábrego*, quien es el máximo jefe, seguido por *Luis Medrano García*, *Óscar Malherbe de León*, *José Luis Sosa Mayorga* (a) *el Cabezón Sosa*, y *Adolfo de la Garza* (a) *el Borrado*, quienes se encargaban de recibir y transportar cocaína, proporcionando además la media filiación y domicilio de los integrantes de la banda.

4. Otros datos importantes hacen referencia a los señalamientos de que *el Amable* y *Arcadio Pérez* son los ejecutores de todos los enemigos de la banda; se han obtenido varias fotografías de sus integrantes y proporcionó una narrativa de los hechos delictuosos cometidos.

5. Corren agregadas también al expediente, las copias certificadas de los nombramientos de agentes de la Policía Judicial Federal que pudieran estar relacionados con los presentes hechos.

6. Por otra parte y derivado de las presentes investigaciones, ocurrieron diversos homicidios, y corren agregadas las constancias correspondientes.

Finalmente, del expediente de seiscientas cincuenta fojas, se deriva que el señalado declarante perteneció anteriormente a otra organización criminal, y que después pasó a la organización de *Oliverio Chávez Araujo* (se cuenta ya con la fotocopia de los documentos más importantes de este expediente).

En tesitura distinta, se informa a usted también lo siguiente:

El *licenciado Sergio Guadalupe Adame Ochoa* señaló que, para todos los trámites en el presente caso, requiere la autorización directa del licenciado *Eduardo Valle*, quien inclusive ha participado personal y activamente en los cateos realizados.

Que una vez enterado *Adame* de la comisión del suscrito, procedió a entregar los cuadernillos procesales, incompletos, de cuatro de las causas penales de la averiguación previa 501-CS-92, respecto de los cuales dijo ya haber sido objeto de revisión directa por un comisionado de la Contraloría Interna de la institución.

Y que su encargo oficial requiere, urgentemente, del apoyo operativo de policía para la ubicación y aseguramiento de diversos inmuebles cuyos datos mostró brevemente en dos relaciones anexas que contienen los domicilios de sus propietarios, sobresaliendo en su mayoría el nombre de *Juan García Ábrego*, e indicando al suscrito que tuvo problemas para obtener tal información en el Registro Público de la Propiedad, toda vez que ninguna persona quería darle los antecedentes registrales, por lo que él tuvo que hacerlo en forma directa.

Reiteró que sin la intervención urgente de alrededor de cincuenta agentes federales será imposible el resultado esperado; que tal planteamiento ya lo tiene solicitado el *licenciado Valle* ante las máximas autoridades de la institución.

Finalmente, comentó al suscrito que tiene una información muy valiosa referente a un "narcoperiodista" debidamente comprobada, que finalmente dará amplia satisfacción al titular máximo. (Memorándum de EV a Jorge Carpizo; Matamoros, Tamaulipas, 6 de agosto de 1993.)

La protección policiaca y judicial a Juan García Ábrego de ninguna forma era nueva. Ya en 1989, en la averiguación previa 287-N-89, habían ocurrido tales desatinos que provocaron la destitución inmediata del delegado de la PGR en Tamaulipas, Piedad Silva Arroyo, en cuanto Carpizo tomó pleno conocimiento del asunto. Ahora, Silva Arroyo ha sido nombrado por el procurador Fernando Lozano Gracia (panista en receso) como subdelegado de Averiguaciones Previas en... Nuevo León. Son los resultados de los buenos oficios y poderosas razones de Óscar Malherbe de León. Por eso afirmo que, en el mejor de los casos, Lozano Gracia es un buen hombre que ni siquiera sabe dónde está sentado. En el mejor de los casos, conste.

SOBRE LA AVERIGUACIÓN PREVIA 287-N-89

Remito a usted copia del expediente 287-N-89 consistente de cuarenta y cinco fojas. También la tarjeta informativa sobre la misma averiguación, que muestra en detalle las omisiones e irregularidades efectuadas en la misma.

La pérdida de documentación de Juan García Ábrego, así como de la droga y armas afectas a la misma *nos imposibilita* poder apoyarnos en esta averiguación para los cateos y acciones proyectadas. De estas irregularidades ya tienen conocimiento la Visitaduría y la Contraloría.

Recomendaciones:

a) Es indispensable encontrar armas, droga y documentación, así como los dictámenes periciales correspondientes a esta averiguación previa.

b) En mi opinión, además, es indispensable establecer *las responsabilidades oficiales de quienes intervinieron en la integración de la misma*. (Memorándum de EV a Jorge Carpizo; Matamoros, Tamaulipas, 19 de agosto de 1993.)

TARJETA INFORMATIVA

Averiguación previa núm. 287-N-89
Delitos: Contra la salud, violación a la Ley Federal
de Armas de Fuego y Explosivos, y los que resulten
Inculpado: Juan García Ábrego y los que resulten
Denunciante: C. Jefe de la PJF, Martín Elías Salazar de la Cadena
Fecha de inicio: 2 de agosto de 1989
Agente del Ministerio Público Federal que inició el expediente:
C. Lic. José Piedad Silva Arroyo

Observaciones:

Según el parte informativo de la PJF, en el inmueble registrado por estos elementos el día 2 de agosto de 1989, en presencia del

C. licenciado Silva Arroyo, se localizaron tres vehículos de procedencia extranjera, dólares americanos que sumaron la cantidad de 520,000, seis armas de fuego de distintos calibres, droga (cocaína), dos radios de comunicación y documentación a nombre de Juan García Ábrego (sin especificar qué tipo de documentos).

Por lo anterior, la indagatoria es iniciada precisamente en contra de Juan García Ábrego, por los delitos ya señalados.

En la diligencia de inspección ocular y fe ministerial, de esa misma fecha, el licenciado Silva Arroyo describe el inmueble y los objetos y bienes encontrados en su interior: en lo correspondiente a las cajas de seguridad que en número de tres se localizaron, sólo se detalla el contenido de una de ellas, y lo que respecta a la documentación encontrada, se detalla una chequera, pero sin señalar a quién corresponde o mayores datos de identificación del referido documento. Al final de la diligencia, el C. Martín E. Salazar de la Cadena firma como T. de A.

Aparece oficio de contestación, suscrito por el C. Juan García López, gerente de plaza de Bancomer, informando al licenciado Silva Arroyo respecto de la chequera ya citada, desprendiéndose que la misma pertenece a una persona de nombre César Javier Guerrero Zárate, con un saldo de 6'056,387, indicando su domicilio, tipo de cuenta y fecha de apertura.

Oficio núm. 2120-989, de fecha 2 de agosto de 1989, por el cual el licenciado Silva Arroyo remite al C. licenciado Coello Trejo la droga, numerario, aparatos de comunicación, armas y documentación descritos en la fe ministerial, con excepción de los vehículos, comisionando para tal efecto al C. Raúl Morales Aranda, elemento de la PJF.

Aparecen diversos oficios, por medio de los cuales se solicita sea devuelto el estupefaciente afecto, para la debida integración de la averiguación previa, con resultados negativos, toda vez que el mismo no fue localizado.

El C. agente de la PJF, Raúl Morales Aranda, causó baja por abandono de empleo el primero de agosto de 1991.

Existen periodos sin actuar del 18 de agosto de 1989 al 3 de junio de 1991; del 3 de junio de 1991 al 13 de septiembre de 1991.

Constancia de fecha 26 de abril de 1992, por medio de la cual se señala que, respecto de las indicaciones de Contraloría, en el sentido de que no aparece el destino legal de 370 pesos, anexándose recibos de dicha cantidad, así como el respectivo a 519,630 dólares americanos, apreciándose que dichos recibos están fechados el día 29 de octubre de 1990, es decir, más de un año después de que fueron enviados al sector central.

Por último, aparece acuerdo de autorización de consulta de registro condicionado del expediente en estudio, señalando en el mismo que, debido a que hasta la fecha (11 de diciembre de 1992), no se cuenta con elementos para integrar debidamente dicha indagatoria; habiendo consultado para tal efecto el C. licenciado Maximino Pérez Pérez, y autorizado la referida consulta el C. licenciado Enrique Martín del Campo Díaz, fiscal especial de la unidad de apoyo C-2.

Omisiones e irregularidades detectadas en la averiguación previa en estudio:

1. No aparece constancia de aseguramiento del inmueble afectado.

2. No se practicó dictamen de balística respecto de las armas de fuego.

3. No se especifica con detalle a quién pertenecen los documentos bancarios a que hace referencia el denunciante en su parte informativo.

4. No aparece oficio de investigación a la PJF para que investigara sobre los hechos.

5. No existe constancia de oficio solicitando a la Oficina de Catastro, ni del Registro Público de la Propiedad, para solicitar, en primer lugar, información acerca del propietario del inmueble y, en segundo lugar, impedir que fuera enajenado.

6. Los vehículos afectos aparecen en un taller de pintura y hojalatería, sin que exista acuerdo donde se indicó su traslado, y actualmente se encuentran en el taller de Grúas Hernández.

7. Los recibos por el numerario relacionado son de más de un año después de los hechos que dieron inicio a la indagatoria.

8. Existen periodos de inactividad de actuaciones hasta por dos años, es decir, dos semanas después de iniciada la averiguación previa se deja de actuar hasta el 3 de junio de 1991.

9. Respecto de uno de los vehículos afectos, éste le fue robado a un doctor de apellido Ferreira, por lo que se inició constancia de he-

chos núm. 69-989, iniciando dicho expediente el C. licenciado Ricardo Rubio Galván, habiendo debido iniciar averiguación previa por el delito de robo. Además, no existe acuerdo donde se le haya otorgado en depositaria del citado galeno (actualmente médico adscrito en esta plaza).

Agentes del Ministerio Público Federal que conocieron del expediente en comento, en orden cronológico:

1. C. Lic. José Piedad Silva Arroyo
2. C. Lic. Manuel Villegas Reachy
3. C. Lic. Luis Ángel Ziga Rodríguez
4. C. Lic. Guadalupe Gutiérrez López
5. C. Lic. Alfredo Olivares Ozuna.
6. C. Lic. Juan Rebollo Rico
7. C. Lic. Maximino Pérez Pérez y Enrique Martín del Campo Díaz (estos últimos, adscritos a la unidad de apoyo C-2, al parecer, para abatimiento de rezago).

La PGR es "el campo de todas las batallas". No hay tregua ni espacio neutral. Desde septiembre de 1993, en un operativo conjunto Grupo Especial-FBI-U. S. Customs, habíamos localizado a José Guadalupe Sosa Mayorga (*a*) el Pitochín. De inmediato comenzamos los trámites para su "detención provisional para fines de extradición". Alejandro Alegre Raviela se responsabilizó de ir adelante. A principios de enero, Antonio García Torres salía de la PGR con un nombramiento de magistrado o algo así en el DF. Una vez más hice trampa. Hacía meses había prometido regalarle un libro (*Cartas* de Nikos Kazantzakis). Por esos días, finalmente localicé el ejemplar y lo mandé a su oficina. Agregué un breve escrito preguntando sobre los trámites relacionados con el Pitochín Sosa y Raúl Valladares del Ángel, quien se había escapado en 1993 de una cárcel de Edinburg, Texas.

Me contestó con una joya de oficio:

Por instrucción del C. Subprocurador Jurídico, me permito dar respuesta a su oficio número 2-005-94 de fecha 4 de enero del presente año, en relación con los trámites para la detención provisional con fines de extradición del ciudadano mexicano *José Guadalupe Sosa Mayorga*, así como lo relativo a la solicitud de detención provisional por parte del gobierno de Estados Unidos de América de *Raúl Valladares del Ángel.*

Al respecto me permito informar a usted que con fecha 7 de marzo de 1989, el C. Juez Cuarto de Distrito en H. Matamoros, Tamaulipas, libró orden de aprehensión en contra de *José Guadalupe Sosa Mayorga,* dentro de la causa penal 34-989, por presunta responsabilidad en la comisión de un delito *contra la salud.* Con fecha 14 de septiembre de 1993, el licenciado Alejandro Alegre Raviela, director general del CENDRO, solicitó la extradición del reclamado, señalando que se encontraba ubicado por el FBI en la ciudad de Brownsville, Texas, E. U.; cabe mencionar que la Dirección General de Asuntos Legales Internacionales de esta Subprocuraduría no ha formulado la petición de extradición correspondiente, en virtud de que la Dirección General del CENDRO no ha remitido la documentación soporte para la misma, la cual ya fue requerida sin que a la fecha se haya obtenido respuesta alguna.

Por otra parte, en relación con el caso de *Raúl Valladares del Ángel,* informo a usted que en la Dirección General de Asuntos Legales Internacionales de esta Subprocuraduría no se encontraron antecedentes de que hubiera solicitud de detención provisional por parte del gobierno de los Estados Unidos de América. (Oficio 1382-94, Subprocuraduría Jurídica, Secretaría Particular, dirigido a EV; firma Gerardo Blanco Dávila; México, D. F., 7 de enero de 1994.)

Vaya: la Dirección del CENDRO no había remitido la documentación soporte y... "en el caso de Raúl Valladares del Ángel (¡!)... no se encontraron antecedentes".

Eso fue motivo para que me dirigiera a don Ricardo Franco Guzmán, entonces subprocurador jurídico, y a don Marcos Castillejos, subprocurador de Control de Procesos, para aclarar la situación en la cual se encontraba la institución.

SOBRE JOSÉ GUADALUPE SOSA
Y RAÚL VALLADARES DEL ÁNGEL

Respetuosamente me permito enviar a usted copia simple del oficio núm. 1382-94 enviado a mi oficina por la Subprocuraduría Jurídica el 7 de enero del año en curso. También envío copia certificada de la orden de aprehensión de la causa penal núm. 34-89 del Juzgado Cuarto de Distrito en Matamoros, Tamaulipas. Quizá sea soporte suficiente para solicitar al gobierno de Estados Unidos la extradición de José Guadalupe Sosa Mayorga.

Ruego a usted se me comunique si es suficiente la documentación soporte o hacen falta otros documentos oficiales.

Manifiesto a usted que el 17 de septiembre de 1993, en la Dirección General de Asuntos Legales Internacionales, fue recibida copia fotostática simple de esta misma orden de aprehensión.

Por otra parte, comunico a usted que esta oficina se encuentra en la fase de localización e identificación de Raúl Valladares del Ángel. Esta persona es fugitivo de la justicia de Estados Unidos puesto que se evadió de la cárcel de Edinburg, Texas, el 20 de abril del 93, donde se encontraba procesado por tráfico de drogas. El señor Valladares del Ángel es un importante contacto de la organización criminal multinacional dirigida por Juan García Ábrego con el Cartel de Cali, dirigido por Gilberto y Miguel Rodríguez Orejuela.

Hemos cateado una casa de Valladares en Monterrey, Nuevo León, y descubrimos armas, droga y documentación federal falsificada. Estamos promoviendo que se obsequie orden de aprehensión contra él y su esposa, al menos por falsificación de documentos federales.

Pero mucho nos ayudaría tener en nuestras manos una solicitud de orden de detención provisional para fines de extradición contra Valladares. Habría que preguntar a Yvonne Bonner de U. S. Marshall Src., si esa solicitud está debidamente requisitada (95-713/226-22-59). (Oficio 2-032-94, de EV a Ricardo Franco Guzmán, subprocurador jurídico de la PGR; México, D. F., 18 de enero de 1994.)

SOBRE EXTRADICIONES

En la práctica se nos han presentado dos situaciones frente a las cuales no tenemos respuesta eficaz:

a) El FBI localiza a una persona que tiene orden de aprehensión en México. Se dirigen a nosotros para entregarlo a la PGR (en particular, a esta unidad). Vamos con la autoridad responsable de estos asuntos en la PGR y no podemos seguir adelante, afectando la imagen de la institución en el extranjero.

b) Comenzamos a perseguir a un núcleo de narcotraficantes; nos damos cuenta de que su líder es buscado por las autoridades de Estados Unidos; preguntamos en la PGR sobre si hay orden provisional de detención y, de hecho, no hay información oportuna.

Se trata notoriamente de los casos de José Guadalupe Sosa Mayorga (*a*) el Pitochín y de Raúl Valladares del Ángel.

Hemos comentado esta situación con el embajador Óscar González. Sin embargo, lógicamente, el señor embajador espera instrucciones de usted.

Sugiero una reunión de los tres para profundizar en el asunto (que puede repetirse muchas veces, en el caso de la organización de JGA) para encontrar soluciones viables e institucionales. (Oficio 2-076-94, de EV a Marcos Castillejos, subprocurador de Control de Procesos; México, D. F., 22 de febrero de 1994.)

Sí, señor. La PGR: campo de todas las batallas. Uno se desgasta más luchando contra los enemigos de dentro que contra los narcotraficantes, protegidos por los de dentro.

Ya en mayo de 1994, el Pitochín Sosa fue detenido por mis amigos del FBI. La PGR hizo todo cuanto estuvo a su alcance para que el juez federal de Estados Unidos en Brownsville... lo liberara. Lo lograron: no procedió la extradición. Valladares del Ángel está encarcelado en una prisión de alta seguridad en Jalisco. Su nombre surgió, en forma notoria, cuando asesinaron a José Francisco Ruiz Massieu. Dos días después de que fueron arrestados en Matamoros Óscar Malherbe, José Luis Sosa Mayorga, Raúl Guerra Barrera y Epifanio Pérez Solís. Sólo fue presentado ante autoridad judicial competente Epifanio, quien es uno de los más viles asesinos al servicio de la organización. Varias cuentas bancarias –la de Mario Ruiz Massieu entre ellas, en forma incuestionable–, engordaron súbitamente en forma considerable. Dos días después, José Francisco Ruiz Massieu era asesinado por órdenes de Raúl Salinas de Gortari. Su hermano Mario jugaría al héroe de la justicia, buscando ser titular de la PGR en el gobierno de Ernesto Zedillo.

La nota se publicó el 27 de septiembre de 1994 en *El Heraldo de México*. La cabeza dice: "Capturan en Matamoros a cuatro sujetos vinculados con el capo García Ábrego". Hay dos párrafos muy importantes: "Los efectivos de la Judicial Federal comisionados en Matamoros aprehendieron a Óscar Malherbe y a un sujeto apodado el Cabezón Sosa [...] Se dio a conocer la captura de Raúl Guerra Barrera y de Epifanio Pérez Solís".

Se trata de tres personajes conocidos y uno más importante que los anteriores. Óscar Malherbe de León, (*a*) licenciado Martínez, (*a*) Martín Becerra Mireles, y José Luis Sosa Mayorga (*a*) el Cabezón, dos lugartenientes y operadores de gran importancia en el Cartel del Golfo. Y un brutal asesino (Epifanio), gatillero al servicio de José Pérez de la Rosa (*a*) el Amable. Éstos son los conocidos. Pero: ¿y el cuarto hombre? Raúl Guerra Barrera es uno de los hombres más importantes de la organización en Ciudad Juárez; es una de las personas más estrecha y directamente vinculadas con el Tío o don Francisco, el *segundo* hombre del Cartel del Golfo, superior al propio Malherbe y patrón de Pérez de la Rosa. La Drug Enforcement Administration, en forma equivocada, piensa que el Tío –uno de los principales introductores de cocaína en Coahuila y Chihuahua– opera en forma independiente. A ver si ahora entienden que el Tío es tío de Juan García Ábrego. Y su brazo fuerte en el combate por Ciudad Juárez, plaza peleada a Amado Carrillo Fuentes.

Ya mencionar la detención de Raúl Guerra Barrera es garantía de que, en efecto, la aprehensión se llevó a cabo. Pero si esto no fuese suficiente, Luis Enrique Mercado publicó en su columna de *El Economista* las siguientes frases (el mismo día): "La captura del día de ayer de Óscar Malebre [sic] y del Cabezón Sosa, reconocidos líderes del Cartel de Matamoros, es una señal inequívoca de que la PGR, como en su momento lo afirmó Mario Ruiz Massieu, va en serio contra los narcos. Entre Malebre [sic] y Sosa acumularon más de trescientos cincuenta millones en cocaína. Junto a ellos, Cabal Peniche y los Mariscal son apenas unos pequeños ahorradores". No puede olvidarse que Luis Enrique tiene una privilegiada relación con los actuales funcionarios superiores de la PGR. De esta forma, la PGR capturó en Matamoros a cuatro lugartenientes del Cartel de Golfo; tres de ellos de la mayor importancia. ¿Lo saben el presidente Salinas y Ernesto Zedillo? Porque sólo Epifanio Pérez Solís fue presentado ante autoridad judicial competente; los otros tres capos han desaparecido. ¿Dónde están, qué sucedió con ellos?

La pregunta adquiere más importancia porque el 28 de septiembre fue asesinado José Francisco Ruiz Massieu, secretario general del PRI, hermano del subprocurador encargado de la lucha contra el narcotráfico. Y aunque la institución lucha con todos los elementos a su alcance para presentar el homicidio como resultado de una "venganza política que tenía como objetivo evitar reformas democráticas en el partido de gobierno", lo cierto es que las relaciones con narcotraficantes son directas, ineludibles, hasta para la PGR. Y ya no se puede engañar al país entero todo el tiempo. Menos ahora. ¿Dónde se encuentran Óscar Malherbe, Sosa Mayorga y Raúl Guerra Barrera? ¿Están libres? Si esto es así, ¿por qué? Hay órdenes de aprehensión contra los dos primeros en varios juzgados de la república. Del otro no, porque forma parte de los "innombrables". Nada más se apellida Guerra Barrera.

Veamos: el 26 de septiembre se captura a cuatro personas importantes del Cartel del Golfo; la noticia se publica el día siguiente –hasta con fanfarrias–; el día 28 matan a José Francisco Ruiz Massieu. Y los capturados –excepto uno– desaparecen de la escena pública y judicial. ¡Cuando en el homicidio del político están implicados precisamente elementos del Cartel del Golfo! Son sucesos extraños que merecen una explicación.

La primera de ellas es simple: no es cierto, nada más se capturó a uno y se presentó ante el juez por el homicidio de Adriana (la bebita de dos meses que, en un ajusticiamiento de 1991, fue asesinada) y por otros delitos. No más.

Pero podría presentarse otra explicación: no es la de que los otros tres capturados "compraron su libertad" con algunos millones de dólares. No: el horno no está para bollos. Esas aprehensiones eran motivo de fiesta para los altos funcionarios de la PGR. Y sin embargo se diluyeron. ¿Por orden de quién? ¿En función de cuáles elementos de presión? ¿Nada más porque estaba implicado el apellido Guerra Barrera; tan importante es? ¿Por qué; con quién se relaciona ese apellido? ¿Por qué es tan importante el Tío? Sabemos que don Francisco cultivaba las más importantes relaciones para el Cartel de Golfo. ¿Hasta dónde llegó el Tío Guerra Barrera? Con todo, el homicidio de Ruiz Massieu estaba planeado de antemano, conste. (Nota de EV, *El Financiero*, 7 de octubre de 1994.)

Jardines de la Montaña

De manera increíble –gracias a la confianza de un policía leal– teníamos información de primera mano sobre asuntos de José Pérez de la Rosa (*a*) el Amable. Localizamos en el Distrito Federal varias casas. Una de ellas en el lujoso fraccionamiento del sur de la ciudad: Jardines de la Montaña. Pedimos las órdenes de cateo para esa casa y para un penthouse, atrás del Liverpool Insurgentes (calle Recreo). La autorización para el segundo cateo nos la dieron bastante rápido y cuando entramos (la habían habitado varios policías federales, entre ellos, Guillermo Salazar Ramos) descubrimos molinos para droga, residuos de cocaína. Y nada más. De cualquier manera, la aseguramos. Y sellamos las puertas. Unos cuantos días después, la saquearían personas que se identificaron ¡como policías federales!

El comandante Vergara me acompañó a inspeccionar los alrededores de la casa en Jardines de la Montaña; formaba parte de un conjunto habitacional, casualmente se rentaba una casa del interior del conjunto. Con ese pretexto fuimos a conocer la casa del Amable. Entramos. De repente, un hombre joven gritó: ¡Búho! Era un antiguo alumno. Nos invitó a tomar café en su hogar; aceptamos de inmediato. El Amable tenía la peor fama posible en el vecindario; todos los vecinos lo odiaban o le temían. Con ellos confirmamos alguna información.

La orden de cateo tardaba demasiado; ordené colocar estrecha vigilancia en esa casa. Íbamos a entrar. La juez nos pedía una y otra vez más requisitos; una y otra vez, los cumplíamos. Luego de más de una semana de tensión, nos concedieron la autorización judicial: entramos a catear. Y, ladrón que roba a ladrón tiene cien años de perdón, la caja fuerte del Amable había sido saqueada. El vigilante nocturno nos informó que, en efecto, hacía meses el Amable había amenazado de muerte al personal porque "no cuidaban el condominio". Nada les dijo del asunto de la caja fuerte, pero ahora se explicaban su furia.

Encontramos algunos materiales que nos permitieron asegurar la casa. Y documentación, una gran cantidad de información. Entre ella, un cuaderno con notas manuscritas del Amable sobre la visita de un "hermano del presidente Salinas a una fábrica de don Francisco en Puebla". Y una lista de pagos a personal superior de la PJF. (Véanse los capítulos EL PRESIDENTE SALINAS y UN PAPEL DE A MILLÓN DE DÓLARES.) Uno de mis agentes de mayor confianza me llevó el cuaderno; pálido y silencioso, lo entregó. Cuando leí la nota sobre "el hermano del presidente", le ordené absoluto silencio sobre el asunto. No permití que nadie más mirase esas notas. Curiosamente la información que encontramos mostraba a un Amable ordenado, con un amplio lenguaje y sin faltas de ortografía.

Lo más importante estaba corroborado: el Amable tenía un jefe superior por quien mostraba un temeroso respeto y una asombrosa fidelidad, al extremo de pagar sus cuentas de tintorería: "don Francisco", "don Paco", "don F.". ¿Quién era ese hombre tan importante –y tan temido? En un cateo posterior serían decomisados varios pasaportes falsificados y gran cantidad de fotografías. Caramba: uno de los pasaportes mostraba al Amable como "Fortino Valle Leyva". El otro era de "Jorge Álvarez Romero"; "don Francisco" pudo ser identificado por fin –meses después– como Francisco Guerra Barrera.

Hace muchos años conocí en Culiacán, Sinaloa, a un Francisco Guerra. Lo apodábamos Francesco Hecatombes. Era un divertido demonio. ¿Será la misma persona? Eso explicaría los apellidos tan sinaloenses usados por el Amable en su pasaporte falsificado. Quién sabe. ¿Fortino Valle Leyva es una demoniaca paradoja? Sabemos que Jesús Gastélum está relacionado de alguna forma con el Cartel del Golfo. ¿Cuáles eran las relaciones Sinaloa-Tamaulipas hace un cuarto de siglo? ¿Cuál fue el papel de Miguel Félix Gallardo y el hondureño Matta Ballesteros en la creación y fortalecimiento del Cartel del Golfo? ¿Qué hilo conductor nos puede explicar una historia que comienza con los Fernández de Tierra Blanca, Culiacán, hasta llegar a los García Ábrego, nacidos en La Puerta, Matamoros; pasando por Amado Carrillo (de Los Limoncitos, Navolato), los Arellano Félix, los Guerra Barrera, los Sosa Mayorga, los Medrano? ¿Qué historia secreta de poder y dinero nos estamos perdiendo los mexicanos? ¿Quién escribirá la historia de poder oculta, atrás, en la historia de la Dirección Federal de Seguridad y sus relaciones con "don Francisco" y Juan José Esparragoza (*a*) el Azul? ¿Qué historia real de dinero y crimen (de poder) los mexicanos nos estamos perdiendo y así pareciera que avanzamos a tropezones, a ciegas?

¿Hay un elemento esencial de nuestra historia oculto en la historia de los "gomeros"; los narcotraficantes? Si existe, ¿cómo embona con la historia de los "mafiosi" menos conocidos: los de la costa occidental de Estados Unidos? ¿Quiénes son los "capo di tutti capi" en California, Arizona, Nuevo México? ¿Y los de Texas y Oklahoma?

Jardines de la Montaña: ¿es verdad que el viejo Juan N. Guerra contrabandeaba licores para Jack Ruby? ¿Porque pareciera que don Juan ha sido protegido durante décadas por autoridades de Estados Unidos? ¿Lucien Sarti estuvo presente en Dallas, Texas, el 22 de noviembre de 1963, cuando mataron a Kennedy? ¿Entró a Estados Unidos por Matamoros –protegido por Juan N. Guerra? ¿Este anciano sabe algo del asesinato de John F. Kennedy? ¿Tiene en sus manos algo que le permite terminar sus días en paz con dos gobiernos? ¿Qué historia secreta no conocemos? ¿Es más importante la de las relaciones DFS-narcotráfico o la de Juan N. Guerra?

El cateo a la casa del Amable produjo respuestas a preguntas importantes en la investigación. Fuera de ella, dejó interrogantes esenciales.

UN PAPEL DE A MILLÓN DE DÓLARES

El manuscrito decía (de propia mano del Amable): "Chino: $ 1'000,000. Guillermo Salazar Ramos: $ 500,000. Miguel Silva Caballero: $ 100,000. Juan Benítez Ayala: $ 40,000". El símbolo no dejaba lugar a dudas: se trataba de dólares. El Cartel del Golfo le había pagado a jefes de la Policía Judicial Federal –en fecha tan cercana como 1990– más de millón y medio de dólares. Chino en la Judicial Federal sólo había uno: Rodolfo León Aragón. ¿Y ahora?

Fui con Carpizo. Nada más dos sopas: correr al Chino o ganarlo para la oficina del procurador. Argumenté a favor del segundo camino. Con muchas dificultades aceptó. "Te encargas del asunto; a ver si no sale mal."

¿Cómo se le dice al director de la Policía Judicial Federal que se ha encontrado un documento que habla de multimillonarios pagos de una organización de narcotraficantes a los jefes de la Judicial Federal, incluyéndolo a él? Fácil: se le dice a solas. El Chino estaba en Tijuana; se había anotado un triunfo: localizó un túnel, al parecer de los Arellano Félix. Impresionante obra de ingeniería. Cruzaba la frontera y permitiría el paso de drogas, armas y personas sin mayor dificultad. El Chino parecía niño con juguete nuevo. Fui a Tijuana a entrevistarme con él.

A solas, en medio de una plática más o menos informal, le entregué el manuscrito original. Lo leyó en silencio. Guardó la hoja de papel.

Esa noche nos fuimos de borrachos. Desde ese día, el Chino desplegó una frenética actividad, al extremo de que se agotó física y psicológicamente. Lo sustituyó Adrián Carrera. Pienso que Carrera de algo se enteró, pues siempre me trató con confianza y no intentó ponerme "cuatros". Y cuando solicité ayuda de la PJF, la obtuve al extremo de que en Cancún, de repente, me encontré a la cabeza de un grupo de decenas de policías federales, incluyendo a un primer comandante y varios segundos comandantes.

El Chino es un tipo simpático; recuerdo una de sus bromas: "Yo no tengo problemas; cuando me retire, voy a China pues tengo parientes en Cantón". Creo, sin salvar ninguna responsabilidad, que el Chino es el menos perverso de todos aquellos que han ocupado la dirección de la Policía Judicial Federal.

Por cierto, el operativo en Cancún terminó cuando el CENDRO informó que las dos toneladas de cocaína que estábamos esperando se le habían caído a Óscar Malherbe en la sierra de Oaxaca y un exjefe policiaco de Puebla fue capturado con ochocientos kilos de cocaína cerca de San Andrés, Veracruz.

De todas maneras, el operativo no produjo los mejores resultados: se trataba de atrapar a Óscar Malherbe. Rodeado de mi mejor gente, con buena inteligencia, cometí un error de principiante: en el aeropuerto dejé a un simple agente. Cuando lo podían presionar de mil maneras o él tomar decisiones equivocadas. Involuntariamente o de mala fe, cometió "el error" de no avisarme de la llegada del vuelo que estábamos esperando. Reaccioné demasiado tarde y cuando llegué al aeropuerto de Cancún, los pasajeros ya se habían retirado. De todas maneras, cuando los hombres de la DEA y nosotros nos enteramos de las buenas nuevas de Oaxaca y Veracruz, nos dimos por satisfechos. Retiramos todo el equipo y regresamos a Monterrey. Había que atrapar a Carlos Reséndez Bortolussi, de quien dicen es el "cerebro financiero" del Cartel del Golfo. Lo cual dudo, pues, primero, necesitaría tener cerebro; Reséndez es "el amigazo", el bufón de Juan García Ábrego y su corte: don Francisco, Ricardo Castillo Gamboa y Rafael Olvera.

MATAMOROS

Dice Janet Reno, cabeza del Departamento de Justicia de Estados Unidos: se llama Juan García Ábrego, nació el 13 de septiembre de 1944, en La Paloma, condado de Cameron, Texas, Estados Unidos. Padre: Albino García; madre: Estela Ábrego. La firma del jefe público del Cartel del Golfo es, simplemente, "Juan García". Los rasgos son claros, ordenados y el "García" lleva acento en la "i". Él firma en español, no en inglés. El certificado de nacimiento del estado de Texas fue expedido gracias a un certificado de bautizo de la St. Benedict Church, firmado por un pastor de San Benito, Texas, con fecha oficial del 25 de noviembre de 194(?), y a un documento ("affidavit": declaración jurada) firmado por la señora Estela Ábrego avalado por el notario público del condado de Cameron, Héctor Cascos. ¿Todo correcto? Juan García Ábrego es ciudadano de Estados Unidos: ¡a la lista de los diez más buscados por el Federal Bureau of Investigations!

Dice el autor de este libro: se llama Juan García Ábrego; nació el 13 de septiembre de 1944 en el rancho La Puerta de Matamoros, Tamaulipas, México. Lo presentó vivo el padre: Albino García Cárdenas, de edad treinta años; la madre tenía veinticuatro cuando nació Juan. ¿Los abuelos paternos?: Modesto García y Herlinda Cárdenas. ¿Los maternos?: Jesús Ábrego y Carmen Benavides. ¿Los testigos?: Pablo Mireles y Clemente Rendón. Es un documento de la Oficialía Primera del Registro Civil mexicano en Matamoros, Tamaulipas. "García" es ciudadano mexicano. No hay duda.

Entonces, ¿quién tiene razón? ¿La señora Reno o este autor? El documento que puede presentar la señora Reno se expidió el 18 de mayo de 1965 (por eso lo firma "Juan García"). La fecha del documento en mi poder es: "Fecha de inscripción: julio 9 de 1945". Veinte años anterior. Está en el libro 6 del Archivo General del Registro Civil en la foja 136, levantada por el oficial C. Gil Gil. Gano por veinte años de antigüedad; primero en tiempo, primero en derecho.

¿Para qué necesitaba el propio García Ábrego ese documento de nacionalidad estadunidense? Quizá para tener su pasaporte estadunidense y viajar por esa nación. Además, cuando uno cae en la cárcel, no es lo mismo ser extranjero que tener nacionalidad. Y Juan estuvo en la cárcel, en territorio de Estados Unidos, como "ladrón de autos". ¿Año?: 1986. ¿Ciudad?: Brownsville, Texas. ¿Dirección?: 57 Valley Inn, Country Club. Hasta sus huellas digitales completas tienen las autoridades tejanas. No parecerá un ciudadano "muy honorable" pero puede alegar sus derechos como tal. Se instalará cómodamente en Chicago, Illinois, el año de 1989. Y antes estará localizable en Nueva Orléans. Pero su verdadero reino comienza en Matamoros. Podrá vivir en Chipinque, en Monterrey, o en Jardines de la Montaña, en la ciudad de México. O en Cancún o Cuernavaca. En Puebla o en preciosos ranchos en Veracruz (los de su compadre Rentería, cerca de Tuxpan). Pero alguna vez regresará a sus casas de seguridad en el fraccionamiento Río, en el Victoria o en la colonia Jardín o la San Francisco. Casas con túneles y depósitos para armas y dinero. Pero, sobre todo, vivirá con protección política y policiaca de todos niveles. Su reino sí es de este mundo e incluye a casi todas las tierras "ribereñas", las que colindan con la frontera tejana. Y muchos ranchos más en el sur, el centro y el norte de ese estado, el de Nuevo León, y también en Coahuila.

Ya en abril de 1993, informábamos al procurador Carpizo:

SOBRE MATAMOROS Y NUEVO LAREDO

1. La ciudad de Matamoros, Tamaulipas, contrasta con Nuevo Laredo y, en menor grado, con Reynosa. A diferencia de estas últimas, en Matamoros, por ahora, no se han registrado homicidios múltiples con armas automáticas, ni se registra la actividad de grandes grupos de delincuentes organizados. O el decomiso (del lado de Estados Unidos) de grandes alijos de estupefacientes.

Vale la pena recordar que:

En Nuevo Laredo, la presencia de Los Texas, capitaneados por el expresidiario Arturo Martínez (fue detenido y consignado hace cerca de una década por delitos contra la salud, por el entonces comandante Núñez Mora) ha generado tal clima de violencia que no pasa semana sin nuevos cadáveres. Ello ha llamado la atención de los grandes medios de comunicación estadunidenses como la CNN, los cuales han criticado amargamente a las instituciones mexicanas, incluyendo —por supuesto— a la PJF, por la protección policiaca brindada a Los Texas y la impunidad de la que hacen gala.

2. En Matamoros se registra el crecimiento de grandes empresas binacionales como las de transportes pesados, propiedad de los *Guerra Cárdenas* (familiares de Juan N. Guerra y de Juan García Ábrego). O la actividad de empresas constructoras como la propiedad de *José Carretero Carva*, propietario del diario *El Bravo*, beneficiado directamente por la elección de Tomás Yarrington como presidente municipal de Matamoros. Con toda evidencia, gente cercana a JGA (como Marte Martínez, de *El Fronterizo*) actuó en la provocación política que concluyó con la quema de la oficina electoral.

También florecen negocios como la compañía Cantú Patiño, los cuales están creando nuevos fraccionamientos y la revaluación de la propiedad inmobiliaria en la ciudad. Uno de los propietarios es de los financieros de Juan García Ábrego.

Nicolás Alvarado se convierte en uno de los más influyentes agentes aduanales de la ciudad.

3. Es decir: todos los negocios vinculados directa o indirectamente con el gang de JGA encuentran en la ciudad de Matamoros un clima favorable para su crecimiento dinámico y constante.

Las ejecuciones, ajustes de cuentas y balaceras ocurren principalmente en Nuevo Laredo y Laredo y, en menor medida, en Río Bravo y Reynosa. En esto toman especial importancia y participación Los Texas.

Reflexión:

Como en el caso de Mazatlán con Los Airados, nos encontramos frente a un numeroso, extremadamente violento e impune grupo de choque de los narcotraficantes y sus cómplices, el cual sirve para protección de bodegas, pistas y transporte de estupefacientes y, también, como gatilleros y asesinos.

¿No se está generando —como en Colombia— una modalidad de sicarios al servicio del mejor postor?

Recomendación:

Realizar las actividades de información y detección de los principales elementos de Los Airados y Los Texas y actuar con la máxima energía contra estas peligrosísimas bandas. (Memorándum de EV a Jorge Carpizo, 5 de abril de 1993.)

¿Y Manuel Cavazos Lerma, gobernador de Tamaulipas? Originario de Matamoros, deudor de Juan N. Guerra, conocedor de todo el poder de la organización a nivel *federal*, participaba de los acontecimientos. A querer o no.

INVERSIONES CANADIENSES EN TAMAULIPAS

Inversionistas canadienses analizan el proyecto de instalar en el estado un complejo avícola integral, con un capital inicial de 8.6 millones de dólares, y constará de un área para cien mil aves, producirá huevos, carne de pollo y utilizará los desechos avícolas para procesar fertilizantes, alimento para peces; instalará un biodigeridor para la producción de gas metano, que generará la energía eléctrica de todo el proyecto.

Ese ambicioso proyecto que forma parte de las primeras inversiones mixtas del Tratado de Libre Comercio fue expuesto ante el gobernador Manuel Cavazos Lerma por el presidente del Intergreen Agro Energy Comp., don L. Simon, de Calgary, Alberta, Canadá, quien precisó que un grupo de especialistas en avicultura y hombres de negocios de su país unieron conocimientos y capital para desarrollar en Tamaulipas ese plan de producción.

[...]

La firma extranjera expuso su planteamiento el 5 de abril, ante el secretario de Fomento Agropecuario, Eduardo Garza González, quien gracias a la intervención del promotor industrial de Mier, señor Javier González García, escuchó planteamientos concretos que pudieran convertir a Tamaulipas en centro piloto de inversiones extranjeras dentro del Tratado Trilateral de Libre Comercio.

En la interesante reunión de trabajo participaron: Eduardo Garza González, secretario de Desarrollo Agropecuario, Forestal y de Pesca; don L. Simon, presidente de Intergreen Agro Energy Corp.; Javier González García, de Mier, promotor de los inversionistas; MVZ Fidel Infante Martínez, director de Ganadería de la SDAGYP; MVZ Jorge

Luis Zertuche Rodríguez, subsecretario de Promoción y Concertación de la misma dependencia; licenciado Jorge A. Martínez Gómez, ejecutivo de cuenta adjunto de Bancomext; ingeniero Eduardo Ayala Zamora, representante estatal de Fonaes.

Asistieron también Eduardo Gerardo Mercado Gamiz, director de Estímulos de la SDAFP; licenciado José S. Zúñiga H., director de Análisis y Promoción de la Secofi; licenciado Alfredo Cantú A., jefe del Departamento de Promoción al Comercio Exterior de Secofi; ingeniero Harvey Peña Alanís, Departamento de Promoción de Negocios de Banrural; licenciado Marco Antonio Reséndez, director de Administración de Procitam, S. A.; licenciado Alberto C. Lavín M., subdirector de Proyectos Especiales de la SDAFP; Francisco Javier Trejo M., representante de la UGRT; ingeniero Ernesto Acosta Martínez, delegado regional de Sipobladur; doctor Andrew Ch. Snydelaar, jefe de División de Posgrado e Investigación de la Facultad de Medicina Veterinaria; ingeniero Primo F. Reyes, asesor de la SDAFP; licenciado Jorge Lera y MVZ Filiberto Flores Guerra, director y subdirector de concertación de la misma dependencia, respectivamente.

[...]

El señor Javier González García participó en los diálogos entablados con el gobernador Manuel Cavazos Lerma, así como el secretario de Fomento Agropecuario del gobierno del estado, Eduardo Garza González, y expertos en materia avícola. (Nota de la prensa local de Tamaulipas, 6 de abril de 1993).

El procurador de Justicia de Cavazos Lerma no le avisó, en forma increíble y cómplice, con quién se estaba reuniendo.

RECONOCIDOS NARCOTRAFICANTES DETENIDOS

Ciudad Victoria, Tamaulipas, [...] Los hermanos Saúl, Lauro y Javier González García, considerados los principales jefes de la mafia del narcotráfico en Tamaulipas y parte de Estados Unidos, fueron capturados en un operativo conjunto de la DEA y el FBI en las ciudades tejanas de McAllen, Roma y Houston, reportó la policía de Texas.

Con los hermanos González, también fueron detenidos otros quince poderosos narcotraficantes; tres colombianos, que conformaban una terrible organización de traficantes con ramificaciones en Colombia, México y Estados Unidos.

Las aprehensiones ocurrieron el pasado jueves, cuando la DEA y el FBI irrumpieron sorpresivamente en varios domicilios de las ciudades mencionadas y Chicago, tras reunir pruebas contundentes contra los presuntos delincuentes.

Los hermanos González son propietarios de ranchos, refaccionarias, hoteles y mercados tanto en la Unión Americana como en nuestro país; Saúl González, de quien se dice es compadre de Rafael Caro Quintero y que inclusive le compró una residencia a éste, huía desde hace año y medio al evadir a la policía mexicana.

Se dijo que en una ocasión fue copado por agentes de la PJF en el Motel Goby de Santander, en donde se encontraba alojado junto con su hijo Saúl. Sin embargo, en forma extraña "se les escapó de las manos" y los judiciales sólo pudieron arrestar a su vástago.

En la acción también se logró capturar a Justo Robles Riestra, encargado de vigilar la llegada de los aviones con cargamentos de droga, así como a su contador Francisco Treviño y a dos colombianos más.

La PJF inició una investigación luego de que en el rancho Las Vacas, en Monclova, Coahuila, decomisaron un cargamento de novecientos cuarenta kilos de cocaína traídos de Colombia en tres aviones. De estos aparatos, uno logró escapar.

Días después, la aeronave fue localizada en una pista de aterrizaje en el municipio de Jiménez. Al efectuarse las investigaciones respectivas, se supo que Justo Robles Riestro era el propietario, quien fue sorprendido con Saúl González en su Motel Goby, con los colombianos y Treviño.

Saúl González García era dueño de ranchos como El Tío Beto, Los Tres Hermanos, El Elefante Blanco, El Gavilán, El Mirador y varias refaccionarias en Jiménez y Valle Hermoso, así como un supermercado en Roma, Texas.

El hermano menor, Lauro González García, es considerado por la DEA como el narcotraficante que mayor cantidad de droga ha logrado introducir a Estados Unidos, por lo cual era ampliamente buscado por la policía americana y mexicana.

Lauro es propietario de un enorme rancho ganadero denominado Los Pescados, localizado en el municipio de Soto la Marina, que según se cuenta compró en un millón de dólares a un norteamericano apellidado Abrahamson.

De profesión químico, la policía lo considera un narcotraficante inteligente, pero a la vez sumamente peligroso y con enorme influencia en los carteles de la droga de Colombia. (Nota de *Excélsior*, 6 de noviembre de 1990.)

En abono de Cavazos: cuando intuyó que por alguna extraña y desconocida razón, el Grupo Especial estaba trabajando en firme contra Juan García Ábrego y su organización, cambió radicalmente en su relación conmigo. Pero nunca pudo quitarse de encima a su procurador de Justicia. Finalmente lo envió a la Judicatura cuando yo ya me encontraba en Estados Unidos.

INFORME SOBRE JUAN GARCÍA ÁBREGO

1. Se han realizado reuniones de trabajo con los gobernadores de Tamaulipas y Nuevo León. Se ha expuesto la relevancia y trascendencia del esfuerzo de la PGR en relación con la organización criminal encabezada por JGA.

Los dos gobernadores han respondido entusiasmados y han ordenado a los procuradores coordinar su trabajo con nosotros. Lamentablemente sólo se ha realizado *una excelente* reunión de trabajo con el procurador de Justicia, el director de Averiguaciones Previas y el jefe de la Policía Judicial de Nuevo León. Por razones desconocidas el procurador y el jefe de la Policía Judicial de Tamaulipas no han abierto la boca.

A cambio, el desplegado "La PGR informa al pueblo de Tamaulipas" fue muy bien recibido por los gobernantes y el pueblo de esa entidad. En el teléfono para denuncias se han recibido tres denuncias importantes; se encuentran en proceso de investigación y una de ellas involucra a un exagente del Ministerio Público Federal. Otra habla de uno de los gatilleros de JGA. (Memorándum de EV a Jorge Carpizo, 19 de julio de 1993.)

Estaba pendiente desarrollar la averiguación previa 501-CS-92. Necesitábamos la ayuda de Raúl Morales Cadena, procurador de Justicia de Tamaulipas. Nunca la obtuvimos.

PARA TRASLADAR AL AMABLE Y AL BORRADO
A MATAMOROS, TAMAULIPAS

En mi opinión resulta conveniente y urgente trasladar a José Pérez de la Rosa (*a*) el Amable y a Adolfo de la Garza (*a*) el Borrado *a la ciudad de Matamoros, Tamaulipas.*

Mantenerlos en la ciudad de México —está visto— es un serio error. Como lo demostramos desde el 28 de junio, al anotar la conducta de los funcionarios de la Delegación Metropolitana, la defensa pone en práctica toda clase de procedimientos para lograr sus objetivos. Así se llega a los autos de libertad.

Si se autorizase su traslado inmediato se aportarían nuevos datos al proceso 87-90 y se les investigaría directamente en las averiguaciones 501-92, 29-93 y en la averiguación previa que resulte del cateo realizado *ayer, 15 de julio*, en un domicilio propiedad del Amable (Nicaragua núm. 505) que produjo una extensa documentación y fotografías, un arma y cartuchos 7.62 y 9 mm y restos de droga, que relacionan al Amable y cómplices con actividades de narcotráfico.

Ello facilitaría enormemente la labor del agente del Ministerio Público Federal (licenciado Adame) y de los dos agentes del Ministerio Público Federal que envía el doctor Humberto Benítez Treviño, y no tendrían que concentrarse los expedientes en México.

La tramitación de las averiguaciones previas no debe concentrarse en México por razones de competencia y eficacia.

El procedimiento que sugiero es el siguiente:

a) Solicitar al juez cuarto de distrito orden de traslado a esta ciudad, una vez que el Amable se encuentre a su disposición.

b) Dar instrucciones a Rodolfo León Aragón para que coordine con nosotros el traslado físico de los dos.

c) En relación con el Borrado y con base en la averiguación 501-92, el agente del Ministerio Público Federal Adame libraría la correspondiente orden de presentación y, tomada su declaración ministerial, se solicitaría su arraigo al juez de distrito. (Memorándum de EV a Jorge Carpizo; Matamoros, Tamaulipas, 16 de julio de 1993.)

Residir en Matamoros durante los meses de julio, agosto y septiembre de ese año fue muy difícil. Viajes de todo tipo, reuniones de todo tipo, operativos de todo tipo. Y lo principal: obligado a acumular inteligencia para golpear "en lo profundo", lo más cerca posible del dirigente de la organización. Sin lastimar a nadie, ni robar ni torturar ni usar informantes o desertores. Sin descuidarse: Malherbe y los Cano estaban muy cerca. Si nos usaban y lograban pasar una carga a Brownsville, estábamos fritos.

En esos días tenía un equipo de agentes del Ministerio Público buenos para nada. Si algo se hacía era a pesar de ellos; no gracias a su trabajo. Bebían whisky como cosacos y enredaban todo. Los dejé jugar a su antojo; eran, sobre todo, un elemento decorativo. Todo lo importante se estaba cocinando fuera de sus narices.

Hacíamos recorridos buscando las casas de Malherbe. Muchas las encontramos vacías. Otras, ocupadas por familias. En uno de los recorridos vimos un hombre armado frente a una puerta pequeña. Lo interrogamos: era el guardián de la casa del presidente municipal, Tomás Yarrington. Juro que no lo sabía: nunca me habían invitado a ella. Lo que sabíamos es que dos casas adelante se encontraba una residencia de Malherbe. ¡Qué vecinos!, señor Yarrington.

Tomás, por cierto, era muy amigo de Colosio. Tanto que podía saltarse a Alfonso Durazo, secretario particular del secretario de Desarrollo Social. Y eso no podía hacerlo cualquiera.

Gracias a ese patrullaje, la criminalidad violenta en Matamoros disminuyó radicalmente; vamos: hasta las parejas de jóvenes podían salir en la noche con cierta tranquilidad. Durante meses, además, las autoridades de Estados Unidos vieron decrecer los decomisos de droga hasta cero. No pasaba ni mariguana; pudimos habernos engañado pero los índices de violencia en Matamoros y los decomisos de droga del lado de Estados Unidos nos decían que estábamos ganando batallas. Lo que más cuidábamos era que no nos metiesen por aire una carga de cocaína.

Una extraña fuerza nos ayudó: la identificábamos como "el grupo del Jibarito". Se caían torres de comunicación; se quemaban cables y equipos de comunicación en ranchos de la organización. Los rumores en los bares y cantinas nos señalaban a nosotros. Nos veían en brechas y pequeños poblados, a las horas más extrañas de la noche y el día. El Jibarito nos ayudaba, sobre todo, a establecer una presencia irreal. Podíamos estar en cualquier lugar en el momento menos pensado. Ya ni siquiera se distribuía cocaína en las cantinas y lupanares. Y los típicos "narcos", con sus camisas de extraordinarios colores, sus caros sombreros y ostentosas botas, salían del pueblo. Y en algunos ranchos, actuaba el Jibarito con sus criterios y a sus horas. Eso era asunto de él.

¿Una divertida? Todos sabemos que el representante "político" de García Ábrego es Jesús Roberto Guerra, expresidente municipal de la ciudad. Uno de sus hermanos es un priísta muy importante: Carlos Arturo (*a*) el Gordo. Los Guerra Velasco están emparentados con Osiris Cantú, un operador de Manuel Terrazas, exdirigente del Partido Comunista. Los ranchos de los Guerra Velasco en Oklahoma son una leyenda. Inmensamente ricos, han dominado la región fronteriza por décadas. Osiris me entregó algunos datos importantes sobre los asesinatos de periodistas en Matamoros y fue mi primera fuente de información sobre la fuerza de los narcotraficantes en Tamaulipas.

Una noche estábamos de patrulla; por nuestro radio informaron que el Gordo Guerra Velasco se encontraba con una gran corte fuera de un restaurante cercano al Piedras Negras. Decidí ir a conocerlo. En efecto, ahí estaba; como un absurdo príncipe de la ciudad: rodeado de periodistas, ayudantes y pistoleros. Cuando menos lo pensó, estábamos frente a él: "¿Quién es Guerra Velasco?", pregunté. "Soy yo", respondió. Y se acercó a la ventanilla. "¿Quién me busca?" "Eduardo Valle." La Criatura vigilaba con el rifle a sus acompañantes. "Tenemos amigos comunes, licenciado", exclamó el señor diputado local por el distrito de Matamoros. "¿Quién, Osiris Cantú?" "Eso mismo, licenciado, podemos ser amigos", afirmó. Mientras tanto, me tapaba la visibilidad por completo. No podía permitirlo; con el rifle lo aparté de la ventanilla. En voz alta –la necesaria para que me escuchara su corte– afirmé: "No soy amigo de mataperiodistas". Y nos alejamos.

Guerra Velasco se encargó de dar publicidad al hecho. Cada vez que podía se quejaba de nosotros. Nunca pudimos darle las merecidas gracias por ello: era el mejor propagandista del Grupo Especial. Hablando con él, la gente acabó por saber que no habíamos transado con García Ábrego.

Poco a poco tomábamos conocimiento de las pistas en Tamaulipas. En avión y, luego, en helicóptero, a las horas más disímbolas volábamos para reconocimiento aéreo. La más relevante: La Pesca. Las autoridades de todos niveles en el estado sabían de la importancia de la pista. Y de su uso –por años: bajar grandes cargas de cocaína. El registro oficial señalaba como permisionario a "el gobierno del estado de Tamaulipas". Siglas: LPE; número de permiso: PU AMO 718. Fecha de vencimiento del permiso: 01-19-95. Latitud: 23-48; longitud: 97-47. Y de risa loca: largo: ochocientos metros; ancho: veinte metros. Superficie: ¡terracería!

¿Otras pistas interesantes?: Laguna Madre, La Peñita, Laguna Seca, El Siete, El Romance, El Escondido, El Tejón, El Chaparral, El Cien, Selenita, Pozo Lerma, La Nutria, Santa Adelaida, Los Fresnos, El Mezquite, Feria, Buenavista, Los Potros, San José de los Leones, Enrique Cárdenas González (latitud: 25-35; longitud: 97-49), control (de la SAHR), Armando Barba (del sindicato petrolero) (latitud: 23-28, longitud: 97-50), San Fernando.

Veamos algunos datos de pistas específicas. "No le hace." Propietario: William Cecil Dearman; número de permiso: PR AMO 068; vencimiento: 05-16-90; latitud: 24-48; longitud: 97-56; largo: mil doscientos cincuenta; ancho: quince; terracería con riego asfáltico. Los Ébanos (dos pistas); propietario: ingeniero Adrián Sada Treviño; permiso: PR AMO 167; vencimiento: 07-15-94; latitud: 25-46-18; longitud: 97-31-24; largo: mil; ancho: veintidós; tierra compactada. La Rosita; propietario: Hilda Delia Sáenz Barrera; permiso: PR AMO 171; vencimiento: 06-05-92; latitud: 25-51-20, longitud: 97-35-40; largo: setecientos cincuenta; ancho: veinte. Los Legales; propietario: C. J. Guadalupe Rodríguez; siglas: LLL; latitud: 24-35-00; longitud: 98-23-00; largo: setecientos; ancho: veinticinco metros. Los Canarios; representante: Federico García Moreno; permiso: PR AMO 195; vencimiento: 11-06-92; latitud: 25-51-30; longitud: 97-37-20; largo: mil; ancho: veinte. Aquí hay dos pistas: una de "pasto" y otra más chica (ochocientos metros por veinte) de superficie no especificada. Valle Hermoso; propietario: municipio de Valle Hermoso; latitud: 25-40; longitud: 97-49; largo: mil; ancho: dieciocho; pavimento asfáltico. La Pira; propietario: José Villarreal Salazar; permiso: PR AMO 612; vencimiento: 07-17-93; latitud: 25-19; longitud: 97-45; terracería con riego asfáltico.

Le mandamos mensaje urgente a Jorge Tello Peón. Nuestra (mi) ingenuidad no tenía medida.

SOBRE PISTAS EN TAMAULIPAS

Divido esta nota en dos puntos. El primero es urgente. El segundo puedes tomarlo como un reto.

Primero. El sábado 17 de julio a las 15:00 horas, en la pista La Pesca aterrizó un avión tipo BAE 700, matrícula XB FMK, piloteado por Mauricio Torres y Fernando Guerra. Procedía de Monterrey. Llevaba una exclusiva pasajera (la señora Fuente Britingham).

El mismo sábado había aterrizado el avión tipo merlin, matrícula N226FC. Unos días antes (el 10 de julio) aterrizó el avión tipo PA-31, matrícula XA QOB, piloteado por Marroquín Britingham. El pasajero era Juan Britingham.

Y todavía antes —el 7 de julio— el aerocommander matrícula XB TAZ, piloteado por Marroquín Britingham, arribó a La Pesca con el pasajero Emilio Garza Zambrano.

Todos los aviones procedían de Monterrey y todos (con excepción del merlin) estuvieron alrededor de una hora y salieron a su base.

¿Quiénes son los pilotos, las compañías de aviación y los pasajeros? Urge esta información, puede ser relevante.

Déjame decirte que los marinos reconocieron a Juan N. Guerra como uno de los usuarios regulares de la pista. Y creyeron reconocer al Pitochín Sosa (hermano de Sosa Mayorga) como uno de los pilotos. Urge.

Segundo. ¿Sabías que tenemos pilotos que pueden aterrizar y despegar en menos de ciento cincuenta metros de pista?

¿Sabías que la pista asfaltada de La Pesca es de 4.2 kilómetros de largo y puede recibir a cualquier avión —cualquier avión?

¿Sabías que en el triángulo Matamoros-Soto la Marina-San Fernando hay más de cincuenta pistas de todo tipo?

¿Podrías averiguar el número de pistas y su localización, registradas ante autoridad competente? También urge esa información. Pero si hay que decir algo, déjame anotarlo: vale la pena que hagas un reconocimiento físico de la zona; te vas a sorprender. (Memorándum de EV a Jorge Tello Peón, director general del CENDRO; enviado por fax, 23 de julio de 1993; se remitió copia a Jorge Carpizo.)

Para septiembre los viajes entre Matamoros y Monterrey eran casi diarios. Usando avión, helicóptero o suburban. Nos acercábamos al cuartel general; muchas cosas tenían que coordinarse directamente. "Orden dada y no supervisada, se la lleva la chingada", es un viejo dicho del ejército. Matamoros era cada vez menos importante en todos sentidos; la carga de trabajo en Monterrey era inmensa. Lo público, lo interno, lo confidencial (hacia el procurador), lo operativo del Grupo Especial y atender al grupo de la DEA (sabiendo que sólo se podía confiar en la cabeza —actuaba de buena fe pero con una inconmensurable inexperiencia e ingenuidad— y en un güero durísimo que caminaba como si lo hubiesen entrenado en fuerzas especiales). Con los otros: muchísimo cuidado. Aparte de estos dos agentes especiales, la desconfianza hacia los otros era total. Y ellos lo sabían y sabían por qué.

Matamoros se quedaba, por la fuerza de los hechos, atrás. En octubre realizamos un operativo en Reynosa. Teníamos información de que un grupo de pistoleros de los Arellano Félix había recibido protección del grupo de García Ábrego (gracias a los buenos oficios del Azul Esparragoza) y se encontraban escondidos en la casa de un tal Ricardo Solórzano, exdirector de penales en Tamaulipas. Preparamos a toda la gente, sin excepción. Pero sólo un comandante de toda confianza y yo sabíamos dónde se realizaría el operativo. En las últimas horas informamos al subdelegado de Nuevo León para lograr apoyo logístico. El comandante Cubillo –como siempre– actuó de buena fe y brindó el apoyo que necesitábamos. Pero cometimos un error. A uno de los agentes del Ministerio Público más temerosos lo interrogó Joaquín Pérez Serrano, delegado de la PGR en Tamaulipas. (Luego heredaría el puesto y los negocios a otro abogado joven e igualmente corrupto: Ricardo Martorrel.) El buen Noé soltó al delegado, en el último momento, la dirección del cateo solicitado. Ahí mismo se frustró. Por supuesto, no encontramos a nadie, aunque aseguramos armas y restos de cocaína.

SOBRE CATEOS EN REYNOSA

Envío nota de prensa con denuncia del diputado perredista Alejandro Castrejón.

Me permito informar que esta unidad ha realizado un cateo (sólo uno) en Reynosa, con orden del juez federal y presencia del personal del juzgado y del MPF. Como testigo de calidad se encuentra el señor presidente municipal de Reynosa. Por lo tanto, el diputado está perfectamente mal informado.

Es verdad que tendremos que realizar cateos en Reynosa y en otros lugares de Tamaulipas. Precisamente por ello *me reuniré el sábado con el gobernador Manuel Cavazos Lerma para informarle y ver si ahora podemos neutralizar el sabotaje del procurador del estado (señor Raúl Morales Cadena), quien no ha cumplido un acuerdo siquiera de los adoptados, en presencia del gobernador, con esta oficina. En particular, en lo relacionado con la averiguación previa 501, que incluye cerca de dos docenas de asesina-*

tos en Tamaulipas (fuero común). (Memorándum de EV a Diego Valadés; México, D. F., 20 de enero de 1994.)

Todavía regresaríamos a Matamoros para operativos especiales. De cualquier forma, un pequeño grupo de nosotros se mantenía en la ciudad para que no se entendiera que nos habían desmantelado. De hecho, varias veces circularon rumores de que se me había concentrado en la ciudad de México. Nos ayudaban mucho: la gente de la organización que se desconectaba de sus jefes sacaba la cabeza en Matamoros y ahí les pegábamos. Así detuvimos a uno de los fundadores del cartel: el Quince, y a otros delincuentes como el Conejo, quien resultó ser uno de los asesinos más cínicos y simpáticos de todos ellos. "Pero, jefe –decía–, si yo nada más hago un servicio público cuando mato a uno de estos", exclamaba frente al agente del Ministerio Público que lo había detenido.

Mucho más serio fue el operativo donde vigilamos –y nos vigilaron– el sepelio de la madre de García Ábrego. Por cierto, a Carpizo le llegó el chisme de que habíamos maltratado el cadáver de la señora. Tuve que probar que eso nunca había ocurrido.

SOBRE SEPELIO DE LA MADRE DE JGA

Enterados de la muerte de la madre de JGA, inmediatamente nos trasladamos a Matamoros para cubrir la vigilancia *–en territorio mexicano–* de la velación (si ocurría) y el entierro del cadáver. En territorio de Estados Unidos (donde realmente se veló a la señora), fueron los agentes del FBI y la DEA –encabezados por [se omiten los nombres por seguridad], respectivamente, quienes vigilaron el velatorio. Nosotros estuvimos representados por el jefe de grupo [se omite el nombre por seguridad].

El día 13 de noviembre el convoy que acompañaba el ataúd fue recibido por la Policía Fiscal Federal y un agente de la PJF con el propósito de checar la legalidad de la introducción del cadáver a territorio nacional. Las placas y caras de la caravana fueron fotografiadas directamente por mí. *En ningún momento, bajo ningún concepto*, se tomaron fotografías del cadáver de la señora Ábrego de García.

Envío a usted *absolutamente todas* las fotografías que tomé tanto en el Puente Viejo como en el Panteón Jardín. Y los negativos *completos* correspondientes, sin alteración alguna.

Como se ve, fueron fotografiados con telefoto a diversas distancias, *nunca menores a treinta o cuarenta metros de la tumba*, vehículos e individuos asistentes al sepelio. Hay una excepción: cuando ya absolutamente *todos* los dolientes se habían retirado del panteón se fotografió *una sola vez* la tumba de la señora. Envío aparte esta *única* fotografía.

Además, con el equipo de la DEA se filmó en video la salida de todos y cada uno de los vehículos que asistieron al sepelio. Se enfocaron vehículos, placas y caras.

El acuerdo con la DEA es que nosotros les proporcionamos estas fotografías y ellos nos entregan copia del video. (Memorándum de EV a Jorge Carpizo, 18 de noviembre de 1993.)

Con todo, a pesar de Pérez Serrano y de Martorrel, empujábamos en Tamaulipas gracias a nuestro trabajo en Nuevo León. Ya estábamos sobre los lugartenientes. Comenzaron las acciones contra Carlos Reséndez, Raúl Valladares del Ángel y José Guadalupe Sosa Mayorga. Preparábamos una campaña contra don Francisco y lo teníamos perfectamente localizado. Además, había un grupo que empezaba a operar en Ciudad Juárez.

De esta forma, me dirigí al doctor Franco Guzmán para fortalecer jurídicamente nuestro trabajo.

Me permito enviar a usted un reporte de órdenes de aprehensión pendientes de ejecutar en el estado de Tamaulipas. Se trata de individuos relacionados directamente con la empresa criminal multinacional dirigida públicamente por Juan García Ábrego.

No todas se encuentran vigentes; por ejemplo, las relacionadas con el proceso penal 48-90, radicado en el Juzgado Cuarto de Distrito en Matamoros. En él se involucra a *Raúl Valladares del Ángel*, quien se encuentra prófugo de la justicia de Estados Unidos, pues escapó de la cárcel de Edimburg, Texas. Este mexicano se encuentra vinculado con una averiguación previa en relación con un cateo practicado por esta unidad especial en la ciudad de Monterrey. Hemos ubicado sus domicilios y negocios en Tamaulipas y Nuevo León. Si existe orden provisional de detención (y estamos seguros de que así es), nuestro propio trabajo se facilita. Y como éste hay varios casos.

Por otro lado, otro encausado, *José Guadalupe Sosa Mayorga*, también integrante de esta organización criminal, tiene orden de aprehensión en el proceso 34-89 del Juzgado Cuarto de Matamoros. Este presunto delincuente está perfectamente localizado en la ciudad de Brownsville, Texas, Estados Unidos, por el FBI, y esta corporación de inmediato entregaría a las autoridades mexicanas a esta persona si se cumplimentaran los trámites legales internacionales correspondientes.

Por todo ello solicito a usted, en forma respetuosa y atenta, revisar esta lista *y compulsarla para conocer si alguno de los mencionados tiene orden de detención provisional solicitada por el gobierno de Estados Unidos, o nosotros hemos solicitado al gobierno de Estado Unidos la detención provisional de alguno o algunos de estos individuos.* (Oficio 2-048-94, de EV a Ricardo Franco Guzmán, subprocurador jurídico de la PGR; primero de febrero de 1994; se remitió copia a Diego Valadés y a Óscar González, director de Asuntos Legales Internacionales.)

Valladares está en la cárcel; Reséndez anda por Valle Hermoso y en *La Jornada* le dieron la bienvenida a sus balandronadas. Al Pitochín lo detuvieron los compañeros del FBI y la PGR hizo todo lo posible para frustrar su extradición. Todo ello ocurrió cuando entregaba mis archivos o cuando ya había cruzado la frontera. ¿La última batalla?: la librada para que aprehendieran a Humberto García Ábrego. Humberto Benítez Treviño autorizó la detención y arraigo de ese enorme prestanombres, por la simple y sencilla razón de que a él no le temen como a su hermano Juan, como a Malherbe o como a don Francisco. Era el eslabón más débil en la cadena de mando de la organización. Al menos daba la cara.

El Matavíboras y el Murciélago

El capitán Milán se divertía como enano. Si el Murciélago se encontraba a nueve mil pies, lo bajaba ocho mil en tirabuzón en unos cuantos segundos. Pero cuando arriba hacía alguna de las suyas, abajo daba yo instrucciones al compañero que lo llevaba al hotel para que manejase rápido. Y si había cargado mucho la mano, entonces que manejase la Criatura, capaz de chocar hasta en un embotellamiento (lo que sucedió realmente). Las que nos hacía en el aire, las pagaba en tierra. Pero no le importaba: éramos su diversión. Alguno de los muchachos se enfermaba nada más de saber que trabajaríamos con el XC BAT, el bell 212.

Milán sabía que a mí no me espantaba. De hecho, me usaba de copiloto en el Murciélago; varias veces estuvimos a punto de caernos y hasta nos perdimos en la niebla. Y, cuando teníamos problemas serios, el maldito capitán se apoyaba en mí ¡Como si yo supiese qué estaba pasando o qué hacer para resolver el problema!

Las instrucciones eran cuidar a Milán como si fuese una señorita. El veterano vale su peso en oro. Lo demostró varias veces. Y, si nos daban la gente que necesitábamos, con él al frente íbamos a capturar a Juan García Ábrego. El operativo ya estaba diseñado y hasta escogido el lugar para el hecho. Demostró varias veces su enorme valor. Nos pidieron ayuda: alguien a quien identificaban erróneamente como el Rojo había secuestrado a varios federales y policías judiciales del estado de Veracruz. Hablé con Milán; le prestaba a dos de los mejores tiradores y se podía llevar todo el equipo comprado por nosotros. Pero no podía fallar; ni él ni los muchachos. El prestigio del Grupo Especial estaba otra vez en juego, fuera de Nuevo León y Tamaulipas. Por supuesto, el capitán y Otilio jugaron un papel relevante en la resolución del problema. Ni un muerto de este lado. La PGR y la PJF en Veracruz ya sabían cómo trabajaba el Grupo Especial.

Usamos al Murciélago para tomar miles de fotografías. Hicimos decenas de vuelos de reconocimiento y algunos fuertes operativos. Alguna vez llegamos por la noche al aeropuerto Mariano Matamoros de Monterrey. La vista es increíble; hay un sentimiento especial al salir de la niebla y encontrarse con la vía láctea de luces de una enorme ciudad. Es como un retorno después de un fuerte ataque al corazón; casi como contemplar un nacimiento.

¿Por qué le decíamos el Matavíboras al turbocommander del Grupo Especial? Porque una vez, en Ciudad Victoria, nos encontramos una gigantesca serpiente de cascabel en la pista principal, y como no podíamos bajarnos para matarla a balazos, la machucamos varias veces con las ruedas del avión. Mientras nos dirigíamos al hangar del aeropuerto, los de la torre de control nos ganaron la piel de la víbora.

Usábamos el Matavíboras de despacho y hasta de dormitorio durante el vuelo. En los momentos más agitados (cuando tenía que estar visiblemente en Matamoros, mientras varios equipos investigaban en otras ciudades y concentraban el material de inteligencia en la pequeña oficina de la ciudad de México), hicimos en noventa días noventa y un viajes. Los pilotos de la PGR saben mucho más de lo que aparentan. Pero los pilotos son como los periodistas: casi una secta. Confirmarán datos –si uno se ganó su confianza–; cumplirán con serenidad y valor las instrucciones (serán fieles al equipo), pero no irán más allá. Saben de los pilotos del otro lado de la línea. Pero no hablarán de ellos si uno no los menciona. Respetando sus propias reglas, nuestros pilotos se integraron de tal forma que a veces realizaban tareas de policía, las menos peligrosas. Y, sobre todo, explicaban asuntos complicados relacionados con su trabajo.

Por supuesto, también engañaban y hacían trampas; alguna de ellas importante porque tenía que ver con el equipo de comunicación. Pero a la hora de responder, lo hacían sin pensarlo dos veces. Además, contaban conmigo a la hora de problemas serios o de peligro. A veces podíamos planificar los viajes con una semana de antelación. La mayoría de las ocasiones les avisábamos con horas de anticipación. Y a volar para llegar con urgencia a algún lado. Sin esa movilidad, muy poco se hubiera logrado. Lo esencial era que en el equipo de García Ábrego creyeran que me había estacionado en Matamoros, cuando en realidad se investigaba en Monterrey y se defendían posiciones en la ciudad de México. Y, con la mayor prudencia, se avanzaba en otros lados.

Y a donde no podíamos entrar (por ejemplo: Coahuila, con la Cuca como delegada de la PGR), vigilábamos mediante la prensa local o nacional. Así paramos varios golpes contra Carpizo. A veces no podíamos hacer nada que no fuese cabildeo de prensa. Por ejemplo: visitaba el presidente Salinas la región, cuando se realizó una horrible masacre contra unos jóvenes vinculados con una familia de narcotraficantes. Cien soldados y policías contra unos jovencitos (dos muchachas en el grupo). Explicamos a los compañeros de la "fuente" que esa era una cínica y criminal trampa contra el antiguo presidente de la Comisión de Derechos Humanos. Una trampa elaborada e instrumentada por la delegada de la PGR para lastimar a su jefe institucional. Los compañeros entendieron.

La "FUENTE" DE LA PGR

Como estaba abierta la puerta, entraron en masa. Eran seis reporteros (hombres y mujeres); les noté algo raro. Se estaban conteniendo. Uno de ellos –con breves trazos– lo platicó y, cuando terminó de contar su historia, la carcajada que soltamos se escuchó en todo el edificio. Venían de una conferencia de prensa de los más importantes jefes policiacos federales. Estaban todos: los de la PJF y el INCD. Ahí, las máximas autoridades policiacas de la república mexicana habían declarado, con toda seriedad y sin pena alguna, que "ninguno sabía si Amado Carrillo Fuentes era narcotraficante o no". Así como se oye; así lo escribieron los muchachos en sus diarios al día siguiente.

Le pedí a la señora González –quien se había molestado porque en esta ocasión nadie la había saludado y se colaron a mi privado como turba– que les ofreciera un refresco. Para recuperarnos del ataque de risa. Cada vez que alguien intentaba describir el incidente nos volvíamos a reír en forma cada vez más escandalosa. Al fin había pasado lo inconcebible: alguien había mencionado a Amado Carrillo y los jefes de la policía federal habían adoptado la mejor cara de inocentes posible.

"¿Quién? ¿Amado Carrillo? ¿Quién es ese respetable señor?" La guardia del edificio central de la PGR subió a mi oficina a investigar qué pasaba.

Pero para uno de los muchachos las risas en mi oficina eran mucho más que un juego: eran una ruda prueba. Se comenzaba a hablar del Grupo Especial como "el Grupo Sinaloa". Eso era, en verdad, muy peligroso: ¿estábamos al servicio de los narcotraficantes sinaloenses? ¿De ahí que avanzáramos tan rápido y pegásemos fuerte?

¿Por qué el Golfo y no el Pacífico? Ésas eran preguntas en el aire en el ambiente de la PGR. Había que hacer algo más que reírse.

Abrí la enorme caja fuerte y la pequeña que había dentro de ella. Saqué tres hojas que contenían una "Orden de investigación, localización y presentación cumplida" relacionada con la averiguación previa 3755-D-89 y un parte firmado el 21 de agosto de 1989 por el entonces director general de Investigación de Narcóticos, comandante Fausto Valverde Salinas; le pedí a la señora González que sacase tantas copias como reporteros había y, cuando ella regresó, los repartí como volantes. Había pasado la prueba; según se me dijo después en una buena cantina.

Ésas eran las relaciones de mi oficina con la "fuente" de la PGR. Hoy llegaban tres o cinco compañeros y preguntaban algo en particular. Guardaban la nota hasta que a todos convenía que saliera a la luz algún detalle, el cual ponía en ridículo a quienes se pasaban de vivos. El caso de Amado Carrillo fue extremo; al día siguiente de la conferencia, el escándalo fue mayúsculo: los reporteros tenían mejor información que los jefes superiores de la Policía Federal. Carpizo reaccionó con dignidad y dio instrucciones para dar seguimiento judicial a esa averiguación previa que involucraba directamente al "señor de los cielos", al hombre del corrido *Pacas de a kilo*. Hay varias versiones de por qué "señor de los cielos". Una, la ingenua, dice que porque "siempre anda en las nubes" por su adicción a la cocaína. Otra, recuerda el corrido: "Los pinos me dan la sombra, mi rancho pacas de a kilo...", de Teodoro Bello. El señor tiene comunicación con El Señor; la sombra la dan Los Pinos. Hay versiones más escandalosas: un testigo no comprometido ni interesado, afirma que observó *juntos* a Amado Carrillo y a Carlos Salinas después del incidente de su aprehensión en 1989, la cual, por cierto, la realizó el ejército y la formalizó la PGR luego que Carrillo estuviese en manos de los militares casi un mes.

Puede consultarse el anexo VIII, AMADO CARRILLO FUENTES, en relación con la aprehensión de este narcotraficante. Pero ahora me interesa relatar una curiosa anécdota.

Nos habían pasado el dato de una importante reunión a celebrarse en Cuernavaca, Morelos, o en la ciudad de Querétaro: todo el estado mayor de la organización reunido. Eso significaba una fuerte movilización, la cual implicaba desde vigías en las carreteras y las posiciones de la Policía Federal, Judicial del estado y el ejército, hasta guardia armada en "volantas". Y convoyes de seguridad. Posiblemente el aviso anticipado a los jefes policiacos federales en las plazas. Concentramos a toda la gente posible del Grupo Especial, la dividimos y salimos a esas ciudades. El grupo más pequeño a Querétaro y el mayor –dirigido por mí– a Cuernavaca. Nada de nada.

Regresamos a la ciudad de México un sábado y ordené una desmovilización total. Quedaba el contacto por radio con mi escolta: domingo, día del Señor, de descanso. Entró una llamada por teléfono: de absoluta urgencia. Había que enviar un expediente a Matamoros. Ya era domingo por la mañana; quedaba un recurso: enviarlo por avión desde la guardia de la PGR en el aeropuerto. Me preparé para salir, solito con mi alma: llaves de la oficina, pistola y radio.

Transitando por las calles de Tepepan, Xochimilco, era evidente que *una* reunión se realizaba a unas cuantas cuadras de mi casa. A toda velocidad me dirigí a la oficina en Paseo de la Reforma. Desde el trayecto comencé a llamar a todo el que me escuchase. Nada; era, en serio, día de descanso para todos. Por fin, alguien llegó a la oficina: personal administrativo; le había llamado por teléfono a su casa. Envié con él la documentación al aeropuerto. Y fui a la guardia de la PJF a pedir ayuda. En la Dirección Operativa me recibieron atentamente; se comprometieron a enviar personal para escoltarme. Y, claro, no cumplieron. Había pedido que me encontraran en la toma de agua del reclusorio para mujeres de Tepepan. Al llegar, me estacioné de tal forma que podía tomar las placas de los autos que circulaban en ambos sentidos por esa calle.

Cometí el error de no identificarme con la guardia del reclusorio y cuando, en una ronda, uno de los guardianes miró la pistola colocada –siempre lo hacíamos así en el interior de un auto– bajo mi pierna derecha, el hombre cumplió con su trabajo: cortó cartucho en su arma larga y me apuntó. Me identifiqué plenamente y la tensión pasó. Me dirigí al comandante y le rogué que de cuando en cuando enviase a algún personal a mirar que ahí estuviese (sin escolta, podrían "levantarme" en cualquier momento y nadie se enteraría siquiera). Cuando terminase el trabajo me despediría de él, sin falta. El buen hombre aceptó e hizo más: colocó en buenos lugares (cubiertos, no a la vista) a tres hombres con armas largas. Eso me salvó la vida.

Durante horas hice mi trabajo: tomé las placas de los vehículos más interesantes. Tenía la ventaja de conocer a los autos de muchos vecinos. Varios vehículos se movilizaron desde el lugar de la fiesta para mirar lo que hacía. Por ahí no pasaron los autos más llamativos (varios mercedes con escolta armada); no importaba, en una vuelta había tomado sus placas. Salieron del lugar por el lado contrario al que me hallaba. Ya caía la tarde; terminaba el trabajo. Me disponía a partir.

Tengo de Amado Carrillo una descripción física. De baja o mediana estatura, un poco gordo, con algunas canas, de piel morena clara, con brazos y manos pequeñas. Dos van con placas de Tamaulipas se estacionaron junto a mi auto en un movimiento rapidísimo. Eran, al menos, seis hombres. Desde que las vi venir tomé mi sig sauer y la coloqué a unos centímetros de la ventanilla. Una cabeza surgió de la van parada exactamente a mi izquierda y, si la descripción física que tengo es fiel, Amado Carrillo me preguntó: "Oiga, amigo: ¿sabe cómo puedo llegar a la calle de Buenaventura?". Esa calle queda dentro de la colonia del Club de Golf, creo. Con la pistola en la mano derecha, visible para el hombre que me preguntaba, le indiqué que regresara por el camino por el cual había llegado y que, al final de la calle, tomara a la izquierda hasta llegar a la entrada del club. Aproveché para mirar las caras de la escolta de ese hombre. En ese instante para todos fueron visibles los movimientos de los tres guardianes del reclusorio, quienes se colocaban para cubrir las dos van con sus armas largas.

La expresión del hombre que me interrogaba cambió casi imperceptiblemente. Si me había hablado con cierta rudeza y me miraba con una curiosa dosis de extrañeza y coraje, cuando los muchachos del reclusorio se hicieron presentes, ahora el preocupado era él. "Muchas gracias", dijo, e hizo una seña para que lo siguieran en su retirada.

"De nada, señor Carrillo", dije para mis adentros. Sí sonreí.

Me bajé del automóvil y fui a dar las más efusivas gracias al comandante de la guardia del reclusorio. Me prometí regresar con una buena botella para él y otras tantas para los hombres que me habían custodiado. Por los acontecimientos posteriores y la velocidad con que se precipitaron, nunca pude cumplir esa promesa. Lo lamento mucho.

Unas semanas después de lo sucedido en Tepepan, recibí el siguiente escrito:

Pinche Búho: Para que sigas con las carcajadas. ¿Nada sabes de los hermanitos Jesús y Sergio Ríos Valdez, quienes un tiempo trabajaron con Mario Alberto González Treviño? Pues si te quieres enterar, lee la averiguación previa 5604-91. Especialmente, la declaración del Caballo cuando narra cómo su amigo Sergio lo secuestró y torturó hasta que Chávez Lafarga se culpó del asesinato de Norma Corona. Busca la averiguación previa 8-993, en la Subprocuraduría Regional del Centro en Sinaloa, para que te enteres de la propiedad de un sembradío de mariguana (Eusebio Álvarez Loera) y del papel de Jesús Ángel Ríos Félix en la muerte de Servando Ramírez.

Dices que la verdad es peligrosa y un arma amartillada en la sien del que la conoce. Ahora hasta filósofo del poder saliste. Tú y tu pinche amigo Salinas [*sic*]. ¿Ya no escuchas corridos? Oye *Pacas de a kilo*, esa es la verdad que canta el pueblo; no la que recitan ustedes, señores licenciados. Ramón Eduardo Verástica Valenzuela: lo mataron Francisco Aceves Avilés (*a*) el Barbarín, y otro pistolero de Ríos Félix, conocido como el Chanatillo. Está involucrado Ramón Isajara Machado. Sí, mi buen Búho, el Chanate es Sergio Castañeda Medina. ¿Quieres fotos y documentación? Busca a Alejandro Arenas Gallardo, el sirviente de Antonio García Torres. Ese sí es filósofo práctico del poder. Que te dé copia de los expedientes 125-93 (Juzgado Noveno de Distrito en Jalisco); proceso 140-93-I (Octavo de Distrito en Jalisco); 66-94 (del Primero de Distrito en Sinaloa) y la 148-86 (igual). Y, si buscas, más encontrarás. Pobre, pobre Búho. Tienes treinta años soñando. Y viviendo en la pendeja. A ver cuándo entiendes. Ya sabes, cuando corras, cuentas conmigo. A tus sóbrenes.

P. D.: Fui a la que dices (y allá dicen) es tu tierra. Falso: naciste en La Candelaria. Lo sé muy bien porque yo nací cerca y hasta te conocí de muerto de hambre. Lo increíble es que mis "gargantas profundas" afirman que sigues de hambreado y hasta te tienen respeto. A ti y a tu familia de pistoleros. Que los Valle del norte te admiran y los jóvenes bautizan a sus hijos Miguel. Pendeja que es tu gente. Pero ni modo.

Ya no hubo manera de hacer nada con esta información. Ahí quedé.

PRIMER TREN A MONTERREY

En la segunda semana de marzo de 1993 el procurador Carpizo me entregó una copia del documento el "Cartel de Matamoros: Juan García Ábrego" que su oficina había elaborado. Con sus limitaciones, era una primera aproximación general de análisis. El 25 de marzo entregué mi crítica y una primera evaluación sobre Juan García Ábrego.

El informe "Juan García Ábrego" es deficiente por las siguientes razones:

- No contempla a la organización de JGA en sus relaciones interestatales.
- No se encuentra actualizado en relación con quienes hoy encabezan la organización bajo el mando personal de JGA.
- No toma en cuenta órdenes de aprehensión ni expedientes de la PGR en relación con la organización.
- El trabajo de campo es bueno pero, por supuesto, incompleto porque, lamentablemente, abarca básicamente Matamoros y la frontera tamaulipeca con Texas.
- Buena parte de la información fue obtenida de diarios, sin análisis de inteligencia.

Sin embargo, este expediente aporta algunos elementos sólidos para abrir canales de información e inteligencia que deben desembocar en operativos de la PGR. (Memorándum de EV a Jorge Carpizo, 25 de marzo de 1993.)

PRIMERA EVALUACIÓN SOBRE JUAN GARCÍA ÁBREGO

La organización de JGA abarca todo el corredor del golfo de México (Tamaulipas, Veracruz, Tabasco, Campeche, Quintana Roo y

Yucatán). Se ha extendido en los últimos tiempos a parte de los estados de Oaxaca, Chiapas, Michoacán, Zacatecas y Nuevo León.

En la ciudad de Monterrey se encuentra uno de sus más importantes cuarteles.

Sus principales lugartenientes son: José Luis Medrano García (sureste); José de la Rosa (Tamaulipas-Veracruz; vive en Brownsville); Roberto García Gutiérrez (Tamaulipas); Eduardo Colorado Guzmán (Veracruz); Francisco Cano (Tamaulipas); Antonio Sosa (Tamaulipas); Francisco Figueroa Valencia (Campeche); Óscar Malherbe (Tamaulipas); Saúl González García (Tamaulipas); Leticia González Almaguer; Tomasa García Ábrego (*a*) la Nena; Jesús Élmer Murillo Gastélum; José Guadalupe Cantú Ramírez (contador y financiero).

La plena identificación, localización y (en su caso) cumplimiento de órdenes de aprehensión de estas personas debe ser uno de los más importantes objetivos operativos. En cada uno de los casos hay que instrumentar en forma urgente, sistemática y cuidadosa operaciones de inteligencia, seguimiento y captura.

Como observará el procurador, hemos trabajado identificando en primer lugar posiciones dentro de la organización, y ellas son diez:

Capos (máximas prioridades de JGA)
Tenientes (segunda prioridad)
Finanzas (tercera prioridad)
Asociados (cuarta prioridad)
Policías y expolicías (quinta prioridad)
Soldados (sexta prioridad)
Políticos locales (séptima prioridad)
Familiares (octava prioridad)
Prensa (novena prioridad)
Contactos internacionales (décima prioridad)
Procurador:

Por ahora, lo único que se puede afirmar positivamente y sin duda alguna, es que hemos identificado *a la gran mayoría* de los principales responsables de esta gigantesca organización.

En particular, puedo afirmar responsablemente que *después* de JGA, los principales jefes son, en su orden:

José Luis Medrano
José de la Rosa
Roberto García Gutiérrez
Francisco Cano
Óscar Malherbe
Saúl González
Tomasa García Ábrego
Jesús Élmer Murillo

Procedemos ahora a lograr la ubicación más completa posible persona por persona y
se recomienda:

Que (en orden alfabético y en hoja aparte) se soliciten al doctor Franco Guzmán las órdenes de aprehensión o reaprehensión giradas en contra de todos aquellos que aparecen en el listado, con *las excepciones de los siguientes policías federales en activo*: [se omiten los nombres por seguridad].

Conocidas las órdenes de aprehensión o reaprehensión, hay que concentrar los expedientes para conocimiento y análisis. (Memorándum de EV a Jorge Carpizo, 25 de marzo de 1993.)

Un mes después podíamos dar un paso adelante. En abril 6, enviamos una larga lista de personajes de la Policía Federal y de las empresas criminales en la frontera, y nombres de empresarios e "influyentes", para determinar si existían órdenes de aprehensión y procesos por delitos federales en su contra. El procurador envió copia de esa nota al doctor Franco Guzmán para su atención y desarrollo. La Subprocuraduría de Control de Procesos nunca contestó. Optamos entonces por conseguir el listado nacional de órdenes de aprehensión federales. No pudimos ir a fondo en el estudio de este listado, pero en casos particulares ("Martín Becerra Mireles", seudónimo de Óscar Malherbe) poseer esa información fue muy útil.

En consecuencia con la nota "Primera evaluación sobre Juan García Ábrego", fechada el 25 de marzo del año en curso, me permito poner a su consideración la lista (con las excepciones conocidas) de las personas que deben ser *investigadas por la Subprocuraduría de Control de Procesos para efecto de darnos a conocer los procesos en que están involucradas y las correspondientes órdenes de aprehensión.*

Guerra Plácido, Chito
Guerra, Rolando
Guerra Sánchez, Juan N.
Guerra Sánchez, Juan
Guerra Velasco, Carlos Arturo
Guerra Velasco, Jesús Roberto
Gutiérrez, Guadalupe
Gutiérrez Martínez, Jesús Rafael
Gutiérrez Velázquez, Francisco Refugio

H
Herrera Vázquez, Fernando
Hoffman, William

I
Ibarra Silva, Juan Manuel

J
Juárez Reyes, Roberto

L
Landa, Isidro
Lastra, Manuel
Lastra Lamar, Manuel
Londoño Quintero, Bernardo
López Campos, Enrique
López Parra, Emilio

M
Malherbe, Óscar
Martínez, David
Martínez, Fernando
Martínez, Marte
Martínez Robles, Saúl
Martínez Robles, Sergio
Mata Quintero, Roberto
Medellín Flores
Medrano García, José Luis
Medina Jaramillo, Manuel
Mena, Celia
Méndez Rico, Margarito
Mendoza, Daniel
Montoya Chaparro, Luis
Morales García, Luis Enrique
Murillo Gastélum, Jesús Élmer
McDonald, Aníbal

O
Olivares Sánchez, Juanito
Olivares Treviño, Juan
Ortiz Castillo, Enrique

P
Peña, Ángel Álvaro
Pérez, Hilario
Pérez Monroy, Francisco
Pérez Rodríguez, Guillermo

R
Ramírez González, Miguel
Rivas González, Jaime
Robles, Esteban
Rodríguez Orejuela, Gilberto
Rodríguez Orejuela, Miguel
Rodríguez, Carlos

S
Salazar Ramos, Guillermo
Salazar Rangel, Salvador
Salinas, Mario
Sandoval, Sabás
Serna Gil, Arturo
Sosa Mayorga, José Luis

(Memorándum de EV a Jorge Carpizo, quien directamente envió copia a Roberto Franco Guzmán, subprocurador de Control de Procesos; 6 de abril de 1993.)

Para mediados de mayo de 1993 ya podíamos dar pasos firmes. Todo indicaba que la culminación del trabajo se haría en Monterrey. Pero si llegábamos directo a esa ciudad mucho se echaría a perder. Mejor comenzar en Matamoros, mientras en Nuevo León trabajábamos en forma muy callada y tranquila. Además, podíamos comenzar hasta en la propia ciudad de México, con el Amable. En Jardines de la Montaña.

Sobre operación "Pequeño Temblor"

1. Destruir *en el más breve plazo posible* la organización criminal dirigida por Juan García Ábrego (y capturar a este individuo, si aún se encuentra libre y en territorio mexicano) adquiere la mayor prioridad para nuestro gobierno por diversas razones:

a) Representaría la mejor prueba (a niveles nacional e internacional) de que el gobierno mexicano está vitalmente interesado en combatir en forma radical el crimen organizado.

b) La PGR adquiriría una formidable credibilidad pues una extensa, poderosa y multimillonaria organización sería aniquilada, *presentándose a la opinión pública a sus principales operadores*.

c) En estos momentos de graves tensiones y reajustes en el mundo del narcotráfico, la destrucción de la organización de García Ábrego abriría un enorme hoyo, el cual, a su vez, generaría más tensiones y dificultades para las grandes redes de narcotraficantes.

2. *Proponemos la operación "Pequeño Temblor"*:

Primera fase: cateo de la casa de seguridad de *José Pérez de la Rosa*, ubicada en Recreo núm. 60, colonia del Valle, México, D. F., propiedad del excomandante de la PJF, Guillermo Salazar Ramos.

Segunda fase: localización y (en momento oportuno) detención de *José Pérez de la Rosa* (*a*) el Amable, mediante la vigilancia de los siguientes domicilios:

México, D. F.:	Paseo de la Reforma núm. 1465, casa 1 C, Jardines de la Montaña (esposa)
	Laja núm. 216, Jardines del Pedregal (esposa del "comandante Chao")
Matamoros, Tamps.:	Rosas y Obregón (despacho) Calle 18 y 20, colonia Buenavista (casa)
	Ejército Nacional esq. Manuel de la Cruz (casa)

	Km. 2.2 carretera Victoria (Hidráulica Aplicada)
Tampico, Tamps.:	Río Monte núm. 118, colonia Sierra Madre (familiares)
Ciudad Valles, S. L. P.:	Madero núm. 41 (familiares)
Veracruz, Ver.:	Cuba núm. 210, colonia 20 de Septiembre (asociados)
Ciudad Juárez, Chih.:	Texcoco núm. 2118, Margaritas, Oriente (probable domicilio de Rafael Chao)

Tercera fase: localización y aprehensión de *Luis Medrano, José Luis Sosa y Humberto García Ábrego* mediante la vigilancia de los siguientes domicilios:

Monterrey, N. L.:	Calle Platón núm. 204, colonia Residencial Chipinque (Humberto García Ábrego)
	Calle Río La Silla núm. 3820, colonia Villa del Río (Carlos Reséndez)
	Calle Río Pilón núm. 4552, colonia Villa del Río (asociados)
	Calle Miguel Alemán núm. 230 (domicilio de vehículo)
	Calle Venezuela núm. 345, colonia Vista Hermosa (domicilio de vehículo)
Matamoros, Tamps.:	Calle Huatusco núm. 20
	Calle Francisco González Villarreal (entre calles 20 y 18), colonia Buenavista (El Rafles y José Luis Sosa Mayorga)
	Calle 5a. y Bravo, ejido El Galaniño
Ciudad de México:	Ejido La Reforma

Localización del capitán piloto aviador Rafael Belmon Zurita (aviación civil 1690, México, D. F.), teléfonos: 406 61 84 y 764 17 63 (domicilio), de la empresa Taxi Aéreo Acapulco.

Localización del capitán piloto aviador Alfonso Castillo, calle Abel núm. 20, colonia Guadalupe Tepeyac, México, D. F.

En las fases segunda y tercera hay que realizar adecuada labor de seguimiento de vehículos y teléfonos identificados.

En función de los resultados de las tres primeras fases se desarrollarían otros operativos de "Pequeño Temblor". (Memorándum de EV a Jorge Carpizo, 18 de mayo de 1993.)

Mientras tanto, recibimos una curiosa información. Héctor Luis Palma Salazar (*a*) el Güero Palma se había casado en Querétaro. Enviamos un grupo a investigar. ¡Menuda sorpresa! Otra vez la organización de García Ábrego. Ahora en Querétaro. Otra pista nos conduciría a don Francisco y la industria metalúrgica, en la carretera federal México-Querétaro.

SOBRE INVESTIGACIONES EN QUERÉTARO

Me permito enviar a usted los primeros resultados sobre la investigación confidencial realizada por el personal de la PJF bajo mi responsabilidad:

La orientación general de la investigación se conducía para la localización de Héctor el Güero Palma y su posible esposa. Todavía se mantiene esa orientación. Pero el hecho de que en la calle Fray Bernardino de Sahagún se presenten tantos predios cuyos propietarios coinciden en el apellido Ábrego puede dar un giro radical inesperado a la investigación.

Por ello, he enviado a los jefes de grupo [se omiten los nombres por seguridad] a profundizar la investigación hecha originalmente por los agentes [se omiten los nombres por seguridad]. (Memorándum de EV a Jorge Carpizo, 8 de junio de 1993.)

Para fines de septiembre, ya podíamos soñar con dar el golpe que todos deseábamos en la oficina del procurador y en el Grupo Especial. ¿Cómo llegó la información del rancho Atongo? En realidad, esa información era acerca de la pista aérea El Mirador. (Véase el capítulo INTELIGENCIA DE A DEVERAS.) ¡Otra vez!: por razones propias un elemento cercano a la PJF llegó a la conclusión de que podía confiar en Carpizo y su asesor personal. Y entregó la información en la ciudad de México. Pero si de por sí ésta era muy importante, cuando le filtraron a García Ábrego que ya lo tenía localizado, la información la usé de manera insospechada: rindió resultados por donde menos lo esperábamos. De pronto, García Ábrego no podía confiar ni en Óscar Malherbe. Lo pusimos en un predicamento y reaccionó por el lado equivocado. Mejor para nosotros. Pensó que su primo, el contador, lo estaba traicionando. Así, Francisco Pérez Monroy se convirtió en testigo del FBI: entendió que lo iban a matar.

Una cita en Paseos del Pedregal, lujosa colonia del sur de la ciudad de México, daría excelentes e insospechados resultados... semanas después.

LOCALIZACIÓN DE JUAN GARCÍA ÁBREGO

Primera prioridad: rancho Atongo en el municipio de Linares, Nuevo León; a unos cuantos kilómetros del retén de la Policía Federal de Caminos; a cincuenta minutos por carretera de la entrada a Monterrey; a cuarenta minutos de El Faisán, de El Barrial y de Chipinque.

Segunda prioridad: rancho Pesquería en el municipio del mismo nombre en Nuevo León (información de inteligencia con apoyo de la PJF de Monterrey y la PJ estatal; grupo especial bajo la responsabilidad de [se omite el nombre por seguridad]).

Tercera prioridad: casa de Esmeralda de Garza Méndez en El Barrial; mujer amante de JGA, con quien, *al parecer*, ha procreado un hijo de dos años de edad. (García Ábrego está por cumplir cincuenta años.) (Información que obtuvimos con apoyo de Monterrey; las PJF y PJE.)

Cuarta prioridad: casa de Noelia de León en Monte Aventino núm. 223, colonia Fuentes del Valle (información de inteligencia conjunta con la Task Force de Estados Unidos, en Monterrey).

Quinta prioridad: domicilio en República de Chile núm. 115, Rincón de la Sierra, Guadalupe, Nuevo León. (Memorándum de EV a Jorge Carpizo, 20 de septiembre de 1993; se remitió copia a Jorge Tello Peón, director general del CENDRO.)

• ¿Cara a cara con García Ábrego en Monterrey? Estoy seguro de que él me buscó una vez en el Aeropuerto del Norte. Carlos –uno de mis escoltas– actuó bien y actuó mal. Cuando sintió el peligro cubrió con su rifle al auto blindado que se había estacionado a unos metros de donde estábamos. Era uno de los autos de la escolta de García Ábrego: hizo bien. Pero no me informó de inmediato: hizo mal. Cuando ordené que detuviesen al Matavíboras y bajamos a buscar el auto, ya no lo encontramos. ¿Otra vez?: en Chipinque, por media hora de diferencia.

Juan García Ábrego en Monterrey

El 15 de noviembre por la noche fui enterado por Alejandro Alegre de la posibilidad de que JGA se entrevistase con su esposa, la señora Carmen Olivella, en la ciudad de Monterrey; en particular en el domicilio de la señora: Florencia núm. 106.

Nos trasladamos de inmediato a Monterrey para detectar la presencia de JGA en la colonia Residencial Chipinque y capturarlo a toda costa, arribando a esa ciudad alrededor de la media noche del día 15.

Establecimos a la 1:30 de la mañana del día 16 una estricta y masiva vigilancia en las calles de Florencia y Platón de esa colonia, al igual que en las calles adyacentes, esperando órdenes de cateo. En este operativo, dirigido por mí, participaron cerca de treinta agentes de la PJF.

Vigilamos directamente la casa de Carmen Olivella, la de Humberto García Ábrego y otra casa en la calle de Platón, la cual sospechamos es propiedad de gente de la organización. El vínculo directo existe y puede probarse con los elementos aportados por un reciente cateo realizado a una finca inmediata a otra propiedad de Humberto García Ábrego. En este cateo fueron decomisadas armas automáticas, parque, residuos de droga y un vehículo extranjero "camper". También documentación que establece vínculo comercial en Cancún de la señora Doris González con un "licenciado Hugo Martínez" (es indispensable recordar que un alias de Óscar Malherbe es *precisamente* "licenciado Martínez"). Doris también vive en Platón.

Al mismo tiempo, se estableció vigilancia estrecha en Chile núm. 115, propiedad que aparece a nombre de "Juan García Ábrego", pero en Rincón de la Sierra, Guadalupe, Nuevo León. (Véase la *quinta prioridad* en el documento fechado el 20 de septiembre.)

El resultado de este operativo en particular es el siguiente: Juan García Ábrego se llama en realidad *Juan José García Ábrego* y es un homónimo del narcotraficante. Tiene su documentación en completo orden. Dice que busca cambiar de apellido.

Sin embargo, hay una fuerte probabilidad de que se encuentre relacionado con la organización. La razón es la siguiente: en un predio anexo a la casa de Chile núm. 115, se encontraba estacionada una camioneta blazer. Este vehículo emprendió la huida –la cual logró– en cuanto sus ocupantes se percataron de la presencia de la PJF en la zona. La misma blazer fue localizada al día siguiente en rancho del Rey, en San Pedro, Nuevo León, una zona donde hemos fijado la masiva presencia de integrantes de la organización y en la cual seguimos buscando el rancho Atongo, *primera prioridad* en el documento del 20 de septiembre.

Regresando a la casa de Carmen Olivella, usando el seudónimo de "Luis García", me comuniqué telefónicamente con ella a la 1:50 de la madrugada, logrando hablar con la esposa gracias a que usé el apodo de Humberto García Ábrego: Chichi.

Confirmé la presencia de Carmen Olivella en su casa y que ella puede comunicarse con Juan García Ábrego. A las 9:30 de la mañana del día 16 fuimos invitados por Humberto García Ábrego y Carmen Olivella a visitar las dos residencias. *Puse como condición que se encontrara presente un abogado de la familia.* El abogado César Garza se presentó a las 11:30 y confirmamos (el subdelegado de la PJF, Rafael Cubillo y Eduardo Valle) que Juan García Ábrego no se encontraba en ninguna de las residencias.

A la esposa y al hermano de Juan García Ábrego se les informó que la intención clara del procurador es capturar y llevar a juicio a Juan García Ábrego; que se le ofrecen las garantías de legalidad. Humberto García Ábrego comentó que *ellos ven la posibilidad de que se entregue a la PGR, pero que el único que puede decidir esto es el propio JGA.*

Mi evaluación es la siguiente:

a) Carmen Olivella de García se entrevistó con JGA *alrededor de las 20:00 horas en un domicilio distinto al de Florencia núm. 106, pero muy cercano a esta dirección. Quizá en la calle de Platón.*

b) Juan García Ábrego abandonó la zona *antes* de la media noche del día 16 de noviembre.

c) Carmen Olivella ingresó a su casa de Florencia núm. 106 *antes de medianoche.* (La vigilancia del domicilio por la policía local, a las 12:30 a. m., ya era mínima.)

d) Ivette García Olivella (hija de Juan y Carmen) podría haber acompañado a su padre en la noche del 15 de noviembre, cuando él salió de Residencial Chipinque, dado que Ivette no se encontraba en Florencia núm. 106 cuando visitamos la residencia.

e) La severa presión de la PGR sobre JGA (a unas horas y a mínima distancia de capturarlo) está rindiendo algunos frutos: el intenso nerviosismo de Humberto y su dicho de que la familia contempla la posibilidad de que Juan García Ábrego se entregue son prueba de ello.

f) El día 17 se estableció vigilancia sobre el Aeropuerto del Norte. Fue evidente la sobrevigilancia de la organización de JGA sobre este aeropuerto. Esta situación, la cancelación del vuelo a la ciudad de México del jet matrícula XB MTS que saldría a las 13:30 horas transportando a un "Federico Sada" de Banca Serfín, y el hecho de que Ivette no apareciera en Florencia, permiten pensar que JGA se encontraba en Monterrey o en San Pedro, *todavía el miércoles 17 de noviembre.* (Memorándum de EV a Jorge Carpizo, 18 de noviembre de 1993.)

Enero de 1994: el EZLN en Chiapas y nosotros con la consigna de ir por todo. Vamos a aprehenderlos. El 7 de enero el procurador Carpizo aprobó un programa de trabajo del Grupo Especial que abarcaba varios estados.

Desde fines de junio del año de 1993 esta oficina a mi cargo recibió instrucciones del procurador general de la república de combatir de raíz y usando todas las posibilidades legales a la organización criminal multinacional encabezada públicamente por Juan García Ábrego.

Durante estos meses las actividades se orientaron básicamente a recabar la información indispensable para conocer la profundidad y extensión alcanzada por esta organización criminal. En los hechos, su actividad criminal abarca todo el territorio nacional. Pero sus plazas fuertes son: en el norte, los estados de Nuevo León, Tamaulipas, Coahuila, Chihuahua (donde hoy disputa a Amado Carrillo Fuentes la supremacía en ese centro estratégico). En el sur y el golfo de México: los estados de Quintana Roo, Campeche, Yucatán, Tabasco, Chiapas, Oaxaca y Veracruz.

En virtud de esta situación, me permito presentar a ustedes el programa de trabajo de esta oficina para el periodo de enero-noviembre de 1994.

Programa de trabajo
enero-noviembre de 1994

Nuevo León-Tamaulipas:

1. *Ubicación y aprehensión de Juan García Ábrego et al.* (Nota especial núm. 1 al doctor Carpizo.)

2. *Identificación plena y ubicación de don Francisco.* (Nota especial núm. 2 al doctor Carpizo.)

3. *Persecución y captura de Raúl Valladares del Ángel* (prófugo de la justicia de Estados Unidos; se está integrando averiguación previa que debe culminar con la orden de aprehensión contra él o su esposa, al menos).

4. *Análisis de la orden de aprehensión contra Octavio Barrera Barrera y, en su caso, darle cumplimiento.*

5. Vigilancia sobre las actividades presuntamente delictivas de *Francisco Payán, Jesús Guajardo y Rogelio Leal Garza* con objetivo de aprehensiones con flagrancia.

6. Análisis de órdenes de aprehensión no cumplimentadas en relación con miembros de la organización *(Benavides, Rodríguez, Guerra, Cantú, Sosa, etcétera)* buscando la cumplimentación correspondiente.

7. Avance en el aseguramiento de bienes de propiedad integrantes de esta organización criminal multinacional, *conforme al dictamen que realizará el señor delegado de la PGR en Tamaulipas.*

8. Seguimiento del proceso del fuero común contra el Amable, por homicidio y asociación delictuosa, y de los procesos federales 198-93 (Juzgado Segundo de Distrito en Nuevo Laredo, delito contra la salud) y 62-93, radicado en el Juzgado Sexto de Distrito en el Distrito Federal.

9. Dar cumplimiento de la orden de aprehensión girada contra Sergio Luis García (en realidad Luis Medrano García) en el *proceso 58-88-III*, girada contra este individuo y contra Martín Becerra Mireles (en realidad Óscar Malherbe de León), *radicado en Jalisco.*

10. Ubicación de *Ricardo Aguirre Villagómez* y vigilancia sobre las actividades de *Ricardo Castillo Gamboa*, asesor jurídico de la CROC en Nuevo León, exoficial federal e importante miembro de esta organización.

Chihuahua:

1. Actividades de inteligencia en la entidad, en particular: Ciudad Juárez, para conocimiento de la profundidad y extensión de la organización JGA en la entidad.

Quintana Roo:

1. Desarrollo de las investigaciones en Chetumal y Cancún. (Nota especial núm. 4.) Ubicación de Óscar Malherbe de León.

Puebla y Tlaxcala:

1. Identificación para fines de aseguramiento de propiedades de la organización; en particular, empresas de transportes, haciendas y casas habitación.

Morelos:

1. Identificación de propiedades ("casas de seguridad") de la red de JGA en el estado. Aprehensión de *Eduardo Castillo* (*a*) el Castor.

Distrito Federal:

1. Destrucción de la red de "Eva", responsable de la *relaciones políticas* de la organización en la ciudad de México. (Nota especial núm. 3 al doctor Carpizo.)

2. Fortalecimiento y perfeccionamiento jurídico en relación con diversos procesos penales promovidos contra integrantes de la organización criminal.

Hidalgo, Veracruz, Tabasco, Chiapas, Oaxaca:

1. Se inician actividades de inteligencia para identificación de las redes de esta organización en esas entidades federativas.

Estado de México:

1. Actividades de inteligencia sobre la red del Amable en Ciudad Satélite y Toluca. (Memorándum de EV al procurador general de la república, al subprocurador de Delegaciones y Visitaduría, al subprocurador de Averiguaciones Previas, al comisionado del INCD, al director general de la PJF, al director general del CENDRO, a los delegados de los estados de Tamaulipas, Nuevo León, Quintana Roo, Chihuahua, Veracruz, Oaxaca, Morelos, Tlaxcala, Chiapas, Puebla, Tabasco, México, Hidalgo, y al delegado metropolitano; México, D. F., 7 de enero de 1994.)

Apoyaban el programa varias notas especiales. Trataban de la localización de García Ábrego en Monterrey, de don Francisco y de Óscar Malherbe. También sobre "Eva". No nos interesaban sus relaciones políticas. Carpizo aprobó la actitud y el trabajo.

NOTA ESPECIAL NÚM. 1
JUAN GARCÍA ÁBREGO (MONTERREY)

El jefe público de esta organización criminal multinacional tiene varias residencias principales en el área de Monterrey.

a) *Avenida Río de la Silla*. Número probable de residencias: cercano al 7706, donde se localiza Confecciones de Monterrey, empresa a la cual pertenece la suburban que es usada en el convoy de Juan García Ábrego.

Debo recordar que en esta avenida se localizan alrededor de una docena de residencias de integrantes de la organización.

b) *Calle Pico Aconcagua.* Número probable de la residencia: cercano al 1025. En éste como en todos los casos mencionados en esta nota especial, cada domicilio está rodeado por otras casas de integrantes de la organización.

c) *Residencia en El Barrial.* Correspondiente al teléfono 604-25 (Lucía Webster).

d) *Rancho Atongo.* En el municipio de San Pedro; *quizá* dentro de los terrenos correspondientes al rancho El Rey.

e) Sabemos que García Ábrego se entrevista con su esposa Carmen Olivella en la casa de la familia Peña (también narcotraficantes), situada a dos números de la propiedad de García Ábrego en Florencia, Residencial Chipinque.

NOTA ESPECIAL NÚM. 2
DON FRANCISCO

El segundo hombre en la organización criminal multinacional dirigida por JGA es "don Francisco", "don Paco", "don F.". También es conocido como el Tío.

Se trata de Francisco Guerra Barrera; alrededor de sesenta años de edad, 1.70 m de estatura, tez blanca, ojos cafés, pelo castaño. Pariente cercano de Juan N. Guerra Cárdenas y de Octavio Barrera Barrera. Casado con Natalia Garza (?).

Lo tenemos localizado en Nuevo León, Tamaulipas y estamos buscándolo en Ciudad Juárez.

Monterrey:
a) J. Santos Chocano núm. 460; teléfono: 352-41-21
b) Empresa Cuprum; calle Diego Díaz de Berlanga; teléfonos: 330-25-56 y 330-45-35

Tamaulipas:
a) Matamoros: Herrería Los Amigos
b) Rancho El Mago; ejido La Carbonera, a un lado de La Laguna Madre, por Valle Hermoso.

Al parecer también está relacionado con otra empresa metalúrgica: Aceros de Cobre de Pasteje, ubicada en el km. 109 de la carretera México-Querétaro; teléfono: 91-728/303-57, Jocotitlán, Estado de México.

Propuesta:

a) Dentro de la averiguación previa correspondiente al cateo de la casa del Amable, ubicada en la calle de Ejército Nacional, en Matamoros, Tamaulipas, realizado el 18 de enero de 1993, *averiguación previa que todavía no ha sido consignada, promover órdenes de aprehensión contra el Amable y contra Francisco Guerra Barrera, este último como superior jerárquico de José Pérez de la Rosa. Proceder a su aprehensión inmediata.*

Nota especial núm. 4
Akumal y Óscar Malherbe

Una carta de navegación aérea obtenida en un cateo, realizado a una finca inmediata a una propiedad de Humberto García Ábrego en Monterrey, mostró que uno de los sitios preferidos por redes del narcotráfico para el "bombardeo" de cocaína es Akumal, municipio de Solidaridad, en Quintana Roo. Del 28 de agosto al primero de diciembre de 1993, en las playas cercanas se había asegurado una tonelada de cocaína (en distintos embarques).

En ese cateo aparecieron relaciones con una empresa inmobiliaria llamada Davi-Laura, radicada precisamente en Akumal, Quintana Roo. Los socios son Laura Bush, David Volpe, Pedro Cap Max, Ema Antonio López y Juan García Paredes.

También una serie de teléfonos y varios nombres, entre otros el de un "licenciado Martínez de Alejandro". "Licenciado Martínez" es un seudónimo de Malherbe.

Se prosiguen las investigaciones abarcando incluso a un individuo de nombre Rafael Philip y a otro llamado Máximo Goodman, propietario de una cadena de perfumerías de lujo en Quintana Roo.

Hay que mencionar que varias de las casas más lujosas en Residencial Chipinque en Monterrey, se encuentran precisamente en la calle de Akumal.

Se buscan vínculos entre la narcotraficante Doris González y las ciudades de Cancún, Chetumal y Akumal.

Pero la maldición nos perseguía: Carpizo fue ascendido a secretario de Gobernación. Entró a la PGR el sinaloense Diego Valadés Ríos: otro mes perdido. Cambiaban a casi todo el equipo principal de la oficina del procurador. Me pedían quedarme, pero luego de semanas de consultas. Mientras tanto, informaba al procurador de la situación de la PJF en Monterrey. Era para llorar. Desastrosa. Era navegar contra todas las corrientes; todos los vientos. Un agente del Ministerio Público Federal podía ser de mi propio equipo: A. V. 03.

Sobre la PJF en Monterrey

a) *Sobre Rafael Cubillo Segoviano*:

El exdelegado de la PJF en Nuevo León fue sustituido a principios de enero. Nuevo León es una de las plazas más disputadas porque representa el contacto directo con la organización dirigida por JGA. Por ejemplo: controlar Monterrey, China, Guadalupe y Linares, Nuevo León, representa la posibilidad de actuar a fondo o no contra esta organización. Véase el anexo número 1: catorce toneladas de mariguana de julio del 93 a la primera quincena de enero del 94.

Rafael Cubillo puede jugar todavía un papel importante. Se le ha ofrecido ser jefe de la escolta de Sócrates Rizzo, gobernador constitucional.

Recomendación:

Comisionar en la PJF a Rafael Cubillo Segoviano como jefe de la escolta del gobernador Sócrates Rizzo.

b) *Sobre el antidoping del 20 de diciembre de 1993*:

Los resultados del *antidoping* (anexo 2; 5 hojas) son particularmente preocupantes:

1. Dos segundos subcomandantes son adictos a la cocaína: Margarito Tijerina Luna y Raúl Flores Guillén.
2. Nueve agentes de la PJF son adictos a la cocaína:
   Gustavo Méndez Padilla
   Vicente Chamorro Mendoza
   Rubén Gutiérrez Alanís
   Manuel Ángel Estrada Salas
   Francisco Pérez Luna
   Jorge Luis Guerra García

Emilio E. Riestra
Joel Francisco García González
Jaime González García

3. Un agente de la PJF es adicto a la mariguana: José Rodríguez Molina.

4. Un agente del Ministerio Público Federal es adicto (*al parecer por razones médicas*) a la cocaína: José Luis González Gutiérrez.

5. Un agente del Ministerio Público Federal (A. V. 03; no identificado) es adicto a la cocaína.

Recomendaciones:

1. En los casos 1, 2, 3 y 4 *separar inmediatamente* de sus cargos y de la PJF a esos elementos.

2. En el caso 5 investigar si es por razones médicas, de cuál droga se trata y, en todo caso, si es cocaína, también separar del cargo.

3. Identificar a A. V. 03 e investigar. Si es cocaína, separar inmediatamente del cargo.

c) *Sobre la "narcoguerrilla"*:

Lamentablemente se vinculó inicialmente al grupo Jabalí con el EZLN. Lo cierto es que la banda criminal dirigida por los hermanos Ávila Neri son narcotraficantes *relacionados directamente con Ricardo Castillo Gamboa, lugarteniente de JGA.*

Eduardo Ávila Neri, mexicano, nació el 24 de enero de 1954. Fue sentenciado a diez años de prisión por *tráfico de heroína*.

Ángel Ávila Neri. Fecha de nacimiento: México, D. F., 11 de febrero de 1958. Sentenciado a tres años de prisión por tráfico de heroína en Wisconsin, Estados Unidos. Recibe por bombardeo cocaína en México y la entrega en Pharr, Texas.

Recomendación:

a) *Continuar las investigaciones para relacionar directamente a estas gentes con Castillo Gamboa.* (Memorándum de EV a Diego Valadés, 17 de enero de 1994.)

¿Habíamos olvidado Tamaulipas? De ninguna manera. Pero ya teníamos otro nivel de inteligencia. Antonio Rodríguez Patiño mostraba una tendencia a colaborar desde el CENDRO.

Con más método y precisión estábamos rodeando al estado mayor de la organización. Nos importaba, en especial, el antiguo agente del Ministerio Público Federal, Ricardo Castillo Gamboa, por su posición pública: asesor jurídico de la CROC, que encabezaba Juárez Blancas. No debe olvidarse que precisamente la CROC controla los contratos colectivos de trabajo más importantes en Cancún, Quintana Roo. Pegar en Monterrey era también pegar en Cancún. Matar dos pájaros de un tiro. Por eso nos interesaba tanto. Por instrucciones de Diego Valadés se dirigió un memorándum a Alfonso Cabrera. Todo fue inútil en esos días. La violencia empleada contra Salvador Ramos Bustamante (cabeza de la CROC en Quintana Roo), encabezada por el gobernador Mario Villanueva, puede explicarse perfectamente por la influencia del Cartel del Golfo en la CROC de Nuevo León y a nivel nacional.

SOBRE EL GRUPO JABALÍ

El diario *El Norte* ha publicado domingo y lunes una virulenta serie sobre el comando Jabalí. Con ese pretexto atacan a Roberto Soltero Acuña (delegado de la PGR en Nuevo León) y a dos agentes del Ministerio Público que obedecieron sus órdenes. Ahora tres diarios nacionales se unen a la campaña.

Si algo puede criticársele al señor licenciado Soltero Acuña es que diese a conocer a destiempo esa investigación y lastimase un trabajo que llevaba a uno de los lugartenientes más importantes de Juan García Ábrego: el exagente del Ministerio Público Federal Ricardo Castillo Gamboa, ahora asesor jurídico de la CROC en Nuevo León.

Propuesta:

1. Que precisamente los dos agentes del Ministerio Público Federal que inicialmente llevaron el asunto (en forma extraña fueron retirados de las actuaciones) lleven la investigación y las actuaciones hasta sus últimas consecuencias. Estos dos agentes del Ministerio Público Federal se han distinguido por actuar en forma dura y sistemática contra la organización JGA. Se trata de los abogados Miguel Ángel Gutiérrez Moreno y Jesús Fernando Domínguez Jaramillo.

Se ha manejado mal el asunto desde el principio y resulta urgente e indispensable que se actúe con mayor energía, pero también con mayor prudencia e inteligencia. (Memorándum de EV a Diego Valadés, 2 de febrero de 1994.)

SOBRE CONTRABANDO DE ARMAS

Esta unidad especial está investigando la posesión y contrabando de armas reservadas al ejército por parte del grupo Jabalí de Nuevo León.

Este grupo de traficantes de mariguana, cocaína y heroína está encabezado por los Ávila Neri, quienes son contacto de uno de los lugartenientes más importantes de Juan García Ábrego: Ricardo Castillo Gamboa. Esta persona (exAMPF) es asesor jurídico de la CROC en Nuevo León y posee uno de los despachos más importantes de abogados de narcotraficantes. El otro, por supuesto, lo dirigen César Garza y Patricio O'Farrill.

Envío a usted copia simple de seis hojas y de un directorio, producto del cateo realizado por la PJF en General Bravo, Nuevo León, con la respetuosa solicitud de que: a) en San Luis y San Pedro, Guerrero, se investiguen los traslados de armas dirigidos a Olegario Ramos; b) se investigue a "Paco Medina" en Ciudad Juárez, "Jesús Rocha" en Mexicali y Tijuana, "Carlos Esparza" en Los Corrales, Durango, y "Mario Gómez Rubio" en Mexicali; c) se investiguen posibles actividades de narcotráfico y contrabando de armas de este núcleo delincuencial en Nieves y Canutillo, Durango.

Por otra parte, en forma colateral, un trabajador del diario *El Norte* ha indicado que en el rancho La Victoria, localizado en el municipio de Santo Domingo, S. L. P., entre Venegas y Estación Catorce, en forma sistemática se presentan vehículos de los cuales descargan cargamentos de armas y cartuchos de diversos calibres. Se trata del trabajador Juan Saldaña.

Esta persona está dispuesta a ponernos en contacto con vecinos del rancho La Victoria para montar un operativo donde ellos avisen de la presencia segura del grupo que presumiblemente transporta armas intercambiándolas por mariguana.

En función de esta situación pondríamos en contacto a Juan Saldaña con el personal que usted indicase para planificar el operativo contra este grupo de delincuentes.

Ello en la inteligencia de que esta unidad especial continúa con las investigaciones en Nuevo León y Tamaulipas. (Oficio 2-075-94, de EV a Alfonso Cabrera Morales, subprocurador de Delegaciones y Visitaduría de la PGR; México, D. F., 22 de febrero de 1994.)

Pasaban las semanas y en Monterrey no resolvíamos muchas preguntas: ¿quién es Henry Max Moller Schellhamer? Otra más: ¿por qué Francisco Guerra tiene tanto que ver con la industria metalúrgica; la empresa de gas San Patricio en Coahuila (con aeródromo en la región) está involucrada con la organización? Otra más: ¿qué nos indican las matrículas de Aerominerales; por qué los aviones tienen combinadas tantas letras GA en ellas? Ahí hay algo; pero todavía no hay respuestas precisas.

Monterrey es una gran incógnita con sus Moller y sus Guerra, sus Castillo y sus Garza, sus Sada y sus García. Ya sabemos que Manuel Camacho era el candidato de Eugenio Garza Sada (el de la estatua "El Rey", del Instituto Tecnológico de Monterrey). Pero: ¿cuáles relaciones existen entre empresas, bancos y política? Algo dejó entrever el hecho de que Salinas de Gortari escogiese Monterrrey para su huelga de hambre (con Othón Ruiz Montemayor como tesorero del gobierno del estado): el caballerango de García Ábrego es el "doctor" Elías Ruiz Montemayor. Casualidad diabólica; coincidencia de apellidos. Igual con Rodríguez Montemayor, lavadólares importante de la organización. "Coincidencia de apellidos; cuestión de la región."

Monterrey: ¿puede el presidente mexicano gobernar sin un acuerdo con todas las fuerzas financieras, políticas y criminales que actúan en la ciudad y el estado? ¿Ya rebasaron el poder formal y son la base de la fuerza de la narcodemocracia mexicana? ¿El acuerdo entre todas las cúpulas regiomontanas –incluyendo la criminal– es más fuerte que el de Sinaloa, Jalisco y Sonora? ¿Qué peso tiene el factor internacional –los Estados Unidos de América– en esta situación?

Ésas son preguntas que debe contestar el gobierno de México, el de Ernesto Zedillo; y para eso hay que tomar el primer tren a Monterrey.

Probablemente, las respuestas ya las conoce el actual presidente. Y entonces el viaje es simplemente inútil. ¿Qué se está peleando en la república en tiempos del Tratado de Libre Comercio para América del Norte? ¿Los problemas de la droga, de las finanzas? ¿O más probablemente –y más importante– los asuntos de la reserva petrolera mexicana? Casa Blanca, Zedillo, Salinas, el PAN. Droga-finanzas-petróleo. Ésos son los elementos de las preguntas y las respuestas. Cada quien tiene que cumplir con su deber: preguntarse –si quiere–; responderse –si quiere.

Intercambio con la DEA

Para tratar con las fuerzas policiacas y de inteligencia del gobierno de Estados Unidos resulta absolutamente indispensable entender la lección que plantea el guión de la reciente película *Jerónimo* que dirigió Walter Hill. Después de que un capitán del ejército de Estados Unidos logra establecer contacto con los guerreros de Jerónimo –diezmados y enfermos– y convence a éste de que acepte una negociación (dejar las armas y los ataques, a cambio de un breve periodo de prisión en Florida) –gracias al esfuerzo de su "scout" indio; un hombre valiente y honrado, de la misma tribu de Jerónimo–, un general ordena desarmar a todos los apaches (incluido el scout) que pertenecían al ejército ¡y los envía con el resto de su tribu al mismo campo de concentración!

Pareciera no existir duda: si tienes un enemigo común y trabajas con los gringos (cualquiera que sea el servicio), sácales dinero y un compromiso mínimo, cumple tu parte y vete lo más lejos posible, y pronto, del enemigo y de los gringos. No entienden otro lenguaje ni aceptan otra idea; trabajas con ellos por dinero y para obtener una ventaja material. En la primera oportunidad te van a traicionar. No les importan riesgos (incluyendo los de tu familia y amigos) ni tu trabajo, y mucho menos los motivos o las ideas que te mueven a cooperar con ellos. Quieres dinero, nacionalidad, ciudadanía "americana"; si no, jódete. Son de este tamaño: hay pocas excepciones. Muy pocas. Exigen sumisión hasta la hora de traicionar, calumniar y mentir. Todo está justificado para ellos. Por eso un buen espía puede reírse de la CIA y un buen narcotraficante puede reírse de la DEA y el FBI. Dos ejemplos: Boris Aleisandrovich Solomatin ("Entrevista con el espía maestro", de Pete Earley, en el *Magazine* de *The Washington Post*, 23 de abril de 1995) y las carreras de Juan García Ábrego y Amado Carrillo Fuentes, y de los hermanos Rodríguez Orejuela.

Durante meses se le entregó a la DEA (a su Task Force en Monterrey, Nuevo León) la mejor información posible –a su nivel, no más. Se mostró, con evidencias, a su jefe una mucho mejor manera de trabajar; se les hizo ver que sus pugnas internas (DEA vs. FBI y viceversa), no nos interesaban. Ni siquiera nos importaba si capturaban a García Ábrego en territorio estadunidense o nosotros en territorio mexicano. Lo importante era capturarlo; si ellos lo lograban, me callaría la nacionalidad mexicana del narcotraficante; pero si lo capturábamos nosotros, probaría que no era ciudadano de Estados Unidos.

¿A cambio? Cuando la DEA pensó que no tendría elementos para defenderme o que no llegaría a conocer sus calumnias, inventó que "había iniciado secretas negociaciones con el FBI y el U. S. Customs para –por medio de ellos– obtener la ciudadanía estadunidense". Bravo; no inventaron que estaba pidiendo dinero porque ni mis peores enemigos lo creerían. O simplemente los tomarían por estúpidos. Este es el "análisis" de la DEA sobre el Grupo Especial y su trabajo. Otra vez: bravo.

Report of Investigation
File No. TD-87-0007
File Title: [CENSURADO]
Page 1 of 22
Monterrey, Mexico
Program Code: [CENSURADO]
Date Prepared: September 30, 1994
Translation of Magazine Article in *El Proceso* [*sic*] re.: Interview of Eduardo VALLE-Espinoza [*sic*], Ex-Advisor to Mexican AG
Summary:
From September 15, 1993 to May 31, 1994, the Monterrey Resident Office of the Drug Enforcement Administration (DEA) had been working with Licenciado Eduardo VALLE-Espinoza [*sic*], an Ex-Advisor to the Previous Attorney General of Mexico, Jorge Carpizo-McGregor [*sic*].
VALLE-Espinoza advised the MRO that in 1968, he had been arrested in Mexico City, DF, for treason. VALLE-Espinoza stated that he had been one of the student leaders in riots in Mexico City that had been brutally put down by

the Mexican Military. Because of VALLE-Espinoza's role in the demonstration, he was prosecuted and put in a Mexican jail for three (3) years.
According to VALLE-Espinoza, upon his release from prison, he pursued a career in journalism, writing specifically about the corruption within the government of Mexico and about the general human rights violations perpetrated by the Procuraduría General de la República (PGR-generally equated to the US Departament of Justice) and the Policía Judicial Federal (Mexican Federal Judicial Police).
[CENSURADO]
When Mexican President Salinas de Gortari formed the Human Rights Commission, he asked his most outspoken critic, Jorge Carpizo-McGregor, to head that commission. Carpizo-McGregor then asked his friend, Eduardo VALLE-Espinoza to be his (Carpizo-McGregor's) advisor.
[CENSURADO]

Report of Investigation (continuation)
Page 2 of 22
After approximately one and one half years in that capacity, Carpizo-McGregor was elevated to the position of Attorney General for the Republic of Mexico. As Carpizo-McGregor moved into his new position he brought with him VALLE-Espinoza.
As the new head of the Procuraduría General de la República (PGR), Carpizo McGregor had the task of cleaning up of the PGR from the inside. As one of the most pressing task at hand was to find and arrest Juan GARCÍA-Ábrego, Carpizo-McGregor assigned the job to VALLE-Espinoza, who had no law enforcement experience but was trained as a reporter.
In his new capacity, VALLE-Espinoza had at his disposal, numerous Mexican Federal Judicial Police agents, vehicles and a sizeable budget. In time, the job proved to be too great for VALLE-Espinoza. As he had no training to do this type of work, VALLE-Espinoza grew more and more frustrated. Eventually, VALLE-Espinoza began to secretly negotiate with the US Customs Service (USCS) and the Federal Bureau of Investigation (FBI) in Bronwsville, Texas, to assist VALLE-Espinoza in obtaining US citizenship status through political asylum. In return, VALLE-Espinoza offered these agencies copies of his investigative files, some of which was non-sensitive and non-classified information VALLE-Espinoza had obtained from the Monterrey Resident Office of DEA.
In December 1993, the MRO wrote a memorandum citing various examples of problems of the investigation to date with VALLE-Espinoza. These complaints were taken from the Mexico City Country Office to the Mexican Attorney General's Office. No immediate remedy was offered by the Government of Mexico.

In his new capacity for approximately eight months, Carpizo-McGregor was again elevated to Secretaría de Gobernación, the approximate equivalent of Secretary of Internal National Security, in February [*sic*], 1994. As Carpizo-McGregor made his move from Attorney General to Gobernación, he did not move VALLE-Espinoza into Gobernación but rather, requested that the new Attorney General (as a personal favor to Carpizo-McGregor) allow VALLE-Espinoza three (3) additional months to capture GARCÍA-Ábrego. If VALLE-Espinoza failed in that three (3) months to capture the target, the new Attorney General could replace VALLE-Espinoza.

Report of Investigation (continuation)
Page 3 of 22
At the end of May, 1994 VALLE-Espinoza resigned from his position. In a sensational letter to the President of Mexico, a letter published throught out Mexico and the United States, VALLE-Espinoza wrote that Mexico was living in a "Narcodemocracy", and that the leaders of the country did not have the courage to admit this to the people of the country.
In a final meeting with VALLE-Espinoza and [CENSURADO], VALLE-Espinoza stated that he was going to write a series in the magazine *El Proceso* [*sic*] concerning the corruption in Mexico and the complicity of the Goverment of Mexico with narcotics traffickers.
The following is a translation of the first in a series of interviews that VALLE-Espinoza gave to reporter Carlos Marín, a writer with *El Proceso* magazine.
Details:
1. Reference is made to all previous Reports of Investigation (ROI's) bearing the above file name and number.
2. As was detailed above, the following is a translation of the first in a series of interviews that VALLE-Espinoza gave to reporter Carlos Marín, a writer with *El Proceso* magazine. The article was dated September 5, 1994.
3. "A former PGR (Attorney General's Office) advisor to (Jorge) Carpizo (McGregor) describes the network of official complicity with the cocaine czars.
"I alerted Colosio and he began to take steps to rid himself of narco-politicians, but they beat him to it." Eduardo Valle.
Washington, D. C. Habitually sarcastic, strident, and always laughing heartily, Eduardo Valle Espinoza, "The Owl", resorts to an unusually serious tone of voice to avoid talking about the contents of the two letters which, he affirms, he sent to President Carlos Salinas de Gortari with Luis Donaldo Colosio:
"Why?"
"I wont't speak about that."

"You agreed to this interview."
"Well, I will not speak of that."

Report of Investigation (continuation)
Page 22 of 22

[CENSURADO]
59. VALLE-Espinoza, Eduardo [CENSURADO], ex-advisor to the Attorney General of Mexico, unsuccessfully headed the investigation of Juan GARCÍA-Ábrego, AKA, "el Búho", The Owl.

[TRADUCCIÓN] Reporte de investigación
Expediente núm. TD-87-0007
Título del archivo: [CENSURADO]
Página 1 de 22
Monterrey, Mexico
Código del programa: [CENSURADO]
Fecha de preparación: 30 de septiembre de 1994
Traducción del artículo de *El Proceso* [*sic*]: Entrevista de Eduardo VALLE-Espinoza [*sic*], exasesor del procurador.
Resumen:
Del 15 de septiembre de 1993 al 31 de mayo de 1994, la Monterrey Resident Office de la Drug Enforcement Administration (DEA) había estado trabajando con el licenciado Eduardo VALLE-Espinoza [*sic*], un exasesor del anterior procurador general de México, Jorge Carpizo-McGregor [*sic*].
VALLE-Espinoza notificó a la MRO que en 1968 había sido arrestado en México, Distrito Federal, por traición. VALLE-Espinoza declaró que él había sido uno de los líderes en los motines estudiantiles de la ciudad de México que habían sido brutalmente reprimidos por el ejército mexicano. Debido al papel de VALLE-Espinoza en los motines, fue procesado y encarcelado por tres (3) años.
Según VALLE-Espinoza, después de su salida de prisión continuó con su carrera como periodista, escribiendo específicamente acerca de la corrupción dentro del gobierno de México y sobre las violaciones a los derechos humanos perpetradas por la Procuraduría General de la República (PGR, equivalente al U. S. Department of Justice) y la Policía Judicial Federal (Mexican Federal Judicial Police).
[CENSURADO]
Cuando el presidente Carlos Salinas de Gortari formó la Comisión de Derechos Humanos, le pidió a su crítico más contundente, Jorge Carpizo-McGregor,

que encabezara esa comisión. Carpizo-McGregor, entonces, le pidió a su amigo, Eduardo VALLE-Espinoza, que fuera su asesor.
[CENSURADO]

Reporte de investigación (continuación)
Página 2 de 22
Después de aproximadamente un año y medio en ese puesto, Carpizo-McGregor fue ascendido a procurador general de la república mexicana, llevándose consigo a VALLE-Espinoza.
Como nuevo jefe de la Procuraduría General de la República (PGR), Carpizo-McGregor tenía la misión de limpiar la PGR desde dentro. Una de las tareas más urgentes que tenía era encontrar y arrestar a Juan GARCÍA-Ábrego; Carpizo-McGregor asignó esta tarea a VALLE-Espinoza, quien no tenía experiencia en cuestiones judiciales, sino estaba entrenado como reportero.
En su nuevo puesto, VALLE-Espinoza tenía a su disposición numerosos agentes de la Policía Judicial Federal, vehículos y un presupuesto considerable. Con el tiempo, el trabajo resultó ser demasiado para VALLE-Espinoza. Como no tenía experiencia en este tipo de trabajos, VALLE-Espinoza se sentía cada vez más frustrado. Finalmente, VALLE-Espinoza empezó a negociar en secreto con el U. S. Customs Service (USCS) y con el Federal Bureau of Investigation (FBI) en Brownsville, Texas, para asesorarse en la manera de obtener el estatus de ciudadano estadunidense mediante el asilo político. A cambio, VALLE-Espinoza ofreció a estas agencias copias de sus archivos de investigación, algunos de los cuales eran información no clasificada que VALLE-Espinoza había obtenido de la Monterrey Ressident Office de la DEA.
En diciembre de 1993, el MRO escribió un memorándum citando algunos de los problemas surgidos en la investigación de VALLE-Espinoza. Estas quejas fueron enviadas por la oficina de la ciudad de México a la del procurador general de la república mexicana. El gobierno de México no ofreció ninguna solución inmediata.
Después de haber permanecido en este puesto por aproximadamente ocho meses, Carpizo-McGregor fue otra vez ascendido, esta vez a la Secretaría de Gobernación, el equivalente aproximado de la Internal National Security, en febrero [*sic*] de 1994. Cuando Carpizo-McGregor fue trasladado de la Procuraduría General de la República a Gobernación, no se llevó a VALLE-Espinoza a Gobernación; por el contrario, solicitó al nuevo procurador general (como favor personal hacia Carpizo-McGregor) concediera a VALLE-Espinoza tres (3) meses adicionales para capturar a GARCÍA-Ábrego. Si VALLE-Espinoza fracasaba en esos tres (3) meses en su objetivo, el nuevo procurador general podría remplazar a VALLE-Espinoza.

Reporte de investigación (continuación)
Página 3 de 22
A finales de mayo de 1993, VALLE-Espinoza renunció a su puesto. En una carta sensacionalista al presidente de México, la cual fue difundida por todo México y Estados Unidos, VALLE-Espinoza denunció que México estaba viviendo en una "narcodemocracia", y que los líderes del país no tenían el valor para admitirlo ante la población.
En una última reunión con VALLE-Espinoza y [CENSURADO], VALLE-Espinoza declaró que iba a escribir una serie en la revista *El Proceso* [*sic*], relacionada con la corrupción en México y la complicidad del gobierno de México con los narcotraficantes.
La siguiente es una traducción de la primera serie de entrevistas que VALLE-Espinoza concedió a Carlos Marín, reportero de *El Proceso*:
Detalles:
1. Se hace referencia a todos los anteriores reportes de investigación (ROI's) relacionados con el nombre y número de expediente arriba mencionados.
2. Según se menciona líneas arriba, la siguiente es una traducción de la primera de una serie de entrevistas que VALLE-Espinoza concedió a Carlos Marín, un reportero de la revista *El Proceso* [*sic*]. El artículo está fechado el 5 de septiembre de 1994.
3. "Un exasesor de (Jorge) Carpizo (McGregor) en la PGR describe la red de complicidades oficiales con los zares de la cocaína."
"Alerté a Colosio y comenzó a dar pasos para librarse de los narcopolíticos, pero ellos se le adelantaron.": Eduardo Valle.
Washington, D. C. Habitualmente sarcástico, estridente, carcajeante, Eduardo Valle Espinoza, el Búho, aplica un tono desusadamente serio cuando elude hablar del contenido de dos cartas que –según afirma– envió al presidente Carlos Salinas de Gortari con Luis Donaldo Colosio:
-¿Por qué?
-De eso no hablaré.
-Aceptaste la entrevista.
-Pues de eso no voy a hablar.

Reporte de investigación (continuación)
Página 22 de 22
[CENSURADO]
59. VALLE-Espinoza, Eduardo, [CENSURADO] exasesor del procurador general de México, encabezó sin éxito la investigación de Juan GARCÍA-Ábrego, alias el Búho.

INTELIGENCIA DE A DEVERAS

101 grados de longitud. La Sierra Azul, el Espinazo de Ambrosio y la de los Guajes; cerca de la línea de ferrocarril Saltillo-Piedras Negras. El triángulo que limitan esas sierras es el único pedazo de Nuevo León que se encuentra dentro de los 101 grados de longitud. Por los lados del cerro Pánuco (mil metros de altura) o el San Lázaro (2,240 metros), Nuevo León limita con Coahuila. Ningún otro territorio neolonés llega a los 101 grados de longitud. Aunque es cierto que yo no debía confiar en un atlas que al hablar del estado cuya capital es Monterrey, afirma: "En sus 65,103 km cuadrados encontramos la Sierra Madre Oriental, extensas llanuras, varios kilómetros de litoral con el Golfo, ríos y diversas especies de plantas y animales". (*Guía Roji*; Gobernador José Morán, núm. 31.11850, México, D. F.). Uno le busca por todos lados y no encuentra los kilómetros "de litoral con el Golfo". Y sí unos cuantos kilómetros de frontera con Estado Unidos: los del Puente Solidaridad; ahí, en Colombia, Nuevo León. ¿Quién dijo que Carlos Salinas carece de sentido del humor?

¿Y todo esto a qué viene? Frente a mis ojos un documento oficial de la Secretaría de Comunicaciones y Transportes, Dirección General de Aeronáutica Civil, Departamento de Aeródromos y Aeropuertos Civiles, de fecha 19 de octubre de 1990, el cual señala: "Total de aeródromos y aeropuertos en el estado de Nuevo León: 0073". Sí, señor: setenta y tres. Setenta más tres.

Es un documento por demás curioso; parece que llegó el momento de hablar en serio acerca de "las pistas de Nuevo León", no al estilo del CENDRO. Especialmente por lo que se refiere a la longitud 101 grados. ¡O más grados!

Veamos: población San Rafael; pista El Prado; latitud: 25-08; longitud: 101-03; elevación: 1,890 metros sobre el nivel del mar; dimensiones: novecientos metros de largo por veinte de ancho. Muy cerca de la línea de ferrocarril México-Nuevo Laredo. A la izquierda: la Sierra La Concordia; a la derecha: el monte Huachicha. Cercanas las poblaciones de Agua Nueva y Santa Fe de los Linderos. ¿Cuál es el problema?: estamos hablando del estado de Coahuila; no de Nuevo León.

Muy cerquita se encuentra la pista El Zacatal (longitud: 101-02; latitud: 25-12). Y mucho más arriba la del rancho El Campanero: latitud: 26-59; longitud: 101-20). Y la SCT dice que es en la población de Lampazos; pero eso es imposible porque Lampazos, Nuevo León, se encuentra casi exactamente a la mitad de los 100 y 101 grados de longitud. Entonces, seguimos hablando de Coahuila. Pero no es mi culpa, sino de la SCT. Errores; errores de buena fe. Pero, ¿y el rancho La Palma? Son dos pistas y sus coordenadas son: a) latitud: 28-27-30; longitud: 102-23-30; y b) latitud: 28-26-30; longitud: 102-21. Ya son demasiado graves los "errores de computadora y buena fe". ¿Qué hay en ese enorme rancho coahuilense de La Palma? Pistas casi presidenciales: largo, mil cuatrocientos y novecientos metros; veinte y quince metros de ancho. ¿Lo saben Jorge Tello Peón, Aarón Dichter (de la SCT), Juan García Ábrego? ¿Lo sabía el presidente Salinas? Las elevaciones de las pistas son de llamar la atención: 1,272 y 1,332 metros. El aeropuerto más cercano es el de la ciudad Melchor Múzquiz y tiene 504 metros de elevación. ¿Y los otros aeropuertos de Lampazos? Uno es del rancho El Jabalí (latitud: 27-11; longitud: 100-49) y otro el del San Roberto (latitud: 27-06; longitud: 100-50). El primero tiene de largo novecientos metros y de ancho cincuenta; el segundo, de largo mil doscientos y de ancho cincuenta metros. ¿Y Nuevo León, cuándo? Hablemos de las 65 (sesenta y cinco) pistas de Nuevo León, las registradas. Hay otra pista (de Tamaulipas) registrada en Nuevo León, cerca de la presa Falcón.

Comencemos igual: población San Rafael; pista El Prado; latitud 25-10; longitud: 100-04. Vamos bien, es Nuevo León. ¿Otra de San Rafael?: la pista El Grano de Oro; latitud: 25-05; longitud: 100-35. Es por la carretera Matehuala-Saltillo, a unos cincuenta kilómetros arriba de San Roberto, ya rebasado el retén de la Policía Judicial Federal. Un momento: San Rafael y El Grano de Oro. ¿Se estará hablando de Rafael Buelna, "el granito de oro" de la Revolución? ¿Otra vez la mano de Francisco Guerra, el hombre que ordenó que el seudónimo del Amable fuese "Fortino Valle Leyva"? San Rafael, municipio de Salvador Alvarado, Sinaloa. Rafael Buelna, el Grano de Oro. Es mucha coincidencia. Curioso: el monte más cercano es el Cerro Potosí, de 3,700 metros de altura, y la pista tiene una elevación de 2,249 metros.

¿Y las pistas más al norte del estado? Comencemos por la población de Lampazos, pero ahora sí en Nuevo León; pista La Pitaya; latitud: 27-13; longitud: 100-35; novecientos metros de largo, veinticinco de ancho. Población Candela; pista Rancho Mesa de Cartujanos; latitud: 26-57; longitud: 100-55; novecientos metros de largo por veinte de ancho. Pista Escalera; latitud: 27-10; longitud: 99-47; ochocientos metros por treinta de ancho. Campo Calicocho; latitud: 27-20; longitud: 99-55; mil metros de largo por treinta de ancho. Rancho Los Pilares; latitud: 27-32; longitud: 99-57; largo: mil cincuenta metros; ancho: cuarenta. En Nuevo Camarón, la pista Los Gloriosos; latitud: 27-07; longitud: 99-58; elevación: 240 metros; largo: mil metros, ancho: dieciocho metros. En Ciudad Anáhuac una pista; latitud: 23-13; longitud: 100-11; mil cien metros de largo, veinticuatro de ancho.

En el cuadrante localizado entre los 99 y 100 grados de longitud y los 26 y 27 grados de latitud, es decir, en la zona de Nuevo León más cercana a Ciudad Miguel Alemán, a Nueva Ciudad Guerrrero y a la presa Falcón, todas ellas localizadas en el estado de Tamaulipas, la zona más "caliente" para el contrabando fronterizo de cocaína, encontramos interesantísimos aeropuertos y pistas. Primero, aclaremos: la SCT dice que hay un aeropuerto de Nuevo León (población: China; pista: San Francisco), en la latitud 26-40 y longitud 99-10; elevación: 46 metros; largo: setecientos cincuenta metros; ancho: treinta metros. Sin duda alguna, esas son tierras *tamaulipecas*. Se encuentra la pista, entonces, muy cerca de Nueva Ciudad Guerrero y la presa Falcón. Por si fuera poco, las coordenadas de China, Nuevo León, son: latitud: 25-45, y longitud: 99-15, muy abajo de la presa Falcón. ¡Ah, qué don Francisco tan astuto! Podrá decirse, con toda inocencia, "pero, vamos, si es nada más un grado. De ahí la equivocación burocrática".

Sigamos con Nuevo León. Cerralvo, rancho El Salitre; latitud: 26-13; longitud: 99-30; ochocientos metros de largo, nueve (?) de ancho. Parras, rancho El Moro; latitud: 26-32; longitud: 99-38; largo; setecientos metros; ancho: veinticinco. Valecillo, pista San Felipe; latitud: 26-39-02; longitud: 99-49-17; mil doscientos metros de largo, treinta de ancho. Los Aldamas; latitud: 26-94; longitud: 99-11; largo: novecientos ocho metros; ancho: cuarenta y uno. Cerralvo; latitud: 26-18; longitud: 99-36; largo: mil metros; ancho: veinte. Sombreretillo; latitud: 24-15; longitud: 99-57; largo: novecientos; ancho: veinte metros. Lajitas; latitud: 26-50; longitud: 99-40; largo: ochocientos metros; ancho: veinte.

Para culminar: la pista de los Salinas de Gortari. Agualeguas; latitud: 26-18, y longitud: 99-33; largo presidencial, igual que su ancho. A unas cuantas docenas de kilómetros de la frontera con Estados Unidos, como bien lo sabe el general Arturo Salgado Cordero, jefe de giras presidenciales del Estado Mayor Presidencial, la fuerza del ejército que controlaba Agualeguas. De ahí la necesidad de que Marcela Bodenstedt buscase las mejores relaciones con el general Salgado.

En el cuadrante latitud 25 a 26 grados y longitud 99 a 100 grados se localizan (con comunicación directa a Reynosa y Río Bravo, Tamaulipas): China; latitud 25-42; longitud: 99-14; largo: ochocientos metros; ancho: veinte. Doctor Coss; latitud: 25-54; longitud: 99-11; ochocientos ochenta metros de largo por veinte de ancho. Dice Lampazos (¡otro Lampazos!), pero se trata de La Palma; latitud 25-11; longitud: 99-50; largo: mil metros, por veinte de ancho. Los Herreras; latitud: 25-53; longitud: 99-11; seiscientos cincuenta metros de largo por veinte de ancho. Los Ramones; latitud: 25-40; longitud: 99-37; novecientos metros de largo por veinte de ancho. Montemorelos; latitud: 25-09; longitud: 99-51; setecientos metros de largo por veinte de ancho. China, Potrerillos; latitud: 25-45; longitud: 99-15; novecientos metros de largo por veinticinco de ancho. Culebra; latitud: 25-55; longitud: 99-05; ochocientos metros de largo por veinte de ancho. Santa Rita; latitud: 25-12; longitud: 99-23; mil metros de largo por quince de ancho. Chiclan; latitud: 25-20; longitud: 99-06; ochocientos metros de largo por veinte de ancho. Hay otras dos pistas; una en China, San Esteban, riego asfáltico, novecientos cincuenta metros de largo por diez de ancho; y otra en General Bravo, también riego asfáltico, de iguales dimensiones. Esta última se llama La Leona. Finalmente, en Montemorelos, rancho Las Adrianas; latitud: 25-03; longitud: 99-47; seiscientos cincuenta metros de largo por cuarenta de ancho.

Algunas pistas interesantes (por su elevación) son las siguientes: El Carmen, San Antonio; latitud: probablemente 27-37; longitud: 100-25; elevación: 1,877 metros; mil metros de largo por sesenta de ancho. En el documento oficial aparece como latitud "20-37". Pero eso es absurdo; mientras en la latitud 27-37 se encuentran cerca San Antonio y San Antonio Río Salado, debo anotar que la elevación de la zona que la rodea no corresponde a la del aeropuerto o pista. La otra altitud probable es San Antonio de las Alazanas; ahí sí corresponde la elevación de la zona (incluso es superior), pero la altitud es apenas 25-18 y no 37. Me inclino por la latitud 27-37. Además, San Antonio de las Alazanas es Coahuila. Aunque eso, tratándose de pistas, como lo hemos visto, en la SCT no quiere decir nada.

Otras pistas elevadas son: Ejido San Joaquín, El Berrendo; latitud 24-56; longitud: 100-26; mil cien metros de largo por doce de ancho; 1,826 metros de elevación. Ejido Navidad, Ganadera Navidad; latitud: 25-05; longitud: 100-58; setecientos metros de largo por siete de ancho; 1,829 metros de elevación. Ejido Juárez, Las Pericas; latitud: 25-15; longitud: 100-43; novecientos metros de largo por quince de ancho; 1,990 metros de elevación. Curiosamente Las Pericas, el Berrendo y Ganadera Navidad son prácticamente vecinas de El Grano de Oro (25-05; 100-35). ¿Qué ocurre aquí? Igual con el ejido La Paz, con latitud 25-04 y longitud 100-24, 731 metros de elevación (?) y mil trescientos metros de largo por cuarenta de ancho.

Sigamos con las pistas de gran elevación: Zaragoza; latitud: 23-59; longitud: 99-45; seiscientos metros de largo por veinte de ancho. Fuentes; latitud: 24-15; longitud: 100-02; ochocientos metros de largo por quince de ancho. Doctor Arroyo; latitud: 23-40; longitud: 100-10; 1,900 metros de elevación; mil doscientos metros de largo por quince de ancho. La Ascención; latitud: 24-20; longitud: 99-54; mil metros de largo por veinte de ancho; elevación: 1,880 metros. Mier y Noriega; latitud: 23-55; longitud: 100-07; mil metros de largo por veinte de ancho; elevación: 1,681 metros.

Además de un núcleo muy importante que examinaremos después, quedan ya pocas pistas y menos sorpresas. Santa Rosa; latitud: 24-58; longitud: 99-14; La Estrella; latitud: 24-56; longitud: 99-47. Palmito; latitud: 25-24; longitud: 98-44. Comitas; latitud: 25-46; longitud: 98-41. El Pretil; latitud: 24-50; longitud: 99-18. Galeana; latitud:

24-49; longitud: 100-03. Linares; latitud: 24-53; longitud: 99-34; novecientos treinta metros de largo por treinta de ancho. Campo Nes 1; latitud: 27-10; longitud: 98-57; largo: mil metros, ancho: treinta. San Francisco Tenamaxtle; latitud: 24-39; longitud: 99-38. Arribita a la derecha, se encuentra La Reforma; mil metros de largo por treinta de ancho; 24-41 de latitud y 99-36 de longitud. Y arribita a la izquierda, El Brasil, con mil metros de largo y treinta de ancho (más o menos 24-58 de latitud y 99-49 de longitud; la documentación no consigna las coordenadas). Finalmente: Sabinas Hidalgo, con latitud 26-30 y longitud 100-10; mil metros por veinte.

Como todos sabemos, los aeropuertos comerciales de Nuevo León son el Mariano Escobedo y el del Norte. Si formamos un cuadrángulo con las coordenadas del Aeropuerto del Norte (25-51-55, latitud; 100-14-13, longitud) y las del rancho Las Adrianas (latitud: 25-03-00; longitud: 99-47), tendremos un territorio que puede cruzarse usando la carretera 85: de Montemorelos a Monterrey; alrededor de cien kilómetros de *carretera.* Estamos hablando de un territorio menor un grado de latitud y menor medio grado de longitud; debemos recordar que Nuevo León ocupa casi seis grados de latitud y tres grados de longitud. Entonces estamos hablando de sólo unos miles de kilómetros cuadrados en el pleno corazón de Nuevo León. En esta reducida área se localizan otros catorce aeropuertos. Con una mínima flexibilidad (tomando como base El Berrendo –latitud: 24-56; longitud: 100-26– y Villa del Carmen –latitud: 25-56; longitud: 100-22–), el acceso directo se eleva a diecinueve aeropuertos. Más el Mariano Escobedo, el del Norte y Las Adrianas: veintidós aeropuertos en total. La tercera parte del total del estado.

Ahí se localizan El Prado, La Paz; otro más, llamado Lampazos, y el Montemorelos. También El Grano de Oro. De ellos ya hemos hablado. Además: El Mezquital (con dos pistas), Villa de Guadalupe (con dos pistas), El Mirador, Los Amoles, rancho El Rey –propiedad de Alejandro Junco de la Vega, con dos pistas–, San Pedro, Las Palmas (con dos pistas), Allende, San Andrés. Tomando en cuenta El Berrendo y Villa del Carmen (dos pistas), se incorporan El Brasil, Villa García y Doctor Coss (Presidencia Municipal).

Sin tomar en cuenta los grandes aeropuertos comerciales, estamos hablando de veinte aeropuertos (y más pistas) concentrados en una pequeña zona del centro de Nuevo León. ¿Es asunto de los ricos de Nuevo León? Lo dudo; porque hay varios hechos que deben considerarse. Además de que en el rancho Atongo (y no me refiero al poblado Atongo) se encuentra uno de los santuarios más importantes de Juan García Ábrego. Veamos.

Cada uno de los grandes aeropuertos comerciales se encuentra rodeado de, al menos, tres aeródromos. El Mariano Escobedo por la pista San Andrés (25-35-00 de latitud; 100-15-00, longitud; elevación: 625 metros; en el papel, de riego asfáltico; quinientos cincuenta metros de largo por cuarenta de ancho). San Pedro —en el municipio Garza García— (25-39-00 de latitud; 100-22-00 de longitud; elevación: 638 metros; de asfalto; mil metros de largo por doce de ancho). Y dos pistas en Villa de Guadalupe (en un predio propiedad de Humberto García Ábrego). Latitud: 25-40-00 y 100-09-00 de longitud; 428 metros de elevación. En el papel son de tierra; la primera de ochocientos cincuenta metros de largo por sesenta de ancho, y la segunda, de seiscientos cincuenta metros por sesenta de ancho. Todas las pistas se localizan abajo y a la izquierda del Mariano Escobedo.

El Aeropuerto del Norte también tiene su cercana y extraña compañía. El Villa del Carmen registra dos pistas (25-56-00 de latitud y 100-22 de longitud); 525 metros de elevación; de tierra; seiscientos metros de largo por cuarenta de ancho; la segunda, quinientos metros de largo por sesenta de ancho. Otra pista, en forma equívoca llamada Doctor Coss. Presidencia Municipal (¡!): 25-40 de latitud y 100-24 de longitud; 540 metros de elevación y mil metros de largo por treinta de ancho. Tierra, dice el documento de la SCT. Y, finalmente: en la población El Mezquital, dice la SCT, el aeródromo Las Palmas; latitud: 25-43, y longitud: 100-14; 460 metros de elevación; asfalto. Dos pistas: a) mil cien metros de largo por veintidós de ancho; b) ochocientos cuarenta y dos metros de largo por veintidós de ancho. Dos pistas abajo y a la izquierda y otras dos (las de Las Palmas), directamente abajo del Aeropuerto del Norte.

Pasemos a otra cuestión interesante. Si tomamos como centro Allende. Piedras Blancas (25-17-00, latitud; 100-01-00, longitud) encontraremos dos aeródromos: el localizado, según la SCT, en la población Atongo, llamado El Mirador, con latitud 25-14-00 y longitud 100-02-00; 457 metros de elevación; mil metros de largo por quince de ancho, y tierra, dice la SCT. ¡Pero si el poblado Atongo de Abajo se encuentra mucho más arriba! Precisamente a la altura de otra pista: Congregación Calles: Los Amoles, de ochocientos metros de largo por quince de ancho; latitud: 25-23-30; longitud: 100-02-00. Entonces la pista El Mirador (latitud: 25-14-00; longitud: 100-02-00) se encuentra un poco a la izquierda y un poco abajo de la de Piedras Blancas.

Cuando uno aterriza en El Mirador, amablemente le informan que no, que Atongo se encuentra unos minutos más arriba. Y es cierto. Y todavía hay margen de confusión con el rancho El Rey, el cual —en el papel— tiene una pequeña pista de tierra, de quinientos ochenta metros de largo por treinta y tres de ancho, y en realidad tiene dos modernas pistas, en medio de un precioso lugar adornado hasta con una pequeña iglesia, con río y pequeña cascada incluidos.

¿Está claro? La institución más importante para las empresas criminales multinacionales no es la Procuraduría General de la República —ese organismo del poder ejecutivo federal actúa después de los hechos. No; la institución más importante es la Secretaría de Comunicaciones y Transportes. Controlar partes esenciales de esa Secretaría permite la llegada y el tránsito de estupefacientes (mariguana, cocaína, heroína y otros) hacia los Estados Unidos de América. No es casual que varias pistas se encuentren cerca de las vías del tren; no es casual que controle los caminos y puertos (la Policía Federal de Caminos y Puertos forma parte de ella); no es casual que establezca las reglas para las empresas de telefonía (incluyendo la celular, tan importante para el narcotráfico; capo que se respete tiene su propia empresa de teléfonos celulares). No es casual que autorice aeródromos; controle aviones y matrículas y expida las licencias de pilotos. Sin la complicidad de la SCT, las empresas criminales del narcotráfico enfrentarían graves problemas de operación. Y la persecución se facilitaría en extremo.

¿Investigar con mente abierta? No es fácil. De repente, llueven nombres de personas y empresas muy influyentes. Por ejemplo: no resulta difícil ver qué hay atrás del propietario del aeródromo Los Pilares. Se trata de Materias Primas y Minerales Lampazos. Siglas: PIL; número de permiso: PR AMO 136; fecha de vencimiento: 09/24/91. Pero, ¿y Las Palmas de El Mezquital? Propietario: Marcelo Garza Lagüera. Siglas: EMZ; permiso: PR AMO 061; fecha de vencimiento:

10/01/89. O: hay una nueva pista. No aparece en la documentación que empleo: se trata de Mamulique en Villa de Salinas Victoria. Latitud: 26-08-15; longitud: 100-17-45. Tierra compactada; largo: mil metros; ancho: cuarenta. Siglas: LEB, número de permiso: PR AMO 575; fecha de vencimiento: 07/01/93. No hay nombre del propietario, pero sí de permisionario: Laura Estela Barrera Lozano; condominio Aceros Monterrey, Zaragoza Sur 1000, despacho 1001, Monterrey, Nuevo León, C. P. 64000. Cualquiera prende las luces amarillas y si no tiene total confianza en la institución, las luces rojas. Ya estamos hablando de "la crema" de Monterrey.

Y si se puede investigar al c. Octavio Gerardo Barrera Ortega, propietario de la pista China, en el municipio del mismo nombre, con dirección registrada en Río Amacuzac 1200, colonia del Valle Oriente, Garza García, Nuevo León, C. P. 66269; con siglas: CIN; permiso PR AMO 444 y con fecha de vencimiento 01/17/95. ¿Qué hacer con el rancho El Rey? La increíble propiedad la registró Octavio Barrera García. Luego, pasó a manos de José Martínez Minor. Luego, a manos de un tal Henry Max Moller Schellhammer; para, finalmente, terminar en manos de los propietarios de los diarios *Reforma* y *El Norte*: los hermanos Junco de la Vega. ¿Cómo iniciar la investigación; imperceptible o no? Para la inmensa mayoría de los funcionarios de la PGR ése es el camino más seguro para perder el empleo (si no hay órdenes especiales del procurador o, en su caso, del presidente de la república).

¿La crema de Monterrey? No; ¡los aviones de la crema! Cientos de ellos; con base en el Aeropuerto del Norte y, muchos menos, en el Mariano Escobedo. En este capítulo debería realizar un análisis global de las pistas, los aviones, los propietarios y los pilotos de Coahuila, Nuevo León y Tamaulipas. De hecho, tengo un borrador escrito por mí hace tiempo, pero conmovido hasta las lágrimas por el acuerdo firmado por el procurador y el actual secretario de Comunicaciones y Transportes, en relación con la vigilancia de los vuelos y la cooperación de dos brazos del ejecutivo federal, prefiero no hacerles su trabajo. Y esperar resultados. Si los hay.

Lo más seguro es que se trate de un gesto demagógico más del gobierno de Ernesto Zedillo. ¿O no? Fácil de comprobar: con voluntad política, puede llegarse al acuerdo de confrontar un análisis de la SCT con el mío. Y podemos incluir Zacatecas y Aguascalientes, el estado que gobierna uno de los amigos más dilectos de Guillermo González Calderoni: Otto Granados Roldán. Quede el formal reto para el procurador y el secretario de la SCT.

Un fragmento del borrador del estudio fue publicado el domingo 18 de diciembre de 1994 en *El Financiero*, en mi artículo "Un quinquenio después", en el cual los valientes Eloíso McDonalds y Fundamento Martínez ("madrinas" de la PGR, se dirigen al procurador para hacerle ver lo que pasa en Tampico).

C. Procurador General de la República
Dr. Humberto Benítez Treviño (si está todavía, o el que esté)

Distinguido señor procurador:
Al dar exacto, fiel y decidido cumplimiento a las precisas, enérgicas y sabias instrucciones del secretario personal del secretario particular de usted, egregio abogado de la nación, en nuestro carácter de segundos meritorios a agentes de la PJF (vulgo: madrinas sin pistola), examinamos el artículo escrito por el presunto asesino, narcotraficante, contrabandista y violador de todas las normas a su alcance, el notorio Edmundo Vallejo, publicado en *El Financiero* hace unas semanas —ya de por sí resulta grave que hiciera uso del título que empleó otro delincuente hace cinco años: "Pésquenlo en La Pesca".
Para tal efecto, reunimos un poco de numerario (préstamos de los amigos, compañeros y varios transeúntes nocturnos) y nos dirigimos a ese singular lugar. Descubrimos:
Que, por primera vez y casualmente, ese individuo al que nadie puede llamar un investigador, acertó; La Pesca es una pista gigantesca y custodiada —con celo, valor y ética profesional— por tres marinos, a pie y con dos balas cada uno en su fusil. Platicamos con ellos y les regalamos algunos cigarrillos, como muestra de solidaridad entre integrantes de diversos cuerpos de seguridad del Estado.
Lamentablemente no pudimos hacer más porque un nutrido grupo de hombres armados con rifles (AR-18; CAL; uzi; FAL y MP-5) nos rodeó y secuestró, encarcelándonos en una cabaña sin agua corriente ni ventanas. Pero nada nos arrancaron y nos salvó la valiosa intervención de los marinos, quienes convencieron a nuestros captores —usando un artilugio lógico y una trampa cognocitiva— afirmando que un par

de bestias como nosotros no representábamos ningún peligro. Todavía uno de esos miserables trató de retenernos para seguir usándonos para fines inconfesables.
Logramos huir con la dignidad de no haber entregado nada (se entiende; hablamos de información relativa a las instituciones).
Después de muchas peripecias regresamos a la ciudad de México. Indignados por lo ocurrido –luego de reparar nuestros dolores morales y físicos– reunimos otro poco más de numerario (apelando a los métodos conocidos) y nos dirigimos a uno de nuestros amigos de la Secretaría de Comunicaciones y Transportes. Debemos aclarar que eso fue debido a nuestra despierta curiosidad y no por hacerle caso a los infames, insuficientes e infundados, provocadores y burdos argumentos del presunto criminal citado, quien injusta e ilegalmente se ha atrevido a mencionar al señor secretario don Emilio Gamboa Patrón, quien ocupa por segunda vez en un decenio la alta posición de titular de esa honorable dependencia, en una serie de notas periodísticas, las cuales obviamente pretenden presionar al señor candidato Esteban Moctezuma y al Jefe de la Revolución Modernizadora, Su Excelencia Carlos Salinas de Gortari.
Solicitamos varios materiales pero usted comprenderá cómo es la vida real y, por el regalo que entregamos, apenas pudimos conseguir y analizar una lista incompleta de aviones de fecha 19 de agosto de 1993. La base es Tampico, Tamaulipas (La Pesca está entre Tampico y Monterrey).
Se destacaron varias curiosidades en este viejo documento, a partir de los siguientes criterios: como en el clásico *El Padrino*, los narcotraficantes operan en familias; son gregarios y viven –por razones de seguridad– lo más cerca posible y requieren aviones que les permitan transportar de quinientos kilos de mercancía en adelante. Le presentamos los resultados de nuestro análisis. Pero antes de pasar a ellos, rogamos atenta y respetuosamente se nos reintegre lo gastado o, mejor, se nos recomiende a un comandante de la Federal, para ascender a la categoría extraoficial de meritorios de primera clase (madrinas con pistola).
Propietario: *Enrique Jeffries Rodríguez.* Domicilio: *Betunia núm. 212 o Gardenia núm. 201, colonia Flores, Tampico, Tamaulipas.* Matrícula: XB ASM; marca y modelo: cessna T-210-M; XB BPE, grumann G-164-A; XB BPJ, tur-

bo thrush S2R; XB BPN, commander S2R-600; XB BXY, grumann G-164-B; XB CDA, cessna TR-182; XB COO, cessna U-206-F; XB CQO, commander S2R; XB CYT, cessna 310; XB DCR, piper PA-32-300; XB DMB, air tractor AT-301-A; XB EME, cessna T-188-C; XB EMF, cessna A-188-B; XB EUT aerocommander 680-B; XB FON, snow S2C; XB HOQ, commander S2R; XB KUJ, piper PA-25; XB SIT, grumann G-164-A. Nota: este personaje puede usar cada día un avión distinto y en una quincena le sobran aeronaves. Pero aún hay más.

Propietario: *Gustavo Latofsky Smith*. Domicilio: *Betunia núm. 212 o Gardenia núm. 201, colonia Flores, Tampico*. XB AVQ, cessna T-188-C; XB AYH, cessna T-188-C; XB CZA, piper PA-25-260; XB DQV, air tractor AT-301-A; XB EBX, piper PA-PA-25-235; XB EQB, petezel mielec M-18; XB JAT, piper PA-25; XB KOC, piper PA-25-260; XB WIQ, piper PA-25-260; XB XEQ, piper PA-25-235.

Y sigue, señor procurador: *Roberto Grossman Latofsky*. Domicilio: *rancho El Edén, Altamira, Tamaulipas, o Durango núm. 212 Sur, Ciudad Madero, Tamaulipas*. XB GUY, cessna 182-N; XB ZIM, piper PA-18-A. Ya entrados en gastos: *Alfredo Latofsky Lidvinchuck*. Domicilio: *avenida Madero núm. 204, Ciudad Madero, Tamaulipas*. XB AVR, cessna T-188; XB AIA, cessna 182-P.

Total: treinta y dos aviones.

Pero, por favor, señor procurador, no se equivoque, de ninguna manera es el único caso. Veamos: *Bernardo A. Verlage Zamudio*. Domicilio: *Apartado Postal núm. 99 o núm. 11, Villa González o carretera Tampico-Mante, km. 81, Estación Manuel, Tamaulipas*. XB COG, piper PA-25-235; XB DDI, piper PA-25-235; XB DOA, piper PA-25-235; XB EBU, piper PA-25-235; XB EDT, air tractor AT-400-A; XB EWS, air tractor AT-401; XB FMQ, air tractor AT-401; XB JUH, piper PA-25-235 (a nombre de Guillermo *Verlage* Berry estos últimos cuatro). Y a nombre de Bruno T. *Verlage* Ewen: XB WUB, cessna 182-P. Total: nueve aviones.

Jesús Armenta y/o Elba Guerra de Armenta; Circuito Economistas núm. 84, Ciudad Satélite, Estado de México: cuatro piper PA-28 (XB DOV, XB EUH, XB KUX, XB TUJ); un piper PA-23-250 (XB GAG) y un cessna 182-P (XB HIK). Nos llamó la atención la matrícula GAG y, recurriendo a las fuentes, se nos informó que estas amabilísimas personas viven prácticamente frente a una de las casas de José Pérez de la Rosa y podrían mantener relaciones con su red en el centro de la república. Además, podrían ser pa-

rientes de los Guerra Barrera cuyo padrino (el Tío, don Paco, don F.) era o es el segundo del Cartel del Golfo, al nivel de Óscar Malherbe, y antiguo jefe del Amable. Existe el registro de *Enrique Guerra Topete, Ejército Mexicano 5000, Tampico*, con un cessna U-206-G (XB EJR).
Estos son los casos más evidentes pero no los únicos. Abundaremos en ellos, ahora o posteriormente. Pero antes queremos tratar un asunto que parece irrelevante pero, a nuestro juicio, no lo es. Alfonso Adame Barocio tiene registrado un piper PA-25-235, con la matrícula XB DOA. Por razones filosóficas, esto debe ser investigado pues este nombre condena al ser humano al vicio y niega la virtud. ¿Por qué?: Adame (Adán); Barocio (es decir, bar y ocio). En conclusión: el hombre tiene como destino el pecado, la improductividad, el vicio. Esto es indignante. Por ello debe obtenerse la bitácora y documentación oficial de este avión para analizar principales trayectorias y las inusuales, los pilotos principales y secundarios; identificarse plenamente al sujeto, sus domicilios, vehículos, teléfonos, negocios, relaciones, sus otros aviones, pistas y ranchos. La PGR tiene un alto deber con la humanidad: demostrar que la cantina y la vagancia no son el fin de la historia.
Marco Antonio Domínguez Bolado (XB KIX) da como dirección ¡un apartado postal!: el C-150 en Tampico, y Enrique Ortiz Castillo el C-42; además de Lucero núm. 47. Hay dos casos de direcciones del DF: Arturo Caso (XB BWL) y GGP Mexicana (XB GHR). Partiendo de la base de la honorabilidad ciudadana de todos los mencionados y los que siguen, insistimos en que debe realizarse una profunda y seria investigación de lo que pasa en Tampico. ¿Por qué? Sencillamente porque de las ciento sesenta y ocho personas que tienen registrados aviones en Tampico, existen 38 (*treinta y ocho*) pistas concretas que pueden conducir a la red de narcotraficantes más sofisticada de México; más grande que la de Amado Carrillo.
En relación con los aviones comerciales, debe llamar la atención que dos marcel dassault (un DA-50 y un 20-F) están amparados en dos compañías que no tienen algún otro avión. Que hay una compañía con direcciones en Tampico y Acapulco, y tres con razones sociales similares; otras seis (aparte de la de los dassault) poseen un solo avión (¡y qué aviones!: cessna 421-C; lear jet 24-D; lear jet 24-E; sabreliner NA-265-0; sabreliner NA-265-65; beechcraft baron 58-TC —se les acabó la imaginación; el propietario es la Corporación Barón— y lear jet 23 y 25.

Frente a todo esto, señor procurador, hemos decidido enviarle por correo este informe con copia para el director de la Policía Judicial Federal, señor Juan García Ábrego, antes de que nos atrapen los elementos de la Policía Federal de Caminos y Puertos, que nos han comenzado a seguir. Atentamente, para lo que usted guste ordenar. Fundamento Martínez y Eloíso McDonals. (Firmas.)
Noticia publicada el primero de diciembre: "Un par de torvos individuos que se pretendían agentes federales, intentaron asaltar a un comandante de la Judicial Federal y a dos tenientes de la Federal de Caminos. Los tres bravos policías repelieron la brutal agresión y los liquidaron. Los hechos ocurrieron ayer en céntrica calle. Se investiga lo ocurrido".

Los sufridos "madrinas" hablan de uno de los pilotos personales de Juan García Ábrego (Enrique Ortiz Castillo (*a*) el Chaneque) y de una compañía propietaria de un marcel dassault DA-50.

Se refieren a la compañía Servicios Ejecutivos Continental, S. A., con dirección en avenida Hidalgo 2303, Tampico, Tamaulipas. El avión falcon 50 tiene el número de serie 224 y usa la matrícula XA BEG. El DA-50 es algo así como el rolls royce de los aviones ejecutivos; por su número de serie, ese avión se construyó al final de los años ochenta o principios de los noventa. No es cualquier cosa: cuesta en el mercado alrededor de diez millones de dólares. El 7 de marzo de 1995 la licenciada María Guadalupe Hernández García, jefa del Departamento de Registro Aeronáutico y Control de Empresas, de la Dirección de Transporte y Control Aeronáutico, de la Dirección General de Aeronáutica Civil, de la Secretaría de Comunicaciones y Transpotes (uff), comunicó lo siguiente: "Por lo que respecta a la aeronave cessna 170-B, número de serie 20691, matrícula XA BEG (Extra Alafa Bravo Eco Golf), se hace de su conocimiento que la mencionada matrícula se encuentra cancelada, en virtud de que la aeronave en cuestión sufrió un accidente el 28 de junio de 1970 [*sic*], habiéndose inscrito la propiedad en favor de Marco Antonio Camacho Culebro. Sufragio Efectivo, No Reelección. Firma".

¡De ese tamaño!: un bellísimo falcon 50 circulando con la matrícula falsificada de un cessna 170-B, un avión casi de museo, accidentado en 1970 (¡!).

No fue sorpresa para mí. Ya conocía la basura acumulada en la Secretaría de Comunicaciones y Transportes. Para muestra basta un botón. El 16 de febrero nos dirigíamos en los siguientes términos a Toño Rodríguez Patiño, director del CENDRO.

Por este conducto me permito solicitar a usted tenga a bien girar sus amables instrucciones a quien corresponda, con el objeto de que nos proporcionen la siguiente información: pilotos principal y secundario, marca y modelo, del avión y las 5 (cinco) últimas trayectorias de cada uno de ellos.

La información que ustedes nos proporcionen será de gran utilidad para dar continuidad a los trabajos que el procurador nos tiene encomendados.

En virtud de lo anterior, agradeceré las facilidades que pueda otorgar para que nos sea entregada a la brevedad posible.

Nombre del propietario	*Matrícula*	*Aeropuerto*	*Estado*
1. Martín Becerra Mireles	XB EOA	Servando Canales	Tamps.
2. Fernando Barrera González	XB ADX	Javier Mina	Tamps.
3. David Elizondo Peña	XB BID	Javier Mina	Tamps.
4. Serapio Cantú Salinas	XB XIZ	Lucio Blanco	Tamps.
5. Federico Cantú Guzmán	XB KUF	Lucio Blanco	Tamps.
6. Sergio Garza Torres	XB CWZ	P. T. L.	Tamps.
7. Gerardo Garza Garza	XB KAR	Javier Mina	Tamps.
8. Juan Garza González	XB EPE	Lucio Blanco	Tamps.
9. Óscar García Barrera	XB XEL	Javier Mina	Tamps.
10. J. Salinas de la Fuente	XB KQ	Javier Mina	Tamps.
11. Raúl García Garza	XB VEZ	Servando Canales	Tamps.
12. José Roberto Garza García	XB BDT	Servando Canales	Tamps.
13. Gregorio Rodríguez	XB FTK	Javier Mina	Tamps.
14. Pablo Martínez Rodríguez	XB DOS	Servando Canales	Tamps.
15. José Juan González	XB EHM	Lucio Blanco	Tamps.
16. Pedro Gómez Valladares	XB RIL	Javier Mina	Tamps.
17. Patricia Morales Canales	XB YAO	Javier Mina	Tamps.
18. Ramón Morales Lerma	XB AOT	Servando Canales	Tamps.
19. Héctor A. Elizondo	XB EQK	Javier Mina	Tamps.
20. Francisco Ramírez	XB FGT	Ciudad Mante	Tamps.
21. Martín Martínez González	XB YUA	Javier Mina	Tamps.
22. Servicios Aeronáuticos del Golfo	XA TCY	Javier Mina	Tamps.
23. Eduardo José Vela Ruiz	XB BBT	Javier Mina	Tamps.
24. José Villarreal Caballero	XB EUA	Ciudad Victoria	Tamps.
25. José Villanueva Rodríguez	XB ADO	Javier Mina	Tamps.
26. Rubén Rodríguez Gutiérrez	XB BGU	Javier Mina	Tamps.
27. J. Villarreal Elizondo	XB JVE	Javier Mina	Tamps.

28. Jorge Rodríguez Valle	XB CEK	Lucio Blanco	Tamps.
29. Servicios Ejecutivos Continental	XA BEG	Tampico	Tamps.
30. Grupo Tampico	XB HHF	Tampico	Tamps.
31. Aeroservicios Tamuín	XA REA	Tampico	Tamps.
32. Transportes Aéreos de Tamaulipas	XA RLQ	Tampico	Tamps.
33. Aerotaxis del Golfo	XA RTV	Tampico	Tamps.
34. Aerotaxis del Golfo	XA RUV	Tampico	Tamps.
35. Aerotaxis del Golfo	XA RXP	Tampico	Tamps.
36. Aerotaxis del Golfo	XA SDQ	Tampico	Tamps.
37. Aerotaxis del Golfo	XA SDP	Tampico	Tamps.
38. Servicios Aeronáuticos del Golfo	XA TCY	Tampico	Tamps.
39. Ramón Morales Lerma	XB AOT	Tampico	Tamps.
40. Juventino Salinas de la Fuente	XB BKQ	Tampico	Tamps.
41. Enrique Jeffries	XB BPE	Tampico	Tamps.
42. Enrique Jeffries	XB BPN	Tampico	Tamps.
43. Enrique Jeffries	XB BPJ	Tampico	Tamps.
44. Enrique Jeffries	XB BXJ	Tampico	Tamps.
45. José Martínez	XB CJJ	Tampico	Tamps.
46. Enrique Jeffries	XB CQO	Tampico	Tamps.
47. Enrique Jeffries	XB CYT	Tampico	Tamps.
48. Gustavo Latofsky	XB CZA	Tampico	Tamps.
49. Enrique Jeffries	XB DCR	Tampico	Tamps.
50. Jesús Armenta	XB DOV	Tampico	Tamps.
51. Alfonso Adame	XB DNQ	Tampico	Tamps.
52. Gustavo Latofsky	XB EBX	Tampico	Tamps.
53. Gustavo Latofsky	XB EQB	Tampico	Tamps.
54. Enrique Jeffries	XB EUT	Tampico	Tamps.
55. Elva Guerra	XB EUH	Tampico	Tamps.
56. Roberto Grossman	XB FBH	Tampico	Tamps.
57. Mexicana Impulsora	XB FCE	Tampico	Tamps.
58. Juan Eduardo Martínez	XB FKI	Tampico	Tamps.
59. Gregorio Rodríguez	XB FTK	Tampico	Tamps.
60. Jesús Armenta	XB GAG	Tampico	Tamps.
61. G. G. P. Mexicana	XB GHR	Tampico	Tamps.
62. Elva Guerra	XB HIK	Tampico	Tamps.
63. Enrique Jeffries	XB HOQ	Tampico	Tamps.
64. Gustavo Latofsky	XB JAT	Tampico	Tamps.
65. Gustavo Latofsky	XB KOC	Tampico	Tamps.
66. Enrique Jeffries	XB KUJ	Tampico	Tamps.
67. Elva Guerra	XB KVX	Tampico	Tamps.
68. Leticia Morales	XB RAS	Tampico	Tamps.
69. Enrique Jeffries	XB SIT	Tampico	Tamps.
70. José Luis Sandoval	XB TOM	Tampico	Tamps.
71. Jesús Armenta	XB TUJ	Tampico	Tamps.

72. Douglas Williamson	XB VAI	Tampico	Tamps.
73. Jorge L. Téllez	XB VUO	Tampico	Tamps.
74. Gustavo Latofsky	XB WIQ	Tampico	Tamps.
75. Gustavo Latofsly	XB XEQ	Tampico	Tamps.
76. Patricia Morales	XB YAO	Tampico	Tamps.
77. Roberto Grossman	XB ZIM	Tampico	Tamps.

(Oficio 2-071-94, de EV a Antonio Rodríguez Patiño, director general del CENDRO; 16 de febrero de 1994.)

Ahí ya hablamos de propietarios que tienen orden federal de aprehensión por delitos contra la salud (Martín Becerra Mireles y Sergio Garza Torres, por ejemplo). Pero es hora de regresar a Monterrey.

¿Propietarios de aviones con órdenes de aprehensión por delitos contra la salud? Un ejemplo: Eduardo Castillo Pérez (*a*) el Castor; matrícula XB IEK, cessna aircraft. Propietario núm. 839; modelo del avión: C210; asientos: seis; motores: uno. ¿Aviones propiedad de empresas vinculadas directamente con Juan García Ábrego? Propietario: Almacenes Comerciales RyG; Pino Suárez núm. 1210-1 Nte., Monterrey. Propietario núm. 4806; modelo del avión: PA28; asientos: cuatro; motores: uno. ¿Propietarios relacionados directamente con Juan García Ábrego? Héctor Peña Guzmán; Florencia 102, Chipinque; matrícula: XB CWS. Propietario núm. 4101; modelo del avión: PA32; asientos: seis; motores: uno. ¿Otro más? El Compadre Rentería; matrícula: XB DBB; José C. Rentería Olivares; 10 y 11 Torres 706, Ciudad Victoria, Tamaulipas. Propietario núm. 4214; cessna aircraft, modelo C310. Y más: Transportes Especiales San Arturo; Antiguo Camino a San Javier 600m., Huinala, Apodaca. Propietario núm. 1073; matrícula: XB HOV; mitsubishi MU; modelo 2B20; serie 156. O el mismo propietario: Mitsubishi Soli; modelo MU2B. O los aviones usados por los Brittinham. O el de "Jorge Peña Martínez", con domicilio "conocido" [*sic*]; propietario núm. 3861. Docenas más. Son el mejor ejemplo de cómo el narcotráfico y el crimen organizado han penetrado todo: las finanzas, la política, las empresas. Hay más, mucho más. Tanto que puede relacionarse casi directamente el directorio telefónico de los sectores de Residencial Chipinque (tengo copia en mi poder) con la propiedad de aviones estacionados en el Aeropuerto del Norte.

Más y más, hasta el vómito. Patricio Milmo Hernández le vende a Ignacio Santos de Hoyos (República Mexicana Nte. 225, Monterrey), un avión piper cherokee PA-28-235; son trescientos mil pesos; fecha: 26 de mayo de 1973. Santos de Hoyos se lo vende a (¡!) Henry Max Moller Shellhamer. Él se lo vende a Almacenes Comerciales RyG (el 2 de octubre de 1989) en ochenta y siete millones; el "consejero técnico", de nacionalidad estadunidense, declara como domicilio "El rancho del Rey KM [*sic*] 241.6 Carretera Nacional, en Santiago, N. L.".

Acta N. 4001.-

YO, Licenciado ENRIQUE J. KURI GALLARDO, Notario Público numero (84) ochenta y Cuatro, con ejercicio en este Municipio, CERTIFICO:- Que el documento que antecede, que va en (1) fojas, es copia fiel y correcta de su original que tengo a la vista y que devuelvo a su presentante. quien lo recibe de conformidad.- Se expide a solicitud de parte interesada.-

Monterrey, N. L. a (21) de Noviembre de (1986).- DOY FE.

LIC. ENRIQUE J. KURI GALLARDO
NOTARIO PUBLICO No. 84
KUGE-541116

NOTARIA PUBLICA No. 84
TITULAR
LIC. ENRIQUE J. KURI GALLARDO
MONTERREY, N. L., MEXICO

----- EN LA CIUDAD DE MONTERREY, CAPITAL DEL ESTADO DE NUEVO LEON, a los (21) días del mes de Noviembre de (1989) mil novecientos --- ochenta y nueve, Ante MÍ, LIC. ENRIQUE J. KURI GALLARDO Notario -- Público en ejercicio, Titular de la Notaría Pública No. (84) ochenta y cuatro en éste Municipio, Compareció el SR. HENRY MAX MOLLER SHELLHAMMER, quien manifiesta por Generales Ser: Norteamericano, - Mayor de edad, Casado, Consejero Técnico, Originario de New York,- N.Y. E.U.A., justificando la estancia legal en el país con Duplicado de la FM.-2 # 218803, Expediente 4/350341 de fecha Octubre 16, de 1978, expedida por la Secretaria de Gobernación; con domicilio - actual en El Rancho del Rey KM. 241.6 Carr. Nacional en Santiago,- N.L. y de paso en esta Ciudad y D I J O : Que Ratifica en todas y- cada una de sus partes el contenido Integro del Documento que antecede reconociendo como de su puño y letra la firma que aparece al calce. Lo que hago constar para los efectos legales correspondientes a que hubiere lugar tomando razón de la misma bajo el No. (-- (4,550) del Libro de Control de Actas levantadas fuera de Protocolo que lleva esta Notaría a mi cargo. DOY FE . ----------------

LIC. ENRIQUE J. KURI GALLARDO
NOTARIO PUBLICO No. 84.
KUGE-541115876.

Con esta fecha, julio 5, 1976, traspaso los Derechos de Propiedad que amparan la presente factura en favor del Sr. JOSE ALFONSO -- GARZA JUNCO, en la cantidad de $ 120,000.00 (CIENTO VEINTE MIL- PESOS 00/100 M.N.) .

Monterrey, N.L. a 5 de julio de 1976.

SR. IGNACIO SANTOS DE HOYOS

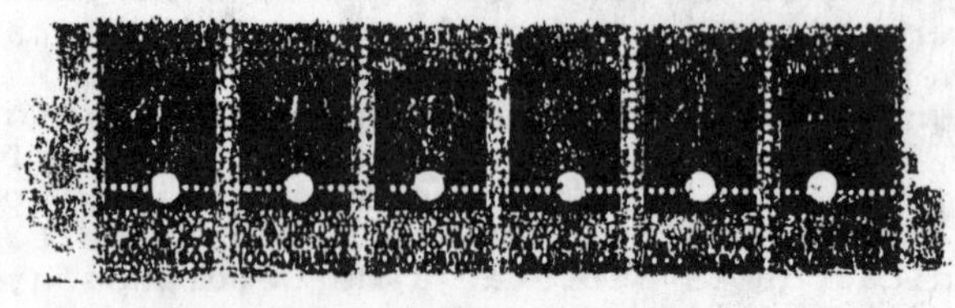

Con esta fecha, enero 18 de 1979, traspaso los Derechos de Propiedad que amparan la presente factura en favor del Sr. HENRY-MAX MOLLER SHELLHAMMER, en la cantidad de $ 200,000.00 (DOS--CIENTOS MIL PESOS 00/100 M.N.).

Monterrey, N.L. a 18 de enero de 1979.-

COTEJADO

JOSE ALFONSO GARZA JUNCO.

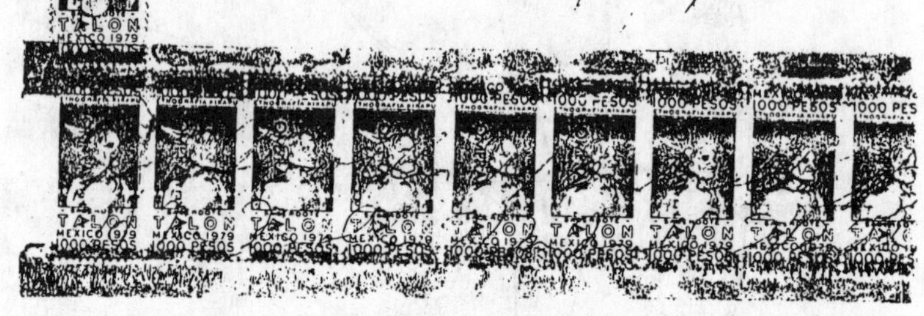

Con esta fecha, Octubre 2 de 1989, traspaso los Derechos de Propiedad que amparan la Presente factura en favor de la Empresa ALMACENES COMERCIALES R Y G, - S.A. DE C.V., en la cantidad de $87'100,000.00 (OCHENTA Y SIETE MILLONES --- CIEN MIL PESOS 00/100 M.N.).

MONTERREY, N.L. a 2 DE OCTUBRE DE 1989 . -

SR. HENRY MAX MOLLER SHELLHAMMER. -

AERO ENTRU, S. A.

AEROPUERTO DEL NORTE
MONTERREY, N. L.

FRA. Nº 1

IGNACIO SANTOS DE HOYOS
Republica Mexicana Nte 225
Monterrey N.L.

NOTARIA PUBLICA No. 88 TITULAR ... KURI GALLARDO MONTERREY, N. L. MEXICO

FOLIO
FECHA
REGISTROS:
CAM. COMERCIO 10850
FED. CAUSANTES AER-730105 001
ESTADO 084236

CONDICIONES: Contado.

CANTIDAD	DESCRIPCION	PRECIO POR UNIDAD	IMPORTE
1	Avión PIPER CHEROKEE PA-28-235, color Blanco/ verde/ café. Matrícula XB-JER, número de serie 28-7310013 Motor serie No. L-15093-40		$ 300,000.00
	----(TRESCIENTOS MIL PESOS 00/100 M.N.) ---		
	Nota: Este avión fué importado bajo pedimento aduanal No. 84612, de fecha 24 de Mayo de 1973		
	No causa el impuesto sobre ingresos Mercantiles por tratarse de una venta de activo Fijo, de acuerdo con la fracción sexta del Artículo 18 de las Leyes Federal y Estatal sobre Ingresos Mercantiles.		
	TOTAL		$ 300,000.00

RECIBIMOS
AEROCENTRO S.A.
PATRICIO MILMO H.
GERENTE

COTEJADO

AGENCIA PIPER

Señor HENRY MAX MOLLER SHELLHAMMER Debe

POR LO SIGUIENTE QUE COMPR

A

Monterrey, N.L. a 18 Enero DE 1979.-

Reg. Fed. de Causantes Ced. de Emp. FACTURA NUM.

CANTIDAD	ESPECIFICACION	UNIDAD	PRECIO	IMPORTE	DTO
1	Avión PIPER CHEROKEE PA-28-235, color Blanco/ verde / café. Matrícula XB-JER, número de serie - - 28-7310013 Motor serie No. L-15093-40			$ 200,000.00	
	---(DOSCIENTOS MIL PESOS 00/100 M.N.)---				
	Nota: Este avión fué importado bajo pedimento aduanal No. 84612, de fecha 24 de-mayo de 1973.				
	No causa el impuesto sobre ingresos Mercantiles por tratarse de una venta de activo-Fijo, de acuerdo con la fracción sexta del Artículo 18 de la Leyes Federal y Estatal-sobre Ingresos Mercantiles.				
	T O TA L:=			$ 200,000.00	

RECIBI

No será la última vez que Henry Max dé como su domicilio el rancho El Rey. El 25 de mayo de 1990, como propietario 2771, registrará la propiedad de un cessna aircraft, serie 17259162, modelo c172k; asientos: tres; motores: uno, con matrícula xb cci, con esa dirección.

¿Hay un eslabón débil en esta inmensa y poderosa cadena? Sí: los pilotos. Emplear procedimientos de inteligencia en relación con ellos es actuar a fondo, en forma radical y racional, contra las empresas multinacionales del narcotráfico y con la mínima violencia posible. La mínima.

El Castor no es un cobarde. Puede servir como guardaespaldas si es necesario; es una persona de extrema confianza. Pero su importancia primaria, fundamental, es la de piloto de aviones. No la de pistolero o asesino. Pistoleros hay muchos; buenos pilotos, pocos. Un buen chofer en tierra es una garantía; un buen piloto en el aire es una maravilla. Choferes hay miles; pilotos, algunos cientos. Pilotos con ánimo aventurero y revanchista por "lo ilegal", muchos menos. El "universo" a investigar se reduce sustancialmente. Se pueden analizar bitácoras, calificaciones, perfiles, patrones, aviones.

Esa inmensa maquinaria de miles de millones de dólares; de aviones y armas; de matrículas y teléfonos; de automóviles, direcciones y licencias, depende de hombres concretos: los pilotos. Son los hombres de la mercancía; sin ellos, no hay negocio. Ni los miles de millones de dólares. El aceite de la maquinaria. El eslabón débil de la cadena: los pilotos.

Otros eslabones importantes: los capitanes de barco; dada la creciente tendencia a contrabandear drogas en "contenedores". Grandes cargamentos: cinco o seis o más toneladas de cocaína. Es lo mismo: pilotos. De aviones o de barcos.

Éste es el reto de "inteligencia" en estos días. La hipocresía o la complicidad lo han ocultado. Es tiempo de decirlo; como en toda empresa, lo importante —lo esencial— son algunos hombres. En primer lugar: los pilotos. En segundo: los coordinadores generales (muy protegidos). En tercer lugar: los financieros (protegidos como ninguno). Los políticos son importantísimos, pero: "ellos pasan; las instituciones permanecen". Lo sabemos todos, y en primer lugar, los jefes del narcotráfico. De ahí que lo fundamental sea copar a las instituciones; en primer lugar, a la sct; luego, a la pgr. Y acercarse ya a la secretaría particular del presidente de la república: asunto de lujo. Nada importa que este o aquel funcionario se llamen Emilio Gamboa o Andrés Caso –o el de ahora, como se llame. ¿Qué importa el nombre? ¿Cuál es la diferencia entre el secretario particular del presidente y el presidente? "Ellos pasan; las instituciones permanecen." Los gringos lo han planteado como: "los jugadores pasan; continúa el juego".

¿Hay una respuesta de los mecanismos de "inteligencia"? Sí; las grandes empresas dependen de algunos hombres que mueven a enormes cantidades de hombres. En primer lugar –en este negocio: los capitanes. Luego se verá lo que sigue: la política y las finanzas; el crimen y la corrupción; los jueces y los fiscales. Primero: los hombres que mueven a otros miles. En este caso: los capitanes. Los pilotos. De aviones –en primer lugar. Y, luego, los de los barcos.

Aeronave asegurada: XB DST; cessna turbocentury; número de julio de 1990; serie: 21063309; piloto: Alfredo González Guerra. Se le puede localizar muy cerca de Ciudad Universitaria y de la pista de patinaje en San Jerónimo. Vive –en los hechos– en el Pedregal de San Ángel. Una y otra vez su nombre surgirá relacionado con aviones y operaciones de narcotráfico. La PGR capturará hasta su pasaporte en los primeros meses de 1994, en un pequeño aeropuerto de Michoacán. A él no se le captura porque no se desea capturarlo. Así de sencillo.

¿Quiénes son "Erosa: licencia 2785" y "Mier: 5280"? Los pilotos del beech aircraft 100 cuyo propietario aparente es "Armando Guerra Leyva". ¿Y quién es este señor? Luis Medrano García o José Pérez de la Rosa. ¿Y "Rodolfo González Garza"? El propietario del piper aircraft asegurado por la PGR en un operativo contra el Cartel del Golfo. ¿Dónde está la bitácora del avión; quién se quedó con ella? Ahí están detallados los viajes, sus pilotos, planes de vuelo. Aun cuando sean falsificados ya nos dicen mucho. Santos (3959) y Vázquez (1607) son el piloto principal y el secundario del jet falcon DA 20, con matrícula XB DIP, con base operativa en Tapachula, Chiapas. Y con principales destinos: Distrito Federal y Acapulco. Su base formal es México, D. F., y su propietario aparente es "Transporte Aéreo Federal". ¿Todo esto es correcto? ¿O hay mucho escondido en estos datos? ¿Quién lo sabe? Sí; los pilotos.

Inteligencia de a deveras: para evitar violencia. Para actuar radicalmente, sin violar derechos ni maltratar a nadie. La primera base: los pilotos; la segunda: los aviones; la tercera: las pistas.

El que controla la calle termina controlando la ciudad; el que controla el aire termina dominando la nación. De ahí hay que partir.

VACACIONES EN CHIAPAS

¿Qué hacía yo en Chiapas en los últimos días de 1993? Digan misa: estaba de vacaciones con mis hijas. El comandante Saúl Hernández, antiguo integrante de la Dirección Federal de Seguridad, fue administrador del espacio arqueológico de Palenque. Ir con él era tener la absoluta seguridad de conocer todo lo interesante de la región. Así ocurrió; Palenque (bellísimo); Toniná (la sombría fuerza de lo militar en un lugar lleno de verdes, espacios y luces); las cascadas y los ríos; los lugares apartados de la selva y sus tesoros (¿se habrá descubierto veinte por ciento de Palenque?). Con ansia vimos todo, oímos todo; mis hijas estaban felices. Como pocas veces en sus vidas (de lo poco que sé).

Pero también vimos las concentraciones, las reuniones, las postas de vigilancia, la animadversión que causaba la suburban oficial (con numeración de la PGR). Algo estaba pasando ante nuestros ojos. Mi vieja sensibilidad de subversivo me decía que esas reuniones ejidales en el fin de año eran completamente anormales. Ahí había un entusiasmo político, de masas. Para cualquier decrépito agitador era obvio.

Mis amigos de Chiapas lo habían dicho hacía tiempo: "Hay guerrilla y es un fenómeno de masas. No te equivoques; es algo nuevo. Todos aquí lo sabemos; todos aquí callamos para no hacerle el juego a Patrocinio y al PRI". Líderes izquierdistas y periodistas decían exactamente lo mismo. Había entrado a la PGR para combatir el narcotráfico; no para espiar a la izquierda. También callé.

El primero de enero de 1994, cuando por la madrugada me informaron que se había desatado una revuelta indígena en San Cristóbal, nos preparamos a salir de inmediato. Lo urgente era llegar a la ciudad de México y estar preparado para rendir un informe político sobre lo que había visto y entendido. La oportunidad se presentó unos días después. Rafael Medina, en *Excélsior*, publicó listas de personas que hacían segunda con lo escrito por Juan Bustillos en *Impacto* y *La Prensa*. Curas y monjas extranjeros que operaban en San Cristóbal de las Casas que se insinuaba estaban mezclados en el movimiento guerrillero. Era obvio de dónde venía la línea: Seguridad Nacional. ¿Lo grave en los escritos de Rafael? La información venía en papel membretado de la PGR. Ahora Carpizo era el gran espía, el amargo inquisidor. Eso no.

Me comuniqué de inmediato con Alfonso Navarrete y le solicité entregar un recado textual al doctor Carpizo. No se podía usar a la PGR para lo que estaba ocurriendo; había que aclarar las cosas de inmediato. Carpizo envió un escrito a *Excélsior*: las listas publicadas no eran responsabilidad de la institución; la salida al conflicto de Chiapas era política —el diálogo, no la represión absurda y ciega. Ganó Carpizo.

Lo grave ocurrió después: Salinas nombró a Jorge Carpizo como secretario de Gobernación cuando se había dado ya la orden: "Vamos a aprehenderlos".

Carpizo me llamó: "Viene Diego Valadés. Creo que te debes quedar aquí. Pero si eso no ocurre te vas de inmediato a Bucareli. No lo dudes ni un segundo". Presenté mi renuncia institucional.

Diego Valadés me citó: "No te puedes ir". "Sí, Diego, me puedo ir y me voy." "No, no. Igual que con Carpizo: acuerdas sólo conmigo." "No; me quiero ir. Estoy muy cansado. Esto es infernal." "El presidente Salinas me dijo que como último argumento usara la siguiente palabra: patriotismo. No te vas: regresa al trabajo. Dame un informe de lo último." "Mira, Diego, no hay necesidad. Ahí está el plan de trabajo aprobado por Carpizo." "Estás confirmado. Vete a trabajar. Tienes la confianza del titular de la institución. No me hagas lo que a Carpizo; lo que no te guste o cuando te pongan trabas, dímelo. Dímelo; no te quedes callado."

Se refería a que a Carpizo le pasaban una buena cantidad de chismes sobre mi trabajo en público. Ponían mil y una trabas. Y nada decía, y superaba los problemas con trabajo. Los chismes se caían por su propio peso. Mi política era muy sencilla: no soy virgen llorona.

Nada más se trata lo esencial con mis dos superiores. Y eso es el trabajo; lo más difícil. No las tonterías y las pequeñas trampas en la institución. De ésas me encargo yo y el Grupo Especial. Así de sencillo. Daba resultados.

Ahora a aplicar el plan de trabajo. ¡Sí, cómo no! Las dificultades comenzaron a multiplicarse exponencialmente. Si de por sí el delegado en Tamaulipas era un imbécil, con el nombramiento de Raúl Olmedo como subdelegado de la Policía Federal en ese estado, la relación de fuerzas cambiaba en un sentido absolutamente negativo. De ahí en adelante, un descuido en Tamaulipas significaría una masacre. Pensábamos llegar a Miguel Alemán (un santuario de García Ábrego; una mina de oro para delegado, subdelegado y Joaquín Pérez Serrano (*a*) la Joaquina). Eso ya era muy difícil, tendríamos que actuar periféricamente. Luego vendrían más nombramientos.

¡VAMOS A APREHENDERLOS!

Ya dije que el 7 de enero de 1994, Jorge Carpizo aprobó el programa de trabajo de la oficina del asesor personal. La versión general se había entregado a subprocuradores y delegados en diversos estados. Las notas especiales hablaban de lo más serio y profundo de nuestro trabajo.

Sin embargo, ya desde el 12 de noviembre informamos a las autoridades superiores de la PGR acerca de la estructura general del Cartel del Golfo.

PRIMERA APROXIMACIÓN A LA ESTRUCTURA DE MANDOS SUPERIORES DE LA ORGANIZACIÓN CRIMINAL DE JUAN GARCÍA ÁBREGO

En relación con la investigación practicada por la oficina del procurador sobre la organización criminal encabezada públicamente por Juan García Ábrego, me permito hacer de su conocimiento esta *primera aproximación* a los mandos superiores de esta organización criminal multinacional.

1. Juan García Ábrego.

2. Francisco Guerra Barrera; responsable de las operaciones en Chihuahua, Coahuila y Sonora. También conocido bajo los sobrenombres de "el Tío, don Francisco, don Paquito, don F.".

3. Óscar Malherbe; responsable de las operaciones en Tamaulipas y de las relaciones subrepticias o públicas en la ciudad de México.

4. Octavio Barrera Barrera; compadre de Rafael Chao López (núm. 5) y responsable de las operaciones de Carlos Reséndez (núm. 7) y Francisco Payán (núm. 8) en Nuevo León.

6. José Luis Sosa Mayorga; responsable de los conductos entre Nuevo León y Tamaulipas.

9. Saúl Sánchez (?) u otro individuo llamado Saúl; operador de primer nivel bajo la autoridad de Francisco Guerra Barrera.

10. Los Lerma; operadores y gatilleros profesionales bajo la autoridad de "Saúl", y uno de ellos, Jorge Lerma, como conducto de Ciudad Juárez con Rafael Chao.

11. En San Fernando, Reynosa y Matamoros, la organización tiene como operadores de alto nivel a las "familias" de: los Vallejo; los Valladares; los Barrera; los Benavides; los Rodríguez; los Salinas; los Solís; los Treviño; los Medrano; los Martínez; los Cantú; los García; los Sáenz; los Reséndez; los Sosa; los Alanís; los Morales; los Uribe; los Balderas; los Tijerina; los Ibarra. Todas estas familias actúan en forma permanente en la frontera norte de nuestro país, desde Matamoros y Reynosa hasta San Luis Río Colorado, con enclaves poderosos en Ciudad Acuña, Ojinaga, Ciudad Juárez, Aguaprieta y Nogales.

12. Los principales lavadores de dinero de esta organización en el estado de Nuevo León podrían ser Octavio Barrera García y Henry Max Moller, y en Tamaulipas, José Guadalupe Cantú y Hugo Salinas. Por supuesto, debe tomarse en cuenta, en forma inmediata, a Humberto García Ábrego, hermano de Juan.

13. También informo a ustedes que buena parte de las direcciones, teléfonos y vehículos de estas personas han sido localizados e identificados por esta unidad especial.

14. En vista de que nos encontramos en la fase de persecución y captura de los principales dirigentes de esta organización criminal multinacional, me permito enviar a ustedes, anexo, el cuadro que muestra gráficamente esta primera aproximación a los mandos superiores, algunos de los cuales cuentan con órdenes de aprehensión que sin falta ni excusa deben ser cumplimentadas. (Memorándum de EV a Jorge Carpizo; Mario Ruiz Massieu, subprocurador de Delegaciones y Visitaduría; Jorge Tello Peón, director general del Instituto Nacional del Combate a las Drogas; Alejandro Alegre, director general del CENDRO, y Adrián Carrera Fuentes, director general de la PJF; México, D. F., 12 de noviembre de 1993.)

Nuestro cuadro abarcaba las actividades criminal y financiera. Tiene diferencias con otro —también se incluye después del nuestro— que la Secretaría de Hacienda y Crédito Público había elaborado.

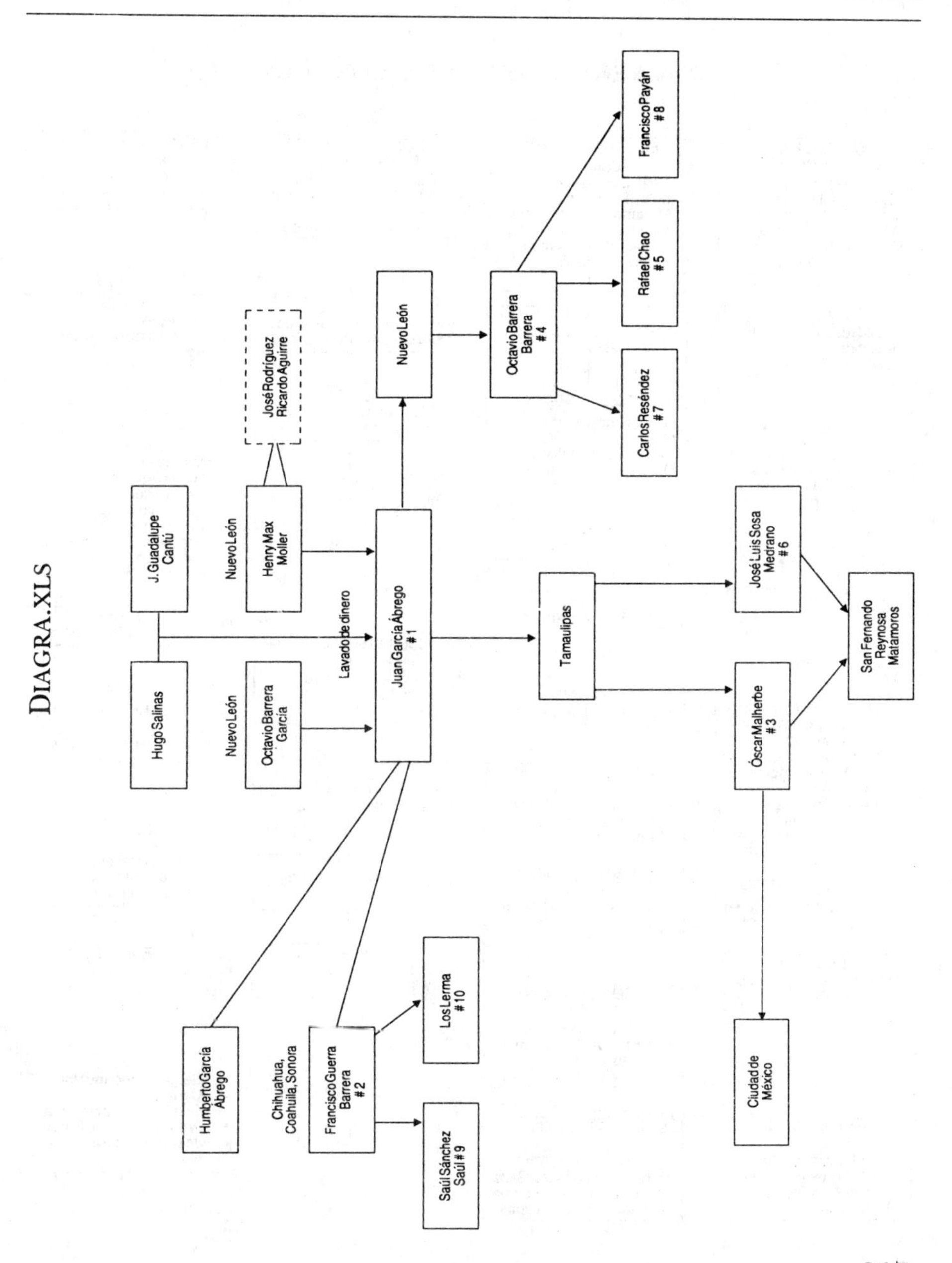
DIAGRA.XLS
Hugo Salinas
J. Guadalupe Cantú
Nuevo León
Octavio Barrera García
Nuevo León
Henry Max Moller
José Rodríguez
Ricardo Aguirre
Lavado de dinero
Juan García Ábrego
#1
Nuevo León
Octavio Barrera Barrera
#4
Carlos Reséndez
#7
Rafael Chao
#5
Francisco Payán
#8
Tamaulipas
José Luis Sosa Medrano
#6
Óscar Malherbe
#3
San Fernando
Reynosa
Matamoros
Ciudad de México
Humberto García Ábrego
Chihuahua, Coahuila, Sonora
Francisco Guerra Barrera
#2
Los Lerma
#10
Saúl Sánchez Saúl #9

ASUNTOS EN COORDINACIÓN CON EL CENDRO

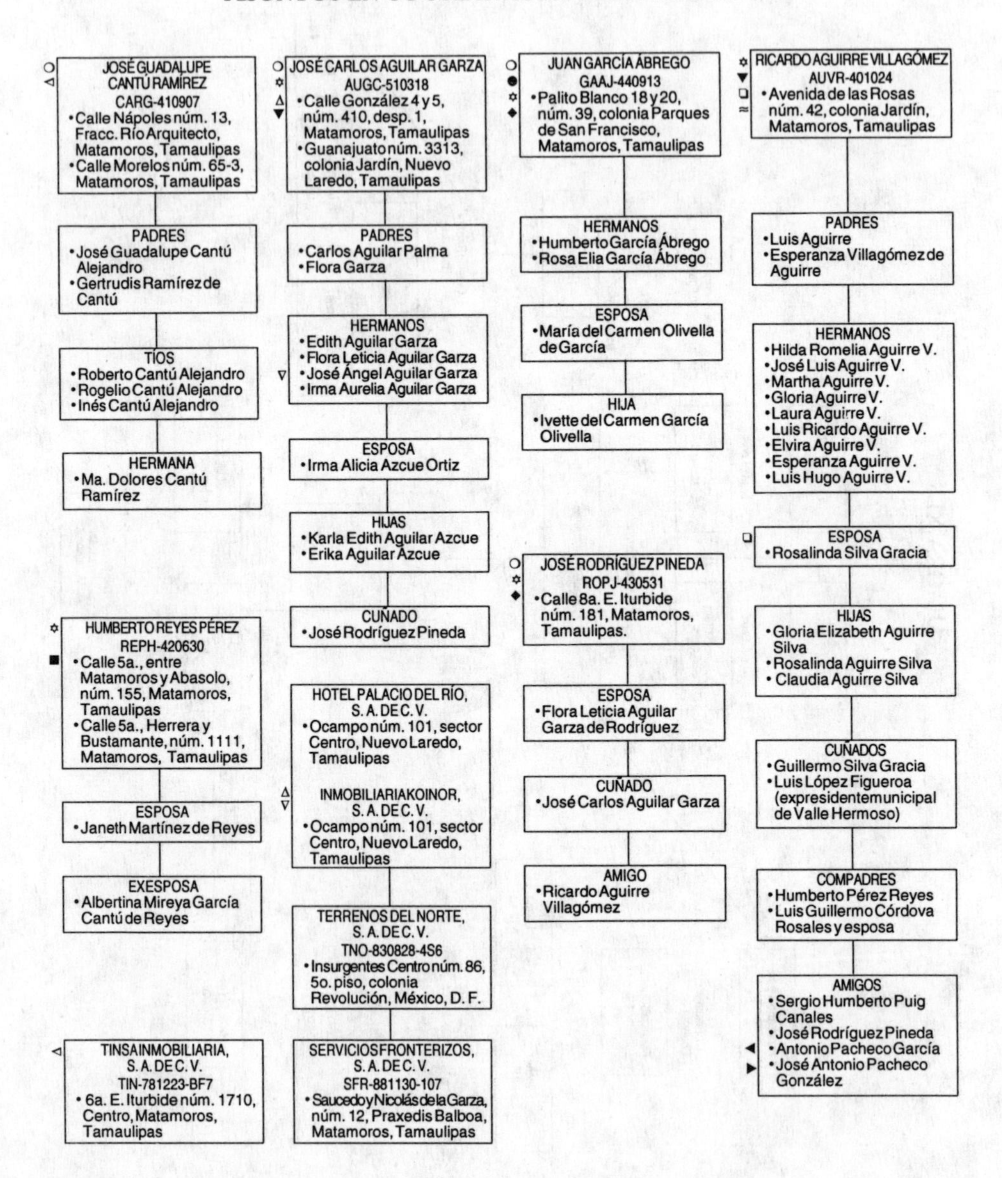

JOSÉ GUADALUPE CANTÚ RAMÍREZ
CARG-410907
• Calle Nápoles núm. 13, Fracc. Río Arquitecto, Matamoros, Tamaulipas
• Calle Morelos núm. 65-3, Matamoros, Tamaulipas
PADRES
• José Guadalupe Cantú Alejandro
• Gertrudis Ramírez de Cantú
TÍOS
• Roberto Cantú Alejandro
• Rogelio Cantú Alejandro
• Inés Cantú Alejandro
HERMANA
• Ma. Dolores Cantú Ramírez
HUMBERTO REYES PÉREZ
REPH-420630
• Calle 5a., entre Matamoros y Abasolo, núm. 155, Matamoros, Tamaulipas
• Calle 5a., Herrera y Bustamante, núm. 1111, Matamoros, Tamaulipas
ESPOSA
• Janeth Martínez de Reyes
EXESPOSA
• Albertina Mireya García Cantú de Reyes
TINSA INMOBILIARIA, S. A. DE C. V.
TIN-781223-BF7
• 6a. E. Iturbide núm. 1710, Centro, Matamoros, Tamaulipas
JOSÉ CARLOS AGUILAR GARZA
AUGC-510318
• Calle González 4 y 5, núm. 410, desp. 1, Matamoros, Tamaulipas
• Guanajuato núm. 3313, colonia Jardín, Nuevo Laredo, Tamaulipas
PADRES
• Carlos Aguilar Palma
• Flora Garza
HERMANOS
• Edith Aguilar Garza
• Flora Leticia Aguilar Garza
• José Ángel Aguilar Garza
• Irma Aurelia Aguilar Garza
ESPOSA
• Irma Alicia Azcue Ortiz
HIJAS
• Karla Edith Aguilar Azcue
• Erika Aguilar Azcue
CUÑADO
• José Rodríguez Pineda
HOTEL PALACIO DEL RÍO, S. A. DE C. V.
• Ocampo núm. 101, sector Centro, Nuevo Laredo, Tamaulipas
INMOBILIARIA KOINOR, S. A. DE C. V.
• Ocampo núm. 101, sector Centro, Nuevo Laredo, Tamaulipas
TERRENOS DEL NORTE, S. A. DE C. V.
TNO-830828-4S6
• Insurgentes Centro núm. 86, 5o. piso, colonia Revolución, México, D. F.
SERVICIOS FRONTERIZOS, S. A. DE C. V.
SFR-881130-107
• Saucedo y Nicolás de la Garza, núm. 12, Praxedis Balboa, Matamoros, Tamaulipas
JUAN GARCÍA ÁBREGO
GAAJ-440913
• Palito Blanco 18 y 20, núm. 39, colonia Parques de San Francisco, Matamoros, Tamaulipas
HERMANOS
• Humberto García Ábrego
• Rosa Elia García Ábrego
ESPOSA
• María del Carmen Olivella de García
HIJA
• Ivette del Carmen García Olivella
JOSÉ RODRÍGUEZ PINEDA
ROPJ-430531
• Calle 8a. E. Iturbide núm. 181, Matamoros, Tamaulipas.
ESPOSA
• Flora Leticia Aguilar Garza de Rodríguez
CUÑADO
• José Carlos Aguilar Garza
AMIGO
• Ricardo Aguirre Villagómez
RICARDO AGUIRRE VILLAGÓMEZ
AUVR-401024
• Avenida de las Rosas núm. 42, colonia Jardín, Matamoros, Tamaulipas
PADRES
• Luis Aguirre
• Esperanza Villagómez de Aguirre
HERMANOS
• Hilda Romelia Aguirre V.
• José Luis Aguirre V.
• Martha Aguirre V.
• Gloria Aguirre V.
• Laura Aguirre V.
• Luis Ricardo Aguirre V.
• Elvira Aguirre V.
• Esperanza Aguirre V.
• Luis Hugo Aguirre V.
ESPOSA
• Rosalinda Silva Gracia
HIJAS
• Gloria Elizabeth Aguirre Silva
• Rosalinda Aguirre Silva
• Claudia Aguirre Silva
CUÑADOS
• Guillermo Silva Gracia
• Luis López Figueroa (expresidente municipal de Valle Hermoso)
COMPADRES
• Humberto Pérez Reyes
• Luis Guillermo Córdova Rosales y esposa
AMIGOS
• Sergio Humberto Puig Canales
• José Rodríguez Pineda
• Antonio Pacheco García
• José Antonio Pacheco González

ASUNTOS EN COORDINACIÓN CON EL CENDRO
(*continuación*)

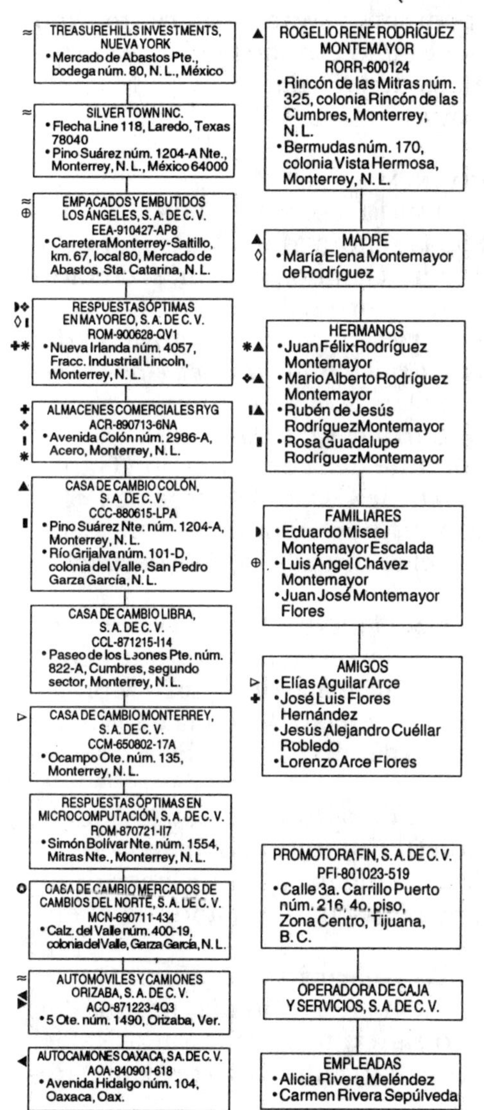

TREASURE HILLS INVESTMENTS, NUEVA YORK
• Mercado de Abastos Pte., bodega núm. 80, N. L., México
SILVER TOWN INC.
• Flecha Line 118, Laredo, Texas 78040
• Pino Suárez núm. 1204-A Nte., Monterrey, N. L., México 64000
EMPACADOS Y EMBUTIDOS LOS ÁNGELES, S. A. DE C. V.
EEA-910427-AP8
• Carretera Monterrey-Saltillo, km. 67, local 80, Mercado de Abastos, Sta. Catarina, N. L.
RESPUESTAS ÓPTIMAS EN MAYOREO, S. A. DE C. V.
ROM-900628-QV1
• Nueva Irlanda núm. 4057, Fracc. Industrial Lincoln, Monterrey, N. L.
ALMACENES COMERCIALES RYG
ACR-890713-6NA
• Avenida Colón núm. 2986-A, Acero, Monterrey, N. L.
CASA DE CAMBIO COLÓN, S. A. DE C. V.
CCC-880615-LPA
• Pino Suárez Nte. núm. 1204-A, Monterrey, N. L.
• Río Grijalva núm. 101-D, colonia del Valle, San Pedro Garza García, N. L.
CASA DE CAMBIO LIBRA, S. A. DE C. V.
CCL-871215-I14
• Paseo de los Leones Pte. núm. 822-A, Cumbres, segundo sector, Monterrey, N. L.
CASA DE CAMBIO MONTERREY, S. A. DE C. V.
CCM-650802-17A
• Ocampo Ote. núm. 135, Monterrey, N. L.
RESPUESTAS ÓPTIMAS EN MICROCOMPUTACIÓN, S. A. DE C. V.
ROM-870721-II7
• Simón Bolívar Nte. núm. 1554, Mitras Nte., Monterrey, N. L.
CASA DE CAMBIO MERCADOS DE CAMBIOS DEL NORTE, S. A. DE C. V.
MCN-690711-434
• Calz. del Valle núm. 400-19, colonia del Valle, Garza García, N. L.
AUTOMÓVILES Y CAMIONES ORIZABA, S. A. DE C. V.
ACO-871223-4Q3
• 5 Ote. núm. 1490, Orizaba, Ver.
AUTOCAMIONES OAXACA, S. A. DE C. V.
AOA-840901-618
• Avenida Hidalgo núm. 104, Oaxaca, Oax.
ROGELIO RENÉ RODRÍGUEZ MONTEMAYOR
RORR-600124
• Rincón de las Mitras núm. 325, colonia Rincón de las Cumbres, Monterrey, N. L.
• Bermudas núm. 170, colonia Vista Hermosa, Monterrey, N. L.
MADRE
• María Elena Montemayor de Rodríguez
HERMANOS
• Juan Félix Rodríguez Montemayor
• Mario Alberto Rodríguez Montemayor
• Rubén de Jesús Rodríguez Montemayor
• Rosa Guadalupe Rodríguez Montemayor
FAMILIARES
• Eduardo Misael Montemayor Escalada
• Luis Ángel Chávez Montemayor
• Juan José Montemayor Flores
AMIGOS
• Elías Aguilar Arce
• José Luis Flores Hernández
• Jesús Alejandro Cuéllar Robledo
• Lorenzo Arce Flores
PROMOTORA FIN, S. A. DE C. V.
PFI-801023-519
• Calle 3a. Carrillo Puerto núm. 216, 4o. piso, Zona Centro, Tijuana, B. C.
OPERADORA DE CAJA Y SERVICIOS, S. A. DE C. V.
EMPLEADAS
• Alicia Rivera Meléndez
• Carmen Rivera Sepúlveda

○ Propiedades a nombre de estas personas, aseguradas por la PGR.

● Créditos quirografarios otorgados a personas físicas en 1992, sobre predios rústicos, los cuales fueron vendidos por Juan García Ábrego en 1989.

✡ Estas personas realizaron operaciones de compraventa de bienes inmuebles entre sí.

△ José Carlos Aguilar Garza fungió como presidente y administrador único de Inmobiliaria Koinor, S. A. de C. V., a partir del 23 de diciembre de 1986.

▽ José Ángel Aguilar Garza fungió, a partir del 31 de octubre de 1990, como apoderado general de la Inmobiliaria Koinor, S. A. de C. V., realizando la venta del Hotel Palacio del Río, S. A. de C. V., el 6 de noviembre de 1991.

▲ Estas personas fungieron como accionistas de la Casa de Cambio Colón, S. A. de C. V.

Rogelio René Rodríguez Montemayor, como accionista mayoritario, realizó aumento de capital, sin demostrar el origen de los fondos.

▼ José Carlos Aguilar Garza y Ricardo Aguirre Villagómez, aparentemente (finados).

◆ José Rodríguez Pineda y Juan García Ábrego (prófugos, delitos contra la salud).

■ Humberto Reyes Pérez y Ricardo Aguirre Villagómez realizaron operaciones financieras.

❑ Rosalinda Silva Gracia transfirió de Estados Unidos a Ginebra quinientos mil dólares (1992).

≈ Ricardo Aguirre Villagómez, accionista de varias empresas.

✧ Mario Alberto Rodríguez Montemayor, accionista de varias empresas.

ı Rubén de Jesús Rodríguez Montemayor, accionista de varias empresas.

✱ Juan Félix Rodríguez Montemayor, accionista de varias empresas.

⊕ Luis Ángel Chávez Montemayor, accionista de Empacados y Embutidos Los Ángeles, S. A. de C. V.

▸ Eduardo Misael Montemayor Escalada, accionista de Respuestas Óptimas en Mayoreo, S. A. de C. V.

◊ María Elena Montemayor de Rodríguez, accionista mayoritaria de Respuestas Óptimas en Mayoreo, S. A. de C. V.

◁ José Guadalupe Cantú Ramírez, accionista mayoritario de Tinsa Inmobiliaria, S. A. de C. V.

▷ Elías Aguilar Arce, accionista de Casa de Cambio Monterrey, S. A. de C. V.

◀ Antonio Pacheco García, accionista de varias empresas.

▶ José Antonio Pacheco González, accionista de Automóviles y Camiones de Orizaba, S. A. de C. V.

✚ José Luis Flores Hernández, accionista de varias empresas.

▮ Rosa Guadalupe Rodríguez Montemayor fungió como contadora general de la Casa de Cambio Colón, S. A. de C. V.

✪ Esta casa de cambio realizaba operaciones de fondeo, involucrándose indirectamente en operaciones de lavado de dinero realizadas por las casas de cambio Libra, Colón y Monterrey.

De esta forma ya podíamos ir sobre los capos, sabiendo cómo afectaría cada golpe al conjunto de la estructura. Y, según lo que consignaba en la Nota especial núm. 3, podríamos sortear con cierto éxito la formidable protección política que Emilio Gamboa daba a la organización. (En esos días, nada sabíamos de las relaciones de Marcela Bodenstedt con José Córdoba Montoya.)

Nota especial núm. 3
Sobre Marcela Bodenstedt y Emilio Gamboa Patrón

El día 8 de noviembre de 1993 la señora Marcela Rosaura Bodenstedt Perlick se entrevistó con Emilio Gamboa Patrón, secretario del despacho de Comunicaciones y Transportes.

La SCT es una pieza estratégica y esencial en la seguridad del Estado mexicano. *Controla carreteras, puertos, pistas, aviones, espacios aéreos, pilotos, compañías de transporte (ya sean de carga o personas; por tierra, mar o aire). Y a la Policía Federal de Caminos y Puertos.*

Que un personero muy importante de la organización García Ábrego (Marcela es representante directa de Óscar Malherbe de León; conocido también como "licenciado Martínez" y como "Martín Becerra Mireles") tenga acceso directo con el encargado de este despacho, *es extraordinariamente grave.*

Ya desde el 24 de mayo de 1993, el CENDRO, y esta oficina teníamos conocimiento de los alardes de Marcela en relación a su cercanía con Emilio Gamboa Patrón y con el oficial mayor, Arturo Morales Portas. Pero estos alardes no son tales y, en efecto, Marcela tiene acceso directo con Gamboa Patrón y con Fernando Ulibarri Pérez, secretario particular de Emilio Gamboa.

Marcela Bodenstedt nació el 18 de agosto de 1962; estudió preparatoria. Ingresó a la Policía Judicial Federal el 28 de febrero de 1985 gracias a la recomendación de Miguel Aldana Ibarra, y luego de un comportamiento signado por continuas ausencias, abandonó el empleo en enero de 1986.

Se relacionó con Rafael Aguilar Guajardo y con Juan García Ábrego e incluso viajó a Cancún, Quintana Roo, dos días después de cuando gatilleros del segundo narcotraficante asesinaron a Rafael Aguilar en esa ciudad. Está casada con Marcelino Guerrero, al parecer relacionado con Jorge Hank Rhon.

Su vínculo con Óscar Malherbe de León está fuera de toda duda; rentó la casa de Fuente de la Luna núm. 150 en Fuentes del Pedregal, y ha ocurrido con frecuencia a Bosques de Mozambique núm. 89, en Bosques de Aragón, domicilio de Joaquín García Ríos, contacto de Malherbe en la ciudad de México.

Resulta absolutamente indispensable y urgente destruir esta red.

Propuesta:

a) Revisar el expediente de Fuente de la Luna y fincar responsabilidades a Marcela, buscando orden de aprehensión contra ella y Marcelino.

b) Catear las casas de Marcela y Marcelino.

c) Identificar, ubicar y vigilar a Joaquín García Ríos y demás cómplices radicados en la ciudad de México.

Entonces Carpizo se fue a Gobernación. De inmediato sentimos el cambio. La información imperceptible del CENDRO ya no llegaba a la oficina. Contábamos con ella para los operativos. Me vi en la necesidad de dirigirme a Toño Rodríguez Patiño para recuperar la fuente de la información imperceptible.

SOBRE INFORMACIÓN CONFIDENCIAL EN RELACIÓN CON JGA

Desde junio de 1993 mi oficina ha recibido en forma permanente y sistemática los resultados de la vigilancia imperceptible en relación con:

Juan García Ábrego
Humberto García Ábrego
Carmen Olivella
Rafael Chao
Marcela Bodenstedt
Carlos Reséndez

y, en menor medida, la relacionada con el notorio narcotraficante *Francisco Payán*.

Solicito a usted, en forma atenta y respetuosa, se me proporcionen los resultados de la investigación imperceptible de todo aquello relacionado con la organización criminal multinacional dirigida públicamente por JGA. (Memorándum de EV a Antonio Rodríguez Patiño, director general del CENDRO; 20 de enero de 1994; se remitió copia a Diego Valadés.)

Sabíamos que el celular 90-8-324-5068 de Óscar Malherbe estaba captado por una "cueva" de Peregrino (servicios técnicos de la PGR), en Monterrey, Nuevo León.

Que el celular de Rafael Chao López en el DF (90-5-402-7157) también se encontraba bajo vigilancia.

Y, por si fuera poco, íbamos a necesitar el servicio para los teléfonos de Antonio Rivera de la Fuente y Federico Rivera Izaguirre, en Matamoros, Tamaulipas, para la fase de aprehensiones. Era absolutamente indispensable tener buenas relaciones con Rodríguez Patiño y el CENDRO.

Mientras tanto, fuimos a Cancún –a toda marcha– para intentar detener a Luis Ferrel o José Luis Durán y a su mujer –Dolores– en la operación en Cancún, la cual coordinaba directamente Malherbe.

¿La base de la estrategia? Muy sencillo: los estábamos obligando a regresar al campo de las operaciones. Ya no nada más daban órdenes; se tenían que comprometer personalmente en los operativos de contrabando de drogas. Ahí los iríamos a detener. En flagrancia. Si ya los segundos estaban en el campo de operaciones, nuevamente, así nos acercábamos al número uno: Juan García Ábrego.

La lista no era muy larga: Óscar Malherbe; Raúl Valladares; Carlos Reséndez; el Pitochín Sosa; el Cabezón Sosa; el Raffles (Rafael Olvera); Luis Ferrel o Ferrer. Cualquiera de estas aprehensiones expondría a la organización. Ya para marzo los estábamos buscando en serio. No para localizarlos (ya sabíamos dónde estaban), sino para aprehenderlos. La estrategia comenzaba a dar buenos resultados. Entonces comenzaron a llegar noticias cada vez más alarmantes en relación con el equipo y la campaña de Colosio. Era indispensable hablar con él y, si fuese necesario, incorporar a los mejores del Grupo Especial a su campaña. Se olía el peligro a kilómetros de distancia.

Mi trabajo de enero a marzo de 1994 (tenía yo cita con Luis Donaldo para el 25 de marzo, en Hermosillo, Sonora) fue también un reto para la estructura criminal que se implantó al interior del Estado con la llamada Familia Feliz. El proceso de implantación se inició en 1984 y culminó cinco o seis años después con Javier Coello Trejo como subprocurador responsable de la lucha contra el narcotráfico, y con Guillermo González Calderoni como brazo operativo de la línea que dictaba la presidencia de la república (Carlos Salinas-José Córdoba-Justo Ceja) y que ponían en práctica el propio González Calderoni y Coello Trejo, con la complicidad de importantes funcionarios de la SCT. El centro territorial que se beneficiaba con toda la operación nacional: Monterrey, Nuevo León.

En abstracto, tener un centro industrial y financiero como contrapeso a las decisiones político-administrativas que se toman desde la ciudad de México es una idea excelente, sana. Todavía está pendiente ese propósito: dentro de una estrategia global de desarrollo regional, construir varios centros como contrapeso al Distrito Federal. Pero de ahí a usar los fondos del narcotráfico para privilegiar el fortalecimiento de uno de esos polos, hay una distancia gigantesca: ética, jurídica y política. La Familia Feliz cruzó la raya; el "regiomontano" Salinas y sus asociados construyeron la estructura criminal de la "narcodemocracia" mexicana para hacer de Monterrey una formidable fuerza que, a largo plazo, maniatase a Los Pinos. El narcotráfico fue un instrumento fundamental para alcanzar este objetivo central en los planes de Carlos Salinas; los planes de largo plazo.

No tengo ahora manera de saber si Óscar Herrera Hopkins jugó un papel determinante en la Secretaría de Comunicaciones y Transportes con Andrés Caso Lombardo y Emilio Gamboa Patrón. Tampoco tengo ahora elementos para analizar la conducta de Humberto Cervantes Vega en el gobierno de Nuevo León. Pero cuando Carlos Salinas decidió refugiarse (como expresidente) en territorio gobernado por Sócrates Rizzo (como dije: con Othón Ruiz Montemayor como tesorero del gobierno del estado), Salinas sabía que llegaba a su territorio. No a una base principal del programa Solidaridad, sino al centro real de la estructura criminal dirigida por la Familia Feliz: el cuartel general del "Estado dentro del Estado".

Una estructura que tenía sus aparatos de masas: el programa Solidaridad en el sector popular, y a Ricardo Castillo Gamboa como asesor jurídico de la principal central obrera del Estado (CROC), la cual no por casualidad necesita dominar —a cualquier precio— la ciudad de Cancún, Quintana Roo.

No me engañaba cuando di la orden de comenzar la etapa de aprehensiones. Tampoco lo hacía a ciegas: conocía los riesgos. Cuando acribillaron, en Tijuana, a un jefe del Grupo Especial, trasmitieron un mensaje a toda la corporación: si vas al fondo del asunto, escribe tu testamento. Recibimos el mensaje y continuamos adelante: Raúl Valladares del Ángel, Carlos Reséndez, el Pitochín Sosa, en Brownsville, y gentes menores en Matamoros y Monterrey, lo resintieron de inmediato. Tendimos un delicadísimo cerco en torno de don Paco y vigilábamos los números altos de Río de la Silla y la "casa de piedra" en Villa Juárez, y las quintas de Cuernavaca. Esperábamos nuestro momento. Se atravesó el 23 de marzo.

El presidente Salinas

Me dijo Luis Donaldo Colosio: "El presidente electo pregunta si necesitas algo; ¿te podemos ayudar?". "Sí, como no; dile que me haga administrador de la aduana de Nuevo Laredo." "Sí, como no; se la entregaron a un hermano de Otto Granados Roldán." ¡Caramba! Ya no sería un hombre rico. Como si me importara. Lo cierto es que me sentía tranquilo: Salinas en la presidencia y Colosio muy cerca. Si tenía problemas serios –a mi estilo–, los podría plantear usando "canales privilegiados", como dice Jorge Fernández Menéndez.

Todo se echó a perder cuando Fernando Gutiérrez Barrios y Javier Coello Trejo, el 10 de enero de 1989, detuvieron a Joaquín Hernández Galicia, fabricándole una serie de delitos; incluyendo la muerte de un agente del Ministerio Público Federal –Gerardo Zamora Arrioja–, a quien incinerarían poco después porque "se trataba de un asunto de seguridad nacional". Ni su parecer le pidieron a la viuda. Un abogado amigo mío, ligado a la Quina y al sindicato petrolero por mucho años –quien luego se relacionaría estrechamente con Ignacio Morales Lechuga, para terminar en un pleito feroz–, me entregó indicios de la vulgar maquinación. La documentación de César Fentánez Méndez era muy buena. Publiqué eso y algo más.

Afectaba directamente a Fernando Gutiérrez Barrios. Sus apologistas –incluyendo a Manlio Fabio Beltrones, su exsecretario particular– afirman que es un "puño de hierro en guante blanco"; es decir, un asesino diplomático. De 1959 a 1989, se dedicó a planear operativos sangrientos contra la oposición, incluyendo las masacres del 2 de octubre de 1968 y el 10 de junio de 1971. Esta vez, gracias a la documentación de Fentánez, se lastimaba como pocas veces a Gutiérrez

Barrios y a Coello Trejo. Era un asunto entre almas jarochas; ¿manipulado por otro veracruzano, Morales Lechuga? Quizá. Pero eso era asunto de Fentánez, no mío. Además, Fentánez tenía capacidad para el juego rudo, para enfrentarse a asuntos serios: lograría que se encarcelase a Eduardo Legorreta; César convertido en campeón jurídico de los inversionistas bolseados por los dueños de las casas de bolsa. Ahora Fentánez se encuentra en McAllen, Texas. A veces, "ayuda a la corte", como en el caso de Guillermo González Calderoni, requerido por el excelente abogado estadunidense: Tony Canales, actual defensor de Mario Ruiz Massieu, fugaz "campeón de la justicia", encarcelado en Nueva Jersey por múltiples cargos relacionados con –obvio– el narcotráfico. Pues bien, publiqué mis serias dudas acerca del operativo de Ciudad Madero y apunté las consecuencias a corto y mediano plazos. Creo que Salinas se enojó; creo que a mí no me importó mucho. Al menos, no me puse a llorar.

Luego, me entregué al trabajo en la Unión de Periodistas Democráticos. El 7 de junio de 1991, el fiel Fidel Samaniego y yo nos reunimos con Carlos Salinas de Gortari en Los Pinos. Lo "convencimos": el salario mínimo era una medida necesaria, de profesionalización y limpieza del gremio. "¿Cuánto?", preguntó. "Al menos lo de un maestro de primaria, tres salarios mínimos generales." "De acuerdo." Y salió a la ceremonia de los premios nacionales de periodismo. Ahí lo anunció.

Triunfo menor pero triunfo al fin. Y nadie lo reconoció. Muchos reclamaban: "¿Por qué no cinco o seis? ¿Qué transaste con Salinas?". Los mismos que increparon no eran capaces de pelear por uno; ya no digamos por dos o tres. Algunos eran capaces de traicionar a su mejor amigo para conservar el trabajo y sus privilegios implícitos. Sus pequeños privilegios, lo más importante. No el salario para el gremio. Así somos hasta ahora. A ver cuándo cambiamos. A ver cuándo organizamos un sindicato o –al menos– una escuela de periodismo.

Luego vino un extraño incidente relacionado con Cuba.

Trabajaba en *Impacto* con Juan Bustillos Orozco. Me había prometido mil dólares al mes por mi colaboración. Me quedó a deber diez meses de trabajo; peor, como ya dije, por su culpa, perdí todo mi equipo fotográfico. Me debía meses de trabajo; yo, empeñaba lo que tenía para salir adelante. Le llegó la ocasión a mis cámaras, lentes y flashes. Llegué al extremo de intentar venderle mi preciosa pick up a un antiguo secretario general del IPN, un oaxaqueño, amigo del Chino León Aragón y de Justo Ceja, que nadaba en dinero. A él se refieren algunos colegas cuando hablan de los "narcopolitécnicos". Trató de pagarme menos de la mitad del valor del vehículo; lo mandé al demonio. Finalmente, vendí la pick up cuando un ranchero de Toluca descubrió que en segunda podía correr a ochenta kilómetros por hora. Buen precio y al contado.

Bustillos me invitó a almorzar en su oficina. "Hay congreso del partido comunista. ¿Puedes ir?" "Seguro, por qué no. Dile al Chino, Julio Argumedo, que me acompañe." (El Chino está tan loco que por una buena foto es capaz de arriesgar su seguridad sin pensarlo dos veces.) "Bien, pasa mañana por tus gastos –dos mil dólares– y salgan lo más pronto posible. Una cosa más: al regresar a lo mejor le das un informe al señor presidente."

Tuvimos que monitorear el congreso del PCC desde La Habana; no se permitía prensa extranjera en Santiago. La "seguridad" estaba concentrada en el oriente de Cuba; con todo, nos encontramos varias veces con equipos del comandante Piñeiro (Barbarroja). Una vez, en el elevador del hotel tenían todo preparado para detenernos y expulsarnos. Mi estentórea voz dejó deslizar un susurro: "Va a estar bueno ver cómo explica Piñeiro la expulsión de un periodista mexicano, amigo del presidente Salinas". Ahí mismo se canceló el operativo.

También encontramos en los mejores hoteles y restaurantes a grupos de opulentos colombianos, cargados de oro y diamantes. ¡Eeppa! Al bajar del avión, escribí un artículo para *El Financiero*: "Sopa de sangre". Habíamos peleado por la revolución cubana para terminar viendo cómo las jovencitas (de la edad de mis hijas y hasta menores) se prostituían por jabones, leche o artículos de belleza. "Revolución o muerte", era la criminal consigna del "comandante en jefe". En realidad, conforme a las reglas del juego de la política cubana, se traducía: "Se muere el que dude de los hermanitos Castro".

Al regresar a México, con la gente de la presidencia me puse de acuerdo: el presidente Salinas me atendería en el autobús presidencial el mismo día que salía para Estados Unidos a una reunión con Bush. Llegué a Los Pinos; me subieron al autobús. Platiqué con Salinas y llegamos al hangar presidencial. El chofer, Salinas y yo. Salinas bajó y ahí mismo me pidió que bajase yo también. Eso no era parte del trato. Pero insistió; bajé. En la entrada del hangar presidencial me dio instrucciones para hablar con Carpizo y avanzar en el programa de agravios. Un general se acercó y Salinas lo fulminó con la mirada. El de la voz no entendía nada de nada hasta que miré a quienes estaban en fila dentro del hangar presidencial. Todo el gabinete; el primero –sonriendo–, Luis Donaldo Colosio. Rápidamente me metí al área del café (para no saludar a Hank o a Gutiérrez Barrios). Salinas ganó: en la puerta de salida, rumbo al avión, me llamó en voz alta. Y ahí va el Búho saludando "amablemente" a todo el gabinete. "Buenos días, profesor; buenos días, don Fernando; ¿cómo está, doctor Aspe (el mejor de ellos)?" Bien, Salinas me había placeado. El Búho al servicio de Salinas; bonito papel, bonito papel.

Pensé que todo había terminado. Nada; que Salinas me lleva a la escalerilla del avión. Abrazo a Pepe Carreño y Salinas le grita a Córdoba Montoya: "Pepe, baja a saludar a Eduardo". Y el poderosísimo doctor desciende toda la escalinata y me dice: "¿Cómo está, licenciado?". Respondo: "¿Cómo le va, doctor?". Y Salinas se va a cumplir su cita con Bush; se lleva a cinco o seis secretarios de despacho. Addiós. Byye. Le pido ayuda a un general y él ordena que me lleven en auto a donde yo señale. Un teniente coronel me traslada al metro.

¿Dónde está el chiste? Salinas sabía que yo había escrito en *7Cambio*, la revista de Isabel Arvide, que Córdoba nos estaba metiendo en muchos problemas. Se moría de la risa al ver al pequeño doctor bajar las escalerillas para saludarme. ¡Pobre doctor! El pararrayos de Salinas: el malo es Córdoba, no Salinas. Viejo truco, eficaz. Jodan al pequeño y misterioso extranjero, la "materia gris" de nada. Él, él es el culpable; jódanlo a él. No a Salinas. Viejo truco, eficaz.

Bueno, placeado frente al gabinete, mi situación era complicada. ¿Alguien entendería –de los que habían presenciado la escena– que mis escritos podían ser "línea del presidente"? Si eso sucedía, que con su pan se lo comieran. No duré mucho en *Impacto*. Exigí me pagasen y eso no ocurrió; además, estaba enfurecido con la pérdida de mis cámaras. Entonces escribí un artículo durísimo en "A balazos", mi columna en la revista. Trataba sobre Juan García Ábrego y Rafael Aguilar. La siguiente entrega no se publicó. Adiós a *Impacto*. El pillo de

Bustillos todavía me debe diez mil dólares. Pobre sinvergüenza. Perdí hasta las boletas de empeño.

Otra vez lo eché a perder con un artículo: "Mambo y Rumba". Ya antes me había lanzado a una campaña contra la reelección presidencial. No, señor Salinas, nada de reelección. Y los avances no eran de Córdoba; la responsabilidad era de Salinas. Donde pude lo escribí y exclamé. Entonces llegó el IV informe presidencial. "Aquí hay mando y rumbo", exclamó el macho Salinas. Comiendo tacos con Vicente Leñero, el Gato Marín y Rubén Cardoso –luego de pasar por el cubículo del Campi Elías Chávez y de Gerardo Galarza (en la jugada de dominó de los jueves)– se me ocurrió el título del artículo: ¿hay rumbo y mando? Mejor que haya mambo y rumba. Creo que Salinas se enojó; creo que no me preocupé mucho.

La gente de *Proceso* ha reclamado: "La idea original fue nuestra, Búho". Cierto, pero publiqué primero. Que quede en mitad y mitad.

Luego vendría la llamada de Carpizo y mi advertencia: "Si ves el menor gesto de desagrado, no acepto".

¿Para qué me quería Salinas en la PGR como asesor de Carpizo? Muy probablemente no quiso chocar con Carpizo, quien necesitaba gente de su extrema confianza. Salinas tenía el control de la oficina de Tello Peón, la del Chino León Aragón y a los subprocuradores: ¿qué podía hacer un hombre más en esa gigantesca maquinaria de corrupción? Probablemente, muy poco.

Además, después del cateo en Jardines de la Montaña, cuando le envié el cuaderno de notas del Amable narrando la visita de uno de sus hermanos a una fábrica propiedad de don Paco en la ciudad de Puebla, sabía que cualquier cosa que incriminase a la familia presidencial la conocería él en primer término.

Que conste: en ningún momento se me ocurrió que Carlos Salinas de Gortari podría tener relaciones con Amado Carrillo, Juan García Ábrego o los Arellano Félix. Quizá Raúl. Pero después de todo lo que nos ha ocurrido, los mexicanos ahora sabemos que sí: el presidente de México tenía una idea bastante exacta de lo que ocurre con las empresas criminales internacionales en donde participan mexicanos. Y si ahora Zedillo no tiene idea, simplemente que le pregunte a Tello Peón (en Seguridad Nacional) o a René Paz Horta y a Enrique Arenal Alonso (en el Instituto Nacional "contra" las Drogas). O a Inteligencia Militar. Los mandos en la "inteligencia" mexicana no han cambiado; ahí están desde los tiempos de Salinas. Antes eran "salinistas" como ahora son "zedillistas". Y esa responsabilidad es de Zedillo, no del procurador Lozano.

Con Luis Donaldo envié a Carlos Salinas tres cartas: la de las notas del Amable; la que describo en el artículo "La Banda de Los Pinos", y una tercera, unos cuantos días antes del "destape" de Colosio.

La Banda de Los Pinos

Julio Scherer, director de *Proceso*, y Alejandro Ramos, director de *El Financiero*, conocen el costo de redactar el escrito publicado en ambos medios el primero de agosto de 1994. Antes de redactarlo, dos días enteros, vomité hasta no tener en el cuerpo nada para expulsar. Enfermo, me senté a escribir la carta abierta al entonces presidente Salinas. Luego, me sentí peor. El profundo malestar se fue. La carta estaba publicada.

En ese documento se hablaba de varias notas enviadas –con Luis Donaldo Colosio– al presidente Salinas. La primera le fue entregada en julio de 1993 en Los Pinos. El sobre que llevaba Luis Donaldo iba cerrado y sellado; él no conocía su contenido. Contenía un cuaderno de notas con manuscritos de José Pérez de la Rosa (*a*) el Amable, uno de los principales asesinos y lugartenientes del Cartel del Golfo, dirigido públicamente por Juan García Ábrego. Ahí, el asesino escribía de la visita de un hermano del presidente Salinas a una de las fábricas propiedad de su jefe en la organización criminal: "don Francisco", "don Paco", "don F.". Al segundo jefe operativo del Cartel del Golfo *–tan importante para las relaciones públicas y la información–* lo he identificado como Francisco Guerra Barrera. ¡El hermano del presidente visitando Puebla –dialogando amablemente– con el segundo hombre del Cartel del Golfo!

El cuaderno era producto de un cateo a una casa de Jardines de la Montaña, propiedad del Amable; localizada a unos metros de la propiedad de Enrique Arenal Alonso, subordinado de René Paz Horta en el Instituto Nacional "contra" las Drogas. Cuando el oficial de la Policía Judicial Federal me lo dio el día que entramos a la casa, le ordené absoluto silencio. No por acciones de Raúl, Sergio o Enrique, lastimaríamos la autoridad y la figura del presidente de la república: Carlos Salinas.

Luego, en octubre de 1993, haría llegar al presidente Salinas –por el mismo conducto, Luis Donaldo– otra información. El CENDRO adjudicaba al embajador mexicano en Inglaterra la propiedad de decenas de pistas en el estado de Nuevo León. Pero había mucho más. Ahora reproduzco ese escrito. Me reservo dos nombres (una institución bancaria y el de un consejero). Lo demás lo transcribo exactamente; la fecha es 15 de octubre.

C. Presidente: Ni a usted ni a mí nos importa mucho, pero el hecho es que cada vez que he podido hacer algo honrado y correcto por usted y su gobierno, sin vacilar, actúo.

Otra vez me encuentro en esa posición. Jorge Carpizo me llamó como su asesor personal y me encomendó investigar la organización criminal multinacional encabezada públicamente por Juan García Ábrego. Inicié mi trabajo el 28 de mayo de este año y comencé a actuar en el campo (Tamaulipas y Nuevo León) el 26 de junio de 1993.

Tres meses y medio después, estoy tocando a las puertas de Linares, Nuevo León (la madriguera de esta fiera), y conozco sus negocios, pistas, ranchos, casas, los nombres de su esposa y principales amantes. Y hasta la mayoría de sus vehículos personales. También cómo se traslada el convoy de JGA (siete vehículos en una dirección; tres por la otra) de El Barrial a los ranchos de Linares, pasando por Montemorelos. También llega a Méndez, Tamaulipas, ya que, como se sabe, "dos tetas jalan más que dos carretas". Más cuando existe un niño de dos años de por medio.

Es decir; puedo intentar seriamente aprehender a Juan García Ábrego. Lo puedo lograr.

Pero en el trayecto me he encontrado conque [*sic*] esta organización disfruta de una inconcebible protección de altos funcionarios federales, estatales, municipales, jueces, periodistas. Y posee –al menos– tres teléfonos de la presidencia de la república (¡y lo sabe el gobierno de Estados Unidos!) a los que ha hablado Óscar Malherbe y de donde le han hablado al segundo hombre público de esta organización criminal (227-17-03; 515-05-62; 522-23-18).

También he encontrado indicios que vinculan directamente a esta organización con consejeros de [todavía no]. Me refiero concretamente a [todavía no]. Y, quizá, a Othón Ruiz Montemayor y Guillermo A. Galindo Acosta.

Esto explica muchas cosas.
Por si fuera poco –según la información que me ha proporcionado el CENDRO, la cual estoy verificando (envío fotocopia)– resulta que la gran mayoría de las pistas en un enorme radio alrededor de Monterrey (y obviamente Tamaulipas) están plenamente dominadas por esta organización criminal. ¡Y esto podría incluir al aeropuerto de Agualeguas! Todavía no puedo afirmarlo. Apenas me pregunto: ¿quién es Óscar Sala Luna?
¿Y ahora qué hago?
a) Puedo salir de la PGR y aguantar la tormenta que sobre mi persona se desataría. No hay problema. Otras peores he soportado.
b) Puedo continuar con mi investigación e intentar capturar a JGA. Pero necesito vehículos, dinero, dos helicópteros. *Y tres pelotones del ejército armados con* CAL *y uzi.*
c) Puedo perderme un buen rato. Al fin que ya nada más faltan treinta y un días para la votación del TLC.
Como soy empleado del ejecutivo federal (por honorarios) estoy en la situación de recibir órdenes. Y de obedecerlas.
¿Cuál alternativa tomo: a, b o c? Reciba un saludo caluroso. Como siempre, Búho.
El presidente Salinas discutió este escrito y las copias del CENDRO con Jorge Carpizo. Dio órdenes de que me entregaran un helicóptero; pero nada más. De ahí en adelante, cambié la estrategia: ya en enero de 1994, di la orden al Grupo Especial (luego de recibir la información del CENDRO, la cual involucraba a Marcela Bodenstedt y a Emilio Gamboa Patrón): ¡Vamos a capturarlos! Me refería a Raúl Valladares, Carlos Reséndez y Francisco Guerra Barrera. Ya luego caería Juan García Ábrego; con Luis Donaldo en la presidencia de la república. Hasta Alfonso Durazo, tan amigo de los tamaulipecos, lo habría podido entender. Ahora Alfonso y Andrés Massieu trabajan con Esteban Moctezuma en la Secretaría de Gobernación. Eso explica algunas cosas. De ahora.
Finalmente, avanzado noviembre de 1993, con Luis Donaldo envié otra nota al presidente Salinas. Ya habrá ocasión de hablar de ella.
Ahora, Carlos Salinas pelea por "su honor y la verdad". Él no encubrió a los asesinos de Colosio. Y la PGR podría hacerle el juego. El expresidente Salinas encubrió –al menos– a los autores intelectuales y

materiales de Luis Donaldo Colosio. ¿La prueba? La fe ministerial del cadáver de Luis Donaldo. Se encuentra en la averiguación previa 739-94, firmada por el médico perito oficial Antonio Iván Muñoz Lara y otras tres personas. Habla de una herida en la región superior del abdomen y ligeramente a la izquierda: "se observa en la región una quemadura, ubicada inmediatamente arriba de otra herida, con características similares a las producidas por un proyectil de arma de fuego en su fase de entrada". Sí, don Carlos Salinas de Gortari: dos tiradores contra Luis Donaldo. Y usted lo sabía desde marzo de 1994. Usted cometió el delito, al menos, de obstrucción de la justicia; pues si bien ordenó investigar el crimen contra Luis Donaldo, y ése era su deber, ocultó sistemáticamente la prueba que demostraba la existencia de dos tiradores. Ahora mismo –cuando se ha reconocido oficialmente la conspiración– todavía está en duda quién disparó: ¿Othón o el guardaespaldas de Garzón Santibáñez?

Usted, Carlos Salinas, capo di tutti capi, debe ser juzgado.

Por ese delito, al menos, usted debe ser juzgado. Para comenzar a conocer las reales responsabilidades en los asesinatos políticos del año pasado. Uno, el de Luis Donaldo, esencialmente político. Y el otro, el de José Francisco Ruiz Massieu, en donde se mezclan la política, la narcopolítica y el dinero de Juan García Ábrego en Punta Diamante. Podría averiguarse el papel de Abraham Rubio Canales en este asunto.

P. D.: El 3 de marzo de 1995 recibí documentación oficial de la DEA, fechada en septiembre 30 de 1994. El reporte de investigación, en forma increíble y estúpida, tiene una serie de calumnias infames en relación con mi persona. Por supuesto, voy a iniciar acciones legales contra la DEA en momento adecuado. Por ahora, hago pública la más estúpida de todas: "Eventualmente, Valle-Espinoza [*sic*] inició secretas negociaciones con el servicio de Aduanas de Estados Unidos y la Oficina Federal de Investigaciones en Brownsville, Texas, para que se le ayudara en la obtención del estatus de ciudadano de Estados Unidos mediante el asilo político. A cambio, Valle-Espinoza [*sic*] ofrecía a esas agencias copias de sus expedientes; algunos de ellos eran información no-sensitiva ni clasificada obtenida por Valle-Espinoza de la oficina del residente de la DEA en Monterrey". Nada, absolutamente, solicité en esas pláticas. Miente la DEA; una vez más. Nunca "pedí" dinero o el estatus de ciudadano de Estados Unidos en esas conversaciones. Lo probaré, sin duda alguna, cuando inicie acción legal contra la DEA. Pero esto es secundario; la misma DEA deja claro: la información que poseo no es "clasificada". Entonces, puedo publicarla. Y demostrar que si la DEA no ha capturado a Juan García Ábrego en territorio de Estados Unidos es, simple y llanamente, porque no lo desea ni le interesa. Conste, señores de la DEA, su información principal (las redes telefónicas del expediente TD-87-0007) no se encuentran "clasificadas". Así, las podemos publicar sin mayor problema legal. Lo haremos. ¡Afirmaciones imbéciles de la DEA! Ya veremos. (Nota de EV, *El Financiero*, 4 de marzo de 1995.)

¿Por qué con Luis Donaldo mandé esas cartas? Porque tenía acceso inmediato y directo con el presidente y para hacer ver que yo votaba (como otros miles) por Luis Donaldo, no por Camacho. Otros muchos estaban haciendo lo mismo o lo harían luego (como Enrique Krauze, a la hora de leer en forma anticipada el discurso del 6 de marzo de 1994). ¿Me estaba adelantando? No soy priísta; no le debo disciplina partidista al ocupante de Los Pinos.

¿Hay algún antecedente de mi trabajo en la PGR? Sí, lo hay. Cuando Gutiérrez Barrios —luego de unas elecciones en Michoacán— amenazó con aquella frase de "no confundan prudencia con debilidad", cuando además había desatado una campaña total para hacerse "presidenciable", como simple ciudadano envié una carta a Los Pinos, firmada por toda mi familia inmediata, previniendo al presidente de lo que significaban esas palabras en boca del "policía caballero". Casualidad o no, Gutiérrez Barrios fue despedido de la Secretaría de Gobernación unos días después. Todavía antes, cuando murió doña Margarita de Gortari, maestra de profesión y seguramente la única persona en el mundo que frenaba a los hermanos Salinas, envié una cuidadosa y respetuosa carta de condolencias. Era sincera.

¿Camacho o Colosio? Salinas jugó hasta el último momento las dos cartas. Si votaba por Camacho, cumpliría un pacto de juventud, renovado quizá a partir de las reformas constitucionales que permitirían la reelección presidencial, luego de un periodo. ¿Qué se le atravesó? El priísmo —lo que queda de esa cosa llamada "priísmo"—; Colosio les había dado un liderazgo y podrían recurrir a él, después de las elecciones federales de 1994. Por si fuera poco, Fernando Ortiz Arana y Colosio pertenecían a la misma generación y a la misma cultura política: "Diálogo, negociación y unidad de los mexicanos, aceptando el cambio y las reformas". No fue ninguna casualidad que muchos priístas –luego del asesinato en Lomas Taurinas– hicieran público su propósito de hacer candidato a Ortiz Arana. Eso y la negativa del PAN para realizar reformas constitucionales –que permitiría a miembros del gabinete en ejercicio ser candidatos– bloqueó la capacidad de maniobra de Salinas. No podía empujar a Gamboa, votó por Ernesto Zedillo: "el video de ultratumba".

¿Colosio? Sí, por su lealtad a Salinas y su debilidad política. Era el más salinista de los salinistas. Obra del presidente Salinas, según Salinas. Pero en tres meses, para culminar con el acuerdo con Camacho, horas antes de su asesinato, Colosio se fortaleció; gracias a su capacidad de diálogo. Los priístas sabían que era su dirigente y candidato; pudo ganar la voluntad de otros muchos fuera del PRI. Pudo construir en breve tiempo una base política propia. Al margen de Salinas; ello quedó meridianamente claro en el discurso del 6 de marzo. Ya no era salinista; era colosista.

¿El error de Salinas? Fácil: su prepotencia. Si, luego del destape, envía a la presidencia del PRI a Emilio Gamboa Patrón, toda la baraja se hubiese encontrado en sus manos. Eso indica que en noviembre no estaba planeado el asesinato en Lomas Taurinas. Si Salinas pensó en el homicidio contra Colosio: ¿cuándo ocurrió esto? Muy probablemente cuando nombró a Camacho "comisionado para la paz sin sueldo". Camacho era un ciudadano; no un empleado del ejecutivo federal, priísta siempre. Si Colosio se enfermaba, renunciaba o se moría, Camacho era el sustituto en la candidatura para la presidencia de la república. "Reformista brillante, concertador y modernizador." La reelección sería una posibilidad real para Carlos Salinas de Gortari; luego de presidir la OMC.

Colosio: un buen amigo

Lo conocí en el colegio electoral de la LIII legislatura al congreso de la unión. Era un sonorense simpático y buen economista. Verde pero muy inteligente. Tenía una enorme confianza en las cosas que hacía. Por supuesto, algo aventurero y de excelente buen humor. Era natural que se convirtiera en parte de la élite de la cámara de diputados.

Con quinientos integrantes, los "verdaderos diputados" (los conocidos en la tribuna) suman a lo más cincuenta. Ya desde el colegio electoral se sabía quiénes serían los de la élite.

Llegué con tenis y mis conocimientos de derecho electoral, política, economía e historia. Como siempre, sin un centavo y con un gran deseo democrático. De repente, me encontré ocupando la "tribuna más alta de la patria". Las diferencias con docenas de tribunas que usé en otros lugares eran obvias. Un excelente sonido y la presencia de mis colegas periodistas; una buena parte, amigos de mucho tiempo. Por ejemplo, Miguel Reyes Razo o Gerardo Galarza. Muchos más: el Pollo, Alejandro Caballero (otra ave). Y gente como Óscar Hinojosa, a quien nunca he entendido, pero es un reportero de primera.

Los priístas iban de sorpresa en sorpresa. Planteaba cosas sencillas en la tribuna y para ellos se complicaba la vida. Cuestiones elementales de procedimiento y forma; Eliseo Mendoza Berrueto a veces tardaba en responder o no sabía cómo hacerlo. José Murat y Fidel Herrera Beltrán recibieron instrucciones de darme "marcaje personal". No importaba, la Escuela Nacional de Economía me enseñó a jugar "al toque"; a reaccionar instantáneamente frente a las maniobras políticas. Y más a las de asamblea. Además —y eso sucedió durante tres años—, me alimentaban de información política oportuna en la sala de prensa, en donde llegaría a tener una máquina de escribir con el letrero "Búho".

Le pegamos a Sócrates Rizzo –quien deseaba ser presidente de la Comisión de Programación y Presupuesto. Los panistas (como casi siempre) ofrecieron los mejores argumentos legales; la izquierda, los políticos. El presidente sería Luis Donaldo; esa comisión se relacionaba directamente con Carlos Salinas de Gortari. El mejor hombre de Salinas: Colosio. Era la LIII legislatura federal.

Desde el colegio electoral surgió una amistad, a pesar de los partidos, entre diputados de "derecha" (ja, ja), como Juan de Dios Castro, Gabriel Jiménez Remus y su dirigente, Jesús González Schmal, y de "izquierda socialista", como Jorge Alcocer, Arturo Whaley, Pablo Pascual, Alejandro Encinas, Eduardo Valle. ¿Los priístas?: Fernando Ortiz Arana, César Augusto Santiago, Fernando Ulibarri, Santiago Oñate, Eduardo Robledo. Dos diputados de izquierda nos movíamos con mayor facilidad entre las generaciones: Laco Zepeda, quien adornaba la legislatura, y el que esto escribe: sin mayor problema podía hablar con los duros y mañosos estalinistas y con los hábiles priístas de viejo cuño. ¿Relaciones privilegiadas? Con Colosio, Fernando Ortiz Arana y Santiago Oñate. Mis excelentes amigos, priístas, pero gente con la cual se podía hablar con toda confianza personal. Asuntos políticos, sí. Cada quien defendiendo su punto de vista, con argumentos y razones. Con buena fe.

Colosio cada vez estaba más cercano a Salinas. ¿Y qué? Serían Salinas o Manuel Bartlett; sin dudarlo –hasta por razones personales, de generación y formación intelectual– prefería que el próximo presidente de la república fuese Salinas. Cuando en una ruda confrontación televisada a nivel nacional, le reclamé a Salinas algún malentendido en mi argumentación, el violento Salinas, el hombre al que le gustaba (por propio placer) chocar directa, frontalmente, con la oposición, respondió hablando del búho de Minerva y de su deseo de conocer la realidad. Muchas caras mostraron sorpresa en las bancas del PRI. Otros nada más sonrieron: "Ni le busques; ya lo viste, son amigos. Salinas respeta al Búho". En medio: un buen amigo de los dos: Luis Donaldo Colosio.

Destapé a Salinas el día 2 de septiembre de 1987. En mi columna diaria en *El Universal Gráfico* escribí un artículo titulado "Tres Líneas". Decía así: "Salinas o El Tapado. Salinas y El Tapado. Salinas, El Tapado". Nada más.

Cuando el PRI postuló a Salinas, Luis Donaldo me llamó: "Oye, Búho. Te manda saludar el candidato; agradece tus comentarios, críticos pero honrados. Besos a las hijas".

Mi segunda hija se llama Irene Imuris. El segundo nombre corresponde a un pueblo yaqui de Sonora, cercano a Magdalena, lugar de nacimiento de Luis Donaldo. Ya candidato del PRI, en una ocasión, Imuris se le acercó y le dijo: "Me llamo Imuris Valle. Luis Donaldo, no me aprietes los cachetes." Colosio se rio y envió saludos. Cuando Irene me lo contó, todavía un poco molesta, nada más reí. Colosio se había encontrado con una Valle; una de las más rebeldes de su generación.

Durante muchos meses no lo vi. Tenía mucho trabajo como presidente del PRI. Y, además, Salinas y yo no teníamos buena relación por mis escritos sobre el turbio asunto de La Quina. Fidel Samaniego reconstruyó la relación con Salinas.

Cuando lo nombraron secretario de Desarrollo Social, las cosas cambiaron. Le envié algunos escritos sobre asuntos de política general. Y con información política muy seleccionada. Además, Adolfo Montiel y el equipo de una pequeña revista metropolitana, pensamos en un semanario ecológico: *Mi ambiente*. La relación indispensable: Colosio.

Con Liébano Sáenz se trataban los asuntos de las publicaciones; con Alfonso Durazo, las citas y el envío de algunos documentos. La relación más cuidadosa: Tere Ríos.

Ya en mi trabajo en la PGR, envié con Colosio al presidente Salinas los tres escritos que ya mencioné sobre narcotráfico. Uno de ellos, el último (por los días de la inauguración de la estatua "El Rey" y la biblioteca El Rey, en el campus México del Instituto Tecnológico de Monterrey), relacionado con información que vinculaba a otro familiar con el Cartel del Golfo. La información se envió en sobre sellado. Para asuntos extraordinariamente delicados: Colosio como conducto de confianza hacia Carlos Salinas.

No me simpatiza Manuel Camacho. Tiene maneras déspotas; cree que los mexicanos nacimos para servirle. Colosio era amigo antes que nada. Se podía discrepar de sus opiniones y no pasaba nada. Además, en todo caso, escuchaba y corregía, conforme a su criterio. Y con todo lo sonorense y lo grandote, había un matiz de fragilidad en su personalidad. Era a final de cuentas un hombre bueno, simpático, profundamente honrado con su gente a la manera de los políticos mexicanos.

No lo idealizo; también he leído a Maquiavelo y a Weber. A Lenin, Trotsky y a Isaiah Berlin. A Isaac Deutscher y a Hobbes. A Stalin y Gramsci. Pero ahí teníamos ahora a un buen tipo que quería ser presidente de México. Curioso: el discurso del 6 de marzo lo trabajó con Enrique Krauze, principalmente. Eso habla de su extraordinaria sensibilidad política. Podía apoyarse en los críticos más abiertos y honrados. Un tipo bueno (y hasta frágil), metido en la política mexicana; con capacidad y sensibilidad de hacer cambios profundos. Colosio.

"¿Para eso lo hicieron candidato? ¿Para matarlo?": Francisco Cárdenas Cruz, el 24 de marzo de 1994, en "Pulso político", *El Universal.*

BROWNSVILLE: OCTUBRE Y DICIEMBRE, 1993

Brownsville: villa café. Villa del pueblo café. Pueblo de los mexicanos. Por aquí pasaron licores en los años treinta y, después, materias primas como café y canela hacia Estados Unidos y artículos manufacturados y maquinaria hacia México. Luego, mariguana y, desde los años ochenta, centenares de toneladas de cocaína hacia el norte. Dinero y armas (siempre armas) hacia el sur. ¿Sabe usted que una de las mejores armas del mundo, calibre .380 (9 mm corto) era la trejo, producida en Puebla, México? Perfecto equilibrio; exacta armadura; para juego rudo. Era, en los hechos, un arma militar con características civiles.

Un feliz poseedor de una trejo .380 podía cargarla con balas "encamisadas" y tener un impresionante poder de fuego con un arma semiautomática pequeña. La hipocresía del gobierno mexicano (las armas para los policías y los delincuentes; no para los ciudadanos) y, quizá, las presiones de las grandes fábricas de pistolas, orillaron a cerrar la Trejo. 1968, además, selló su suerte. Extraordinaria hasta por precio, la trejo no podía circular en México. Para tener pistola o revólver había que comprarla originalmente en Estados Unidos. Después de 1968, casi todas las armas y municiones que conseguía la población eran... contrabando.

Las fronteras más cercanas se encuentran en el estado de Tamaulipas. Mientras que para ir a Tijuana uno emplea en carretera cerca de cuarenta horas continuas (en relación con la ciudad de México), Reynosa o Matamoros están a quince horas de auto. No es poca la diferencia. Por si algo faltara, entre la frontera de Texas y la ciudad de México se encuentra... Monterrey. De ahí que los tamaulipecos sean de los mejores contrabandistas del mundo; desde hace más de un siglo conocen la frontera y sus hoyos. Los aprovechan, en función del desarrollo mexicano. ¿Qué necesita llevar; qué necesita traer? ¿Por cuánto? Son preguntas sencillas que tienen respuestas sencillas.

A los "gabachos" (en la costa del Pacífico: franceses o yanquis, en el siglo pasado; yanquis este siglo) o "gringos" (quizá desde la guerra e invasión contra México; por una canción de los soldados de Estados Unidos, la cual incluía las palabras "pasto verde" o "green grass"; "Dale su green grass al invasor", diría un defensor mexicano, con humor nacional) se les entregó toda la información de inteligencia reunida en los cateos que se relacionaba con su territorio, con Centroamérica y Colombia. Esto había aprobado Jorge Carpizo. Así se hizo de manera sistemática. El FBI tomó en serio la información; conozco análisis de ellos que ponen al descubierto –correctamente– hasta "el método diez" empleado por integrantes de la organización de García Ábrego. Si tengo el teléfono 382-11-50, con el método "diez" me resulta el número 728-99-50, por ejemplo.

Que quede claro: lo que no aprobó Carpizo fue lo que hice en octubre de 1993: también les entregué información sobre México. Todo el resultado de la información de cateos en México se llevó a la ciudad de Brownsville. ¿Fue una deslealtad a Carpizo, por no avisar? Sí, lo fue. Pero, ¿para qué avisarle: para obligarlo a destituirme; para comprometerlo? Había que construir ahí una base mayor de confianza entre el FBI y la U. S. Customs (no la DEA) y el Grupo Especial: el camino era la información sobre el Cartel del Golfo y las operaciones del Grupo Especial. Trabajábamos en casa de cristal y les entregábamos la información completa.

Fue un gesto bastante inútil; contaba con las computadoras del FBI y U. S. Customs, ja, ja. Cuando la información llegaba a Washington, la guardaban abajo de una computadora. Se necesita ser pendejo para confiar en la burocracia de cualquier gobierno; así sea el "gringo".

Se necesita ser pendejo para confiar en la burocracia gubernamental. En diciembre de 1993 les entregué a los oficiales de la U. S. Customs información privilegiada sobre el equipo de Luis Donaldo Colosio. Tenían que circularla hacia arriba; hacia Houston, Texas. Si lo hicieron, en Houston no entendieron nada. Y eso es lo más probable, si recuerdo bien la personalidad de quien dirige el equipo en esa ciudad, en relación con el Cartel del Golfo.

Teníamos información sobre un "warrant" (orden federal de aprehensión) contra Juan García Ábrego, de 1990; dictada por un juez federal de Dallas, Texas. Por varios lados, comenzó a llegar la información; ese "warrant" se había nulificado. Gringos y mexicanos me advertían: "le levantaron la orden gringa de aprehensión", "Cuidado, licenciado, lo están embarcando. Lo van a llevar al baile".

En una entrevista oficial –de gobierno a gobierno– pregunté a la cabeza de Houston: "Disculpe, pero es especialmente importante para mí saber si la orden de aprehensión federal de Estados Unidos contra Juan García Ábrego fue anulada".

Y ahí va la respuesta: "Para contestarle esa pregunta, licenciado, primero tengo que consultar con el Departamento de Estado". Así se la juega la burocracia. Y, luego, la cabeza en Houston no quiere que lo insulte el Profesor López Olivares, antiguo lugarteniente de García Ábrego, quien ha gastado cientos de miles de dólares ¡por cooperar con el FBI!

Ya narré que me engañé a mí mismo; cuando Carlos Ramírez publicó que una delegación especial del Consejo de Seguridad Nacional de Estados Unidos –dirigido por Anthony Lake– se había entrevistado con Colosio para hablar sobre "narcopriísmo", me di por satisfecho. Grave error. La mejor demostración fue el 23 de marzo, en Lomas Taurinas.

Si ya había comenzado algo, debía terminarlo. Y si había hablado de Luis Donaldo Colosio –realpolitik–, tendría que haberme acercado lo más posible y lo más rápido a él. Me cegó la confianza en el autoritarismo mexicano: Colosio estaba protegido por la sombra del presidente; la sombra de Carlos Salinas de Gortari. Todavía pensaba que Salinas hacía "juego limpio".

¿Cómo se llevan adelante operativos "personales" –delicadísimos? ¿Cómo se engaña a la propia gente? No es fácil. Se necesitan uno o dos hombres de extrema confianza –se juega uno mucho– y aprovechar la fama. Lo hice una y otra vez: "El licenciado está borracho; está durmiendo". Ése era el informe a los subprocuradores o al CENDRO. El "licenciado" viajaba hacia Matamoros o Brownsville para entregar la información. Un hombre de total confianza; las armas listas y la confianza de que los federales verían un vehículo donde viajaba un "efectivo" (103) perfectamente identificado y su "ayudante". Es decir, yo. Podía resultar mal y entonces tendría que identificarme. Podría resultar muy mal y tendríamos que hacer uso de la fuerza y la prepotencia. En el peor de los casos. No salió mal. Ni siquiera cuando una vez viajé en solitario y en un auto particular. Engañando a todos. Con las armas listas y a toda velocidad. Contando con la psicología del poderoso frente a los menos poderosos, acostumbrados a la obediencia total frente al superior jerárquico. ¿Para qué? Todo fue inútil. Quizá.

23 DE MARZO

¿Mario Aburto disparó o es un muchacho que cree que disparó? ¿Un revólver taurus; dos revólveres y una semiautomática pequeña?

¿Dos o tres disparos?

¿Dos o tres Marios Aburto?

¿Le retiraron personal del Estado Mayor Presidencial a Domiro García Reyes antes de llegar a Tijuana?

¿Se giraron órdenes para que la Policía Federal de Caminos no apoyara los actos en Tijuana?

Preguntas; cientos de preguntas. Muy pocas respuestas. Pero desde el principio, en la averiguación previa 739-94, se sabía, sin duda alguna, que en Lomas Taurinas habían actuado dos tiradores, al menos. La fe ministerial del cadáver –firmada por el agente del Ministerio Público Romero Magaña, por Dante Cardona Ceniceros y María del Socorro López–, así lo afirma. Desde el principio: dos tiradores. Desde el principio: mentiras y ocultamientos.

Un hombre (no necesariamente Mario Aburto, por la posición de la mano que dispara el revólver, la cual indica una altura del sujeto mayor a la de Mario Aburto Martínez) dispara contra la cabeza de Luis Donaldo. Colosio se derrumba. Y, en el lado izquierdo, aparece otra herida de bala hecha a corta distancia. Aun si Mario Aburto tiene tiempo para hacer el segundo disparo, se presenta el problema de la distancia entre el revólver y el cuerpo, el cual, según la teoría del giro, ha dado una media vuelta. El segundo disparo es casi a bocajarro: la quemadura lo demuestra y no deja lugar a dudas. Dos tiradores. Lo sabían desde el principio de la "investigación federal". Lo supieron Miguel Montes, Olga Islas, ¿Diego Valadés?, Humberto Benítez Treviño. Y Carlos Salinas de Gortari.

¿Por qué tal empeño en engañar sistemáticamente? Desde el principio, se pudo explicar: "Cuando Jorge Romero Romero [hoy encarcelado en Baja California] se dio cuenta de que Mario Aburto había disparado contra Luis Donaldo Colosio, sacó su pistola escuadra y ahí se le fue un tiro contra el candidato". Pero decir esto era colocar en el centro de la investigación a Domiro García Reyes, a Fernando de la Sota y a todos los jefes de la "seguridad" de Luis Donaldo Colosio. Y preguntar: ¿quién los había llevado ahí? La Presidencia de la República; el presidente Salinas de Gortari. La Presidencia de la República había entregado la "seguridad del candidato" a una pandilla de ineptos, incompetentes, no calificados policías y militares. Muchos de ellos conocidos por sus relaciones con las organizaciones criminales involucradas con el narcotráfico. Como el propio De la Sota y Jorge Vergara Verdejo, de la Policía Federal de Caminos. ¿Por qué?

¿Por qué estos incompetentes habían permitido que dos sujetos armados cubrieran a Colosio; por el lado izquierdo y por el lado derecho? ¿Por qué Domiro García Reyes, con todo y lo incompetente e inepto, había permitido que lo separaran del cuerpo de Colosio, cuando viéndose rebasado, su primera obligación, ineludible, automática, era pegarse literalmente al cuerpo del candidato? ¿Cuando su primera, obligada y automática reacción era agarrarse fuertemente con la mano izquierda –cerrando el puño– del hombro derecho de Colosio, dejando libre su mano derecha, en prevención de cualquier suceso, como lo sabe el más barato y estúpido de los guardaespaldas? Así se puede dirigir el cuerpo de la persona resguardada con la propia mano derecha liberada. Se ve mal, sí. Es un movimiento rudo, sí. Pero todas las formaciones de seguridad han sido rebasadas y sólo queda un hombre cuidando al candidato. Se actúa y luego se ofrecen mil, diez mil disculpas. Además, si Colosio confía en Domiro, desde el mismo momento del grave incidente (en que las formaciones son inoperantes), el general va a hablar con el candidato y lo va a poner en alerta para que coopere. Ya después se ajustarán los equipos (con varios inmediatos despidos). Y se le ofrecerán al candidato mil, diez mil disculpas. El general García habrá cumplido con su trabajo.

Pero nadie cumple con su trabajo. Colosio va a ser rodeado por personas que no son del primer equipo de seguridad del candidato. ¡Y nadie actúa!

En Lomas Taurinas, en realidad tenemos un mitin de policías. Y guardaespaldas. Los del grupo Tucán; los de Vallas; la plaza (Policía Judicial Federal); los Grupos Especiales de la PJF; Seguridad Nacional; el Estado Mayor Presidencial. Cerca, el Grupo Táctico de la Policía Municipal.

Concedamos por un momento: Mario Aburto actuó solo. El segundo disparo es "un accidente". Y luego todo se enredó porque cubrieron el "accidente" para evitar las preguntas que anoto arriba. Si eso ocurrió, las responsabilidades de Domiro García Reyes, Fernando de la Sota y los jefes del grupo Tucán son enormes: aceptaron un trabajo para el cual no estaban calificados. Tenían responsabilidades oficiales que cumplir y no lo hicieron. Si un candidato presidencial de cualquier partido político (protegido por un cuerpo oficial de seguridad) es herido o asesinado, hay responsabilidad jurídica para quienes diseñaron los métodos específicos de seguridad y la encabezaron. Y si, además, se actuó para "cubrir" un "accidente" de diversas formas –incluyendo la aparición de un proyectil de bala–, entonces las implicaciones jurídicas son muy superiores a sólo ser "inepto", "impreparado", "incompetente". Hay serios delitos que perseguir. Y ello no lo ignoran el procurador Lozano y Pablo Chapa Bezanilla. Habría que actuar conforme a derecho.

A los priístas les asesinaron a un candidato; a Carlos Salinas de Gortari le mataron a su mejor amigo. Y al entonces presidente, además, lo engañaron. Desde el momento del reconocimiento forense del cuerpo de Luis Donaldo Colosio era claro y contundente: dos tiradores, al menos. El segundo disparo no fue hecho por Mario Aburto Martínez; hay imposibilidad física, material. ¡Pobre Salinas! Siempre engañado desde que le ocultaron la causa real del segundo disparo. Desde el 23 de marzo de 1994 hasta el último día de su mandato (más de nueve meses), el entonces presidente Salinas vivió engañado en relación con el asesinato de su candidato (como priísta) y de su amigo (como ser humano). Lo engañaron los dos subprocuradores, la comisión de juristas (con excepción de Raúl Carrancá y Rivas), Juan Velázquez (abogado de la familia Colosio Riojas). Todos aquellos que tuvieron acceso al expediente, en forma casi unánime, engañaron al presidente Salinas. ¿De veras? ¿Lo engañaron o, mucho más probablemente, nos mintió a todos? El presidente Salinas engañando a la nación en relación con el homicidio de su candidato y amigo: ¿por qué?

¿Para qué hicieron candidato a Luis Donaldo Colosio? Para continuar con el proyecto de "modernización" del país, profundizar la "reforma política" y modificar la constitución política y permitir la reelección del presidente de la república. Carlos Salinas regresaría de Ginebra –luego de presidir la naciente Organización Mundial de Comercio; todo un genial estadista mundial– a Los Pinos. Colosio era el más salinista de los salinistas. El instrumento de un proyecto transexenal; la cabeza del proyecto: Carlos Salinas, presidente de la OMC.

¿Por qué lo mataron? Porque cuando tuvo fuerza propia, cuando pudo hablar como colosista, como candidato del PRI y no sólo de Salinas, dejó claro que respetaría la constitución. Y no habría reelección presidencial.

¿Quién? Carlos Salinas y la Familia Feliz (La Banda de Los Pinos). Emilio Gamboa, Manlio Fabio Beltrones, Raúl Salinas, José Córdoba, Justo Ceja; los principales.

¿Cómo? Rodeándolo de "ineptos" e "incompetentes". Penetrando su seguridad y corrompiendo a sus guardianes –antes o después del crimen. Neutralizando a algún elemento leal en la retaguardia. Luego, todo fue fácil: rodearlo en Lomas Taurinas: un disparo en la cabeza por la derecha. Y un segundo disparo al cuerpo por la izquierda. Y cubrir los hechos; engañar a la nación hasta con el silencio o mentiras de los "guardianes" de Colosio, comprometidos, sobornados o aterrorizados.

Un tirador solitario que hace dos disparos con un revólver taurus. La teoría del giro. Todo resuelto: luego Manuel Camacho como candidato sustituto, la presidencia de la Organización Mundial de Comercio. Y la reelección como presidente constitucional de los Estados Unidos Mexicanos.

¿Dónde se atoró el proyecto transexenal salinista? Primero: con la cabeza de *El Universal* a unos días del crimen: "Complot". Luego: Diana Laura no aceptó bendecir a Manuel Camacho. Luego: la designación de Zedillo (no comprometido con la reforma constitucional en principio; menos si Salinas no era nombrado presidente de la OMC). *Proceso* y *El Financiero* comenzaron a publicar, casi de inmediato, las preguntas que aún no tienen cabal respuesta. Luego: todo lo demás; hasta que se cayó la posibilidad de la presidencia de la OMC.

¿Se puede probar que Salinas encabezó el crimen político cuya víctima fue Luis Donaldo Colosio? Si la Procuraduría General de la

República abre una línea de investigación en este sentido, sin prejuicios ni consignas, nada más actuando con buena fe: sí, se puede probar.

¿Por qué no se abre esa "línea de investigación"? La respuesta la tiene Ernesto Zedillo.

Por lo pronto, nada más hay una alternativa: el presidente Salinas fue engañado en relación con el homicidio de su amigo Colosio, por todos aquellos que conocieron de la fe ministerial. O el presidente Salinas intentó engañarnos a todos. Intentó mentirle a la nación entera. De aquí puede partir la acción del actual ejecutivo federal para conocer la verdad plena sobre un acto infame y cobarde que lastimó seriamente la vida entera de la república.

¿Y los narcopolíticos mencionados en mi renuncia a la PGR con fecha primero de mayo? ¡Por favor! ¿Todavía no está claro? Los principales narcopolíticos mexicanos estaban en la Banda de Los Pinos; incorporando a la Familia Feliz a Mario Ruiz Massieu desde su nombramiento como "responsable de la lucha contra el narcotráfico". Y desde antes: desde los tiempos de Jorge Carpizo como procurador general de la república, ya había hecho méritos para afiliarse con todos los derechos a la Banda de los Pinos.

¿Hay base jurídica para abrir una "línea de investigación" que involucre a Carlos Salinas? Por supuesto que sí; si a un presidente de la república se le puede acusar —en el ejercicio de sus funciones— sólo por delitos graves, a un expresidente no lo protege la constitución con impunidad absoluta. Si se logra que un juez federal dictamine que el expresidente cometió delitos (graves o no) durante el ejercicio de su mandato, ese expresidente debe ser juzgado. Y si el juez lo encuentra culpable debe ser sancionado conforme a la ley. Es así de sencillo.

Si se actúa conforme al ordenamiento constitucional y las leyes federales y se investiga esa posibilidad concreta (Carlos Salinas tiene responsabilidades jurídicas directas o indirectas en los hechos del 23 de marzo en Lomas Taurinas); si más allá del agradecimiento personal gana el espíritu de justicia (no la necesidad política) y el mecanismo de la ley (no la consigna revanchista), un juez podría dictar orden de aprehensión contra Carlos Salinas por homicidio en grado de autoría intelectual. O, si bien le va, por alguna otra responsabilidad judicial relacionada con los hechos del 23 de marzo en Lomas Taurinas. Se habría actuado conforme a derecho y para satisfacer la necesidad de justicia.

Estado de derecho; imperio de la ley; reforma a la justicia. Frente a todas estas importantes, esenciales palabras hay un hecho claro y contundente: la investigación sobre el 23 de marzo avanza y retrocede; se confunde y, a veces, aclara. Seamos precisos: mientras no se encuentre la "verdad histórica" plena, real, sobre los hechos del 23 de marzo en Lomas Taurinas, Tijuana, los mexicanos todos (la excepción: Ernesto Zedillo Ponce de León) permaneceremos en la indefensión jurídica. Nada, ni un milímetro, habremos avanzado. Continuará el imperio de la impunidad, de las decisiones cupulares, del presidencialismo a la antigüita. No habrá justicia, no habrá ley. No habrá "estado de derecho".

La niebla que oscurece la "verdad histórica" en relación con Lomas Taurinas es el mayor ejemplo de la incapacidad del actual sistema político para fundar un auténtico estado de derecho. Ésa es la importancia de esclarecer el crimen cometido contra Luis Donaldo Colosio. Ésa es la responsabilidad de Ernesto Zedillo: aclarar el crimen es desvanecer esa espesa niebla de la impunidad, es resolver (o comenzar a resolver) la gran pregunta del México moderno: ¿podemos vivir o no en un estado de derecho?

FIN DE LA ASESORÍA

El 14 de junio de 1993 fueron separados de la institución sesenta y siete elementos de la PGR (sesenta y dos de ellos, de la Policía Judicial Federal). Fue una orden directa de Jorge Carpizo. La gran mayoría de ellos estaban involucrados en Recomendaciones de la Comisión Nacional de Derechos Humanos.

La Procuraduría General de la República, desde el mes de febrero, ha venido investigando los antecedentes, desempeño profesional y conducta de servidores públicos de quienes ha recibido quejas sobre sus acciones, que podrían considerarse irregulares, y algunas de ellas, francamente ilícitas.

En los últimos cinco meses, al aplicarse este proceso de revisión se terminó la separación de la institución de los servidores públicos cuya conducta no era la deseada para cumplir con la tarea encomendada.

Asimismo, en los casos en que, producto de la investigación, se obtienen pruebas suficientes que hacen presumir responsabilidad delictiva, la Procuraduría General de la República ha realizado la consignación respectiva en contra de quienes han incurrido en la comisión del ilícito. Sin embargo, se han detectado una serie de casos en los cuales se cuenta únicamente con información e indicios suficientes que permiten presumir que el servidor público investigado mantiene relaciones con personas ligadas a hechos delictivos; en estos casos y, como en otras ocasiones, por no tener pruebas suficientes que permitan su consignación penal, la institución determina su separación del servicio por la pérdida de confianza, toda vez que los servidores públicos de esta Procuraduría tienen obligación de actuar con honorabilidad y estrictamente apegados a la ley.

Como en ocasiones anteriores, en este proceso de revisión se considera que la presencia y permanencia en esta Procuraduría del personal que se enlista, afecta y perjudica el buen servicio y el prestigio de la institución. Este personal deberá, de inmediato, dejar de prestar sus servicios en la institución, en la inteligencia de que si en el proceso de las investigaciones correspondientes se llega a contar con pruebas suficientes que presuman la comisión de delitos, se procederá a la consignación penal respectiva. La Procuraduría General de la República actuará estrictamente de acuerdo con la ley y con sentido de justicia.

El personal a que me refiero, en orden alfabético, es el siguiente:

Nombre	*Cargo*	*Adscripción*
1. Aguilera Armendáriz, Artemio	Agente A	Tenosique, Tab.
2. Almánzar Salinas, Francisco	2o. subcomandante	Hermosillo, Son.
3. Allende Valencia, Ernesto	Agente C	Mazatlán, Sin.
4. Araiza Aviña, Pedro	2o. subcomandante	México, D. F.
5. Arriaga Sierra, José Luis	2o. comandante	Oaxaca
6. Azpeitia García, José	Agente C	México, D. F.
7. Ávila Triana, Pablo Ernesto	2o. subcomandante	Matías Romero, Oax.
8. Barbosa Anaya, Jesús Martín	2o. subcomandante	Iguala, Gro.
9. Beltrán Covarrubias, José Luis	2o. comandante	México, D. F.
10. Carranza Román, Jacinto	2o. subcomandante	Mexicali, B. C.
11. Carrillo Ayala, Rubén Darío	2o. subcomandante	Chihuahua, Chih.
12. Carrillo Ruiz, Lucindo	Agente B	Agua Prieta, Son.
13. Cortez Correa, Jorge Alberto	Agente A	Aguascalientes
14. Contreras Ortiz, Rafael	1er. comandante	Hidalgo
15. Cruz Cárdenas, Mario	2o. subcomandante	Ciudad Juárez, Chih.
16. Cruz Olivera, Mario	Agente C	Veracruz, Ver.
17. Chávez León, José Javier	Agente B	Los Mochis, Sin.
18. De Ávila Hernández, Adalberto	Agente B	México, D. F.
19. Enríquez del Valle, David	Agente C	León, Gto.
20. García Montes, Héctor Armando	Agente B	Reynosa, Tamps.
21. Graciano García, Fernando	Agente C	México, D. F.
22. Gómez López, Alberto	1er. comandante	San Luis Potosí
23. Gutiérrez López, Guadalupe	2o. subcomandante	Puebla
24. Hernández Robledo, Guillermo	1er. comandante	Cancún, Q. Roo
25. Ibarra Palacios, Carlos	Agente A	Tapachula, Chis.
26. Larios González, Juan José	Agente A	Nogales, Son.
27. Larrazolo Rubio, Juan Alberto	2o. comandante	Culiacán, Sin.
28. Lurs Tijerina, Gustavo	Agente C	Guadalajara, Jal.
29. Madrid Gómez, Raúl	Agente C	San Nicolás de los Garza, N. L.
30. Mateos Castañeda, Juan	Agente C	Zacatecas

31. Medina López, César Rafael	Agente A	Mexicali, B. C.
32. Mendoza Romero, Luis Manuel	2o. comandante	México, D. F.
33. Murillo Villanueva, Gilberto	Agente C	Colima
34. Osnaya Velázquez, Manuel	2o. subcomandante	Oaxaca
35. Ortiz Dávalos, Francisco Javier	2o. subcomandante	México, D. F.
36. Osorno Lara, Eduardo	1er. comandante	Tijuana, B. C.
37. Payán Anaya, Víctor	2o. comandante	Tepic. Nay.
38. Pérez Morales, Arturo	Agente B	Guadalajara, Jal.
39. Piñeiro Sonana, Eduardo	1er. comandante	Guanajuato
40. Pizarro Chávez, Joel Rafael	1er. comandante	México, D. F.
41. Punaro Esquivel, Alejandro	Agente A	Tijuana, B. C.
42. Quevedo Torrentera, Raúl	Agente A	Mazatlán, Sin.
43. Quevedo Vera, José Luis	Agente C	Guadalajara, Jal.
44. Ramírez Baeza, Óscar	Agente C	Ciudad Obregón, Son.
45. Ramírez Macías, José	2o. subcomandante	Nuevo Casas Grandes, Chih.
46. Rocha Carrasco, Gilberto	Agente C	Tapachula, Chis.
47. Rodríguez Bazaldúa, Ariel	Agente B	Tepic, Nay.
48. Rodríguez Caballero, Luis	2o. comandante	México, D. F.
49. Rodríguez Martínez, Ángel	Agente C	México, D. F.
50. Sánchez González, Gerardo	2o. subcomandante	Monterrey, N. L.
51. Sánchez Pérez, Isaac	2o. comandante	Ciudad Juárez, Chih.
52. Silva Caballero, Miguel	1er. comandante	México, D. F.
53. Silva Martínez, Mario Luis	2o. subcomandante	México, D. F.
54. Solano Vázquez, Jesús	Agente C	Los Mochis, Sin.
55. Soto Silva, Luis	1er. comandante	México, D. F.
56. Tinoco Cauzor, Hugo	2o. subcomandante	León, Gto.
57. Torres Ruiz, Carlos	Agente C	Culiacán, Sin.
58. Uresti Mejía, Fernando	Agente C	Reynosa, Tamps.
59. Vega Medina, Leticia	2o. subcomandante	México, D. F.
60. Velázquez Valdivia, Marco	Agente A	Autlán, Jal.
61. Venegas Mendoza, Arturo	2o. subcomandante	Zihuatanejo, Gro.
62. Villalón Alanís, José Francisco	Agente C	México, D. F.
63. Acevedo Guzmán, licenciado Francisco Javier		
64. Álvarez Acosta, Jorge	Navegante	Chihuahua, Chih.
65. Barrionuevo, Santiago	Radio-operador	Tapachula, Chis.
66. Carrillo López, José	Navegante	
67. Castellanos de la Torre, Adolfo	Subdelegado de Averiguaciones Previas	Durango

(Oficio 694-93, de Jorge Carrillo Olea, coordinador general para la Atención de los Delitos contra la Salud, a Rutilio Torres Franco, oficial mayor de la PGR; 14 de junio de 1993.)

Ya en febrero de 1994 –con Diego Valadés como procurador y Alfonso Cabrera Morales como subprocurador de Delegaciones y Visitaduría– comenzó "el retorno de los brujos".

Se comenta al interior de la PJF el retorno a la actividad policiaca federal del "comandante" Guadalupe Gutiérrez (*a*) el Rocky. Más aún, se pretende que asumiría el cargo de subdelegado de la PJF en el estado de Nayarit.

Si esto ocurre resultará que una de las regiones que surten masivamente de mariguana a Coahuila (Piedras Negras, Ciudad Acuña y Monclova) y Nuevo León (Miguel Alemán) tendrá como responsable de la PJF a una persona con graves antecedentes (y constantes) de colusión con el narcotráfico organizado y, particularmente, con la organización de Juan García Ábrego.

Así, no resultaría extraño que pronto también regresara a la PJF hasta Juan Benítez Ayala, quien ha rondado por las oficinas centrales las últimas semanas.

Recomendación:

Si la PGR se encuentra obligada, por resolución de persona competente, a reingresar a esta persona, de ninguna manera se le debe otorgar mando de efectivos de la PJF, muchos menos como subdelegado y menos aún en Nayarit. (Memorándum de EV a Diego Valadés; Monterrey, N. L., 4 de febrero de 1994, enviado por fax.)

Se había ido Carpizo. Ya podía regresar cualquiera. Y si no se podía a la PJF, buscaban Seguridad Nacional. Un caso comenté con la Secretaría de Gobernación.

Recibe un saludo caluroso y también una de mis preocupaciones. Al parecer el excomandante de la Policía Judicial Federal, Juan Benítez Ayala, ha sido contratado por Seguridad Nacional, dependiente de la Secretaría de Gobernación.

Ello, de por sí, es grave. Juan Benítez Ayala estuvo siempre, de la manera más mercenaria, al servicio de Juan García Ábrego en cualquier plaza en donde estuviese como funcionario público.

¡Peor todavía!, el rumor es que lo mandaron o lo mandan a Chiapas, una de las plazas fuertes de la mencionada organización; si Benítez Ayala está en Seguridad Nacional (Gobernación), muy malo. Pero si está en Chiapas es muy grave. Vale la pena recordar que estamos investigando si el comando Jabalí al servicio de Ricardo Castillo Gamboa, lugarteniente de García Ábrego, entregó armas a los rebeldes de Chiapas.

Te ruego me informes si Benítez Ayala está en Seguridad Nacional y en Chiapas. (Memorándum de EV a Alfonso Navarrete Prida, secretario particular del secretario de Gobernación; México, D. F., 8 de febrero de 1994.)

Crecía nuestra frustración. Por semanas, peleamos que Julio Vergara fuese trasladado a Tuxpan, Veracruz.

Unos meses antes de ser nombrado embajador en Francia, el licenciado Morales Lechuga me llamó con carácter de urgente. Llegué a su oficina y platicamos un buen rato.

El procurador Morales Lechuga me pidió le ayudara a la localización de Juan García Ábrego. Dije que eso era terriblemente arriesgado. Él insistió y, finalmente, acepté ayudarlo. Le pedí cinco mil dólares para gastos y al día siguiente los envió a mi antigua oficina.

Por aquellos días, en el estado de Tamaulipas, sin la actual presión de la PGR, tenía algunas fuentes de información que podían obtener el dato. Luego de casi diez días en McAllen y Nuevo Laredo, lo logré: JGA estaba en un rancho en Veracruz; otro informante lo localizaba en otro rancho de Veracruz.

Le entregué esta información a Ignacio Morales Lechuga. Luego de varios días, lo entrevisté y resultó que la tarjeta confidencial que le había entregado a su secretaria personal de nombre Rosita, "no había llegado a sus manos". Fin del episodio.

Desde entonces, sabemos que uno de los más importantes santuarios de JGA se encuentra en la región de Tuxpan, Veracruz. A esa región se trasladan tanto JGA como Óscar Malherbe, al igual que otros importantes lugartenientes de esta organización criminal multinacional.

Durante *seis meses no nos hemos involucrado en la región*, precisamente para no llamar la atención y dejarla como santuario de la organización. Así nos parecía conveniente mientras no entráramos de lleno a la fase de cumplimentación de órdenes de aprehensión, fase en la cual hoy nos encontramos.

Precisamente por ello, *necesitamos* al comandante Julio Vergara Hernández como responsable de la PJF en Tuxpan, Veracruz.

El 2 de febrero envié una solicitud al director general de la PJF, que fue respondida el 15 de febrero comentando la necesidad del "visto bueno" del subprocurador de Delegaciones y Visitaduría, ya que el suscrito no tiene facultades para que de manera independiente se realice "este tipo de movimientos".

Ruego a usted interponer sus buenos oficios para que el subprocurador de Delegaciones otorgue su visto bueno para este movimiento. Le manifiesto a usted y al señor subprocurador, don Alfonso Cabrera Morales, la conveniencia y oportunidad de dicho movimiento. (Memorándum de EV a Diego Valadés, 18 de febrero de 1994; se remitió copia a Alfonso Cabrera Morales, subprocurador de Delegaciones y Visitaduría.)

Por instrucciones de Diego Valadés, teníamos que remitir nuestra información más sensible sobre los Arellano Félix a Cabrera Morales. Nuestro agente ni siquiera fue recibido por el subprocurador, luego de esperar varios días sentado en la antesala de Cabrera. ¡Ese hombre, en forma solitaria, había arriesgado su vida por una quincena, segundo a segundo, para traer una información que nadie recibía! Increíble. Luego, Diego Valadés admitiría: "Fue un descuido mío".

Antes de la operación en Cancún contra Malherbe y Luis Ferrel, me dirigí al procurador.

La reformulación de la alianza de sectores gubernamentales con el narcotráfico

a) El nombramiento de Raúl Olmedo Gaytán como subdelegado de la PGR (PJF) en Tamaulipas viene a culminar la reformulación de la alianza de sectores determinantes de la PGR con las grandes cabezas del narcotráfico; particularmente con las dos grandes estructuras nacionales de narcotraficantes (las dirigidas por Amado Carrillo Fuentes y Juan García Ábrego).

b) En estos últimos meses del sexenio se han presentado indicios evidentes de continuidad en la alianza estratégica de segmentos esenciales del gobierno federal con las estructuras de narcotraficantes.

- Andrés Massieu es nombrado subsecretario de Comunicaciones.
- Justo Ceja es nombrado secretario particular del presidente Salinas de Gortari.
- Se han reanudado los vínculos con la Secretaría de Marina (se acuerda devolver los bienes a JGA en custodia de la Marina).
- Raúl Zorrilla Cossío continúa como coordinador de Relaciones Públicas de Luis Donaldo Colosio.
- En el equipo del candidato priísta permanece Rolando Castillo Gamboa (hermano de Ricardo y Roberto Castillo, lugartenientes de JGA en Monterrey).

- Las subdelegaciones de la PJF en la frontera norte están ocupadas por elementos de una baja moral (Horacio Brunt en Nuevo León) o involucrados directamente con el narcotráfico (Coahuila o Tamaulipas).
- En el INCD, los directivos han tenido contacto con los carteles de la droga (Carlos Santibáñez con el de Ciudad Juárez, por ejemplo), o responden a viejos intereses de la alta burocracia política, permeada por el narcotráfico (Jorge Obrado Capellini, por ejemplo).
- Aun la honorabilidad del CENDRO está cuestionada públicamente por la presencia de Antonio Rodríguez Patiño. También se encuentra en esta situación Alfonso Cabrera Morales.

En síntesis: la salida de Jorge Carpizo fue aprovechada en términos óptimos por las organizaciones del narcotráfico para reformular su alianza estratégica con sectores gubernamentales esenciales.

¿Para qué permanezco aquí? Sinceramente, no lo sé. Y esta situación no me gusta.

La organización de JGA logró obtener dos toneladas de cocaína que están llevando a Estados Unidos en dosis de cincuenta a veinticinco kilos. (Precisamente durante los días que el CENDRO no me entregó información.)

Al mismo tiempo, buscamos que en un proceso se obsequie una orden de aprehensión por asociación delictuosa contra buena parte del estado mayor de esta organización (la radicada en Monterrey).

Si en el plazo de dos semanas no tengo resultados incuestionables, presentaré mi renuncia irrevocable. (Memorándum de EV a Diego Valadés, 2 de marzo de 1994.)

Mi enojo es visible, evidente. Valadés es un político. Carpizo, un funcionario de Estado. Uno, acepta presiones; el otro –aun equivocado o simplista, enojado u obcecado–, nunca. Actúa conforme le indican sus principios y su percepción de los problemas. Ésa es la diferencia entre esos dos hombres. Es monumental.

Luego vino marzo 23. Y mi renuncia irrevocable. Enviar la documentación fuera del país. Y la larga batalla para entregar la documentación de mi oficina.

Ya tenía mi pasaporte formal (expedido el 24 de marzo de 1994), pero necesitaba la firma de recibido en la entrega de mis archivos. Sin ese documento firmado, no podía realizar el trabajo que me había impuesto.

En abono de Diego Valadés. Cuando hizo un último intento para que yo permaneciese en la PGR y fracasó, me adelantó que él también renunciaría. "¿Por qué?", pregunté. "Por las mismas razones que tú", dijo.

Finalmente, recibieron los archivos. Joaquín Pérez Serrano y Jorge Stergios en persona checaron los expedientes. Esa noche, a uno de los comandantes del Grupo Especial se le escapó un tiro del galil. En mi oficina. Otro escándalo. Por fortuna, no pasó a mayores. Nadie resultó herido. Al día siguiente, tenía el recibo firmado en las manos. Ya podía pensar en cómo realizar mi trabajo. Desde Estados Unidos; no había de otra.

Mientras tanto, había prevenido a la embajada de Estados Unidos (a tres de sus integrantes; uno de ellos, viejo conocido) de lo que pensaba hacer. Ofrecieron algunas facilidades de buena fe; imposible aceptarlas. Lo único que no se podía comprometer era la credibilidad. Especialmente ante los mexicanos que escucharían. Los de buena fe; muchos de ellos, colegas periodistas. Si llegaba a territorio de Estados Unidos, lo haría por mi propia cuenta y bajo mis riesgos. Los caminos fáciles están llenos de trampas. También los difíciles, pero en ellos el campo de maniobra es mucho mayor, porque depende de decisiones propias.

DECLARACIÓN EN EL CONSULADO

Se había publicado la renuncia. Entregué el archivo general de la oficina a principios de junio. Crucé la frontera y viajé a Washington. Las copias de la documentación especial relacionada con el Cartel del Golfo ya estaban en mis manos y los originales de las notas a los procuradores Carpizo y Valadés, también. Ya se podía dar el siguiente paso.

Pero las consecuencias podían ser terribles. No podía hacer nada radical sin la autorización de la cabeza de mi familia. Si Cosme Valle Miller autorizaba, podría apoyarme en todos los Valle. No sólo en mis hermanos. Hablé con mi padre agonizante (moriría semanas después).

Lo que exclamó es impublicable. Mis razonables dudas fueron despreciadas: "¿Era tu amigo? ¿Sirve al país? ¿Tienes mínimas garantías reales para proteger a Rosa María, Eréndira, Imuris e Itzel, de una venganza personal del Cartel del Golfo? ¿Lastimaste sin razón a alguien de la familia de Juan García Ábrego? ("¿O sí?" "No, Cosme") ¿Tienes cojones para enfrentarte a Salinas y su grupo? ("¿O no?" "Sí, los tengo") Entonces, baboso: ¿qué estás esperando? ¿O quieres que vaya a Washington a recitarte la oración de Gettysburg?". Al decir de los que saben, mi padre hablaba un perfecto inglés (aprendido en El Paso, Texas, cuando mi abuelo –el general Miguel Valle– estaba ahí exiliado, por órdenes del presidente Lázaro Cárdenas; asumido cuando estudió para convertirse en uno de los mejores guías de turistas de la ciudad de México). (También hablaba italiano, pero para oír ópera.)

Había que ir adelante. Pero tomar conciencia de ello fue una cosa. Actuar fue otra. Comencé a redactar la carta al presidente Salinas de fecha primero de agosto de 1994. Según avanzaba, dije ya que vomitaba. Me sentía más enfermo en la medida en que terminaba la carta. Cuando acabé y la envié a Julio Scherer y a Alejandro Ramos, sentía morirme. Elenita Guerra y Alejandro llamaron para averiguar qué pasaba; los tranquilicé. El profundo malestar desapareció cuando vi publicada la carta en *Proceso* y *El Financiero*.

Santiago Oñate recibió órdenes de comunicarse conmigo y aprovechar un viaje para platicar con los "mexicanólogos" de Estados Unidos (rara especie de intelectual al servicio de su ego y de fundaciones que pagan grandes cantidades de dinero para que se escriba lo obvio). Algunos, pocos, trabajan bajo contrato para mecanismos relacionados con la CIA. De ahí que esa pobre y desprestigiada agencia nunca sepa nada de lo importante. La CIA cree en su propio "eco" y en la consigna de Washington; de ahí su descomposición y degradación como mecanismo de inteligencia. Oye lo que le gusta oír: se oye a sí misma. ¡Pobrecitos! Si alguien lo duda, examine a fondo el caso Ames (el "topo" soviético). Todavía no descubren quién le dio dinero en efectivo para comprar la lujosa casa en Virginia y su extravagante automóvil. Dicen en público que fueron los soviéticos: caca de gallina para los crédulos.

Carlos Marín (de *Proceso*) estaba en Washington. Ya le había robado un Chivas Regal y luego de satisfacer este lujo, tuvimos tiempo para preparar una entrevista. Por si acaso, dos amigos de la U. S. Customs accedieron amablemente a brindarme alguna seguridad. Luego, cuando sus superiores se enteraron de ello, casi los expulsan del servicio.

Lo más importante era (como siempre) no tomar. "Agüita mineral, compañero", exigió Marín. "No, señor; tampoco. Si la cuenta la paga Oñate." El justo medio: cerveza ligera, una o dos. "Apertura tranquila –dice Marín–; luego cargas la mano y cierras buscando reacciones." Bien pensado.

El plan no se modificó pero Santiago Oñate llegó a Washington a dar garantías como enviado del presidente Salinas. Y como amigo. Hay un lenguaje corporal secreto; por eso muchos "sentimos" de inmediato si estamos frente a alguien hostil o no. El problema es ir más allá y distinguir otras señales: el movimiento de los dedos, los ritmos en la mirada, la tensión muscular, la risa, las respuestas a palabras o movimientos sorpresivos. Ésos son indicadores muy importantes.

Aquí tenemos a un político inteligente que debe llevar imágenes y evaluaciones al presidente de México: a un ser poderoso y cruel, muy probablemente envilecido por el placer al hacer uso de las facultades metaconstitucionales inherentes a su posición. Ése era el contexto del diálogo; un objetivo: llegar a la declaración formal en el consulado.

Lo demás fue secundario. De lo periférico, el asunto de mayor relevancia fue mencionar a Justo Ceja, secretario privado, primero, y luego, secretario particular de Salinas. No sé si Oñate conozca el antecedente de un accidente automovilístico en Oaxaca, ocurrido hace unos años, donde aparecieron, junto a Ceja y a un funcionario superior del Instituto Politécnico, algunos millones de dólares en efectivo. Pero, en todo caso, rastrear las relaciones de Ceja con el narcotráfico a partir de su casa en Jardines de la Montaña, un santuario de Juan García Ábrego y sus cómplices más importantes, no ha de ser muy difícil. Si el procurador Lozano fuese una persona seria debería realizar una profunda investigación –respetando todas las formalidades–, pero tan profunda como sea necesario, desde la constitución de esa zona residencial hasta la presencia de algunos de los más conspicuos habitantes en esa elegante zona... y sus alrededores. Pero, como sabemos, hasta ahora se ha demostrado que eso es esperar demasiado. De Lozano y su equipo. Santiago confirmó que Salinas sabía de quejas que relacionaban a Ceja con actividades de protección al narcotráfico. "Hay quejas pero no pruebas", eso dijo. Dijo suficiente.

La noche anterior a la declaración en el consulado, Pepe Reveles y yo pensamos cómo actuar en la declaración. Era muy importante una apertura pública muy fuerte. (Véase el anexo II, DECLARACIÓN PÚBLICA.) Y luego jugar "al toque". Reveles, correctamente, previó que habría un "hombre bueno" y un "hombre malo". Por lo tanto, habría cuatro partes: la declaración pública, la entrega primaria de pruebas y materiales (una maleta), el interrogatorio del "bueno" y la participación del "malo". Luego, sobre la marcha, se vería qué otra documentación se entregaba. Resultó más sencillo de lo esperado: había dos paquetes de documentos. El primero –más abultado– se entregó sin más preámbulo. Y el "malo" (Marco Antonio Díaz de León) resultó muy malo. A la quinta pregunta había mostrado todas sus cargas: ¿Qué hacía un tipo como yo de asesor personal de dos procuradores generales de la república? Así, el segundo paquete (conteniendo información de inteligencia –la más delicada– sobre la PGR y el Cartel del Golfo y otras organizaciones delictivas) se cerró. En este libro se publica buena parte. Todavía hay algunos materiales que –según mi mejor criterio– no deben hacerse públicos, para no beneficiar a esa empresa criminal multinacional (a pesar de las estúpidas calumnias de que me hace objeto la Drug Enforcement Administration).

Como siempre, la prensa se dividió; una parte, furiosamente en contra ("Había chantajeado al presidente y dado muestras de una inconcebible prepotencia"); otra parte, se burló de mí ("Un tipo a quien llaman el Búho dijo que Colosio pudo ser asesinado por narcotraficantes, pero las autoridades ya rechazaron sus afirmaciones", se exclamó en un programa de Univisión. "Búho falso": ocho columnas en *La Prensa*, ahora dirigida por Manuel Alonso). Y una parte pequeña, simplemente informó, con cierta simpatía o tendencia favorable: *El Norte*, *Proceso*, *El Financiero*. Lo principal se logró: el asesinato de Colosio no quedaba solamente en manos de las autoridades. El sentimiento popular se reflejaba en la prensa. Incluyendo, por supuesto, a *El Universal*. Dora Elena Cortés y Manuel Cordero habían encabezado su propia investigación: "Complot". Desde las ocho columnas en marzo de 1994, el trabajo de los compañeros de Tijuana había descendido hasta el examen de cada detalle. A veces, estoy seguro, habrán pensado que estaban locos de remate. No; ellos se encontraron a la vanguardia por muchos meses y casi aislados. ¡Qué impresionante fortaleza profesional!

Después del 25 de agosto, la pelota se encontraba en manos de las autoridades. Humberto Benítez Treviño, el entonces procurador, es un hombre torpe, oscuro. Su movimiento siguiente lo retrata con exactitud. "Sin abrir el paquete", reportó Marín, se dictaminó que "no existían elementos suficientes" para ninguna actuación de la institución republicana que se define por "la buena fe" de su conducta. La carcajada internacional mostró hasta dónde el gobierno mexicano había perdido la confianza de los medios de comunicación. La absurda ceguera de Carlos Salinas ("Clinton me apoya para la Organización Mundial de Comercio"), le impidió entender lo que había sucedido, gracias al absurdo movimiento de la PGR: no reaccionaba como un amigo ofendido por la muerte violenta de un compañero.

Su PGR buscaba "tapar" todos los hoyos, hasta invadiendo competencias. En particular, la de la doctora Olga Islas de González Mariscal. De ahí mi respuesta: burlarme de Benítez Treviño (un hombre de Carlos Hank González) y esperar una respuesta mucho más moderada de la Subprocuraduría Especial. Así ocurrió.

Washington es una ciudad muy difícil. Hay varias clases de "washingtonianos": los potentados políticos o económicos; los que hablan inglés; los inmigrantes con documentos (pero apenas mascullan el idioma). Y, nosotros: sin papeles ni conocimiento fluido del idioma. Vivimos en el Tercer Mundo: no el de los elegantes hoteles y magníficos restaurantes; no en el de "Dodge City" (D. C.), el Washington del tráfico de drogas y una horrible violencia que nada respeta. Existimos en los suburbios pobres: árabes, afroamericanos, salvadoreños y guatemaltecos, peruanos, bolivianos y mexicanos (unos cuantos miles). No hay recursos para ninguna emergencia y apenas alcanza para la renta, la comida, la cerveza barata, el vino menos caro. Y el transporte. Punto.

Sin la ayuda de muchos amigos (de los publicables: Carlos Puig, Pascal Beltrán, Pepe Carreño Figueras; la administradora de Bragg Towers –Miss Jean– y Maggie) sería imposible sobrevivir aquí.

A fines de septiembre de 1994, me encontraba en un momento bajo del ciclo o rito de la sobrevivencia. En esos días, miraba nada más cómo Mario Ruiz Massieu hacía regresar –y ascendía– a los peores elementos de la PJF; aquellos que Carpizo había lanzado a la calle. Entonces, se publicó la detención de Raúl Guerra Barrera, de Óscar Malherbe de León, el Cabezón Sosa Mayorga y Epifanio Pérez Solís. ¡Caramba! El número tres y sus cómplices más cercanos. Fueron liberados todos con excepción del asesino Epifanio. ¿Cuántos millones de dólares entregaron? ¿Quién presionó por su liberación? ¿Directamente Justo Ceja? No hay otra explicación: de la oficina de la Presidencia de la República debió llegar esa presión. Pues esas detenciones me callaban la boca de un solo golpe. Ocurrió lo peor: tres lugartenientes importantísimos de García Ábrego "desaparecieron" y nunca fueron presentados ante autoridad judicial competente. Según la nota de dos diarios "insospechables" (*El Heraldo de México* y *El Economista*) había decenas de millones de dólares en cocaína involucrados en esa operación. ¿Qué habrá sucedido con la mercancía? ¿Por dónde habrá ingresado a Estados Unidos? Seguramente por la frontera de Coahuila. Manejando Óscar Malherbe directamente la operación, bajo la supervisión del Tío Guerra Barrera.

A los dos días, mataron a José Francisco Ruiz Massieu. Cuando le pregunté a uno de los colegas corresponsales extranjeros en México por el nombre del asesino material y él contestó "Héctor Reséndez", el mensaje fue transparente: el Cartel del Golfo había operado el asesinato. Mario Ruiz Massieu lo fue confirmando poco a poco; sin embargo, ocultó lo principal: la participación de los Salinas de Gortari en la ejecución. Ésa era su carta fuerte para negociar con el grupo de Salinas para que él encabezase la PGR en los "nuevos tiempos". Los de Zedillo.

¿En qué se equivocaron Mario Ruiz Massieu y los Salinas? Especialmente Carlos, perfecto conocedor del "timing" político. Mario ya era un héroe del PRD y del PAN (vamos: ¡del propio Lozano!). Ellos veían en la posición de Mario votos a su favor y votos en contra del PRI.

Como nada veían en mi posición, me dejaron absolutamente solo. Las excepciones: Alejandro Encinas, Héctor Terán y Ángel Sergio Guerrero Mier (del PRI). Otros también me dejaron solo; temerosos de comprometerse en un asunto peligroso. ¿Quién dolió más? Sin duda, Enrique Krauze, quien me conoce desde hace mucho tiempo y con quien organizamos una comida de La Nave de los Locos, una reunión de los seres más heterodoxos y críticos de nuestra generación. Que para nada sirvió, excepto para hacer ver que éramos muchos más de los que nos imaginábamos. ¿Otro que dolió? Heberto Castillo; pero de él es explicable. Como dijera Luis Tomás Cervantes Cabeza de Vaca, en un bautizo necesita ser el niño, en una boda, el novio, y en un entierro, el muerto. Aquí no era niño, novio ni muerto. No le interesaba. Algún día, cuando ya no lastime, contaré dos o tres anécdotas del Partido Mexicano de los Trabajadores; incluyendo lo que le hicimos a Demetrio Vallejo, el gran héroe obrero de nuestra generación.

¿Dónde, entonces, se equivocaron los Salinas y Ruiz Massieu, el Vivo? ¿O Salinas supo a tiempo que Mario Ruiz Massieu no sería procurador con Zedillo y lo dejó solo con su "Yo acuso" y "Los demonios andan sueltos"? Más probablemente, lo último. Además, proteger al "grupo de Batopilas" (los viejos amigos de Raúl, de Política Popular —el grupo maoísta nacido de la cabeza de Adolfo Orive Berlinguer) era protegerse a sí mismo. Seguramente, eso explica la conducta de Salinas en relación con el conflicto PRI-Mario Ruiz Massieu.

También me equivoqué con Mario. Le pedí enviase a un hombre de confianza para entregarle información sobre el paradero de Juan García Ábrego. Le di a Humberto Moheno Diez casi todo Monterrey y otras zonas. Me guardé –para ver "de qué color pinta el amarillo"– Coahuila, Morelos y la ciudad de México. Si Ruiz Massieu trabajaba las pistas concretas que le entregaba, ya le daría la otra información. Nada, absolutamente nada hizo, excepto decir públicamente que le había entregado información, la cual iba a checar. ¿O a vender?

Pasó el calor; nevó un poco (la corriente del "Niño" afecta hasta a Washington) y comenzó una rara primavera. Había un compromiso que cumplir con Rogelio Carvajal, mi editor. Más allá de declaraciones a los medios de comunicación, como siempre, sobre todo, era un problema de tiempo: el tiempo político de México. De cualquier manera, Carlos Salinas había perdido la carrera por la presidencia de la OMC. Y, sin esa base, al menos tendría que pactar con Zedillo. Sus financieros, sus secretarios, sus narcotraficantes, sus políticos (gobernadores como Sócrates Rizzo, Manlio Fabio Beltrones, Patricio Chirinos, Rogelio Montemayor y hasta Manuel Bartlett; senadores y diputados; administradores como Carlos Rojas y Emilio Gamboa) empezarían a abandonarlo cuando la Casa Blanca lo dejase a su suerte. Cuando Salinas olió que había perdido su batalla internacional, buscó la protección de Dow Jones. La encontró gracias a su riqueza. Pero con todo es un "apestado": el hermano del "hermano criminal". Lo soportan y lo soportarán un tiempo más. Cuando se desgaste un poco, le darán una patada en el trasero. Y buscarán que su dinero se quede en Estados Unidos. Hermano del "hermano criminal", él también, al final de cuentas, es un criminal. Ya *Forbes* publicó el artículo de *Excélsior* de 1951, donde se describe el asesinato de una pobre muchacha de servicio. Al tiempo; en Estados Unidos quieren el dinero de Salinas, no a Salinas.

AHORA: ZEDILLO

A la vista un documento. Es del "Northern District of Texas". O Dallas, Texas, Estados Unidos. Es el caso núm. CR3-90-034-G: los Estados Unidos de América contra Juan García Ábrego. Se envía a la U. S. Marshalls Office y el "Warrant for Arrest" vale para los marshalls y "cualquier otro oficial autorizado de Estados Unidos". Hay un número del FBI: 917711200624. Los cargos son graves: "conspiración, continua empresa criminal; conspiración para transportar fondos fuera de Estados Unidos". El "warrant" lo autorizan Nancy Doherty ("Clerk, U. S. District Court") y el honorable Jerry Buchmeyer (juez de Distrito de Estados Unidos). Firma: Gloria Schneider. ¿Dónde está lo curioso? La fecha: es del 19 de noviembre de 1990.

Aquí está la dimensión del problema: toda la justicia federal de Estados Unidos busca a Juan García Ábrego desde el 19 de noviembre de 1990. Y no lo encuentran y menos lo capturan. ¿Por qué? Tienen toda la información necesaria de McAllen y Brownsville, de Houston y Chicago, de Nueva York y Nueva Orléans, de Oklahoma y California. Toda la necesaria y mucho más. ¿Por qué no lo han capturado? Es más que extraño. Inconcebible: ¿qué o quiénes protegen a Juan García Ábrego en México y Estados Unidos?

Esa es la dimensión del problema de Ernesto Zedillo y del procurador Lozano. Pero ellos responden con una ingenuidad también inconcebible: con Carpizo se trabajó considerando que el Cartel de Golfo era una "empresa criminal multinacional", no un grupito de salvajes asesinos y contrabandistas. Ahora se vuelve a la concepción más atrasada posible: el Cartel del Golfo es una pandilla de Matamoros y, a lo más, controla el norte de Tamaulipas. Sí, cómo no. ¿Nada en Cancún ni en Oaxaca? ¿Nada en Chiapas o Tabasco? ¿Nada en Puebla y Querétaro? ¿Nada en Coahuila y el DF? ¿Nada en Sonora o Chihuahua? Veamos los siguientes documentos que les fueron entregados a Jorge Carpizo y al presidente Salinas en octubre de 1994.

CARTEL DEL GOLFO

José Luis García Treviño. Es dueño del Grupo Aztlán, consorcio de empresas que funciona en Saltillo, Coahuila, y que abarca todo el estado. Al parecer, en Michoacán tiene minas pero que no se explotan porque es muy alto el narcotráfico y nadie más que los que se dedican al negocio entran. Es muy mujeriego y una de sus mujeres que radica en Monterrey es colombiana.

Empezó con una empresa llamada *Constructora Cega, S. A. de C. V.*, en Cancún, Quintana Roo. A raíz de problemas respecto a comentarios y rumores que involucraban al gobernador, porque llegaban barcos tiburoneros a un "motel" que al parecer estaba cerrado al público y no tenía otra función. Este motel estaba custodiado por elementos de la PJF. Dicen que empezó trabajando con *Juan N. Guerra*.

En marzo de este año de detuvo una pipa con cocaína (unas ocho toneladas) entrando a Saltillo por la carretera de Zacatecas. Al parecer venía de Salina Cruz. Inmediatamente desaparecieron los logos del Grupo Aztlán y no se detuvo a nadie. Quien la detuvo fue un comandante que mataron después en Matamoros.

Una de las casas de cambio que utiliza *José Luis García Treviño* es *Codevisa*, cuya encargada es *Raquel Bravo*, originaria de Michoacán.

En otro centro bursátil trató de cambiar dinero nicaragüense que fue fotografiado y al parecer era parte del encontrado en algún evento donde apareció la ETA.

El primer comandante de la PJF en Saltillo, Severo Jiménez, al parecer es el que le brinda protección al apoderado legal del Grupo Aztlán, *Agapito Garza Salinas*, que al parecer también es socio. De este abogado se dice que trabajó de 72 a 76 en la Procuraduría de Justicia del estado de Coahuila, como agente del Ministerio Público del fuero común.

En Monterrey se detectó que tiene nexos con los *Díaz Parada*, que a su vez controlan el tráfico de droga en Oaxaca y a quienes protege *León Aragón*, que es gente de *Jorge Carrillo Olea*.

Tiene una casa en el estado de Morelos, por Tepoztlán, y un avión leader jet, y viaja constantemente de Morelos a Coahuila.

En el Distrito Federal le proporciona escoltas el mayor *Jorge Udabe González*, que trabaja en la PGJDF. Uno de sus yernos es Máximo Carvajal, actual director de la Facultad de Derecho de la UNAM. En la época del gobernador De las Fuentes, era un superpolicía que manejaba todas las policías en Saltillo. Es originario de Saltillo.

Uno de los asesores de este grupo es *Juan Antonio Silva Chacón*, que fue agente del Ministerio Público en Laredo y luego lo hicieron subdelegado en Coahuila, de la Delegación de la PGR. Se dice que al parecer su padrino es *Antonio García Torres*, que fue subprocurador de Delegaciones y jurídico de la PGR.

Noventa por ciento de los trailers del Grupo Aztlán, llamados "Quinta Rueda", se han comprado en Chihuahua, al parecer su contacto ahí es *Guillermo Gutiérrez Luján*, que fue agente del Ministerio Público en Ciudad Juárez y luego delegado en Aguascalientes. *Gutiérrez Luján* llega a entrevistarse con *José Luis García Treviño* en el centro Candilejas de Saltillo, que es un centro de espectáculos como el Premiere aquí. *José Luis García* está vendiéndole este centro a *Roberto González*, personaje con una fortuna inexplicable; al parecer, su casa está construida en diez hectáreas de terreno y tiene helipuerto; es dueño del canal local de televisión.

Lorenzo Silva Chacón, hermano de *Juan Antonio Silva Chacón*, es gente cercana a *Patricio Chirinos* y a *Fernando del Villar*. En Polanco, en un departamento de la calle Campos Eliseos, organizaba fiestas a las que asistían *Antonio García Torres*, *Fernando del Villar* y *Patricio Chirinos*.

Lorenzo Silva Chacón es de Saltillo y fue gente de un exgobernador al que apodaban "el Diablo De las Fuentes". Lo protege Atanasio González Martínez, ministro de la corte que también está involucrado en el narcotráfico; esto lo saben Jorge Carpizo y Ulises Schmill.

Evaristo Pérez Arreola al parecer maneja las relaciones públicas del Grupo Aztlán. Tiene estrecha relación con el mismo periodista de *Vanguardia* conocido como el Gordo Castilla, a quien se vincula al narcotráfico.

Lorenzo Silva Chacón se está acercando a *Esteban Moctezuma*.

De un examen comparado hecho por un criminólogo a fotografías de *José Luis García Treviño* y *Juan García Ábrego*, se establece que podría ser el mismo y, sin muchas dudas, que son familiares cercanos.

Uno de los hijos de *José Luis García Treviño se llama Juan Luis.*

Fuente: FBI

Otro nombre de *José Luis García Treviño* es *Juan Chapa Garza.*

La fecha de nacimiento es 16 de septiembre de 1945; lugar: San Antonio, Texas. Está prófugo por delitos contra la salud.

Hay presentada una solicitud de extradición ante la SRE en noviembre de 1993.

Ellos informan que o es el brazo derecho de *Juan García Ábrego* o es el mismo *Juan García Ábrego.*

Otra fuente:

El protector del licenciado *Agapito Garza Salinas* es *Adrián Carrera*, y el protector de *Adrián Carrera*, además de *Mario Ruiz Massieu*, es un secretario de la Presidencia llamado *Justo Ceja.*

Este secretario, cuando estaba *León Aragón*, a un funcionario recién llegado a la PGR con el doctor Carpizo lo invitó a desayunar y le hizo saber que no debía moverse a *León Aragón* ni a un comandante de Sonora que Carpizo dio de baja inmediatamente.

Ahí está el nombre clave: Justo Ceja Martínez. ¿Otra vez? Ahora respecto del asesinato de José Francisco Ruiz Massieu.

Ingeniero Manuel Muñoz Rocha

VÍNCULOS FAMILIARES:

Esposa:

Marcia Cano. Originaria de Ciudad Victoria, de cuarenta y cuatro años aproximadamente.

Hijos:

Ana Verónica. Estudia o estudiaba Arquitectura en la Universidad de Monterrey. En 1992 tenía su domicilio en Pánfilo de Narváez núm. 126-A Pte., de la colonia Mirasierra, San Pedro Garza García, Nuevo León, y tenía el teléfono 38-60-11.

Marcia. Estudia inglés en un colegio de Estados Unidos, el cual se desconoce.

Manuel. Actualmente se encarga de administrar los negocios de su padre y estudia licenciatura en Administración en la Facultad de Comercio y Administración de la UAT, en Ciudad Victoria.

Hermanos:

Eduardo Muñoz Rocha. Licenciado en Administración Pública, egresado de la Facultad de Comercio y Administración de la UAT. Actualmente se encuentra desempleado y tiene antecedentes públicos de drogadicción. Tiene su domicilio en Ciudad Victoria y tiene el teléfono particular: 6-46-58.

Carlos Muñoz Rocha. Piloto aviador de Francisco Adame Ochoa; se desconoce actualmente dónde labora; vive modestamente y tiene su domicilio particular en Ciudad Victoria, y su teléfono particular es el 2-05-87.

Magdalena Muñoz Rocha. Tiene su domicilio en Rancho Vista Hermosa núm. 570, cerrada 5, núm. 21, colonia Girasoles, C. P. 04920, de México, D. F., y su teléfono particular es el 6-77-92-86.

Amalia Muñoz Rocha. Radica en México, D. F. y tiene el teléfono particular 6-75-09-60.

Otros familiares:

Arquitecto Jaime Muñoz Téllez. Tiene su domicilio en División del Norte núm. 621, esq. Gabriel Mancera, en la colonia del Valle, en México, D. F., y su teléfono particular es el 6-87-93-91.

Alfredo Muñoz Téllez. Radica en México, D. F. y tiene el teléfono particular 5-98-88-69.

Alfredo Ramírez Muñoz (tío). Tiene su domicilio en Carretera Pachuca-México núm. 133, en Pachuca, Hidalgo. Su teléfono particular es el (771) 3-34-89.

Aurora Muñoz. Tiene su domicilio en México, D. F., y su teléfono particular es el 5-23-06-96.

Martín Juárez Fernández. Tiene su domicilio en Tempoal, Veracruz, y su teléfono particular es el 4-04-92.

Ingeniero Luis Zárate Aguilar (tío). Radica en la ciudad de México y tiene el teléfono particular 5-95-59-09.

VÍNCULOS POLÍTICOS Y DE AMISTAD:

México:

Ingeniero Raúl Salinas de Gortari. Mantiene relación con él desde que estudiaron juntos el bachillerato en la Ciudad de México.

Ingeniero Jaime de la Mora Gómez. Director general de Banrural. Mantiene una estrecha amistad. Muñoz Rocha se decía el consentido de los doce gerentes regionales que en 1991 tenía esta institución en el país, cuando se desempeñó como gerente de la región noreste, que comprende los estados de Tamaulipas, Nuevo León y San Luis Potosí.

A principios de la gestión del diputado, éste utilizaba un vehículo VW corsar propiedad de Banrural, equipado con el teléfono 5-91-74-24, y tenía comisionado a un chofer (Gilberto Martínez Colín).

Ingeniero Fernando González Villarreal. Titular de la Comisión Nacional del Agua.

Licenciado Fernando Ortiz Arana. Logró establecer una buena relación cuando fue coordinador de la diputación de Tamaulipas. Luego colaboró con él en el CEN del PRI como subsecretario de Organización.

Ingeniero Federico Granja Ricalde. Fue su asesor cuando éste fue diputado federal por el distrito con cabecera en Xochimilco. Tenía el teléfono 5-44-71-49 en su automóvil.

Ingeniero Mateo Treviño Gaspari. Sólo se le conocen vínculos gremiales cuando éste fungía o funge como presidente de la Sociedad Mexicana de Ingenieros, donde el diputado Muñoz era vicepresidente.

Ingeniero Gustavo González González (presuntamente compadre). Exdelegado de la Secretaría de Programación y Presupuesto en Tamaulipas y exdelegado de la SARH en Nuevo León. Tenía o tiene su domicilio particular en Río Missouri 108 Pte., con avenida San Pedro, de la colonia del Valle, en Garza García, Nuevo León.

A finales de 1991 o principios de 1992 ocupó un cargo público de mando medio en la SARH en la ciudad de México, donde tenía los teléfonos 5-84-09-75 y 5-84-12-67.

Ingeniero José Alfredo González de León. Fungió como subdirector de Conservación y Mantenimiento de la Secretaría de Salud, en el Distrito Federal. Con él colaboró la esposa del licenciado Fernando Rodríguez González. Tenía a principios de 1992 los teléfonos oficiales 5-24-20-41; 5-34-10-22 y 5-34-44-41.

Licenciado Jaime Sánchez Montemayor. Se desempeñaba o desempeña como director general de Multibanco Mercantil de México, donde el diputado Muñoz se desempeñó como presidente del Consejo Regional del Sur de Tamaulipas durante 1988-1990.

Tamaulipas:

Enrique Cárdenas González. Exgobernador de Tamaulipas y actual senador de la república. Durante su administración, Muñoz Rocha se desempeñó como director de Obras Rurales y como titular del COPRODET. De hecho, con él inició su carrera político-administrativa en la entidad, manteniendo una estrecha relación con él, con su equipo y familiares. Cárdenas González tiene un departamento o residencia en McAllen, Texas, con el teléfono 6-87-73-92.

Licenciado Hugo Andrés Araujo de la Torre. Mantiene una estrecha amistad desde la infancia. Su apoyo fue determinante para que Muñoz Rocha obtuviera la coordinación de la diputación tamaulipeca en la cámara de diputados.

Ingeniero Carlos Mier y Terán. Se desempeñó o desempeña como subsecretario de Comunicaciones y Transportes. Reside en la ciudad de México.

Ingeniero Américo Villarreal Guerra. Exsubsecretario de Recursos Hidráulicos y exgobernador de Tamaulipas.

Abelardo Osuna Cobos. Extesorero general del estado en la administración de Enrique Cárdenas González. Reside en Mante, Tamaulipas. Presuntamente principal accionista de la empresa Autotransportes Mante, S. A.

MVZ *Fernando Arizpe García.* Secretario general de la Universidad Autónoma de Tamaulipas. Con él mantiene una estrecha amistad.

Enrique Blackmore Heredia. Es considerado uno de sus mejores amigos. Tiene su domicilio en 12 y Conrado Castillo, esquina, en Ciudad Victoria, y su teléfono particular es el 6-37-71.

C. P. *Octavio González García.* Concesionario de un canal de televisión local y de Cablevisión en Ciudad Victoria, y expresidente de la Fundación Siglo XXI, del PRI, en la entidad. Es compadre del diputado Muñoz Rocha y es considerado uno de sus mejores amigos.

Ingeniero Gerardo Rodríguez Baca y arquitecto Héctor Rodríguez Baca. Socios de Muñoz Rocha en la empresa constructora GMH, ubicada en Olivia Ramírez 1126, de Ciudad Victoria, con teléfonos 6-33-15 y 6-31-35.

Licenciado Joaquín Roche Cisneros. Notario público, considerado uno de los mejores amigos de la familia de Muñoz Rocha. Tiene el teléfono particular 2-99-75 en Ciudad Victoria.

Ingeniero Florentino Aarón Sáenz Cobos. Expresidente municipal y exdiputado local por Mante durante la administración del ingeniero Américo Villarreal Guerra. Hacía funciones de secretario particular del diputado Manuel Muñoz Rocha cuando éste estuvo en la Subsecretaría de Organización del CEN del PRI.

Familia Gómez Lira, de Reynosa. Tiene amistad que data desde la administración estatal de Enrique Cárdenas González con esta familia, principalmente con Ernesto Gómez Lira, su hermano Elpidio y su hija Amira Gómez Solís, exdirigente local del PRI, exdiputada local y actual titular de la COMAPA.

Licenciado Homero Cárdenas Garza. Coordinador de Comunicación Social de la SCT. Con él fortaleció su relación cuando fue candidato a diputado federal por el VII distrito con cabecera en Río Bravo.

Ingeniero Marco Antonio Buentello García. Exdirigente local del PRI en Río Bravo y excandidato a la presidencia municipal en 1992, derrotado por el PAN. Es contratista de obra civil y se identifica con el grupo de Homero Cárdenas Garza, actual coordinador de Comunicación Social de la SCT.

Licenciado Rafael Ceja Martínez. Titular en la entidad de Distribuidora Conasupo, S. A. Hermano del licenciado Justo Ceja Martínez.

Licenciado Felipe Fernández. Exsecretario de Servicios Administrativos del gobierno de Américo Villarreal Guerra. Es considerado uno de sus mejores amigos. Tiene su domicilio particular en Carretera a Monterrey, retorno San Juan, del fraccionamiento Valle Escondido, en Ciudad Victoria, y su teléfono particular es el 6-39-40.

Licenciado Baldomero Zurita Martínez. Considerado uno de los mejores amigos de Muñoz Rocha. Labora en la Organización Radiofónica Tamaulipeca, propiedad de Enrique Cárdenas González, y tiene su domicilio en 14 Chihuahua y Sonora núm. 1908. Su teléfono particular es el 6-29-56.

Manuel Flores Guerra. Exfuncionario de primer nivel en la administración de Emilio Martínez Manautou, y casado con Lourdes Argüelles de la Parra, exsecretaria particular del citado exgobernador. Radica en Ciudad Victoria.

Ingeniero Leopoldo Rodríguez Sarmiento. Se le considera el mejor amigo de Muñoz Rocha en Reynosa, Tamaulipas. Es contratista propietario de la constructora ROCOSA, y distribuidor de COVINTEC, mismo producto que maneja el diputado en su constructora GMH en Ciudad Victoria y la región. Tiene su domicilio en calle Texcoco núm. 340, de la Colonia Valle Alto, de Ciudad Reynosa, y sus teléfonos son el 23-96-08 (empresa) y 23-29-81 (casa).

Leonel Flores Martínez. Agricultor y comerciante en granos; es considerado el mejor amigo de Muñoz Rocha en el municipio de Valle Hermoso. Tiene su domicilio en el poblado Altamirano, del mismo municipio, y sus teléfonos particulares son el 3-03-53 y 3-03-72.

Diputado federal Manuel Garza González. Diputado plurinominal, mantiene muy buena amistad.

Diputado federal Arturo Saavedra Sánchez. Diputado por el IX distrito de Mante. Fue su principal amigo de la diputación tamaulipeca, después de Hugo Andrés Araujo.

Licenciado Blas Gil Contreras. Exdirigente estatal de la Liga de Economistas Revolucionarios. Se desempeñó en Banrural como secretario técnico, el puesto de mayor importancia después de la gerencia regional. Labora en DICONSA, con el licenciado Rafael Ceja Martínez, y tiene el teléfono 6-76-78.

Licenciado Fortunato Martínez Farías. Exsecretario de Fomento Industrial, Comercial y Turismo del gobierno del estado, en la administración de Américo Villarreal Guerra. Es considerado también uno de sus mejores amigos.

Ingeniero Francisco Ruiz de la Fuente. Exsecretario particular en Banrural y actual gerente de la sucursal Victoria de esta institución. Colaboró con Muñoz Rocha desde la administración de Enrique Cárdenas González, en la Dirección de Obras Rurales.

Otros estados:

Licenciado Ricardo Canavatti Tafich. Exdiputado federal del estado de Nuevo León, con domicilio en Mozart 717 de la colonia Obispado, Monterrey, Nuevo León.

Estados Unidos:

Licenciado Roberto Ramírez (Bobby). Se desconocen los vínculos. Teléfonos: Brownsville, Texas, 3-50-94-26; Monterrey, Nuevo León, 59-79-19; Guadalajara, Jalisco, 42-44-83.

Sí; otra vez, los apellidos Ceja Martínez. Se trata de la Familia Feliz. Es la Banda de Los Pinos con su jefe natural: Carlos Salinas de Gortari.

¿Hay ahora buenas intenciones? Probablemente. En el caso de Lozano, no hay duda. Pero no hay estrategia, no hay experiencia. Y, a lo mejor, ni siquiera voluntad política. Porque quizá Ernesto Zedillo no va a actuar a fondo contra el protegido de Dow Jones. Porque está funcionando una alianza de cuatro: Zedillo-Salinas-Washington y Nueva York-y el Partido Acción Nacional. Sin embargo, ya se deja ver el disgusto del jefe de Lozano: Diego Fernández de Cevallos. "Hay riesgo de ingobernabilidad", declaró no hace mucho. Tiene razón; mucho más de lo que piensa. El presidente y su "gabinete" (no hay "gabinete" en México; apenas secretarios de despacho, quienes no tienen otra función que cumplir la ley reglamentaria de la Administración Pública Federal y las órdenes del jefe del ejecutivo federal; no hay en ninguna ley la figura de "gabinete" y el mayor derecho de los secretarios de despacho es el del "refrendo" a la hora de expedir leyes) prefieren buscar la "estabilización financiera y política". Pero ya se dejaron ver contradicciones insalvables entre el hombre de Dow Jones —por cierto, ha rebasado los 4400 puntos en apenas unos meses— y el ocupante de Los Pinos. ¿La contradicción insalvable?: las reservas mexicanas de aceite petrolero.

Mientras la producción de los pozos petroleros en territorio estadunidense declina y aumentan las importaciones de crudo, México descubre nuevos campos de crudo ligero.

¿Alguien entendió que este —a final de cuentas— era sólo un asunto de drogas o dólares? Pues se equivocó; en el fondo es un asunto de aceite, de crudos petroleros. De los campos de Reforma y Tabaco, de nuestra reserva. Se trata de cómo quedamos en el Tratado de Libre Comercio para América del Norte: como proveedores de materias primas, energéticos y mano de obra barata (pero con cierta calificación). O como socios en la globalidad (menos desarrollados pero con plenos derechos como socios).

Ese es el Gran Premio en el Gran Juego de nuestros días. Eso es lo que debemos entender los gobernados, los no-poderosos. Más allá de Zedillo y Lozano, Salinas y Justo Ceja, Clinton y el Dow Jones, PAN y su alianza estratégica con Zedillo.

Zedillo está demostrando que es un presidente de corto plazo. Es su asunto. Más allá del presidencialismo y del sistema político mexicano, nosotros (los gobernados) tenemos que ser más inteligentes y maduros que la clase gobernante. Que esa misma clase que se encuentra paralizada política e ideológicamente porque ha sido penetrada hasta la médula por el narcopoder. Que ya no tiene proyecto de largo plazo para legitimar su dominación.

Nosotros, los gobernados, no podemos permitir que ocurra otra vez lo sucedido en la guerra de 1847. Aquélla la perdieron los generales. Ahora no podemos permitirles a los políticos y empresarios que nos conviertan en una nación proveedora de energéticos, materias primas y mano de obra con cierta calificación, para que Estados Unidos pueda competir con la Comunidad Europea y Japón. Nosotros, los gobernados, debemos advertirles a los gobernantes: no lo permitiremos. Gobiernen, sí; con patriotismo. Y si se puede, hasta con espíritu de justicia. Así somos: buenos gobernados. Los dejamos hacer y hasta enriquecerse. Pero no les podemos permitir destruir a la nación. Gobiernen; enriquézcanse, políticos y empresarios. Así somos los mexicanos: buenos gobernados. Hagan sus alianzas (PAN-Zedillo-Casa Blanca). Si quieren incluyan a Salinas y al Dow Jones.

Pero tienen que ofrecer una perspectiva concreta para el largo plazo. Y esa perspectiva no puede ser la alianza Wall Street-Cali-Los Pinos. Porque, escríbase con cuidado, atenta contra la seguridad nacional. La de México, socio del NAFTA. ¿Está claro? Se trata ahora de las armas de la crítica. Mejor que usar la crítica de las armas; la mayoría de las veces destructiva. Y hasta inútil.

Ernesto Zedillo se enfrenta a una realidad internacional: las empresas criminales del narcotráfico son estructuras corporativas multinacionales basadas en una demanda real (seiscientas toneladas de cocaína anuales; un mínimo de doscientas toneladas anuales de heroína; más hachís, más psicotrópicos, en Estados Unidos). Estamos hablando de una demanda cuantificada en cien mil millones de dólares anuales, a precios de mayoreo. En las calles, barrios, escuelas, bares, oficinas de Estados Unidos, esta cantidad se multiplica cinco o seis veces. No tomo en cuenta la mariguana porque la producción doméstica de mariguana en Estados Unidos tiene un valor superior a la del maíz. Aunque también la mariguana cuenta, todavía. Ésta es la base del problema: la existencia de un mercado real; una demanda exótica y una capacidad de oferta, controlada por el crimen organizado en Colombia, Centroamérica y México. Y, obvio, en el propio Estados Unidos.

Más allá de la, por ahora, inútil polémica acerca de la despenalización del consumo de drogas (un paso que sólo pueden dar *primero* los centros de consumo), lo esencial es: ¿quién abastece el mercado? ¿Las grandes empresas, las cuales adquieren cada día mayor poder *po-*

lítico en todos los países donde operan? ¿O un mundo criminal atomizado que, de manera natural, tiende hacia el oligopolio? Ese es el debate práctico en la Norteamérica y en la Colombia de nuestros días.

El gobierno mexicano debe inscribirse en el segundo propósito; al menos, en estos tiempos. Y elaborar estrategias adecuadas y de largo plazo para alcanzar sus objetivos. El más urgente e indispensable es aniquilar la estructura criminal montada por la Familia Feliz al interior del Estado mexicano. Ésa es la manera cierta de rebasar los "planes salinistas" y de comenzar a superar la triple estructura de nuestra economía; si no se avanza hacia la destrucción de la economía criminal organizada, para neutralizar al máximo posible la economía especulativa, entonces la economía productiva no tiene perspectiva posible: se encuentra atrapada en un círculo vicioso y políticamente perverso, dominado por las ganancias del narcotráfico.

Durante muchos años, casi treinta, quien esto escribe (con graves errores de perspectiva política y hasta de conducta personal) ha actuado para hacer de las libertades democráticas inscritas en la constitución una "práctica". "La libertad es una práctica", escribió Lukács; en la Unión Soviética y en Hungría, esto le costó la libertad y hasta el olvido. Ahora, cuando para los mexicanos existen dos alternativas (la descomposición en la corrupción o la reorganización del Estado y la reconstrucción de la nación en el marco de lo contemporáneo), es el mejor tiempo para insistir en ello. Y señalar que mientras la "narcodemocracia mexicana" (una absurda contradicción) continúe operando como "Estado dentro del Estado", no podremos alcanzar la práctica de las libertades democráticas.

¿Hay un costo? Por supuesto. Pero siempre será menor que el que estamos pagando ahora y deberemos pagar si las clases dominantes y los grupos gobernantes no entienden la ruda lección del "salinismo". Y si tenemos que depender de las fuerzas armadas, y no del pensamiento y el quehacer de la sociedad política, para solucionar nuestros problemas de desarrollo, entonces estamos en plena senda regresiva. No hablaremos entonces de la "década perdida" o la "docena trágica", sino del "siglo inútil": el siglo XX, donde se mostró nuestra incapacidad para arribar a un Estado democrático y a una nación capaz de dar empleo productivo a los mexicanos. Ése es el reto para todos nosotros. Hay que actuar en consecuencia.

Palabras finales

1
Los Pinos me dan la sombra
mi rancho pacas de a kilo.

Teodoro Bello

2
Yo soy el pirata
con pata de palo
con parche en el ojo
y cara de malo.

Tin-Tán

3

¿Cómo agradecer la solidaridad profesional de los compañeros periodistas mexicanos; docenas de ellos; de la ciudad de México y el interior? Hasta de quienes no se esperaba nada, e hicieron mucho. Si escribo Julio Scherer, Rogelio Cárdenas y Alejandro Ramos es por dar nombres. Unos poquitos, de los muchos que hicieron posible este libro.

Pero también colegas de Estados Unidos, y hasta canadienses, hicieron su trabajo profesional y limpio. En primer lugar, Daniel James (QEPD), quien de inmediato entendió que este era un asunto de seres humanos comprometidos con su misma causa: la justicia. Dianne Solis, Tim Golden, Todd Robertson, Tim Padgett, Tracy Eaton, Martin Andersen, Carmina Danini. A todos ellos nada más gracias. Por la solidaridad profesional y, a veces, hasta material.

Bragg Towers, noviembre de 1994-junio de 1995

ANEXOS

Anexo I: Artículos y entrevistas

a) Renuncia irrevocable a la PGR

Durante dieciséis meses serví a mi país en la PGR. Hoy renuncio a esta institución de manera irrevocable. Salgo como entré; no tengo en qué caerme muerto, aunque gané en conocimiento y experiencia. Nadie puede decir que lastimé intereses sin fundamento real. Así, puedo mirar a todos de frente y sin vergüenza alguna.

Reconozco no tener ahora la capacidad para aprehender al jefe público del Cartel del Golfo de México. Hice en verdad todo lo que pude con los medios a mi alcance. Fracasé y lo admito con pena.

Luego de lo conocido en este lapso, pregunto: ¿cuándo tendremos la valentía y la madurez política de decirle al pueblo mexicano que padecemos de una especie de narcodemocracia? ¿Tendremos la capacidad intelectual y la fortaleza ética para afirmar que Amado Carrillo, los Arellano Félix y Juan García Ábrego son, en forma inconcebible y degradante, impulsores y hasta pilares de nuestro crecimiento económico y desarrollo social? Que nadie puede perfilar un proyecto político en el cual no estén incluidas las cabezas del narcotráfico y sus financieros porque, si lo hace, se muere. Quizá pronto se llegue a esa conclusión en relación con los hechos del 23 de marzo en Tijuana; aunque, advierto, no poseo más información sobre esa infamia que la conocida por todos.

Pregunto respetuosamente: ¿no es hora de elaborar una política contra el narcotráfico, aunque sea la más primaria y elemental? ¿No se ofende a los sentimientos y a la inteligencia de la nación al carecer de esta política general y de largo plazo contra el narcotráfico y el crimen organizado, Estado dentro del Estado?

Agradezco a usted, al doctor Jorge Carpizo y al C. presidente de la república la confianza depositada en quien esto escribe. Pueden tener la absoluta seguridad de que no se abusó de ella. Seguiré trabajando en otros ámbitos.

Ruego a usted designe a la persona a quien debo entregar mi oficina.

(Dirigida a Diego Valadés; se remitieron copias para su conocimiento a Carlos Salinas de Gortari, presidente de la república, a Jorge Carpizo, secretario de Gobernación, y para su publicación, a Julio Scherer García, director de *Proceso*; primero de mayo de 1994.)

b) Colosio, tres hipótesis

Primera: asesino solitario. Segunda: complot local (acción concertada de priístas bajacalifornianos para vengarse de la toma de posesión de Ruffo). Tercera: complot internacional. Pero ésta podría tener dos variantes: los narcotraficantes (particularmente los Arellano Félix), quienes lastimarían hasta personalmente a Carlos Salinas de Gortari. O los narcopolíticos que sabían ya del compromiso ético de Luis Donaldo Colosio para no pactar con ellos.

Son hipótesis de trabajo. Nada más y desde fuera del Expediente Colosio. Pero supongo que el abogado don Miguel Montes las está contemplando y trabajando sobre ellas. Y algún día, quizá pronto, las deseche o las confirme. Por lo pronto ahora nos habla de "acción concertada" de Mario Aburto con unos cuantos expolicías. La primera hipótesis parece desechada por la Subprocuraduría Especial. Veremos. Pareciera que se ha privilegiado una versión de la segunda hipótesis. Y casi nadie habla de la tercera en sus dos variantes. Bueno, casi nadie habla en voz alta porque en susurros se dice mucho.

Y es que el problema de Miguel Montes –a pesar del claro apoyo de Carlos Salinas de Gortari– es que las preguntas sobre el asesinato –cobarde, miserable, incalificable– surgen a cada momento desde el mismo día de los hechos en Lomas Taurinas, Tijuana.

¿Sólo hay un Mario Aburto? ¿Dos o tres disparos? ¿Uno o dos revólveres? Y una pregunta que no he visto publicada en ninguna parte: ¿quiénes estaban en el mitin? O, de otra manera, ¿cuántos policías "cuidaban" a Colosio?

Estaba su escolta personal bajo el mando de Domiro García; un grupo especial al mando de ¡Fernando de la Sota!; Seguridad Nacional se hizo presente con dos elementos, uno de ellos nada menos que Jesús Sánchez Ortega; también había Policía Federal de Caminos y Puertos, bajo la atención de un comandante Vergara. Y policías federales, muchos policías federales. Precisamente de los grupos especiales que llegaron a Tijuana para combatir a los Arellano Félix y por los hechos posteriores, donde cayó muerto un comandante de la PJF.

El candidato, que no quería excesos en la seguridad personal, llegó a un lugar donde abundaban toda clase de policías. Singularmente extraño. Insistimos, señor subprocurador don Miguel Montes: ¿quiénes estaban en el mitin, nombre por nombre, policía por policía?

Me gustaría hacer otra pregunta, simple, sencilla y a lo mejor no tiene nada que ver con nada: ¿esas placas de Tamaulipas en una suburban, esa que alcanzamos a ver en el primer video, el inmediatamente posterior al crimen, a cuál vehículo pertenecen, propiedad de quién?

El subprocurador tiene todo el apoyo del presidente. Y debería tenerlo en verdad de toda la sociedad. Seguramente, en un momento adecuado, podrá contestar estas miles de preguntas que surgen en la mente de muchos mexicanos. Y en la prensa internacional.

Por ejemplo, en relación con ese señor de Seguridad Nacional (dependiente de la Secretaría de Gobernación) a quien le resultó positiva la prueba de radiozonato de sodio y el antidoping, el cual declaró que siempre estuvo a decenas de metros del candidato Colosio, hasta que se encontró con el cuerpo sangrante de Luis Donaldo y así se manchó la chamarra. Cuando hay fotografías que ponen en evidencia precisamente lo contrario: Sánchez Ortega muy cerca de Luis Donaldo Colosio.

No conozco una sola línea del Expediente Colosio. Pero muchos mexicanos tenemos nuestras hipótesis en relación con los hechos de Tijuana. Por supuesto, el primero de ellos, el responsable de la investigación. Las mías son tres: hipótesis de trabajo. Nada más. (EV, *El Financiero*, 21 de mayo de 1994.)

c) Carta a Carlos Salinas de Gortari, presidente de la república

El que suscribe, ciudadano mexicano en pleno uso de sus derechos constitucionales, y con domicilio para oír notificaciones en edificio 39-B-405, Unidad Loma Hermosa, colonia Irrigación, México, D. F. y 99 South Bragg Street, Alexandria, Virginia, E. U., ZIP 22312, con todo respeto a su alta investidura republicana, me dirijo a usted y expongo:

1. En febrero de 1993 el doctor Jorge Carpizo solicitó le ayudara en la PGR como su asesor personal. Acepté en principio con la condición de que esto fuese comentado con usted y no se presentara reacción desfavorable. Tomé posesión del cargo unos días después. Mi trabajo era presentar notas al doctor Carpizo sobre cuestiones generales o particulares encomendadas por él. A partir del homicidio del colega y amigo Roberto Mancilla, cometido en Chiapas por individuos todavía no identificados, me involucré cada vez más en asuntos de inteligencia de la PGR. En ningún momento olvidé que se podía actuar con energía contra el cartel dirigido por Juan García Ábrego, responsable de varios homicidios contra periodistas. Por eso daba especial atención a cualquier asunto relacionado con el Cartel del Golfo, de Matamoros o Monterrey.

Fueron detenidos Luis Medrano García y José Pérez de la Rosa, el Amable. Con ellos, un colombiano y otros mexicanos relacionados con la policía y la administración de justicia en el Distrito Federal.

Pero funcionarios superiores de la PGR y la PJF hicieron trampa. Para julio de 1993, Luis Medrano estaba encarcelado en Matamoros (de donde podría fugarse en cualquier momento) y Pérez se encontraba en el Reclusorio Norte como primodelincuente y acusado de posesión de armas; así obtendría libertad bajo fianza. Los responsables de esta maniobra fueron Antonio García Torres (exsubprocurador de Delegaciones) y René Paz Horta, exdelegado metropolitano de la PGR y hoy uno de los más altos funcionarios federales de "la lucha contra el narcotráfico". Desbaraté la maniobra: gracias al apoyo del doctor Carpizo y de Alfonso Navarrete. En un operativo que debería enorgullecer a la Policía Judicial Federal, trasladé a Medrano García a Almoloya de Juárez e inicié un movimiento que luego sería casi una costumbre: acumulé órdenes de aprehensión y reaprehensión contra el Amable. Así lo hice también con otros miembros del Cartel del Golfo.

2. Por alguna razón, la cual escapa a mi comprensión, el CENDRO –centro de inteligencia y planificación de la PGR– me pidió investigara a Marcela Rosaura Bodenstedt Perlick. Lo hice de inmediato: ella nació el 18 de agosto de 1962; ingresó a la Policía Judicial Federal el 28 de febrero de 1985 gracias a la recomendación de Miguel Aldana Ibarra. Luego de un comportamiento caracterizado por continuas ausencias, abandonó el empleo en 1986.

Se relacionó con Rafael Aguilar Guajardo y Juan García Ábrego. La localicé luego en Cancún, Quintana Roo, dos días después de que gatilleros del segundo narcotraficante asesinaran a Rafael Aguilar en esa ciudad. Está unida a Marcelino Guerrero y tiene varias casas en la calle de Tajín, en la ciudad de México.

En el Cartel del Golfo hay varias cabezas de primera importancia: García Ábrego, Henry Max, el Tío (don Francisco), Ricardo Castillo –hermano de Rolando y Roberto–, Carlos Reséndez, Raúl Valladares. Y Óscar Malherbe de León. Usted lo ha oído mencionar en alguna de mis notas confidenciales dirigidas al presidente de México (3).

El vínculo de Marcela Bodenstedt con Óscar Malherbe está fuera de toda duda: rentó la casa de Fuente de la Luna número 150 y ocurría con frecuencia a Bosques de Mozambique número 89, antiguo domicilio de Joaquín García Ríos, contacto de Malherbe en la ciudad de México.

Sin ir a mayores, entregué la información al CENDRO y continué mi tarea contra el Cartel de Golfo. Los problemas comenzaron cuando pedí al CENDRO detalles sobre las pistas y aeropuertos de Tamaulipas y Nuevo León. Al mismo tiempo conseguía esa misma información de la Secretaría de Comunicaciones y Transportes. Mientras cruzaba esos datos, continuaba con mi estrategia contra Juan García Ábrego: acumular hechos y datos relevantes para conocer su red, sus contactos, direcciones, vehículos, teléfonos. Y hasta amantes.

Cometí errores y hasta en dos ocasiones (en Matamoros) me porté violento y prepotente con dos trabajadores. A uno lo golpeé (Manuel, mil perdones) y a un mesero de Las Rocas lo amenacé con mi arma; furioso porque el hijo de Marte Martínez (padre e hijo relacionados en forma estrecha con Ángel Álvaro Peña, el Yaqui, a quien usted conoce muy bien) había frustrado un operativo contra los Lamas, importantes narcotraficantes de Tamaulipas. Pero avancé en lo esencial: conocer a profundidad al Cartel del Golfo. Así fue como el 15 de octubre de 1993 me dirigí a usted para darle a conocer:

a) Tenía localizada la madriguera de Juan García Ábrego. Para detenerlo requería vehículos, dinero, dos helicópteros y tres pelotones del ejército armados con CAL y uzi.

b) "Pero en el trayecto me he encontrado conque [*sic*] esta organización disfruta de una inconcebible protección de altos funcionarios federales, estatales, municipales, jueces, periodistas. Y poseen –al menos– tres teléfonos de la Presidencia de la República (¡y lo sabe el gobierno de E. U.!) a donde ha hablado Óscar Malherbe y de donde le han hablado al segundo hombre público de esta organización criminal (277-17-03; 515-05-62 y 522-23-18)".

c) "[...] según la información que me ha proporcionado el CENDRO, la cual estoy verificando (envío fotocopias), resulta que la gran mayoría de las pistas en un enorme radio alrededor de Monterrey (y obviamente Tamaulipas) están plenamente dominadas por esta organización criminal. ¡Y esto podría incluir al aeropuerto de Agualeguas! Todavía no puedo afirmarlo. Apenas me pregunto: ¿quién es Óscar Sala Luna?"
En ese memorándum le informaba a usted de la posible relación de financieros mexicanos con la empresa criminal multinacional dirigida por García Ábrego. Y entonces no sabía que dos de los tres teléfonos de la Presidencia de la República correspondían al general Arturo Salgado Cordero, responsable de Giras Presidenciales.

Usted discutió este memorándum con Jorge Carpizo. Se me prometió más ayuda; me dieron un helicóptero. Pero nunca el equipo y los hombres que necesitaba para capturar vivo a Juan García Ábrego. (Le ofrezco disculpas al doctor Carpizo por no informarle de este memorándum —él lo conoció hasta que lo discutió con usted—, pero en esos momentos me pareció indispensable dirigirme a Carlos Salinas directamente.)

3. Al mismo tiempo ayudaba en diversas formas a Luis Donaldo Colosio en sus esfuerzos por alcanzar la nominación del PRI para la candidatura a la presidencia de la república. Y nadie mejor que usted, ciudadano presidente, lo sabe. Como nadie mejor que usted sabe de mi profunda lealtad al jefe de Estado y jefe de gobierno del país. Conste: no lealtad al "amigo", sino profunda lealtad al jefe de Estado y de gobierno de mi patria, a la que amo con toda el alma, mi sangre y mis lágrimas. Como me enseñaran Cosme Valle y Celia Espinosa; un trailero y una maestra de primaria.

Con Luis Donaldo le envié dos notas (en sobre cerrado y firmado). Él no conocía su contenido; yo no lo habría permitido. Luis Donaldo era apenas secretario de despacho, no jefe de gobierno. El envío de una de ellas coincidió con la inauguración —en el Instituto Tecnológico de Monterrey, campus México— de la estatua "El Rey", inauguración hecha por Eugenio Garza Lagüera. Este gran financiero de Monterrey invitó a Manuel Camacho Solís, entonces regente del DF. Usted mandó a Ernesto Zedillo a contrarrestar la presencia de Camacho. Esto es una anécdota, nada más. Quizá sin la mayor importancia. Pero algo la ha traído a mi memoria. Lo importante es que Luis Donaldo Colosio no conocía el contenido de las notas enviadas a usted. Ya expliqué por qué no lo permití.

Pero cuando Luis Donaldo Colosio fue postulado candidato del PRI a la presidencia de la república, entonces sí, le informé de las trampas que le colocaba el Cartel del Golfo. Y, en este asunto, Luis Donaldo actuó en forma espléndida. Ya lo he escrito en *El Financiero*.

En febrero me enteré de que habían nombrado "coordinador de rutas" a Jorge Vergara Verdejo, comandante de región de la Policía Federal de Caminos y Puertos. Ya era demasiado: Isaac Sánchez, de la PJF, tenía gran influencia en el PRI; Fernando de la Sota —ese pequeño sinvergüenza— estaba incorporado a la campaña. Y ahora Vergara. Empecé a pensar en una entrevista con Luis Donaldo. Su gente y la mía comenzaron a programarla para fines de marzo, en Hermosillo, Sonora. ¡Santa Madre de Dios!

4. El 8 de noviembre de 1993, la señora Marcela Rosaura Bodenstedt Perlick se entrevistó con Emilio Gamboa Patrón. No sé lo tratado y acordado. Además, me enteré mucho después, cuando preparaba un cateo a una de las casas de Marcela en las calles de Tajín. En esa misma calle habíamos cateado la casa del Charro Blanco, para conocer reacciones. Lo cierto es que Marcela había presionado a su amigo (y quizá socio) Arturo Morales Portas —oficial mayor de la SCT— para conseguir la entrevista.

La SCT es una pieza estratégica y esencial, lo sabe usted mejor que nadie, para la seguridad del Estado mexicano. Tan lo sabe, ciudadano presidente, que ha colocado a su hombre de más confianza por muchos años en esa posición. Controla carreteras, puertos, aviones, telecomunicaciones, telefonía celular, espacios aéreos, radares, pilotos, compañías de transporte (de carga o de personas). Y a la Policía Federal de Caminos y Puertos.

Que un personero tan importante de la organización de García Ábrego (recordemos que Marcela, sobrina-nieta de Rosaura Revueltas, es representante directa de Óscar Malherbe, también conocido como licenciado Martínez o Martín Becerra Mireles) tenga acceso directo con el responsable de este despacho es extraordinariamente grave. Lo informé al doctor Carpizo; pero la fecha de mi nota es del 7 de enero de 1994. Cuando Carpizo salía para Gobernación.

Llegó Diego Valadés a la PGR. Presenté mi renuncia institucional. Diego pidió me quedara; lo había tratado con usted. El Grupo Especial ya estaba en otra estrategia: la de acoso y capturas. Le habíamos pegado al Cartel del Golfo como nunca antes. Le quitamos liquidez. Sus inmensas riquezas de nada servían; no tenían dinero en la mano para pagar las toneladas de cocaína que podía enviarles el Cartel de Cali. Y, por si faltara algo, los compañeros periodistas de la fuente de la PGR habían hecho tan famoso a García Ábrego que lo habían desprestigiado frente a los Rodríguez Orejuela, Miguel y Gilberto, el Ajedrecista. Me quedé, aunque nunca sería lo mismo Valadés que Carpizo.

Se demostró pronto: Raúl Olmedo quería cambiarse de Michoacán a Monterrey. Pagó centenas de miles de dólares para lograr el cambio. Lo derrotamos; era un personero vulgar de García Ábrego. Con Carpizo, con Diego Valadés, buscó Tamaulipas. Y consiguió la plaza a pesar de mis advertencias formales, por escrito. Yo no podría entrar más a Tamaulipas; no al menos sin pagar una terrible cuota de sangre de los compañeros del Grupo Especial.

Entonces, ciudadano presidente, asesinaron a Colosio.

Me callé y observé. Hice algunas llamadas telefónicas; pregunté a gente de la Policía Judicial Federal qué sentían había pasado. Con formidable confianza me platicaron historias extraordinarias sobre los Marios Aburtos, los grupos especiales en Tijuana, sobre Alejandro Castañeda y su combate frontal a los Arellano Félix, sobre Federico Benítez y su labor patriótica. Callé y observé. Y presenté mi renuncia.

Enrique Maza entrevistó para *Proceso* a Diego Valadés, quien le declaró que mi renuncia era una maniobra; pasaría a ocupar otro lugar en la PGR. *Reforma* y *El Norte* publicaron mi renuncia; *Proceso* lo haría mucho después. Hasta Froylán López Narváez algo habló de miserias humanas en su columna semanal. Callé y observé. Mi renuncia la conocían usted, el doctor Carpizo y Diego Valadés desde fines de abril. Cuando *Reforma* y *El Norte* le dieron primera plana a la renuncia, la de Diego Valadés estaba escrita.

Lo importante era –para mí– que ya estaba libre de nuevo. Periodista, nada más. Pepe Cárdenas me dio cabida; también Blancornelas y Alejandro Ramos, de *El Financiero*. Publiqué algunos detalles sobre la muerte de Colosio.

De repente, me llamaron Miguel Montes, José Carreño y ¡Fernando Ulibarri de parte de Emilio Gamboa Patrón! Corrí, ciudadano presidente. No, no por miedo (ni de Rafael Olvera, Rafael García Aguilar o los hermanos Rojas tengo miedo, como venga). Nada más por prioridades. Más importante que mi vida es la verdad. Sobre el asesinato de Colosio y sobre el dominio del Cartel de Cali sobre los mexicanos; 85 millones de nosotros.

Así pues; aquí estoy. Si usted, ciudadano presidente, y sus pequeños hombres de la PGR consideran que algo vale mi testimonio, le manifiesto estoy en capacidad de hacer una declaración formal en el consulado que se me señale –aunque sea en Brownsville, Texas– para incorporarlo judicialmente a la investigación sobre el asesinato de Luis Donaldo Colosio. Sólo pido una garantía: que me reciban en el consulado integrantes de la Comisión Plural de la Cámara de Diputados. No vaya a ser que a los hermanos Rojas y a Rafael García, de inteligencia militar en Washington, se les ocurra otro error. (Primero de agosto de 1994.)

d) Entrevista a EV en Washington (Carlos Marín)

Habitualmente sarcástico, estridente, carcajeante, Eduardo Valle Espinosa, el Búho, aplica un tono desusadamente serio cuando elude hablar del contenido de dos cartas que –según afirma– envió al presidente Carlos Salinas de Gortari con Luis Donaldo Colosio:

–¿Por qué?

–De eso no hablo.

–Aceptaste la entrevista...

–Pues de eso no voy a hablar.

–Cuando dices que con Colosio le enviaste las cartas al presidente, eras funcionario público, se te pagaba con dinero público y creo que estás obligado a dar una información que tú mismo empezaste a hacer pública...

Eduardo Valle vuelve a ser el Búho:

–¡Carajo! No estamos hablando de pendejadas, sino de narcotráfico. Hablamos de los políticos que protegen al narcotráfico, de que los narcotraficantes tienen penetrada la estructura gubernamental y de políticos que lavan dinero. De que una mujer muy poderosa en la principal red mexicano-colombiana de la cocaína entra y sale de la Secretaría de Comunicaciones y Transportes, que es socia del oficial mayor y amiga del secretario. Y acabo de decirte que hasta donde conocí, lo que vi, lo que averigüé cuando trabajé en los primeros niveles de la Procuraduría General de la República, no tengo dudas: a Colosio lo mataron los polinarcos o los narcopolíticos. Y hablo de los polinarcos que están en el sistema. Y te cuento que a Colosio lo quisieron copar los narcotraficantes y que a eso se prestaron algunos de los coordinadores de su campaña; que llegaron a organizar una comida de Colosio a la que iba a asistir el hermano de Juan García Ábrego, el principal introductor de cocaína en Estados Unidos, y de que alerté a Colosio y él ordenó que desinvitaran a ese cabrón. Y de que comenzó a dar pasos para librarse de los narcos y de los narcopolíticos, pero se le adelantaron y se lo chingaron. De eso hemos estado hablando. ¡No me jodas entonces con que quieres saber qué cosa le escribí al presidente...!

Eduardo Valle fue invitado en enero del año pasado a trabajar inicialmente como asesor personal de Jorge Carpizo, en la Procuraduría General de la República. Casi de inmediato empezó a verse involucrado en el conocimiento de las mafias de narcotraficantes y particularmente la que denomina Cartel del Golfo, hasta llegar a disponer de un equipo de cuatro agentes especiales del Ministerio Público Federal para el combate al narcotráfico y una treintena de agentes policiacos que él mismo seleccionó entre los más jóvenes y capaces de la institución.

En una tercera carta, publicada el primero de agosto, el exlíder del 68 –exreo político, exdiputado federal– pidió al presidente de la república (*Proceso* núm. 926) le permitiera rendir testimonio para que se incorpore a la investigación del crimen de Luis Donaldo Colosio, en un consulado mexicano –"aunque sea en Brownsville"–, ante representantes de la Comisión Plural del Congreso de la Unión designada para conocer el caso que lleva la Fiscalía Especial.

La respuesta de Salinas fue inmediata: envió aquí a su jefe de la Oficina de la Presidencia, Santiago Oñate, para entrevistarse con el Búho. La noche del lunes 8, el sucesor de José Córdoba Montoya le adelantó a Valle Espinosa que podrá testificar en los términos que solicita. Y le pasó al costo:

"El presidente quiere que sepas que no se te está persiguiendo, que cuentes y cuentas con todas las garantías para dar tu testimonio y que, aunque le gustaría que lo hicieras en México, también quiere que sepas que te entiende", dice Valle Espinosa que le dijo Oñate.

El encuentro de los compañeros de legislatura –1985 a 1988– fue precedido de una espiada fugaz del director de Inteligencia de la Procuraduría General de la República, Enrique Arenal Alonso, al interior del bar Fair Sax del hotel Ritz Carlton en esta ciudad, lugar de la reunión. Una vez que corroboró la presencia de Valle Espinosa, Arenal Alonso desapareció a pasos acelerados.

Arenal Alonso fue coordinador de asesores, director de Control de Estupefacientes y director de Asuntos Internacionales con Javier Coello Trejo, en una de las peores etapas de la Procuraduría. Quedó fuera cuando Carpizo se hizo cargo de la institución, pero este año "fue rescatado por el subprocurador Mario Ruiz Massieu", según Valle Espinosa.

Ya desde el 4 de agosto, en un oficio, la doctora Olga Islas González Mariscal, subprocuradora especial del caso Colosio, solicitó al procurador Humberto Benítez Treviño que "con fundamento en lo dispuesto por el artículo 59 del Código Federal de Procedimientos Penales en vigor" se obtenga la declaración de Miguel Eduardo Valle Espinosa.

El día anterior a la reunión Oñate-Valle, *The New York Times* publicó un texto con el encabezado "Por culpa de la corrupción se retrasa la lucha antinarcóticos en México", atribuyendo el hecho a la atención que presta el gobierno mexicano a la sublevación en Chiapas. Y resaltó: "Las acusaciones del señor Valle representan una de las raras ocasiones en que altos funcionarios de la policía o del ejército han sido señalados públicamente de estar relacionados con las drogas".

La versión de Valle Espinosa tiene un ángulo explosivo: la mujer que según él frecuenta al secretario y al oficial mayor de la Secretaría de Comunicaciones y Transportes –Emilio Gamboa Patrón y Arturo Morales Portas, respectivamente–, Marcela Rosaura Bodenstedt Perlick, también figura entre los nombres, direcciones y teléfonos que investiga la Drug Enforcement Administration –la DEA–, de acuerdo con una relación de treinta y siete páginas cuya copia tiene el reportero.

Marcela –expolicía federal– es la mujer de Marcelino Guerrero, exagente judicial que –dice el Búho– trabaja para uno de los capos de García Ábrego, de nombre Óscar Malherbe.

Marcelino Guerrero "lava dinero del narcotráfico; sus inversiones en Cancún están ligadas a las de Jorge Hank Rhon" en el corredor hacia Tulum, afirma Valle Espinosa.

Marcela, exestrella de Televisa –sostiene el Búho– renta una casa para otro importante de la mafia de García Ábrego: Luis Medrano García, en la colonia Fuentes del Pedregal de la ciudad de México.

Al igual que Bodenstedt Perlick, Óscar Malherbe aparece –repetidamente– en la lista de sospechosos de la DEA.

Según el Búho, Malherbe es un operador "importantísimo" de García Ábrego. Dentro de sus funciones (con un sujeto llamado Raúl Valladares), Malherbe "contacta al Cartel de Cali, Colombia, con el del Golfo, aquí".

Malherbe "llamaba y recibía llamadas de tres teléfonos de la Presidencia de la República, uno de ellos del general Arturo Salgado Cordero, coordinador de Giras Presidenciales", asegura Valle Espinosa (otro de los números –de acuerdo con el columnista Francisco Cárdenas– era del exjefe de la Oficina de la Presidencia, José María Córdoba Montoya).

–Y le dices a Salinas que él, el presidente de México, ha visto mencionado a Óscar Malherbe en alguna de tus cartas que le enviaste con Luis Donaldo Colosio...

–Así es. Lo de Malherbe, lo de Marcela, lo saben el presidente, la DEA y la Procuraduría.

La nota del *Times* del domingo 7 de agosto –fechada en Guadalajara y firmada por Tim Golden–, cuando se refiere a la exculpación que hizo el subprocurador Mario Ruiz Massieu del secretario de Comunicaciones, Emilio Gamboa Patrón, señala:

Por lo que toca a la queja de que los narcotraficantes están comprando protección a todos los niveles de gobierno, el señor Ruiz Massieu argumentó que el señor Valle –un exlíder estudiantil y político de izquierda que vive del periodismo– difícilmente era una fuente imparcial. "No prueba nada de lo que dijo", dijo Ruiz Massieu y agregó: "yo nunca lo hubiera nombrado investigador. No tiene experiencia".

En contraste, el secretario de Gobernación mexicano, Jorge Carpizo MacGregor, ha continuado hablando bien del señor Valle, a quien MacGregor inicialmente contrató como asesor después de haber sido nombrado procurador en 1993. Aun después de la renuncia de Valle el primero de mayo, quejándose de que México se había convertido en una "narcodemocracia", el señor Carpizo lo calificó como "un hombre honesto y valiente".

Resuelto a contar en *Proceso* lo que sabe y lo que intuye, el Búho piensa que ni el gobierno mexicano ni el gobierno estadunidense quieren, en realidad, terminar con el narcotráfico.

"Le tienen pavor a una desactivación económica", comenta.

–Parece exagerado, ¿qué interés pueden tener en que subsistan y hasta en proteger, según tú, a los grandes narcotraficantes?

–Los narcos, en mancuerna con los políticos, hacen posible el movimiento económico de muchas regiones, de zonas descomunales, ¡de países completos! Nomás piensa a dónde va a parar el dinero que generan las drogas: inviertes, lo lavas, ¡y creas empleos! Y en la Procuraduría sabes que desmantelas una banda y le das en la madre hasta a los mariachis y a los antros y al mercado de alcohol y a los restaurantes y a los hoteles y al mercado de casas y de coches. Y no te imaginas a cuánto...

En todo momento elocuente y desbordado, Valle Espinosa dice que el problema es que en la Procuraduría General de la República corren dos ríos:

"Uno, descomunal, de dólares. El otro —más grande aún—, de mierda."

El vuelo del Búho

A sus cuarenta y siete años de edad, Valle Espinosa resuelve así la paradoja biográfica del dirigente estudiantil, militante de izquierda —que sobrevive al Campo Militar Número Uno y a Lecumberri—, periodista también, que acepta chapalear en los drenajes que conectan a la policía y el tráfico de drogas:

"En México, la lucha contra el narcotráfico es la lucha por la democracia. Mientras los narcotraficantes tengan la enorme influencia que tienen en el poder político en México, no habrá democracia. Para mí es también una parte de la lucha política. La lucha contra el narcotráfico y contra sus cabezas y contra su influencia po-lí-ti-ca. Ojo, no policiaca, no económica, no financiera, no social: po-lí-ti-ca."

–¿Y el Búho comunista, el de los mítines relámpago y de las arengas partidistas y las grillas diputadiles? ¿Un expreso político que trabaja para políticos y vuelto policía?

–Un militante político tiene todo el derecho del mundo de entender que en nuestro país la lucha contra el narcotráfico es la lucha por la democracia. ¿Que es una lucha sucia, pesada, difícil y, sobre todo, llena de mierda? Pues sí. Lo es y punto: difícil, pesada y llena de mierda, ¿y qué? También es la lucha por la democracia. Y entonces hay que entrarle y pocos pueden decir le entro. Yo tengo la preparación anímica, personal, física, intelectual para entrarle, y le entro.

"Y cuando hay un hombre limpio, como Carpizo, que te dice véngase para acá porque hay que pegarles, y me dicen: ¡hay que pegarles!, ¿me explico? —porque si ellos me hubieran dicho oiga, les vamos a pegar hasta determinado nivel, la cosa fuera distinta—; pero a mí me dicen hay que pegarles. Y yo pienso: hay que pegarles. Y entonces digo: hay que pegarles. Y punto."

Además de la razón política, Valle Espinosa tuvo una razón personal, su relación amistosa con Carpizo:

"Carpizo y yo tenemos una excelente relación desde la universidad. Y cuando era rector de la UNAM y anuncia su programa de excelencia académica yo, uno de los sesentaiocheros, escribo un artículo en el que aplaudo los güevos que le puso. Y después, cuando fue presidente de la Comisión Nacional de Derechos Humanos y yo en la Unión de Periodistas Democráticos, aceptó mi propuesta de que se instaurara un programa de agravios a los periodistas, y apoyó la idea del salario mínimo para los periodistas."

–¿Le pediste trabajo?

–¡Ni madres! Me llama y me dice: ven, apoya mi trabajo. Yo me hago pendejo y le digo que consulte con el presidente, pensando que Salinas va a decir ¿que qué? Y resulta que el presidente me acepta. Y tengo que entrarle. El presidente dice que está de acuerdo, y no tengo pretexto para no entrarle. Y Carpizo, además de ser un hombre limpio y honesto, es un hombre de lucha que de pronto me ofrece asesorarlo. Y me encuentro con que en la Procuraduría hay un equipo de treinta asesores que tienen un coordinador; pero yo entro con el acceso directo a Jorge Carpizo.

Dice que comenzó su trabajo con el envío de notas al procurador en las que comentaba y sugería "asuntos generales y estratégicos de información, de inteligencia", y que de pronto, con el asesinato de un periodista amigo suyo en Chiapas, tuvo que meterse a las averiguaciones del narcotráfico, "y entonces escojo a los jóvenes agentes y a grandes investigadores (no puedo dar los nombres, uno de ellos es el mejor investigador del país, el mejor de todos), jalo a gente buena, jalo a comandantes medio borrachos, medio corruptos, medio liosos –pero no pervertidos– y les digo: compañeros, vamos a entrarle. Y además esto es un asunto muy serio. Mis instrucciones son que le entramos. Licenciado, ¿de veras le entramos? Le entramos, compañeros. Por favor, confíen en mí. Y le entran. Y dos o tres se corrompen, y qué, están en el esquema (eso tenía que pasar con uno o con dos, pero los mejores trabajan siempre y los mejores siempre dan resultados), y mi oficina se volvió importante, y nos fuimos para arriba. Y tan importante se vuelve lo que hacía, como lo que mi equipo y yo impedimos que se hiciera".

Con funciones cada vez más importantes, el Búho dice que había que andar de puntitas en la Procuraduría.

"Te ofrecen dinero, te ofrecen putas, te ofrecen droga, te ofrecen todo. Y qué, eso qué tiene que ver conmigo. Qué tiene que ver el dinero conmigo, qué tienen que ver las putas conmigo, qué tiene que ver la droga conmigo, y no tienen que ver nada. Te amenazan y te dicen que un señor dice: ya basta de Eduardo Valle, vamos a darle un escarmiento, y lo espero... y no nada más lo espero sino que lo busco, y entonces dicen: ay, cabrón, pues con quién estamos hablando, no es un comandante, no es un agente, es un pinche funcionario de la Procuraduría, ¡ah!; pero no es un tipo al que le pueden decir: te va un millón, te van cuatrocientos mil dólares para que te diviertas. Nada de eso tiene que ver conmigo."

En tu carta al presidente haces imputaciones a su coordinador de Giras –un general del ejército mexicano–, e insinúas que un secretario de Estado y un oficial mayor tienen ligas con el narcotráfico. Sabes de periodismo... tu carta parece "volada", Búho, ¿están volando?

Valle disfruta al imaginar a la Procuraduría General de la República, a la Comisión Plural del Congreso de la Unión y a la Fiscalía Especial del caso Colosio resolviendo el acertijo:

"¡Que piensen que estoy volando!, que averigüen si lo que digo es un invento, que digan que sufro un ataque y concluyan que alucino; pero que investiguen, ¡que investiguen, por Dios Santo!"

Los protagonistas

A Eduardo Valle Espinosa no le llevó mucho tiempo enterarse de lo que en la Procuraduría General de la República se conoce muy bien, al menos lo suficiente como para que él, en febrero de 1993, recomendara a Jorge Carpizo –en un texto con la advertencia "absolutamente personal"– una "decidida e inteligente política de aprehensiones relevantes".

Enlistaba a once capos del narcotráfico. Empezaba con Juan García Ábrego e incluía al Chapo Guzmán, al Güero Palma y a los hermanos Arellano Félix. Tres meses después, estos últimos, de acuerdo con la Procuraduría General de la República, armaron la balacera del aeropuerto de Guadalajara en la que fue acribillado el cardenal Juan Jesús Posadas Ocampo.

Otro de los mencionados en la lista es Amado Carrillo.

–¿Cuál es el panorama del narcotráfico en México?

–El Cartel de Cali está dirigido por dos hermanos que se llaman Rodríguez Orejuela, Miguel y Gilberto. Gilberto es muy inteligente, le dicen el Ajedrecista. Esta gente tiene dos brazos en México: uno se llama Amado Carrillo, y el otro se llama Juan García Ábrego. Carrillo dirige la ruta del Pacífico y García Ábrego es el jefe del Cartel del Golfo. Y la pelea de ellos es Ciudad Juárez, que es una especie de fiel de la balanza. Quien gane Juárez gana el país. Amado Carrillo y Juan García Ábrego vienen a ser nuestros Pablos Escobares. Miguel Ángel Félix Gallardo y Ernesto Don Neto Fonseca –ambos en la cárcel de Almoloya– son antecedentes de los capos actuales.

–¿Y Rafael Caro Quintero qué?

–¡Nada, hombre! Caro Quintero es capo de mota, es un narcoecologista. De lo que estoy hablando es de capos de coca. De los dos principales introductores de cocaína del Cartel de Cali a Estados Unidos.

Según el Búho, el mercado de la mariguana no les es ajeno a Carrillo y García Ábrego:

"Podrían manejar ocho mil toneladas de mariguana, como lo manejaron en el Búfalo. Acá arriba, en Washington, un kilo de mariguana vale alrededor de tres mil quinientos dólares. Una tonelada de mariguana vale tres millones quinientos mil. Mil toneladas de mariguana valen tres mil quinientos millones de dólares. Ocho mil toneladas de mariguana valen veintiocho mil millones de dólares. Piensa nada más en lo que fue aquello... Pero vamos a ver el precio de la coca:

"Te vas a Guatemala, a Tecún Uman. Ahí compras el kilo de coca en cuatro mil quinientos dólares. Lo subes a Reynosa, aquí en México, y te cuesta ya entre ocho y nueve mil dólares por kilo. Lo subes a Houston, en Texas, y puedes venderlo en dieciséis mil dólares. Y si metes una tonelada, estamos hablando entonces de dieciséis millones de dólares.

"Juan García Ábrego mete al año a este país entre ciento cincuenta y doscientas toneladas de cocaína. Y esto mete a pesar de que ahora está presionado. Porque a finales de los ochenta y principios de los noventa llegó a introducir trescientas o trescientas cincuenta toneladas. Multiplica dieciséis millones de dólares por trescientos en un año. Pero ahora mete unas doscientas."

–¿Cuánto de la cocaína que se consume en Estados Unidos pasa por México?

–Algo más de trescientas toneladas. Juan García Ábrego pasa el sesenta o setenta por ciento que entra aquí. El resto lo pasa Amado Carrillo.

–Heroína, morfina...

–No. Los de la heroína, la goma de opio, eso es otra cosa, hablamos ya de algo así como hablar del tráfico nuclear. Éste es el negocio del Chapo y de los Arellano Félix. Y pendejo el Chapo, porque cuando se mete en lo de la heroína se va al bote. Porque la heroína es un asunto de otro orden de ideas, no para alguien como el Chapo. Éste es el mercado que controlan los Arellano Félix y el Güero Palma.

–El caso es que te centraste en Juan García Ábrego...

–El que por cierto, más asesinatos de periodistas ha cometido: Flores Torrijos, Norma Figueroa...

–Describe su organización...

–La red de García Ábrego estaba dominando las pistas y los aeropuertos de Tamaulipas y Nuevo León.

Un memorándum de Valle al procurador, fechado el 15 de marzo de 1993, insta a la obtención de órdenes de aprehensión contra Juan García Ábrego: "Este trabajo adquiere ya rasgos de urgencia" porque el capo había, presuntamente, enviado a matar a Carlos Aguilar Garza –un importante exdelegado de la PGR involucrado en el narcotráfico– y a Rodolfo, el Negro Benavides, ambos "posibles fuentes de información" de la PGR. Carpizo escribió al calce:

Al doctor Ricardo Franco Guzmán –hoy fiscal electoral– *para que dé sus instrucciones y se realice lo que dice este memo. Gracias.*

El 21 de marzo del año pasado, en otro escrito, Eduardo Valle informa al procurador que la organización mafiosa abarca Tamaulipas, Veracruz, Tabasco, Campeche, Quintana Roo y Yucatán, pero ya se ha extendido a partes de Oaxaca, Chiapas, Michoacán, Zacatecas y Nuevo León (en Monterrey ha montado uno "de sus principales cuarteles").

Le dice a Carpizo que la averiguación ha permitido identificar jerarquías y prioridades: "capos, tenientes, finanzas, asociados, policías y expolicías, soldados, políticos, familiares (octava prioridad), prensa y contactos internacionales".

Le informa también tener identificada a "la mayoría de los principales responsables de esta gigantesca organización":

José Luis Medrano (sureste), José de la Rosa (Tamaulipas y Veracruz, con domicilio en Brownsville), Roberto García Gutiérrez, Francisco Cano, Antonio Sosa, Óscar Malherbe y Saúl González García (Tamaulipas), Eduardo Colorado Guzmán (Veracruz), Francisco Figueroa Valencia (Campeche) y su contador general, José Guadalupe Cantú Ramírez.

En el escrito, Eduardo Valle menciona que dentro de la organización de Juan García Ábrego figuran seis "policías federales en activo", pero no quiere que a él le entreguen las órdenes de aprehensión correspondientes:

"Yo no quise convertirme en el policía de Carpizo dentro de la Procuraduría. Hacia afuera, ni modo, pero hacia adentro de la institución jamás."

Hacia agosto o septiembre de 1993, el Búho recibió una extraña petición del subdirector de Inteligencia –CENDRO– de la Procuraduría: "Por alguna razón que escapa a mi comprensión, quiso que me ocupara de investigar a esa señora. Quizá porque sobre ella no tenían suficiente información, o tal vez porque quisieron decirme "¡abusado!, mira en lo que te estás metiendo".

–¿Qué es el CENDRO?

–Qué te voy a decir... Bueno, es algo así como intercepción de teléfonos, control de vuelos, vigilancia subrepticia, todo eso...

Dos informes del CENDRO, foliados del 000237 al 000241, fechados el 24 de mayo de ese año, documentaban ya estos datos sobre la exagente Marcela Bodenstedt, que se entrevistó con el secretario de Comunicaciones y que, dice el Búho, es socia del oficial mayor de la misma Secretaría de Estado:

Ingresó a la Policía Judicial Federal en febrero de 1985, después de egresar del Instituto Técnico de la PGR. La recomendó el comandante Aldana (Miguel). Su comportamiento "dejó mucho que desear" por ausencias y se ordenó su baja en enero de 1986. Con estudios hasta preparatoria, conoce de artes marciales y buceo y dice vivir en dos domicilios, uno en la colonia Nueva Santa María y otro en las Lomas de Chapultepec. En abril de 1984 se le dio plaza "de agente A", con número de placa 863. El 12 de julio del año siguiente se le aplicó un arresto de veinticuatro horas por una de sus muchas ausencias. Su retiro fue solicitado por ella, en forma de permiso de dos meses. Cuando debió regresar, en enero de 1986, ya no se presentó. El 11 de enero se le dio por cesada.

Pudiera considerarse que Marcela Bodenstedt únicamente deseara pertenecer a la corporación para relacionarse con algunas personas del medio, objetivo que logró, ya que sus relaciones y conocimiento de los miembros de la Policía Judicial Federal, a todos los niveles y en diversas partes del país, es bastante amplio, dice uno de los informes internos.

También debe señalarse que dentro de la investigación del señor Juan García Ábrego se detectaron varios teléfonos celulares desde donde se han realizado llamadas al domicilio particular de Marcela Bodenstedt.

Dentro del ámbito político, al parecer también se encuentra bien relacionada. Ella señala ser amiga del licenciado Emilio Gamboa Patrón, secretario de Comunicaciones y Transportes, así como de su oficial mayor, el licenciado Arturo Morales Portas, persona a la que invitó a su casa a fin de proponerle que le ayudara a conseguir la concesión para reforestar y jardinar la carretera Cuernavaca-Acapulco, principalmente. También en esta ocasión (aquí viene lo que parece resultado de una intervención telefónica), *el licenciado Morales le manifiesta que él por su parte tiene que tratarle un asunto de Alemania.*

("Hasta donde supe, es un negocio de coches que se trabajan aquí y son vendidos allá. El oficial mayor y ella son socios y huele a lavado de dinero del narcotráfico", dice Valle.)

Los recursos económicos que manejan son de considerable importancia... Marcela y Marcelino (su esposo) *realizaron un viaje a Cancún, dos días después del asesinato de Rafael Aguilar Guajardo, y aparentemente se reunieron con gente cercana a este sujeto, con el fin de ayudar al traslado del cuerpo.*

Marcelino tiene una propuesta para realizar un negocio de casinos en Cancún, proyecto que parece ser muy ambicioso, ya que para esto cuenta con 640 hectáreas y se presume que el dueño podría ser el hijo de Carlos Hank González... El costo de este paquete es de ciento sesenta millones de dólares...

Carmelo Herrera, persona que trabaja al servicio de Marcela y Marcelino, el 13 de mayo fue interceptado por personal de la Policía Judicial Federal en el aeropuerto internacional, junto con su acompañante, la señorita Adriana Castrocerio. Como resultado de una revisión en su equipaje se encontraron 421,950 dólares en billetes de diferentes denominaciones...

La versión por parte de Marcela Bodenstedt, Marcelino Guerrero y su personal (no se aclara si es versión judicial o versión escuchada por intercepción telefónica) fue que a Carmelo lo detuvieron debido a que una persona de Ciudad Juárez lo traicionó.

Un sujeto de nombre Federico aconseja a Marcela que desconfíe de todo mundo, en tanto él puede platicar personalmente con ella, pues ya sabe por dónde se puede parar todo y ofrece encargarse del asunto.

Lavado de dólares y lavado de expedientes en la Secretaría de Gobernación:

En relación con el expediente de Marcelino Guerrero, ya no existe en Gobernación; que le costó trabajo sacarlo, pero que inclusive tiene un documento de la Secretaría de Gobernación en donde esta dependencia contesta que Marcelino no tiene nada.

Otro documento de la Dirección de Inteligencia de la Procuraduría General de la República, fechado el 21 de julio de 1993, refiere que el esposo de Marcela, Marcelino Guerrero Cano, le propuso a Carmelo Herrera el traslado de los 432,509 dólares a cambio de veinte mil nuevos pesos.

En su declaración judicial, Carmelo negó que los dólares fueran producto del narcotráfico, pero dijo que ese dinero le fue entregado en Monterrey "por dos sujetos desconocidos" para ser entregado, en la ciudad de México, a "unas personas" que lo estarían esperando en el aeropuerto.

Para Valle Espinosa, de acuerdo con el Código Penal, a Carmelo y Adriana debió abrírseles una averiguación previa por delitos contra la salud. Sin embargo, de acuerdo con el informe del CENDRO, la Procuraduría Fiscal de la Federación (Secretaría de Hacienda) incautó los dólares y la pareja fue puesta en libertad "por no encontrarse reunidos ni satisfechos los requisitos para ejercitar acción penal en contra de los inculpados".

El 26 de julio de 1993 el CENDRO elaboró un nuevo reporte sobre Marcela y Marcelino:

Ostentan credenciales que los acreditan como elementos de la Policía Judicial Federal... Usualmente utilizan medios de comunicación como celulares, radios, o los aparatos denominados "sky tel" y son extremadamente cuidadosos en el uso del teléfono. Su poder adquisitivo les permite... contratar un avión para transportar un grupo musical con todo y su equipo, a fin de amenizar una fiesta privada en Matamoros, Tamaulipas.

Otra característica de sus operaciones es que utilizaban cartas de navegación que Pablo García Robles conseguía en la Marina Mercante.

También es importante destacar que mediante investigación imperceptible se pudo identificar que la detención de Carmelo Herrera se dio por una fuga de información dentro de la misma organización, lo que se consideró como una traición por parte de una persona que vino de Ciudad Juárez, Chihuahua, y que originó que fueran deshabitados los domicilios de Tajín 603 en la colonia Narvarte y de Bosques de Mozambique 89, en Bosques de Aragón, ambos lugares utilizados para las diversas actividades de Marcela, Marcelino Guerrero y Joaquín García Ríos, elemento importante al servicio de Óscar Malherbe, y de todos los elementos que trabajan para estas tres personas.

El 25 de junio pasado, en Fuente de la Luna 150, colonia Fuentes del Pedregal, fueron detenidas varias personas pertenecientes a la organización de Juan García Ábrego... Las gestiones para la renta de este domicilio las realizaron Marcela y Marcelino, quienes en todo momento se presentaron como un matrimonio. El monto de la operación fue cubierto en efectivo, y dieron muestras de una gran capacidad económica, portando con ellos grandes cantidades de dinero en efectivo, tanto en moneda nacional como en dólares.

Inteligencia de la PGR hallaba entonces otros intentos de renta y compra de inmuebles por parte de Marcela y Marcelino, y descubrió que el propietario de la casa de Fuente de la Luna era... el delegado de la Procuraduría General de la República en Chihuahua, David Gómez Reyes.

–¿Marcela es realmente poderosa?

–¡Poderosísima!

The New York Times recogió así la explicación del gobierno mexicano sobre la relación Marcela Rosaura Bodenstedt Perlick-Emilio Gamboa Patrón:

El señor Gamboa, de cuarenta y tres años, uno de los funcionarios jóvenes más poderosos y conservadores dentro del gabinete, tiene un amplio portafolios para la guerra contra la droga porque se ocupa de la administración de aeropuertos, puertos, carreteras, líneas de comunicación y de la policía federal de caminos.

Las intercepciones que hace la inteligencia gubernamental citadas por el señor Valle indican que el señor Gamboa y uno de sus asesores se encontraron el año pasado con una mujer de treinta y un años, que algunos investigadores federales creen representativa de uno de los traficantes más poderosos de droga, Juan García Ábrego.

Funcionarios gubernamentales confirmaron las intercepciones que se refieren a un encuentro sostenido el 8 de noviembre entre el señor Gamboa y la señora y su contacto, con por lo menos un comandante de la Policía Judicial Federal. Al mismo tiempo los funcionarios negaron que la información comprobara algo en detrimento del señor Gamboa, cuya secretaria dijo que la mujer había acudido a su oficina para enseñarle una pintura que estaba vendiendo.

"Ella está siendo investigada tal y como otras cien personas están siendo investigadas", dijo de la mujer Mario Ruiz Massieu, subprocurador a cargo de la lucha antinarcóticos, y preguntó: "¿Acaso el secretario de Comunicaciones y Transportes es responsable de no conocer a todos los representantes de García Ábrego?".

El rastreo de la Dirección de Inteligencia no da tregua a Marcelino Guerrero y la señor Bodenstedt. A esta última se le sorprende en la búsqueda afanosa de un nuevo encuentro con el secretario de Comunicaciones y Transportes.

3 de noviembre de 1993:

Norma, hermana de un individuo no identificado que se encuentra internado en algún centro penitenciario, se pone en contacto con Marcelino Guerrero, quien señala haber hablado ya con algunas personas, entre las que menciona "al comandante" y al "director de una de las áreas".

Marcela pregunta a un hombre no identificado si irá a ver lo de las pinturas, haciéndole notar que debe hacerlo a la brevedad para que pueda cobrar el cheque que va a salir a nombre de ella.

4 de noviembre:

El día de ayer, Marcela Bodenstedt estuvo indagando el teléfono del comandante Víctor Patiño, director operativo de la Policía Judicial Federal...

Una mujer no identificada le proporciona los teléfonos 626 94 20, 21 y 22 del director general de la Policía Judicial Federal, comandante Adrián Carrera Fuentes, lugar donde le informan que al comandante Patiño lo puede localizar en el teléfono 626 94 33.

16 de noviembre de 1993:

Al parecer, Marcela Bodenstedt hizo alguna solicitud al licenciado Gamboa durante la entrevista que tuvieron el lunes de la semana pasada, ya que ayer dejó mensaje al licenciado Fernando Ulibarri Pérez, secretario particular de la SCT, en el sentido de que deseaba saber "qué pasó con su asunto".

Marcela Bodenstedt, el doctor Ricardo Cendón y al parecer el doctor Efrén Robles Ibáñez viajarán el día de hoy con destino a Tijuana, a fin de entrevistarse con el comandante Alquisira. Ricardo señala que en esta ocasión van a tener que pasar a Caléxico y pagar estacionamiento.

Sin aliento

–En tu carta al presidente Salinas le preguntas quién es Óscar Sala Luna. ¿Quién es Óscar Sala Luna?

–Según la información del CENDRO, es el dueño de los principales aeropuertos del país y de prácticamente todas las pistas de Tamaulipas y Nuevo León. Es información del CENDRO, no mía.

–Entre las pistas de que hablas parece haber una de amplitud extraordinaria...

–La Pesca, cercana a Soto la Marina, en Tamaulipas. Tiene más de tres kilómetros de pista asfaltada. Es más grande que la de Toluca.

–¿Por qué la comparas con la de Toluca?

–Porque la de Toluca, oficialmente, es la más grande del país.

–¿Y qué quiere decir esto del tamaño?

–Mira: hay aerocomanders que bajan con ochocientos kilos de coca en ciento cincuenta metros de pista. Y si los pobres muchachos de la marina tienen que salir caminando a ver quién aterrizó, tres kilómetros y medio más allá, en lo que llegan ya no hay nada. Es decir, ya no hay nada porque ya el avión descargó, ya le pusieron gasolina, ya se fue, adiós y punto.

–¿En La Pesca puede aterrizar un jet?

–¡No tienes la menor idea! En el aeropuerto de La Pesca puede aterrizar el trasbordador espacial de la NASA.

–¿Y qué hay de especial allí?

–Vieras qué ranchos tan bonitos hay, preciosos (yo lo he recorrido en helicóptero).

–¿Ranchos de narcotraficantes?

–No todos, ahí hay gente muy decente (carcajadas)...

–Y este Óscar Sala Luna es... dices que compró los aero/

–Y las pistas. Pero no, oficialmente no es el propietario. Lo que pasa es que el CENDRO no es muy confiable para estas cosas, ni modo –se escuda nuevamente en el sarcasmo: Imagínate nada más que yo le pido al CENDRO información y allí, en la Dirección de Inteligencia de la Procuraduría General de la República, me dicen que el noventa por ciento de las pistas y los aeropuertos pertenecen a este Óscar Sala Luna.

–Ya dime quién es Óscar Sala Luna...

–De madre que no lo sé, ¡no lo sé!, por eso se lo pregunto al presidente. Porque al mismo tiempo cruzo esta información con la propia información de la Secretaría de Comunicaciones y Transportes (saber si son pistas de cemento, de qué tipo, de qué características), y en el cruzamiento digo ¡Santa Madre de Dios! ¿Qué esta pasando aquí?

–En fin. Dices que tienes localizada la madriguera de Juan García Ábrego...

–Tengo localizadas sus madrigueras: en Monterrey dos, en la carretera a Victoria tiene una principal, en Tamaulipas dos, en Veracruz un rancho de su compadre Rentería, y lo tengo localizado con rutinas, con todo.

"Nada más que el tipo se maneja así: él va en una blazer blindada, adelante va una mujer, que es una extraordinaria tiradora, con otro acompañante; y al lado van dos broncos (atrás y adelante), con tres o cuatro hombres, y medio kilómetro atrás y medio kilómetro adelante van dos suburban. Y ya estamos hablando de siete vehículos y de veintitantos cabrones que protegen a su patrón con las mejores armas del mundo. Juan García Ábrego se maneja así, y baja a su madriguera por la carretera Victoria y del otro lado de la carretera, todo el tiempo, hay tres vehículos circulando. Son diez vehículos con gente armada maravillosamente y entrenada por Rafael Olvera."

–¿Quién es Rafael Olvera?

–El principal pistolero y escolta de Juan García Ábrego. Exmayor de la armada de México. No policía. Un exalto oficial de la armada, y toda esta gente de la que estamos hablando está entrenada como comandos de tropa, no como policía.

"Por eso le pido al presidente tres pelotones del ejército y dos helicópteros y vehículos, porque si yo tengo localizado a García Ábrego en la carretera y con el capitán Cebollón al frente (no te voy a decir su nombre, es una leyenda al interior de la Procuraduría), entonces la hacemos... La hubiéramos hecho..."

Explica la operación:

"Meto al Cebollón por el lado izquierdo de la carretera, y luego a otro compañero (piloto muy chingón) lo meto del lado derecho, le meto un tráiler aquí y le paralizo la carretera. En el momento en que el tipo se quiera bajar, en esos momentos desde las alturas, desde el helicóptero, le decimos: "no se baje, ríndase! Y se rinde, punto".

–¿De veras?

–Se rinde y punto. No va a decir la chingada, tengo mucha gente o no sé qué cosa. Se va a rendir y a decir aquí estoy, punto. Y se acabó.

–Le dices al presidente que en el trayecto de esta averiguación de García Ábrego te topaste con que su organización disfruta de la protección de "altos funcionarios federales, estatales, municipales, jueces, periodistas". Di nombres.

–Ahí te va: yo acuerdo con Manuel Cavazos Lerma que vamos a hacer una investigación jurídica muy chingona y él me va a mandar, dándole órdenes a Raúl Morales Cadena, un equipo de gente para integrarse a la investigación jurídica. Esta gente nunca llega. Y Raúl Morales Cadena sabotea todos y cada uno de los pasos que damos contra Juan García Ábrego en Tamaulipas. Todos y cada uno.

"Y así me sigo hasta que un abogado nuestro, Sergio Adame Ochoa, después de las reformas del 10 de enero, agarra la atracción federal y entonces metemos al bote, le cumplimos la orden de aprehensión, al Amable por asesinato, por delitos contra la salud, por disparo de arma de fuego, etcétera. ¿Te imaginas?: seis y medio meses de pelea con el procurador de Tamaulipas ¡para que cumpliera su deber!"

Lavado y planchado

Dice Eduardo Valle Espinosa que los narcotraficantes lavan dinero invirtiendo en inmobiliarias en fraccionamientos, en distribuidoras de automóviles, hoteles y discotecas. Que el fraccionamiento Valle Alto de Matamoros, es uno de los que tiene Juan García Ábrego. Otro en Ciudad Victoria y otro en Reynosa.

–Y hablas de que hay dinero sucio en bancos y otras instituciones financieras.

–Por supuesto que sí. Y la DEA y la Procuraduría General de la República tienen los hilos y pueden desactivar a estas mafias, pero se están haciendo pendejos.

"Para que te des un quemón: aquí en Estados Unidos hay un fiscal que se llama David Novak, que es un genio total. Con el apoyo del FBI en el valle de Texas, descubrió que Juan García Ábrego pudo lavar cien millones de dólares (que no es nada con lo que tiene) en American Express, ¿y qué pasa? Pues que el asunto concluye cuando American Express tiene que llevar todas –todas– sus ganancias a reserva, porque el gobierno de Estados Unidos le quita treinta millones de dólares. ¿Te das cuenta, se dará cuenta la gente de lo que estamos hablando?"

Redondea:

"Ya sabes ahora por qué es absolutamente lógico, desde un punto de vista narcopolítico, que los gobiernos de México y Estados Unidos prefieren hacerse pendejos que perseguir en serio el contrabando, tendrían severos problemas con sus economías, ¿qué no Ángel Félix Gallardo estaba en el consejo de administración del Centro Regional Norte del Banco Mexicano Somex?"

Nunca jamás

–¿Crees que Jorge Hank Rhon está metido en el narcotráfico? No digo asociado con lavadólares porque pudiera estarlo cualquiera sin saberlo. Pregunto si metido, lo que se dice metido en el narcotráfico...

–Jorge sí. El del hipódromo de Agua Caliente allá en Tijuana. Para mí que sí. Y sobre todo por su relación con Marcelino Guerrero.

–Cuando hablas de las pistas y relacionas su funcionamiento con las atribuciones del secretario de Comunicaciones y la relación de éste y su oficial mayor con Marcela Bodenstedt y del tipo que según Inteligencia de la Procuraduría es dueño de aquellas del norte, hablas también de gente de mucho dinero y para tener idea dime, ¿como de qué nivel económico estás hablando? Toma como punto de referencia a Emilio Azcárraga.

–Ah, cómo no. Juan García Ábrego y sus segundos –Óscar Malherbe, Marcelino Guerrero, el Tío– podrían figurar junto a los ricos mexicanos que registra la revista *Forbes*. Claro, junto con Carlos Slim, Roberto Hernández y todos esos. Claro que sí, ¿no te digo que estos tipos manejan chingos de cocaína y ponen en jaque a American Express? Por lo menos tienen lo que Carlos Hank González...

–¿Entre los aeropuertos que controla el narco está el de Agualeguas?

–Eso no lo sé. Pregúntale a Moussavi, sabe más que yo de esto. Él puede hablar de los hoyos que quedaban en los radares que se están implantando ahora. Yo no sé, estas cosas son demasiado técnicas para mí, ¿por qué me preguntas del aeropuerto de Agualeguas?

–Lo que pasa es que le pides al presidente que averigüe quién es el poderoso de los aeropuertos y pistas como aquella donde dices que puede bajar el taxi espacial.

–Ajá.

–De Colosio –como de Santiago Oñate, de Beatriz Paredes– fuiste compañero en la LIII legislatura, ¿fueron amigos?

–Amigos de los que tienen una relación sólida y se hablan en los momentos clave. Un día se enteró de que una de mis hijas, Imuris, lleva el nombre de una población de Sonora, cercana a Magdalena de Kino. Nos llevábamos bien.

–¿Cómo es posible que un hermano de Juan García Ábrego fue invitado a una comida con Colosio?

–Porque así se dan las cosas, yo qué. Ni soy el papa ni nada. Así se dan.

Eduardo Valle vuelve a ponerse serio:

"Colosio tenía varias gentes de García Ábrego adentro, uno de ellos Mario García, que invita Humberto García Ábrego, al hermano de Juan García Ábrego, a la primera mesa junto a la de Colosio. Entonces yo hablo con una de las personas de confianza de Colosio mientras me pregunto qué chingaos está pasando.

"Inmediatamente le retiran la invitación a Humberto García Ábrego. O sea: Luis Donaldo no dijo: vamos a... Lo que hizo fue decir: no hay invitación y punto.

"Y luego, trata de sacar a la gente más importante. Porque yo le dije: Luis Donaldo, debes de tener cuidado con esta gente, aguas con tu coordinador de asuntos especiales."

-¿Ese Mario García?

-No, nada de eso, a otra gente. A otra gente, que todo mundo sabe quién es. Y bueno, así están las cosas y hasta José Ureña, en *La Jornada*, publica una columna muy padre, que me indica que Luis Donaldo me está haciendo caso.

-¿Porque desinvitan al hermano de Juan García Ábrego?

-No. Porque manda a la chingada a la gente más gruesa dentro de su equipo, que no es este Mario García que es un pendejo, como el otro aquel de apellido Castillo ni como Gamboa Rolando. No: estoy hablando de otra gente. Otra gente mucho más delicada.

Otros elementos de alarma, para el Búho, fueron el nombramiento del comandante de la Policía Federal de Caminos (Secretaría de Comunicaciones y Transportes), Jorge Vergara Verdejo, como "coordinador de rutas", y que Fernando de la Sota (exagente de la Federal de Seguridad, exjefe de escoltas de Rubén Figueroa padre, expolicía judicial federal corrido por Ignacio Morales Lechuga) fuera contratado por el jefe de seguridad del candidato, el general Domiro García Reyes, para dizque proteger a Colosio.

"Jorge Vergara Verdejo fue del grupo hegemónico de la Federal de Caminos en Monterrey, relacionado con el bastión del tráfico de drogas en Puebla, a través del aeropuerto de Tehuacán, para Juan García Ábrego", dice Valle.

"Y posiblemente un Rolando Castillo Gamboa del equipo de Colosio, sea hermano de Ricardo Castillo Gamboa, el Perro Chico, de la mayor confianza de Juan García Ábrego."

Las cosas –lamenta– "se precipitaron".

El Búho estuvo a punto de reunirse con Luis Donaldo Colosio, pero se cruzó el 23 de marzo y Colosio fue baleado en Lomas Taurinas.

"No se ha dicho que ahí estuvo Eduardo Osorno, primer comandante de la Policía Judicial Federal", comenta Valle.

En cambio, dice, a Benítez, el director de la Policía Municipal de Tijuana, "le dicen: no te metas, y se mete y pone al Grupo Táctico Especial, y puso radios, y detiene a Sánchez Ortega y se pega al Mario Aburto que se quiere llevar el Estado Mayor con la gente de De la Sota, y garantiza que ese Aburto que llevan de los pelos llegue vivo a la Delegación Estatal y se pone a hacer pesquisas y habla de pistolas y lo matan".

El Búho no quiere decir más.

El 2 de mayo presentó su renuncia irrevocable al sucesor de Carpizo, entonces Diego Valadés. En su texto reseñó algunas de sus razones como para afirmar que estaba produciéndose una "reformulación de la alianza" de sectores determinantes de la Procuraduría con "las grandes cabezas del narcotráfico".

-¿Te gustaría volver a trabajar en la PGR?

-Nunca. Jamás en ninguna posición de gobierno. Prefiero nuestra libertad, la libertad de los periodistas. La libertad de joder con razones, con causas, con argumentos, con elementos, con documentos. Pero volver a esa mierda, nunca.

-¿Y si te dijeran aquí está todo para ir por García Ábrego? Tu helicóptero, tus pelotones, tus armas, todo el apoyo pues...

-Ni así, compañero, no iría... Hermano, hay dos ríos, ya te lo platiqué. El del dinero no me interesa y el de la mierda nada más olerlo te causa problemas. Y no digo meterte, yo nunca me metí, nunca acepté un centavo, nunca golpeé a nadie para sopearlo, nunca torturé, nunca emprendí una acción que no se apegara a estricto derecho, como me exigía Carpizo. Yo soy una gente decente, de principios, y esto, todo, apesta. ¡Hijo de la chingada, cuánto apesta! Y te revuelve el estómago y te revuelve la vida... (*Proceso*, 15 de agosto de 1994.)

e) Entrega de documentos en el consulado mexicano en Washington

Con dos valijas repletas de documentos, Eduardo Valle Espinosa llegó hoy al consulado de México en Washington, detalló la forma de operar del llamado Cartel del Golfo que dirige el narcotraficante Juan García Ábrego, reveló de qué manera una sola persona controla casi medio centenar de aeropistas en Nuevo León a partir del año pasado y exigió se profundice la investigación sobre el asesinato de Luis Donaldo Colosio.

Eduardo Valle, exasesor de los doctores Jorge Carpizo y Diego Valadés en la Procuraduría General de la República, arribó a las nueve de la mañana y se retiró nueve horas después. Entregó centenares de hojas en las que fundamentó sus declaraciones ante el cónsul Salvador Cassián Santos, enviados de la PGR y cuatro legisladores y afirmó que hubo un complot, con participación federal, para ultimar al excandidato a la presidencia de la república hace cinco meses.

"El cobarde asesinato de Luis Donaldo Colosio tiene que ser objeto, necesariamente, de una investigación madura e inteligente", sostuvo Valle Espinosa antes de entrar a la diligencia judicial ante el cónsul Cassián, ante el coordinador de asesores de la PGR, Marco Antonio Díaz de León, y el director de Investigaciones Mario Crosswell, los senadores Ángel Sergio Guerrero Mier, Héctor Terán Terán, y los diputados federales Alejandro Encinas y Jesús del Valle Fernández.

Valle insistió en que el secretario de Comunicaciones y Transportes, Emilio Gamboa Patrón, no puede ser ajeno a la toma de control de aeropuertos en el norte del país por parte de las mafias del narcotráfico y demandó investigar a Raúl Zorrilla Cossío, exsubsecretario de la SCT, que después apareció en el equipo que acompañaba a Colosio en Tijuana, donde fue ultimado.

A pesar de que entregó cientos de páginas de documentos, Valle se abstuvo de proporcionar copias de buena parte de sus expedientes, como fue el caso de teléfonos, direcciones, nombres y frecuencias de llamadas del Cartel del Golfo, detectadas por la Agencia Estadunidense Antinarcóticos (DEA, por sus siglas en inglés).

Desde hace poco más de dos meses Eduardo Valle Espinosa decidió salir de México y se encuentra en esta capital de Estados Unidos. Aclaró que no tiene ni ha solicitado protección del gobierno de este país, ni ha hecho intervenir en sus denuncias a la justicia norteamericana, ni recibe dinero o apoyo oficial aquí, simplemente "porque no confío en la procuradora Janet Reno y mucho menos en la DEA; éste es un asunto entre mexicanos".

Los funcionarios enviados por la Procuraduría admitieron ante periodistas, que permanecieron todo el día en espera de informaciones, que la declaración rendida por el exasesor de la PGR y la aportación de documentos serían materia de averiguación oficial, pero declinaron entrar en detalles.

El cúmulo de documentos entregados oficialmente hoy ante el cónsul Cassián, quien actuó, según la ley, como auxiliar del Ministerio Público, ya habían sido dados a conocer al entonces procurador Jorge Carpizo y al presidente de la república, Carlos Salinas de Gortari, a finales del año pasado, reveló Eduardo Valle.

Afirmó el exasesor de la PGR y también exlíder estudiantil, quien fuera diputado federal en la LIII legislatura, que se sujeta a las leyes de México, que cumple un deber "con responsabilidad y aceptando todos los retos", y por sus nombres llamó a indagar las conductas, nexos y antecedentes del general del Estado Mayor Presidencial, Domiro García Reyes, de Fernando de la Sota, de Jorge Vergara Verdejo y de otros integrantes de la "seguridad" (así la entrecomilló) de Luis Donaldo Colosio.

Al retirarse del consulado, Eduardo Valle mostró varias decenas de fotocopias de documentos que, a última hora, decidió conservar hasta que la investigación de lo que él considera "narcopolítica" y "narcoeconomía" dé visos de profundidad y seriedad. (*El Financiero*, 26 de agosto de 1994.)

f) Entrevista a EV en Washington (José Reveles)

"Me encantaría equivocarme, nada me gustaría más que no tener razón", pero en México el narcotráfico está muy cerca de penetrar de lleno a las estructuras de poder. "Que averigüen y luego que me lo digan", dice casi angustiado Eduardo Valle, quien subraya que el país vive un momento "peligrosísimo".

Valle, exdirigente estudiantil en 1968, exdiputado federal, exfuncionario de la Procuraduría General de la República como asesor del doctor Jorge Carpizo, detalla a *El Financiero* sus experiencias en la lucha contra el Cartel del Golfo y aspectos de las investigaciones que realizó cuando tuvo como encomienda oficial el combatirlo.

Días después de comparecer en el consulado mexicano en Washington para formalizar sus denuncias y de entregar casi un millar de páginas de documentos que avalan sus aseveraciones, Valle, también conocido como el Búho, reitera que detrás del asesinato de Luis Donaldo Colosio podría encontrarse el narcotráfico coludido con importantes funcionarios del gobierno federal.

"Eso es lo que quiero que se investigue, ya entregué documentos que establecen algunas cosas y tengo algunos más que aún me reservo. Estoy esperando ver la voluntad política, la del presidente Salinas, que le diga a Olga Islas, la fiscal de la investigación del caso Colosio, que investigue y si es cierto lo que dice el Búho, actúe, y si no es cierto, que también actúe", expresa el entrevistado.

Y concluye, Ernesto Zedillo ya tiene el resultado de la elección, éste es el momento para que articule una estrategia contra el narcotráfico. "Si quiere gobernar no le queda más que tomar cartas en el asunto. En los documentos que entregué a las autoridades hay muchos nombres, muchas pistas que seguir".

"Un día Ignacio Morales Lechuga me lo dijo así: los narcotraficantes ya llegaron hasta mi escritorio. Y cuando me lo planteó tan claro casi lloro. ¡Imagínate: no hasta la persona del procurador general de la República, pero sí hasta su escritorio!"

En el país las cosas no pueden continuar como van, porque el narcotráfico se puede convertir "en un problema de corrupción política que se elevaría a extremos inauditos", reflexiona Eduardo Valle Espinosa.

-¿Podría?

"Está en un punto peligrosísimo y por eso estoy aquí, denunciando situaciones de una delicadeza extrema y diciendo: investiguen. Me encantaría equivocarme. Nada me gustaría más que no tener razón. Pero que averigüen y luego me lo digan".

-Pero después de Morales hay tres procuradores y tú fuiste asesor de dos de ellos, de Jorge Carpizo y Diego Valadés, le replico.

"Hicimos un muy buen esfuerzo. Yo vi una actuación pública honesta, de meter a la cárcel a primeros comandantes sin reparar en nombres. Carpizo me decía siempre: adelante, pero con pruebas y conforme a derecho."

Después de la gran expectativa que generó Eduardo Valle, mejor conocido como el Búho, con la entrega de casi un millar de páginas de documentos y una denuncia judicial que duró más de cinco horas en el consulado de México en esta capital estadunidense, le preguntamos: ¿Qué sigue?

"Tendrá que haber una ampliación de declaraciones. Lo lógico es que si yo entregué indicios y documentos, las autoridades investiguen y me llamen a declarar. Tengo muchas cosas más que decir y aportar. Yo vine al consulado de mi país con buena fe, pero no ingenuamente.

"Estoy esperando ver la voluntad política. La del presidente Carlos Salinas. Que le diga a Olga Islas (la fiscal en la investigación del caso Colosio): investigue, y si es cierto lo que dice el Búho actúe. Y si no es cierto, también actúe. Quede claro que no me estoy sujetando a la voluntad del presidente de la república, sino al Estado de derecho. Son cosas bien diferentes. Que si hay relación del secretario de Comunicaciones y Transportes o cualquier otro alto funcionario con el narcotráfico, pues que se actúe."

Usted no es policía ni abogado

–¿Qué esperas que ocurra en México con tus denuncias?

"Primero, creo que se llevará algo de tiempo analizar un millar de fojas que sobre el Cartel del Golfo y sobre la complicidad de funcionarios federales y locales entregué. Acerca del asesinato de Colosio, hablé de cosas públicas pero indiqué otras que no han sido objeto de investigación, sólo que ellos (los funcionarios de la PGR presentes en el inicio de la averiguación) fueron allí para decirme: oiga, señor Valle, si usted no es ni policía ni abogado, ¿por qué gritó tanto? Yo esperaba las preguntas, porque me interesaban tanto como las respuestas, pero no valían la pena y sólo intentaban descalificarme.

"Yo les dije que habría que preguntarle al doctor Carpizo y al presidente Salinas qué calificaciones hallaron para darme encargo tan delicado.

"De la sociedad mexicana, espero que responda, que no se quede así nada más. Que actúe, no acerca de mi caso, sino acerca de la vida política del país."

De Ernesto Zedillo, candidato triunfador a la presidencia de la república, Valle dice que si quiere gobernar no le queda más que tomar cartas en el asunto, no importa si durante la campaña inclusive visitó a gente vinculada con los narcos.

"Pero eso ya pasó, ya se dieron los resultados de la elección y el doctor Zedillo está en tiempo de articular una estrategia comprensiva, de largo plazo, contra el narcotráfico. Su programa de justicia es bueno, pero no se observa una estrategia; lo otro está bien, pero falta entender el tiempo mundial en que estamos, cómo el tráfico de drogas está allí y falta la gran decisión política del Estado, no sólo para combatir al narcotráfico sino a la estructura del narcotráfico dentro del propio Estado. Es una toma de postura que implica decisiones de orden político, administrativo, jurídicas, económicas y sobre todo es una voluntad de mando que hay que asumir sin dilación."

–Entiendo que vas a seguir insistiendo en los tres puntos que abordaste en tu comparecencia judicial.

"¿Y qué esperaban, que me quedara callado? Terminó mi labor de funcionario de la Procuraduría General de la República, pero no mi función de ciudadano."

–Dijiste que llegaste a un tope que ya no podías cruzar.

"No puedo pasar, ir más adelante. Esto va a ser una masacre. Y ordené disolver todo: desármese el equipo, disuélvase todo, entréguense armas, vehículos, helicóptero, todo."

–¿Cómo defines la frontera que no pudiste trasponer?

"La de la protección política al narcotráfico. Allí ya no estamos hablando de órdenes o autorizaciones para ejecutarlas, sino de motivación. Me encuentro frente a una enorme pared ante la cual, como funcionario, ya nada puedo hacer. Entonces escojo el camino: como funcionario o como ciudadano. Y resulta que como ciudadano puedo hacer más contra ese muro."

–¿De qué ladrillos está construido el muro?

"Son dinero, terror, violencia, esquemas políticos cerrados, estructuras administrativas corruptas y perversión humana. Por ejemplo, es perverso decir yo estoy contra el narcotráfico pero estoy con los narcotraficantes. Verlo, vivirlo, es horrible. Eso de: les doy treinta días para que capturen a las cabezas de los narcotraficantes y luego nombras a protectores probados de esos traficantes, dime si no es perversión". [Aludía Valle a declaraciones del subprocurador Mario Ruiz Massieu y al visible retorno de los viejos comandantes de épocas tan criticadas públicamente, cuando dirigían la PGR Enrique Álvarez del Castillo y Javier Coello Trejo.]

Deplora Eduardo Valle que viejos compañeros de liderazgo estudiantil como Raúl Álvarez Garín o Marcelino Perelló dudaran de su posición en la PGR, como si ya se hubiera convertido en policía.

Pero es que, dice, no estamos jugando, ni hablando de cuestiones sin importancia, sino de la persecución que me fue encomendada del más poderoso cartel del narcotráfico en México, que lo mismo compra policías y funcionarios que asesina, lava dinero y no tiene freno ni respeto hacia nada.

–¿Qué es más grave: la complicidad, el lavado de dinero?

"La complicidad. Eso es precisamente lo que hay que tocar y destruir. Que en México se sepa que hasta el dejar hacer es convertirse en cómplice. El país no puede seguir como hasta ahora, porque hay Tratado de Libre Comercio, hay necesidad de competitividad externa, se requieren inversiones limpias. Si no lo entendemos, nos invadiría un problema grave de corrupción política que llegaría a extremos inauditos. Eso parece que la izquierda, por ejemplo, no lo quiere o no lo alcanza a entender."

–Pero muy poco se habla de que se hayan afectado esencialmente los capitales del narcotráfico en México.

"Hacienda tiene que actuar. Y no hablamos de ignorancia o conocimiento del fenómeno, sino de voluntad política. Figúrate que me preguntaba una vez alguien: pero '¿y el señor José Córdoba Montoya?'. Simplemente le respondí: pues... es un gran financiero. Conoce perfectamente los circuitos internacionales del dinero."

Eso es todo, dice el Búho con la mayor ironía de que es capaz. El señor Córdoba Montoya tenía la seguridad plena de hacer ingresar ocho, diez mil millones de dólares, física, masivamente al país. Insiste:

"Es un gran financiero." (*El Financiero*, 30 de agosto de 1994.)

g) "Carentes de elementos" las declaraciones del Búho: PGR

La Procuraduría General de la República informó anoche que al analizar la información proporcionada por Eduardo Valle ante el consulado mexicano en Washington el pasado 25 de agosto, concluyó que el señor Valle no aportó prueba alguna que involucre a servidores públicos con el narcotráfico.

En un comunicado, se informó que la Procuraduría ha realizado una inspección minuciosa de sus propios archivos, especialmente en las investigaciones que realizó Eduardo Valle durante el tiempo en que laboró en dicha dependencia, y que "no se ha encontrado en ningún documento alusión alguna a ninguno de los servidores públicos a los cuales se refirió el señor Valle en sus declaraciones".

Debe precisarse, señala el boletín, que cuando el señor Valle laboró en esta Procuraduría su única misión consistió en profundizar las investigaciones respecto a llamado Cartel del Golfo. Al referirse por vez primera de manera oficial a las declaraciones que Eduardo Valle, el Búho, ha hecho a la prensa, la PGR señaló que en atención a que el señor Valle Espinosa manifestó poseer información importante para el esclarecimiento del asesinato de Luis Donaldo Colosio, llevó a cabo los trámites necesarios con la Secretaría de Relaciones Exteriores para que con toda libertad y respeto éste rindiera su declaración ante el cónsul de México, Salvador Cassián Santos.

Se refiere que a solicitud de Valle atestiguaron su declaración los senadores Ángel Guerrero Mier, Héctor Terán Terán, los diputados federales Jesús del Valle Fernández y Alejandro Encinas Rodríguez. Asimismo, los periodistas Carlos Marín Martínez y José Reveles Morado.

Señala que durante la diligencia, que duró siete horas, Eduardo Valle dividió su declaración en tres partes y que en la referente a la infiltración de miembros del Cartel del Golfo en el aparato de seguridad de Luis Donaldo Colosio, Valle Espinosa no presentó un solo documento en su declaración. (Dolia Estévez, M. Ángel Ortega, Enrique Lucero, *El Financiero*, primero de septiembre de 1994.)

h) Hablemos en serio

Sin dejar de anotar que el informe de la PGR, filtrado a varios columnistas como Olga Moreno (*El Heraldo de México*) y Gilberto D'Estrabau (*El Sol de México*) por la propia PGR –el cual me señala como asesino, narcotraficante, drogadicto y alcohólico, ladrón de autos, contrabandista de ilegales y mercancías y algunas cosas más, abarcando veintiocho años de horrorosa carrera criminal– obliga a Humberto Benítez Treviño a abrir las correspondientes averiguaciones previas; ejercer acción penal contra el que esto escribe y promover las órdenes de aprehensión ante autoridad judicial, para luego solicitar mi extradición, hablemos en serio. Del narcotráfico, empresa criminal multinacional.

Se trata de inmensas fuerzas económicas, políticas y criminales que actúan sobre un mercado "realmente existente". Un ejemplo: seiscientos mil consumidores diarios de heroína en Estados Unidos. Eliminemos los "cortes": alrededor de cien kilos diarios de heroína, blanca o negra. A doscientos cincuenta mil dólares el kilo, al mayoreo; veinticinco millones de dólares diarios, nueve mil ciento veinticinco millones de dólares anuales. Al mayoreo. ¿Los proveedores?: el viejo "Triángulo de Oro" (Tailandia, Laos, Camboya) y el nuevo triángulo: Pakistán, Burma y Afganistán. También México, Centroamérica y Colombia, donde recientemente se han multiplicado los campos de amapola, para recolectar goma de opio. Y trasladarla al norte a las ciudades donde se concentra la industria química. ¿Tránsito?: por Hong Kong, Europa, Nigeria. Y México.

Cocaína: ¿consumo? Un mínimo de cuatrocientas ochenta toneladas anuales en Estados Unidos. ¿Precio? En Houston, dieciséis mil dólares el kilo, al mayoreo. En Washington: veinticinco mil dólares. Anualmente la cifra –al mayoreo– alcanza cerca de diez mil millones de dólares multiplicados seis u ocho veces en las calles. Agreguemos el comercio de mariguana y drogas sintéticas. ¡Cientos de miles de millones de dólares anuales circulando gracias a las drogas!

Cocaína; ¿tránsito?: Centroamérica, el Caribe. Y México.

¿Mariguana y drogas sintéticas?: la producción y tránsito en Colombia, Centroamérica. Y México. Obviamente, también se producen en grandes cantidades en el propio Estados Unidos. Éste es el mercado "realmente existente" del cual tratamos. Además habría que anotar el mercado europeo, el canadiense y otras drogas como el hachís.

Una parte del dinero se queda en manos de los productores; otra, en manos de los transportistas. Pero la mayor parte circula y se acumula en... Estados Unidos, Canadá, Europa y otros grandes mercados financieros. Tratamos de bancos de todo tipo y de casas de bolsa de todos tamaños. Y de algunas "cajas de seguridad" como Suiza y algunos países caribeños. Hasta Fidel Castro sabe de esto.

Economía y finanzas; redes criminales e inmensos mercados; cientos de miles de millones de dólares anuales. Tratamos entonces los intereses estratégicos de las clases dominantes, donde se mezclan petróleo y drogas, inversiones y desarrollo, alta tecnología y geopolítica; militarismo, represión, democracia, desarrollo. Es el gran tema de fin de siglo; y el gran negocio de "América", en primer lugar.

¿"América"? Para los estadunidenses es su territorio, en perversión de lenguaje y geografía. Apenas empiezan a comprender que la última frontera norteña de México está en Alaska y la última frontera de Estados Unidos se localiza en el Suchiate, cuando menos y por ahora. Gracias al NAFTA.

Gracias a esta soberanía interdependiente que opera a partir del primero de enero de 1994. Una soberanía interdependiente que tiene enormes efectos sobre otros conceptos de la sociología política: "seguridad nacional", por ejemplo. La cual en México siempre se ha entendido como la seguridad del gobierno o, cuando más, como la seguridad de la clase dominante. Cuando debería hablarse de la seguridad de la nación, Estado y gobierno incluidos pero no sobrevalorados.

¿Tratado de Libre Comercio para América del Norte? Para quienes piensan en el largo plazo en Washington (estratégicamente), el gran problema era: la justicia mexicana, dependiente del ejecutivo federal, tardía e inoperante. La criminal, sí; profundamente corrompida. Pero también la que se refiere a asuntos civiles: empresas e inversiones.

No hay seguridad jurídica, se afirmó en muchos foros, y sí una gran corrupción y acatamiento de las consignas. ¿Otro problema?: la dependencia de las autoridades monetarias y financieras respecto al ejecutivo. Se hicieron promesas serias y pasos concretos para superar las críticas del exterior.

Y, no por casualidad, el gran tema de la campaña de Luis Donaldo fue la reforma a la justicia. En primer lugar, la criminal; en relación con los instrumentos del Estado para la persecución de los delitos y delincuentes, y para la impartición de la justicia. Pero también la otra: la de los asuntos civiles.

Había que garantizar desde la campaña misma "la seguridad en el Estado de derecho". Ello era profundamente positivo para el pueblo y para todos: empresas e inversionistas, mexicanos y del exterior. Era la gran promesa de Luis Donaldo. En la que creímos seres humanos de todos los partidos y sin partido; por eso lo apoyamos como pudimos. Coincidían necesidades reales y profundas del pueblo más humilde y las necesidades del Estado; también, obvio, las de las clases dominantes en los países del NAFTA.

Estado de derecho y TLC; soberanía interdependiente y seguridades nacionales; desarrollo social sin la enorme influencia del narcotráfico y los políticos que lo protegen. Ése sería el gran reto de Colosio, presidente de la república. Lo asumió, sin duda alguna, en el terreno de la reforma a la justicia; comenzaba a asumirlo públicamente en relación con "los narcos" desde Cancún y, en forma especial, en La Ruta del Pacífico, la última parte de su campaña, antes de Lomas Taurinas.

Realpolitik. Lo mataron el 23 de marzo; aceptemos, sin conceder, fue obra de un hombre "aislado". Con todo, la ocasión fue propicia para la reformulación de viejas alianzas. Se presentaron claros indicios de ello; tanto al interior de la PGR con el "retorno de los brujos", jefes policiacos y políticos ligados al Cartel del Golfo, como en la misma "Coordinación de Seguridad Pública". Y peor todavía a la hora de los instrumentos de la propaganda y las obvias alianzas políticas, manifestadas en el silencio y permanencia de los equipos de campaña; los grises compromisos sobre la reforma a la justicia; y sobre la lucha contra las grandes redes del narcotráfico. Claro; estoy hablando de Ernesto Zedillo, impulsado a la candidatura priísta por la Familia Feliz.

Realpolitik. ¿Y si fue una acción concertada? Mucho peor. Si ya que un "solitario" logre asesinar a un candidato a la presidencia pone en evidencia la gravísima irresponsabilidad de los equipos de campaña —empezando por los de "seguridad" encabezados por Domiro García Reyes, Fernando de la Sota (¡!) y Jorge Vergara Verdejo (¡!), situación que trasciende en mucho el hecho criminal. Si fue una "acción concertada" o complot regional o nacional, entonces hay que investigar a fondo la dinámica del asesinato, los motivos y sus resultados.

En última instancia: ¿quién se beneficia (política y estratégicamente) con el crimen? Ya sabemos quién perdió; quién fue mutilado. Nosotros, los gobernados. Hablamos de política: ¿quién se benefició (quiénes se beneficiaron) a corto, mediano y largo plazos? "Solitario" o "acción concertada", se trata de los resultados políticos del homicidio. No los que deseaba "Mario Aburto", sino los reales, objetivos resultados a nivel *nacional* e *internacional*.

El 24 de marzo, en México, se presentaron nuevos elementos políticos en la situación nacional; pero también a nivel de las relaciones Washington-México. La reciente visita de Bentsen es el mayor ejemplo de ello, pero no el único. Para Washington es esencial conocer de la nueva situación global y los propósitos del equipo que accederá al poder el primero de diciembre. Y, en función de ello, actuar en consecuencia.

Si las pláticas Washington-México ocurrían en el silencio del "crimen cometido por un hombre solitario", la sociedad mexicana sería simple invitada de piedra. Todo bajo control; las conversaciones se realizan entre buenos amigos y socios que llegan a acuerdos de fondo. Luego a nosotros, gobernados, nos tocaría callar y obedecer. El 23 de marzo se alejaría de la memoria nacional.

Pero si el silencio no ocurría, el margen de maniobra y de acuerdos de los gobernantes se reducía porque habría un tercer interlocutor en la escena: la sociedad organizada; gracias a los medios de comunicación más independientes y profesionales. Más todavía a nivel de la escena nacional. (Por favor, no hablo de Valle.) Estoy hablando de un núcleo de editores y periodistas, comentaristas y reporteros, quienes entendieron que los trapos sucios se lavan *primero* en casa.

Para evitar al máximo posible que esos trapos de la clase gobernante se usen en presiones externas, buscando concesiones más allá de la lógica histórica y política de la soberanía interdependiente.

¿Aclarar el 23 de marzo? Importa y mucho. Pero ahora lo esencial es que los gobernantes sepan —les guste o no— que la votación del 21 de agosto y la existencia de medios atentos a la seguridad nacional (más allá de los gobernantes) establecen nuevos límites a la acción interna e internacional del grupo en el poder. ¿Estará claro el objetivo de muchos de nosotros? (EV, *El Financiero*, 17 de septiembre de 1994.)

i) ¡Pésquenlo en La Pesca!

Hay una escalada de violencia organizada contra la autoridad del Estado mexicano: por diversas razones, el Cartel del Golfo —cuyo dirigente público es Juan García Ábrego— ha entrado en directa colisión con el gobierno de Carlos Salinas de Gortari y la insubordinación armada de esta empresa criminal multinacional está costando mucha sangre y, especialmente, la credibilidad en la gobernabilidad del país. El objetivo del cartel está perfectamente claro: se busca presionar al máximo para alcanzar las mejores condiciones de negociación con el próximo presidente de la república: Ernesto Zedillo Ponce de León. De esta forma podemos esperar más violencia todavía de aquí al primero de diciembre. Luego vendrá un periodo de tensa y nerviosa calma.

El brutal asesinato de José Francisco Ruiz Massieu es otro episodio del sangriento combate. Una lucha cruel en la cual el presidente Salinas se encuentra en serios problemas: le queda muy poco tiempo y, peor, el narcotráfico es "un Estado dentro del Estado". Es decir, los instrumentos gubernamentales pensados para la persecución de los delincuentes están profundamente penetrados por el enemigo a vencer. Los narcotraficantes han dado tanto dinero y a tantos funcionarios del gobierno (particularmente a los responsables del área de la justicia) que ahora actuar en serio contra ellos (aunque sea por presiones del gobierno de Estados Unidos) está resultando casi imposible. O, al menos, muy costoso en la esfera política.

¿Alguien duda hoy de que mi "alucinada y obsesiva, viciosa" versión de que el Cartel del Golfo está atrás del crimen contra la familia Ruiz Massieu es correcta? En cuanto surgió el apellido "Reséndiz" [*sic*] se entendió el mensaje y los destinatarios. Carlos Reséndez Bortolussi está en la cárcel. Y Juan Reséndez Bortolussi, uno de los hombres incorporados a la campaña de Luis Donaldo Colosio, no es investigado que se sepa. También está en la cárcel Raúl Valladares del Ángel, padre de Raúl. Luis Antonio e Iliana Valladares Hernández, dueños de ranchos en San Carlos y gasolineras en Ciudad Victoria, Tamaulipas. Abraham Rubio es interrogado y más temprano que tarde sabremos finalmente de dónde surgió la orden del asesinato. Carlos Reséndez está en Topo Chico y Raúl Valladares en una prisión de alta seguridad en Jalisco.

¿Y dónde está Juan García Ábrego?: no es difícil decirlo. En uno de sus santuarios en Tamaulipas, Nuevo León o Veracruz. Y, muy probablemente, en uno de sus enclaves esenciales: La Pesca, Tamaulipas. Y si no lo encuentran es porque todavía no quieren encontrarlo. Vamos:

¡pésquenlo en La Pesca! No hay absolutamente ninguna razón válida, nueva o antigua, que justifique esta insubordinación armada contra el Estado de derecho y la autoridad del Estado (conste: no hablo de la del gobierno).

Ahora bien, puede cometerse un error fundamental: la dura y cruel lucha actual no es entre el grupo gobernante y los jefes del narcotráfico. Debe entenderse entre la sociedad organizada (grupos sociales y partidos políticos, medios de comunicación, dirigentes responsables y, obvio: en la primera línea, el gobierno) y los jefes de las grandes redes del narcotráfico. Precisamente por ello Carlos Salinas y Ernesto Zedillo deben convocar, en forma respetuosa y sincera, a un acuerdo nacional por el Estado de derecho y contra la violencia, un acuerdo que debe incluir a Diego Fernández (PAN) y Cuauhtémoc Cárdenas (PRD) necesariamente. Un acuerdo pensado para dar garantías democráticas a los mexicanos.

Otra vez: el Estado colombiano contemporáneo fue moldeado también por el fenómeno de "la violencia", terrible lucha civil causada por el asesinato (a finales de los cuarenta) de un importante político. Esa batalla entre conservadores y liberales, la cual arrasó con familias enteras, debilitó al Estado. Un acuerdo logrado años después ciertamente estabilizó la situación colombiana. Pero el mal ya estaba hecho: las guerrillas y los narcotraficantes, en ese orden cronológico, generaron otra vez la inestabilidad estructural que todavía no se resuelve.

El Estado mexicano surgió de la Revolución mexicana y si bien la "familia revolucionaria" priísta usufructuó como botín el poder del Estado, al menos no se provocó un estado de violencia extrema permanente en el entorno social. Hay todavía grandes reservas en el Estado para superar nuestros actuales problemas. Pero para que emerjan se requiere, sine qua non, una conducta política honesta y respetuosa de parte de los dirigentes del Estado y del gobierno.

Es muy posible que la última responsabilidad política de Carlos Salinas y la primera de Ernesto Zedillo sea convocar a ese acuerdo por el respeto al Estado de derecho, fuente moderna de la legitimidad política. Si ello no se entiende y no se actúa con urgencia e inteligencia, la nación va a perder tiempo. Y el costo va a ser muy alto para México. (EV, *El Financiero*, 30 de septiembre de 1994.)

j) Entrevista a EV en Washington (Carlos Marín)

Eduardo Valle Espinosa, el Búho, celebra estruendosamente uno de sus filosos sarcasmos:

"Hablemos del narcopoder, del narco sirviendo a los políticos y ésta es una obviedad que hasta Mario Ruiz Massieu conoce. Pero están enfocando todo a lo político, como si lo político fuera la principal o la única causa del asesinato. ¿Te das cuenta de lo que nos quieren vender? ¡Que había un grupo de ambiciosos pensando en cómo evitar reformas políticas! ¡Como si fueran filósofos, como si fueran estadistas! Los confabulados integran un grupito de brillantes pensadores que deciden, mediante un asesinato, decir *¡no!* a la reforma política. *No, porque corremos el riesgo de no poder competir en la Cuenca de Pacífico. No, porque el país se encamina hacia derroteros inconvenientes. No, porque se está traicionando el espíritu de la Revolución mexicana, o porque hay que recuperar el espíritu de tal o cual línea de pensamiento.* ¿No te parece de risa?"

Se quita los lentes que acaba de humedecer con lágrimas en una escandalosa carcajada y resume con dificultad (mientras vuelve a tomar aire):

"Los asesinatos de Luis Donaldo Colosio y José Francisco Ruiz Massieu son una misma cosa: crímenes narcopolíticos.

"Lo que no se quiere —sostiene— es reconocer una descomposición generalizada del aparato que se entretejió y comprometió con el narcotráfico. Ahora, en el asesinato de Ruiz Massieu prefieren la salida sencilla de una venganza política. No quieren admitir públicamente que la estructura del sistema todo ha sido penetrada por los narcotraficantes."

Subraya la dimensión del problema:

"Y fíjate de qué poderes estamos hablando: los Arellano Félix pudieron entrevistarse con el embajador del papa, Jerónimo Prigione. Y Prigione pudo ir a ver al presidente, al secretario de Gobernación y al procurador general en Los Pinos, regresar a la Nunciatura y decirle al supernarco *no hay problema, tenga mi bendición y váyase por tal o cual puerta*. Fue su escandalosa homilía del perdón.

"Y el secretario de Comunicaciones puede entrevistarse con una agente del narcotráfico –Marcela Rosaura Bodenstedt Perlick– para presentarle a un artista que quería vender un cuadro. No tienen medida: nada más trata tú de ver a Prigione; pídele una audiencia a un secretario de Estado y vienes y me dices cómo te fue.

"Eso sucede actualmente en México, pero no pasa nada. El embajador del papa sigue tan campante y Emilio Gamboa Patrón ni siquiera fue importunado con la exigencia de que rindiera una declaración pública."

Enlista otros elementos para su escepticismo:

"El subprocurador Mario Ruiz Massieu tiene como subdelegados (comandantes de la Policía Judicial Federal) a gente que había sido expulsada de la Procuraduría por Jorge Carpizo.

"En el ámbito tamaulipeco y de los implicados tamaulipecos, no se puede ser diputado, gobernador o senador sin tener lazos con el narco, en la asociación plena o en la negociación política. Los apellidos de los presuntos conspiradores corresponden a familias narcas de Matamoros y Ciudad Victoria."

En resumen, para Valle, "la verdadera docena trágica que se les cuelga a Echeverría y López Portillo es la de De la Madrid y Salinas, que no supieron qué hacer con el narco, excepto protegerlo. Ahí está el dato recientísimo de Humberto García Ábrego, 'en arraigo' pese a ser encarcelable por lavado de dinero, cuando menos".

El Búho se pregunta:

"¿Cuántos muertos [*sic*] tienen que ocurrir en la clase política para que se haga algo? O qué, ¿no han entendido la lección? Porque no están tratando con tontos. Están tratando con perversos que ellos mismos, nuestros políticos, han protegido y permitido crecer. Están tratando con perversos, pero unos perversos muy vivos.

"Y no se deciden a admitir que entre bancos y lavado de dinero, narcos y dinosaurios ligados a narcos fabricaron un Frankenstein."

De lo que ignora, Valle deduce:

"Tan hay mano negra en las dos averiguaciones –la de Colosio y la de Ruiz Massieu– que las omisiones de la Fiscalía Especial y de la Procuraduría General de la República, por su oscuridad, iluminan cualquier inteligencia mediana sobre el alcance de los encubrimientos institucionales. ¿Por qué no se da a conocer un libro blanco sobre Colosio y por qué a Hank se le mantiene al margen en lo de Ruiz Massieu?"

–No entiendo...

–Pues te explico:

"En lo de Colosio, he afirmado que un Mario García, una persona de quinta en el Cartel del Golfo, pero gente de Juan García Ábrego al fin y al cabo –uno más de diez mil, pero importante al estar entre la gente de Luis Donaldo–, fue asignado a cosas especiales. También ya dije –la Procuraduría me obligó a decir el nombre porque a ella le correspondía– que en el equipo trabajaba Juan Reséndez Bortolussi, hermano de Carlos, el que está preso en Topo Chico. Y dije que a Humberto García Ábrego, el hermano de Juan, se le dio cancha para un almuerzo con Luis Donaldo, y que gracias a que alerté a Colosio no se produjo este encuentro.

"¿Por qué la Fiscalía Especial no da a conocer la lista del equipo de Colosio, no una lista con acusaciones ni conclusiones, sino simplemente una lista? Y si la Policía Judicial Federal llega al PRI a buscar colaboradores de José Francisco Ruiz Massieu, lo menos que puede pasar es que vayan por la nómina de quienes trabajaron con el candidato a la presidencia.

"Por ejemplo: los ciento veinte hombres del equipo 'Omega' son Fulano, Zutano, Perengano. Las cadenas de mando eran tales y cuales. El aparato de campaña de Colosio estaba conformado de esta manera y con estas responsabilidades. Y los subordinados eran éstos... Ya olvídate de si estuvieron o no implicados, no son acusaciones, no son conclusiones, sino información.

"Porque si me dicen que uno de los hermanos de Ricardo Castillo Gamboa estuvo en el equipo, a mí se me ponen las orejas de punta.

-¿Quién es Ricardo Castillo?

-El Perro Chico. A Juan García Ábrego le dicen el Perro Grande. Fíjate qué tan cercanos serán que le dicen el Perro Chico. Que me digan que Rolando Castillo Gamboa estuvo y automáticamente se me ponen las orejas de punta. Y sé que hubo un Castillo pariente de los Castillo Gamboa.

"Eso no lo da a conocer doña Olga Islas (la subprocuradora especial). ¿Cuál es el temor? ¿Qué esconden con decir Domiro tenía esta gente, Jorge Vergara Berdejo esta gente, el pequeño sinvergüenza Fernando de la Sota tenía esta otra? Además había otro equipo de vigilancia acá, los fotógrafos eran éstos y los camarógrafos estos otros. ¿Por qué no se nos dice esto?"

-Y cuando dices Hank, ¿te refieres a Carlos Hank González?

-Pues dime: ¿Qué te sugiere el nombre de Manuel Muñoz Rocha?

-¿Qué tiene que ver el secretario de Agricultura?

-Todo presidente de la Comisión de Recursos Hidráulicos de la cámara de diputados, como Manuel Muñoz Rocha, tiene que ser, obligada y necesariamente, del grupo del señor secretario de Agricultura y Recursos Hidráulicos. Ahí no hay vuelta de hoja, no pequemos de ingenuos. El mecanismo legislativo es que el secretario coloca a una gente de su mayor confianza en la comisión legislativa.

"Fidel Herrera estaba al principio. Fidel Herrera hoy es jefe de asesores de Carpizo. Pero cuando este hombre, Muñoz Rocha, llega a la Comisión, significa que es gente de todas las confianzas de Carlos Hank. Y tan es así que Muñoz Rocha fue antes gerente de Banrural en San Luis Potosí, Tamaulipas y Nuevo León. Y si Muñoz Rocha no fuera del equipo del secretario de Agricultura, Hank lo hubiera vetado, ¿no te parece elemental?

"Y con Hank investigaría al grupo Hermes, a Jorge Hank Rhon y sus relaciones con Marcelino Guerrero (el esposo de Marcela Rosaura Bodenstedt). No es tan difícil. Ver qué con Campos Hermanos y sus contratos, qué con la Mercedes Benz, con Taesa, y había que ver muchas otras cosas en el pasado remoto, como las pipas de Hank y los contratos con Pemex."

(El 11 de octubre, en Atizapán, Estado de México, al ser acosado por reporteros, Carlos Hank González dijo que "como político sé que no debe hablar más que de agricultura y recursos hidráulicos. Le platico de maíz o de frijol, ¿qué prefiere?". Y de Tamaulipas expresó que las tormentas "dependen de los ciclones del golfo".)

-¿Afirmas que Carlos Hank está detrás del homicidio de Ruiz Massieu?

-No soy tan pendejo. Lo que digo es que cualquier investigación, si es seria, conduciría a Hank González, el verdadero patrón de Manuel Muñoz Rocha. Que diga por qué lo aceptó en la Comisión de Recursos Hidráulicos. Y no te olvides de otro elemento: Jorge Hank Rhon, su hijo, el del Hipódromo Agua Caliente de Tijuana, según informes de ese aparato de Inteligencia del Estado, que es el Centro de Planeación Contra las Drogas (el CENDRO), puede haberse asociado a Marcelino Guerrero.

La embestida del narcotráfico

Eduardo Valle se da tiempo para la entrevista, a pesar del trajín en que se instala todos los días recibiendo noticias de México —"¿ya viste que... te fijaste que... me acaba de llegar un fax con..."—, respondiendo llamadas —"me habló Fulano a las dos de la mañana, cuando acababa de colgar con... mandé al carajo al abogado del padre de Mario Aburto, que quiere llevar mi agua a su molino..."–, escribiendo sus colaboraciones para distintas publicaciones –"estoy esperando una lana"–; y anticipa sin que se le pregunte:

–Por supuesto que hay una relación directa entre los dos asesinatos: la de los narcopolíticos, con un ajuste de cuentas al interior del sistema político priísta. Las relaciones son evidentes. He insistido de muchas formas en que aunque el asesinato de Colosio sucedió en Tijuana, lo cierto es que había que mirar hacia el Cartel de Juan García Ábrego.

Muestra un balance reciente:

"Según la Procuraduría General de la República, en nueve meses se han confiscado al Cartel del Golfo una tonelada de cocaína, dos mil seiscientos kilos de heroína, 24.5 toneladas de mariguana, tres kilos de goma de opio y mil trescientas pastillas psicotrópicas. Se han iniciado 914 averiguaciones previas, encarcelado 1,221 narcotraficantes, requisado casi quinientas armas cortas, doscientas cincuenta largas y ciento treinta mil cartuchos, así como 413 vehículos, 29 inmuebles y asegurado más de ciento sesenta mil dólares.

"Dice la PGR –no yo– que el Cartel es multinacional con brazos en Estados Unidos, México, Guatemala, El Salvador y Colombia. Que tiene mercado en Texas, Arizona, Nuevo México, California, Ohio, Illinois, Nueva York y Nueva Jersey. Que opera en Tamaulipas, en todos los municipios fronterizos y colindantes con Nuevo León y en Chihuahua, Hidalgo, San Luis Potosí, la península de Baja California, Sonora, Oaxaca, Chiapas, Tabasco, Nayarit, Coahuila, Campeche, Yucatán, Sinaloa, Durango, Guerrero, Quintana Roo, Veracruz, Colima y Jalisco, y que se han encontrado domicilios de sus agentes en Tlaxcala, Guanajuato, Querétaro, Morelos, Puebla y el Distrito Federal.

Como si presumiera:

"El secretario general de la Interpol, el británico Raymond Kendall, acaba de decir en Lyon –donde está la sede–, que el narcotráfico mundial representa unos cuatrocientos mil millones de dólares de beneficios al año."

Recarga:

"El congreso estadunidense dice que el narcotráfico *es un aspecto importante de la actual relación comercial entre Estados Unidos y México, y es un factor de gran interés en los vínculos bilaterales.*

"Que en un año (1992) alcanzó el monto de las importaciones: 35,200 millones de dólares.

"Que por México entran dos tercios de la cocaína, el veinte por ciento de la heroína y hasta el cuarenta por ciento de la mariguana que se consume en Estados Unidos.

"Que quince millones de estadunidenses son adictos al menos una vez por mes, según Raphael Perl, autor del documento del Servicio de Investigación del congreso, experto en temas de seguridad nacional y narcotráfico.

"Te digo esto para que te ubiques, para que te des cuenta de que algo así no puede darse en México sin largos años de relación con eso que llamo los narcopolíticos."

Con los pies en la tierra, dice el Búho, "no soy el único que piensa que los narcopolíticos y especialmente el Cartel de García Ábrego son clave de los dos asesinatos".

Y esgrime ahora una declaración del abogado Raúl Carrancá y Rivas, miembro de la comisión asesora de la Fiscalía Especial del caso Colosio:

En ambos asesinatos, sí hay un complot y una vinculación. Hablo como criminólogo y penalista. Hay elementos que me perecen indiscutibles, por lo que no dudo que haya una conspiración de políticos y de narcotraficantes. No debe desecharse ninguna hipótesis, por más absurda que pudiera parecer. Y si se está haciendo una investigación hacia adentro del Partido Revolucionario Institucional por el asesinato de su secretario general, por qué no hacerla por el homicidio de su excandidato a la presidencia, me parece elemental...

"Entonces hay una evidente relación, no solamente en términos geográficos de la gente de Tamaulipas, sino en lo que puede llamarse una insurrección armada de los grandes carteles en contra del Estado.

"Y no hablo del gobierno. A mí, el gobierno de Salinas ni me va ni me viene. El problema es que los narcos están insurreccionados hoy contra el Estado. No solamente contra el Estado de derecho en términos de la violencia que están promoviendo, sino directamente en contra de las formas de hacer política en términos de respeto a los contenidos y las formas de hacer política que se han buscado durante tantos años.

"En lo de Colosio hay una relación que debería ser investigada de manera mucho más precisa por la subprocuradora Olga Islas y, obviamente, por la Procuraduría. Pero la Procuraduría no va a hacer otra cosa que sacar los boletines que convengan de manera oportunista, en términos de la situación concreta. La subprocuradora especial sí puede ir más a fondo. Al menos eso espero."

–Pero de nuevo, ¿cómo ligas los dos casos?

–Son exactamente las mismas manos de la ejecución. Mira: me decían que por qué no hablo de los Arellano Félix. Y me parece que en estos momentos lo importante es ver, en los términos de mi investigación –la del Cartel del Golfo–, lo que yo tenía. No lo que yo podía decir.

"Y lo que realmente tenía eran Mario García y la puerta abierta a Humberto García Ábrego. Pero si como ocurrió, a los seis días te dicen que no hay nada, entonces te obligan a hablar de los otros elementos que tienes, y sale Juan Reséndez Bortolussi. O sea: bien, ellos no quieren investigar, pues ahí les va otro pequeño detalle.

"Si el Cartel del Golfo está directamente implicado en el asesinato de Colosio, esto pudiera suceder con la complicidad de los Arellano Félix."

–Pero has dicho que se trata de otra organización.

–Pudo darse a través de la participación de Juan José Esparragoza, alias el Azul. Hablo de un acuerdo entre Tijuana y Matamoros, porque existían buenas relaciones entre el Cartel del Golfo y la gente de los Arellano Félix. Y el Azul pudo haber logrado este acuerdo.

"Inclusive informé a los propios procuradores (Jorge Carpizo y Diego Valadés) que había que dar un seguimiento más cuidadoso al Azul Esparragoza, porque su autoridad moral e inmensa astucia podía haber desarrollado una alianza entre los Arellano Félix y Juan García Ábrego."

–Pero, ¿cuál pudo ser el móvil de García Ábrego para planear la muerte de Colosio y Ruiz Massieu? De acuerdo con tu lógica, lo que ha provocado es echarse a la policía encima.

–No hay que verlo a la ligera: esta insurrección no se limita al Cartel del Golfo. Por favor, no caigamos en los simplismos.

"Por supuesto que el Cartel del Golfo está implicado de manera relevante en la insurrección armada de los narcos contra el Estado, no sólo contra el gobierno, pero no es nada más el Cartel del Golfo. Existe una serie de relaciones con el Mayo Zambada, con Héctor Luis el Güero Palma, con el Popeye Aguirre, con los Arellano Félix y hasta con la gente de Amado Carrillo que podría dar un resultado espeluznante. Es decir: el grupo grande de los carteles, la heroína de los Arellano y la cocaína de Amado y Juan García Ábrego podrían hoy estar en una coalición directa contra Salinas y contra Zedillo para sentarlo a negociar, y sobre todo y principalmente contra el Estado para continuar el rumbo que se llevó durante todo el decenio anterior, el de la coalición de intereses entre políticos de alto nivel y narcotraficantes."

–¿Por dónde jalarías la hebra?

–La pista medular está en la desaparecida Dirección Federal de Seguridad, ¿te acuerdas? En 1987 salieron casi cuarenta comandantes y como doscientos agentes por sus ligas con el narcotráfico. Era secretario de Gobernación Manuel Bartlett y su director era José Antonio Zorrilla Pérez, condenado como autor intelectual del asesinato de Manuel Buendía.

"Gente como Rafael Aguilar, como Carlos Aguilar y uno que sigue vivo, Rafael Chao López –compadre de García Ábrego. Alfiles, caballos y peones como Marcelino Guerrero, todos se formaron en esa cosa siniestra que fue la Federal de Seguridad. A todos los han estado matando. Sería fabuloso conocer qué ha pasado con aquellos corridos, muchos de los cuales fueron asesinados en la faja fronteriza. ¿Por qué no le preguntan a Bartlett? ¿Qué no sabrá Zorrilla Pérez? Los contactos iniciales se establecieron en Tierra Blanca, Sinaloa, con la gente de Félix Gallardo, ¿dónde está cada uno de los agentes de la Federal de Seguridad que fueron echados de Gobernación? Te sorprenderías cuando veas que muchos están muy bien colocados en lo mismo: represión y drogas. A los demás los mataron."

Eduardo Valle no para de fumar. Se levanta, camina, manotea. Advierte:

"Voy a decir una cosa horrible: para mucha gente, los narcotraficantes han comprado a los políticos. Yo empiezo a llegar a la conclusión –y hay que pensar mucho y reflexionar mucho sobre ello– de que los políticos han usado a los narcotraficantes con programas de Estado y de gobierno.

"A final de cuentas, el elemento fundamental de la relación entre políticos y narcotraficantes no son los narcotraficantes y su dinero, sino los políticos y sus programas de gobierno."

Reacomodos en el Cartel y en la Procuraduría

Dice Valle Espinosa que tanto en la PGR como en la organización de Juan García Ábrego se han registrado reacomodos importantes:

"Juan José Esparragoza, el Azul, es un famosísimo narcotraficante de Tamaulipas, que se convirtió en el conducto de Amado Carrillo (Cartel de Juárez) y García Ábrego para los grandes operativos de cocaína, desde principios de los años ochenta y hasta el 84, más o menos. Este hombre fue encarcelado, cumplió siete años de cárcel en Jalisco y a mediados del año pasado salió. Tenía su propio grupo y se reincorporó de inmediato a Reynosa, en un rancho lleno de venados.

"Y en ese rancho lleno de venados empezó a trabajar para Juan García Ábrego, pero no como un operador más –de ésos de dos o tres toneladas de cocaína–, sino como una gente que estaba pensando en las estrategias globales de los narcotraficantes, de sus alianzas, de sus repartos de territorio, en función de las nuevas condiciones políticas en el país.

"El Mayo Zambada es Ismael Zambada. Es gente importante en la frontera de Sonora. Controlaba de manera independiente Nayarit, una parte de Sinaloa, una de Sonora, dos o tres fronteras –plazas muy importantes–, pero con el ascenso de Amado Carrillo tuvo que negociar sin perder totalmente su independencia.

"Héctor Luis el Güero Palma, es uno de los narcotraficantes más importantes de Sinaloa. Conectado con los viejos carteles de Matta Ballesteros y Miguel Ángel Félix Gallardo, creció de manera impresionante, como si fuera de esos niños favoritos de las mafias y 'por supuesto' de los políticos conectados a las mafias.

"También es muy importante el Popeye Aguirre, de Mexicali."

–¿Cómo se llama?

–Todo mundo sabe de él (el Búho no quiere decir su nombre y tapa la grabadora): es el que baja en Laguna Seca, a un lado de Mexicali, rumbo a la Rumorosa. Trae cocaína y algo de heroína.

–¿Y el nombre del rancho lleno de venados?

De nuevo esquiva:

"Pues el rancho que está lleno de venados (tapa la grabadora y pone cara de angustia, como si lo fueran a matar). Es un rancho en Tamaulipas, muy cerca de Reynosa."

Los narcotraficantes, dice, "constituyen un Estado dentro del Estado".

"Delegados de la PGR son de ellos; subdelegados también; gente del ejército, de ellos; presuntos periodistas, de ellos; muchos diputados, de ellos; algunos senadores, de ellos; algunos gobernadores y muchos presidentes municipales, igual. Ahí está el caso del primo hermano de Juan García Ábrego, Jesús Roberto Guerra Velasco. Llegó a ser presidente municipal de Matamoros y es el que ordenó la muerte de dos colegas periodistas, Figueroa y Flores Torrijos, de *El Popular*."

–Y dices que con Mario Ruiz Massieu algunos desplazados retornaron a la Procuraduría.

–Ruiz Massieu ha sido dos veces subprocurador. Con Carpizo y con Benítez Treviño. La primera vez hubo una gran coincidencia de propósitos porque de lo que se trataba era de quitarle el control al subprocurador de Delegaciones (una persona nefasta). Luego regresó con Benítez Treviño y se trajo toda la mugre. Mario impulsó el retorno de los brujos:

"El Kojak, José Francisco Sánchez Naves, subdelegado en Chihuahua; Guadalupe Gutiérrez, el Rocky, en Nayarit; Raúl Olmedo, en Chiapas; Juan Benítez Ayala, en Tijuana –imagínatelo investigando el asesinato de Colosio, lo cual es inconcebible. Están los García Gaxiola, uno en Sonora y el otro por ahí, aunque éstos no habían salido. Sostuvo a toda costa a la Cuca, la delegada de la PGR en Coahuila, cuando todos sabemos que Coahuila es territorio del Cartel del Golfo pulgada por pulgada."

–¿Cómo se llama?

–María del Refugio no sé qué. Fue la que nos engañó diciendo que los que habían matado a Flores Torrijos ya habían muerto, y aparecieron muertos en la matanza de Iguala, dos años después.

"Por eso digo que no hay que darle tantas vueltas. Ya ves, soltaron a Humberto García Ábrego. Y ahí está la relación de Raúl Valladares del Ángel con Abraham Rubio Canales. Nada más son consuegros, ¿te das cuenta? Es una cadena maciza de ralaciones.

"Fernando Rodríguez González es gente de los Rodríguez de Matamoros y los González de Ciudad Victoria. Las familias más cercanas a García Ábrego.

"Un hombre, H. González, es una gente muy importante dentro de la estructura de Juan García Ábrego: maneja sin problema sesenta o setenta toneladas anuales de cocaína."

–¿Qué es la *hache...*?

–Heroico, honorable, honorato. No te digo el nombre porque no hay orden de aprehensión contra él.

–Según tu planteamiento, hasta el gobernador Manuel Cavazos Lerma se entiende con los narcotraficantes.

–Cavazos ha sido muy cuidadoso y ha tratado de limpiar el estado, pero esto rebasa su área. Ni siquiera puede correr a su procurador Raúl Morales Cadena, a quien le ha dicho por teléfono "procurador corrupto". Sí: "Ya basta de tantas pillerías, procurador corrupto", le ha dicho a su procurador, refiriéndose al narcotráfico, pero no lo corre porque no lo puede correr. A ese procurador lo sostienen fuerzas superiores a las del gobernador Cavazos Lerma.

–¿Y cómo sabes que le ha hablado así a su procurador?

–Lo sé y me basta, se lo ha dicho hasta por teléfono.

–¿Escuchaste esa conversación?

–Te digo que lo sé. No me fastidies con explicar cómo lo sé. Y cuando veo que seis agentes de la Policía Judicial del estado cuidan a Cavazos Lerma, yo le digo: *Cuídate de tus cuidadores. Si no son tus parientes, si no es tu primo hermano, entonces cuídate, Manuel.*

–Con lo de Colosio anticipaste cosas atroces. Como ave de mal agüero.

–Es que ya cualquier cosa puede pasar: un diputado de tercera puede ser antirreformista o un senador que va de salida puede ser cómplice. Puede ocurrir lo que sea. Este juego de espejos es lo más desarrollado en la política mexicana: hay un ajuste de cuentas.

"A Enrique Cárdenas González le van a pegar no sólo por sus relaciones con el narco, sino porque le ajustan cuentas políticas."

–Y tú, ¿qué cuenta cubres con estas afirmaciones? En México hay quien pregunta a qué intereses sirves y si eres gente o agente de Jorge Carpizo o de Manuel Camacho...

–Qué poca madre. Lo que he dicho empecé a decirlo desde el primero de mayo, en mi carta de renuncia, que fue conocida por mis jefes antes de ser difundida. Aunque suene mamón, sirvo a los intereses del país.

"La única llamada de Carpizo que he recibido fue el día que murió mi padre, cuando con un enorme cuidado, como debe ser, me dijo: *Lamento mucho la muerte de tu padre, estamos viendo que haya unas flores en el panteón, recibe un saludo y adiós*. Le dije: *Doctor, muchas gracias, le agradezco mucho esta llamada, me da fortaleza, yo quise mucho a mi padre y adiós*. Punto.

"Y Manuel Camacho, ¿qué tiene que ver conmigo? Mi única relación con él fue haberle dicho una vez *tenga cuidado, anda diciendo que quiere ser presidente, ya párele* y ni caso me hizo. Coincidí con su preocupación de que no se podía politizar al ejército como pedía Cuauhtémoc Cárdenas y sobre eso escribí. Una última ocasión fue cuando el cartonista Efrén montó una exposición de cuadros de sus sueños en la Zona Rosa. Estábamos Luis Donaldo, Camacho y yo, y platicamos un instante. Nada más, ¿qué tiene Camacho que ver conmigo?

–Pues se insiste en preguntar quién está detrás de ti.

–¿Qué te parece la CIA, la KGB y el papa? No trabajo para Salinas, para Zedillo, para Carpizo ni para nadie. Digo únicamente lo que sé y hay cosas que sé y todavía no se pueden decir por la situación que vive el país y porque se comprometen ciertas circunstancias que están más allá de mis propios deseos y de mi propia conciencia.

"Pero esas cosas tendrán que salir en algún momento, y ni siquiera por mí, sino por otros conductos.

"A mí también me han dicho *desleal*. Pero deslealtad con quien, ¿con las instituciones? No. Las instituciones tienen que pasar por una purga de caballo para poder servir al país.

"Y si alguna palabra, algún dato, algún documento sirve para que esas instituciones sean legítimas o sean legitimadas, qué bueno. Ahora, ¿deslealtad con Salinas? Por qué, ¿cuál deslealtad? Suponte que crea que estoy equivocado. En todo momento se le avisó de las cosas que se estaban haciendo y de las consecuencias. Que él no actuó, es un problema de él, no mío. ¿Por qué no actuó? Habrá que preguntarle."

–Según dices, le informaste de tu investigación y le pediste apoyo para detener a Juan García Ábrego.

–Cuando le avisé de los aeropuertos que según reportes del CENDRO tenían propiedad sospechosa, sólo me dieron un helicóptero. Por eso hoy el embajador en Londres puede decir *para qué me meten*, pero yo no fui quien lo metió al baile, sino Emilio Gamboa y el CENDRO. Y el CENDRO opera con gente de Gobernación, la PGR, la Defensa Nacional, Comunicación, Relaciones Exteriores, etcétera. Pero el presidente no investigó.

"Si a mí me dicen *investigue*, investigo, pero a mí me dijeron *tranquilo, cumpla su cometido, que es atrapar a García Ábrego y ahí le va un helicóptero*. Y como veo que no puedo atraparlo, me voy sobre Reséndez, sobre Valladares, sobre todos los demás.

"Y ojo: esta gente que hoy está saliendo a la luz es porque yo le saqué orden de presentación o de aprehensión. ¿Por qué no han presentado a Henry Max? ¿Por qué no a otros que saben per-fec-ta-men-te que son parte de la estructura del Cartel del Golfo?"

Valle Espinosa grita:

"¿Por qué nada más han presentado a las gentes [de las] que yo saqué orden de aprehensión o de presentación y no le aplican a Humberto García Ábrego la 501?

–¿Qué es la 501?

–Carajo, a ti todo hay que explicártelo: es la averiguación previa más importante de todo este proceso. Es donde se relatan lavado de dólares, asesinatos, masacres, todo, eso es la 501 del 91.

–Humberto se presentó voluntariamente. Y quedó en libertad.

–Yo lo tuve dos veces pero hasta enero de este año se aprobó la reforma que permite la atracción. Ahora le es aplicable por lavado de dinero. Y lo de la atracción es la facultad de la PGR para hacerse de casos aparentemente del fuero común, pero con ángulos de carácter federal.

"Con la sola declaración en Estados Unidos de lo que ustedes sacaron, el testimonio de un exsecretario de Juan García Ábrego que sacó su corresponsal Beatriz Johnston, bastaba para no dejarlo ir. El cargo sería lavado de dinero por veinticinco millones de dólares. Pero lo dejaron ir, como dejan ir todo, ¿cuál es el problema?"

De el Búho no se escapa ni la DEA:

"Dicen que no tienen pruebas y que están indignados por lo que he dicho y hecho. Pero nadie puede decirme de manera honrada, inteligente y leal que han investigado al Cartel durante ocho años y no saben dónde se encuentra Juan García Ábrego.

"Yo, en tres meses y medio –julio, agosto y septiembre del año pasado– lo supe. Y cuando quise no me dieron los recursos. Y la DEA ni siquiera tiene una fotografía de Juan García Ábrego. Pues no se enojen. Van a tener dos problemas: enojarse y desenojarse."

A sus cuarenta y siete años de edad, con más de treinta de militancia política y experiencia policiaca, Valle interpreta:

"La familia revolucionaria pensó en el Estado como una propiedad. A partir de 1982, el Estado y su poder hacer, que es la esencia del Estado, se convirtió en un botín, en donde las medidas éticas o los criterios de moral y política ya no existen.

"La Familia Feliz de los dos últimos sexenios ha dirigido los destinos del país y los resultados saltan a la vista: la felicidad de la Familia Feliz es nuestra infelicidad y nuestro dolor.

"Jesús Silva Herzog dijo que la corrupción llegaba de muy abajo a muy arriba. Con todo el respeto que me merece –hablo del maestro, no del hijo–, la corrupción viene de arriba hacia abajo porque en nuestro país el poder no tiene límites, equilibrios ni frenos: es el poder del señor presidente, inclusive más allá de su voluntad."

–Carlos Fuentes preguntó *quién seguiría*.

–Seguirá el que le duela más a Zedillo. Lo tienen que sentar a negociar. Puede llamarse Pedro, Esteban o José. Donde más le duela, ahí le pegarán.

–A los cercanos, ¿qué les sugieres?

–Que piensen en que el país es más importante que sus pequeñas cosas. Esto, además de cuidarse físicamente, por supuesto; pero que se cuiden con sus primos porque si se los dejan a las escoltas no tendrán seguridad: a Mario Ruiz Massieu, el subprocurador, le desarmaron la escolta un miércoles y lo asaltaron en un restaurante. A Humberto Benítez Treviño, cuando era subprocurador, le pasó exactamente lo mismo al día siguiente. Les bajaron la cartera a los dos, así que aguas.

–¿Tienes miedo?

–Ya no tiene importancia si vivo o dejo de vivir. Hoy lo único que importa es el tiempo, porque en la medida en que pasan cosas que yo dije que podían pasar, se tiene que enfrentar una realidad cada vez más alevosa y oscura. No es cosa de tener miedo o no. Ya yo estoy muerto. Punto. (*Proceso*, 17 de octubre de 1994.)

k) Informe Colosio: extraños y fallas en la Seguridad

Emilio Gamboa Patrón, secretario de Comunicaciones y Transportes, comisionó a Jorge Vergara Berdejo para incorporarse al equipo de seguridad de Luis Donaldo Colosio, bajo las órdenes del general brigadier Domiro García Reyes, del Estado Mayor Presidencial.

Vergara Berdejo es investigado por enriquecimiento y la Subprocuraduría Especial del caso Colosio fue informada de que obsequió vehículos de lujo grand marquís y lincoln town car al general Domiro García Reyes.

La hipótesis 10 de la pesquisa sobre Colosio pide "investigación pormenorizada acerca de Jorge Vergara Berdejo, que intervino en la logística de la gira de Luis Donaldo Colosio en Tijuana y del cual no se tienen noticias [de lo que hizo] desde el día anterior al homicidio".

Ésta es una de las nueve líneas de investigación que sugiere seguir en el futuro la subprocuradora Olga Islas de González Mariscal, pues no considera como cerrado el caso Colosio con la condena de Mario Aburto Martínez, su victimario físico.

Hay más revelaciones en el informe final de la subprocuradora:

Allí, por ejemplo, se afirma que los sueldos y viáticos de ciento sesenta elementos de seguridad al mando del excomandante Fernando de la Sota (sólo diecisiete estaban el día del crimen en Lomas Taurinas, Tijuana) provenían "de las aportaciones de distintas personas que pertenecían al Grupo Toluca".

El informe, editado en forma de libro con más de seiscientas treinta páginas, no explica cuál es ese Grupo Toluca o si se trata del mismo Grupo Atlacomulco, tan mencionado en fechas recientes.

Gamboa Patrón declaró en las indagatorias (tomo XV, foja 5760) y "manifestó que, efectivamente, habló con Vergara en el mes de febrero, ya que el general García Reyes solicitó a este elemento".

El oficial mayor de la SCT, llamado a declarar, dijo que fue Vergara Berdejo quien le pidió licencia para incorporarse a la campaña y no le consta que haya visto al secretario Gamboa Patrón.

El general Domiro García Reyes confirmó que él, personalmente, solicitó al secretario de Comunicaciones le asignara a Vergara, "ya que lo conocía y lo consideraba una persona competente para auxiliar en cuestiones logísticas de transportación terrestre por carretera".

Justamente en esas funciones se conocieron, porque cuando vino el papa a México el general Domiro García Reyes era encargado de la seguridad personal del pontífice y Vergara Berdejo fue comisionado por la Policía Federal de Caminos para programar todo lo referente a rutas y recorridos.

Fallas graves de la Seguridad

Había cincuenta y dos militares, policías y civiles vigilando a Luis Donaldo Colosio Murrieta la tarde del veintitrés de marzo en Lomas Taurinas, Tijuana. Fueron incapaces de impedir que el candidato presidencial priísta fuera victimado.

En su informe, Olga Islas menciona uno por uno los nombres de quince miembros del Estado Mayor Presidencial, veinte integrantes del grupo Tucán que estuvieron en el trágico mitin, y diecisiete de Omega, comandado por Fernando de la Sota, presentes el día del asesinato.

La fiscal especial del caso Colosio no le nombra Omega, sino grupo "de vallas, orden y porra de apoyo institucional". Tuvo su primer actuación en un mitin en Huejutla, Hidalgo.

Fernando de la Sota logró integrarse a la campaña de Colosio por mediación de Roberto Alcántara Rojas, de la Unión de Transportistas de la República Mexicana; luego se vinculó con el mayor Figueroa, de la Coordinación de Seguridad del candidato. Pero ya había trabajado con Domiro en 1988.

De la Sota siguió manejando el grupo de "vallas, orden y porra de apoyo institucional" durante la campaña de Ernesto Zedillo.

"En función de la cercanía de De la Sota con el candidato y su intervención en los hechos ocurridos en Lomas Taurinas y por algunos cuestionamientos [que se le hicieron] a De la Sota se procedió a efectuar investigaciones sobre él."

La subprocuradora recomienda que continúen

A cada uno de los ciento sesenta hombres bajo su mando se le pagaba durante la campaña de Colosio 312.50 nuevos pesos y una cantidad idéntica para viáticos cada semana.

Es decir, al Grupo Toluca le costaba semanalmente cuatrocientos mil nuevos pesos el mantenimiento de este equipo sui generis de seguridad, sin contar con gastos de transporte, hospedaje, traslados y muchos más.

Los únicos requisitos para entrar al grupo de De la Sota eran acta de nacimiento, cartilla liberada, comprobante de domicilio, de escolaridad hasta secundaria y un croquis de su domicilio particular.

El gran hueco por el que podría colarse cualquiera con aviesas intenciones o contratado para un atentado se describe en esta cita textual del informe:

"Fernando de la Sota declaró que no se realizaba ninguna investigación de los datos y documentos que aportaban los aspirantes del cuerpo de apoyo, pues la contratación se basaba en la confianza de las personas que recomendaban a los aspirantes".

También se explica por qué la existencia de un grupo "de seguridad" alterno:

"La decisión del licenciado Colosio de tener un contacto más estrecho con los electores significó que la presencia de escoltas se limitara al mínimo indispensable y, por tanto, que el grupo de seguridad del Estado Mayor Presidencial fuese reducido en comparación con otras campañas presidenciales.

"Se consideró entonces necesario encontrar apoyo en un grupo adicional al responsable de la seguridad del candidato, de tal manera que permitiera el acercamiento con los simpatizantes pero que auxiliara en el control el evento. Ésta fue la función del grupo de Fernando de la Sota Rodalléguez".

Función con resultados fallidos, por cierto

Pero había más: estaban los elementos del grupo Tucán, que reclutó otro expolicía, sólo que bajacaliforniano, Rodolfo Rivapalacio Tinajero.

El dato que aporta la Subprocuraduría Especial del caso Colosio es de una apabullante elocuencia. Según Rivapalacio, ese mismo día anduvo contratando expolicías y voluntarios, hasta lograr reunir cuarenta y seis. Pero a Lomas Taurinas llegaron veinte nada más, encargados al vapor de hacer vallas, coordinar el tránsito de vehículos, radiocomunicación y chequeo de rutas.

"En el evento muchos de ellos dejaron de cumplir las funciones que les fueron asignadas, en tanto que otros cubrían funciones diferentes a las originalmente señaladas, o permanecían dispersos entre la multitud."

23 de marzo: feria de equívocos

Desde el retraso en la llegada del candidato presidencial priísta a Tijuana hasta el cambio de sitio para el mitin, el 23 de marzo de 1994 todo fue una especie de escalada de equívocos, de errores que abrieron el camino para el atentado criminal.

Y, pese a las averiguaciones de dos subprocuradores especiales, aún no aparecen más presuntos culpables.

El informe de la subprocuradora Islas recuerda que el evento de proselitismo en Lomas Taurinas era parte de la estrategia general de campaña de Colosio que coordinaba Ernesto Zedillo, pero cuyo responsable operativo era Guillermo Hopkins Gómez.

Precisamente, el documento menciona que Hopkins no mencionó durante sus declaraciones a la Subcoordinación Logística de Rutas, que estaba a cargo del entonces comandante de la Policía Federal de Caminos, Fernando de la Sota (fue también comandante en la Judicial Federal y la mayor parte de su carrera la hizo en la Dirección Federal de Seguridad).

"La subcoordinación adquiere gran relevancia, no por sus funciones, sino porque según diversas notas periodísticas el responsable tenía vínculos con el narcotráfico y se mencionaba la

posibilidad de alguna relación entre los jefes de los grupos dedicados a este ilícito tráfico y la muerte del licenciado Colosio."

El candidato presidencial llegó al aeropuerto de Tijuana aproximadamente a las cuatro de la tarde, una hora después de lo programado.

Su seguridad había previsto quinientas personas y llegaron más del triple. Tardó quince minutos en pasar a través de la multitud hasta su camioneta y, al pie de ella, le preguntó al senador César Moreno si había un micrófono para dirigir unas palabras a quienes le habían ido a dar la bienvenida. No se programó sonido, porque la agenda estaba muy apretada, fue la respuesta.

(El senador Moreno encabezó la recepción, pese a que estaba programado para esa tarea Roberto Alcides Beltrones Rivera, director del aeropuerto de Tijuana y hermano del gobernador de Sonora, consta en el expediente.)

El coordinador de Solidaridad en Baja California, Jaime Martínez Veloz, propuso Lomas Taurinas para el mitin, aunque había cuatro puntos alternativos: la explanada del PRI, el estacionamiento del hipódromo, la plaza de toros, el predio llamado El Terrenazo, o en Constitución y Calle Segunda. Todo se desechó porque "en esta primera visita no se haría un acto masivo".

El templete estaba encima de una pick up, por decisión de Mario Luis Fuentes, encargado de eventos con asistencia de no priístas.

El sonido fue llevado desde la ciudad de México: "Gonzalo y Benjamín Perafán Uribe, dueños de la empresa Sonorización, Grabación e Iluminación" pusieron "quebraditas" a todo volumen.

Había unas tres mil quinientas personas. El Cachanilla, cantante local, interpretó a capela dos canciones que le fueron muy aplaudidas.

La seguridad de Colosio, momentos antes de su llegada, echó del lugar a un grupo de jovencitos que se identificaron como estudiantes del Tecnológico de Tijuana, quienes portaban una gran manta con estas leyendas:

"No más PRI-gobierno, di no a Televisa" y "Ojo Colosio: Camacho y Marcos te vigilan".

A las 16:30, hora local, llegó Colosio y, dice el informe, miembros de su escolta le abrieron paso "en formación diamante", con el mayor Cantú en la vanguardia, el teniente Zimbrón atrás del candidato, el teniente Salinas a su izquierda y el teniente Merín del lado derecho, en tanto que el coronel Pancardo y el general García mantenían "una posición variable respecto a Colosio, a causa de los desniveles del terreno".

Sólo que Colosio había tenido que descender de su camioneta y emprender la entrada a Lomas Taurinas a pie, porque un "acomodador espontáneo" de vehículos dijo a su escolta que "ya no había lugar dentro".

La "formación diamante" parece que ya no fue utilizada al terminar el mitin. Videos, fotografías, testimonios, indican que diez personas de su seguridad estaban junto a Colosio en el momento en que fue ultimado:

Un general, un coronel, dos mayores, tres tenientes y tres civiles.

Dudas al por mayor

Entre innumerables dudas y vacíos que surgen de la lectura del informe final de la subprocuradora Islas, se pueden mencionar sintéticamente:

Se desechó la versión del fotógrafo Mario Pérez Limón, quien dijo haber visto a un segundo hombre disparando y haber escuchado una tercera detonación. La fiscalía se esforzó por desmentirlo, e inclusive se le mandó a practicar un estudio psicológico.

Estudios clínicos también se hicieron a Mario Aburto. Allí los expertos Carlos Tornero Díaz y Graciela Miranda dicen que "no puede negarse hipotéticamente", por sus características psíquicas, que "en un momento dado la conducta de Aburto haya podido ser coadyuvada por influencia de terceros".

"Hipotéticamente, el acto homicida pudo haber sido planeado por un director intelectual que hubiera tomado en cuenta las características de personalidad de Mario Aburto, pudiendo haberlo detectado por las manifestaciones de sus pensamientos e ideas de reivindicación."

Los mismos especialistas emitieron un dictamen, el 5 de julio pasado, en el que califican a la familia de Aburto Martínez "como criminógena en un grado de probabilidad".

Concluyeron esto de fotografías en que tres de los Aburto aparecen con armas de fuego, largas, verdaderas y falsas, con niños de la propia familia: "lo importante es la implicación, el manejo de agresión, violencia y aceptación de las armas como símbolos de destrucción y poder".

Para explicar por qué se le exhibió el video de Lomas Taurinas a Mario Aburto antes de que hiciera su primera declaración ministerial, el subdelegado de la PGR Raúl Loza Parra dijo que "en razón de la negativa inicial de Aburto de ser el autor material de los hechos, su interrogatorio se alternó con la proyección del videocassette que Jácome Saldaña (un agente judicial federal) había tomado en el lugar del atentado".

Mientras que el informe es minucioso al describir qué personas iban en qué vehículos y sentados quién junto a quién, en el traslado en avión a México se le "pierde" uno de los seis viajeros:

Dicho traslado se llevó a cabo el día 24 de marzo de 1994, en una aeronave de la Procuraduría General de la República de seis plazas, siendo los encargados del mismo el teniente coronel Carlos Arturo Pancardo Escudero, el director general de la Policía Judicial Federal, Adrián Carrera Fuentes; Manuel López de Arriaga, director operativo de la Policía Judicial Federal; Humberto Rorises Morales, primer comandante de la misma corporación, y una persona cuyo nombre de desconoce.

Ninguno de los funcionarios supo decir quién era ese hombre que podía estar en el avión con el detenido más importante en muchos años.

Y otra revelación inquietante:

"Se tiene información reciente de que con posterioridad a que Aburto rindió su declaración ministerial y con anterioridad a su entrega en el aeropuerto de Tijuana, Aburto fue sacado de la Delegación para continuar interrogándolo fuera de ésta. Se está investigando qué personas participaron en este interrogatorio, la forma en que fue efectuado y el resultado del mismo". (José Reveles, *El Financiero*, 26 de noviembre de 1994.)

l) La pista inexplorada: la grabación de Brenda

La doctora Rosa Eugenia Chávez de Bartelt, perito en foniatría, no tuvo dudas. "Se concluye que existen noventa por ciento de datos indicativos de que ambas grabaciones son de la misma persona del sexo femenino".

Había comparado las tonalidades, las inflexiones de voz, la velocidad del discurso, de dos diferentes grabaciones:

1. El cassette en que se registró una llamada telefónica anónima a la oficina del gobernador de Sonora, Manlio Fabio Beltrones Rivera, cuando la angustiada voz de una mujer ofrecía dar información sobre el complot para dar muerte a Luis Donaldo Colosio, que según ella se gestó con mucha anticipación.

Decía tener nombres, pistas. Temía por su vida y por la de su hijita. Cuando se le fue a buscar al parque público desde donde afirmó que se hallaba, ya no apareció y nunca más volvió a llamar ni a presentarse.

2. La cinta de Brenda González Guerra, una joven y bella exsecretaria en la delegación de la Procuraduría General de la República en Tijuana, llamada a declarar a las oficinas de la PGR. Cuando Brenda dejó de laborar en Tijuana, iba con frecuencia a visitar a Hermosillo, Sonora, a su novio, el subcomandante de la Policía Judicial Federal Armando Gómez Gallardo. Y tam-

bién lo acompañó al Distrito Federal. Entonces fue citada por las autoridades y se le hizo una grabación.

Olga Islas, subprocuradora especial para el caso Colosio, estaba por entregar en noviembre sus oficinas de Insurgentes Sur, cuando llegó la respuesta de foniatras de España consultados por la PGR.

El resultado fue idéntico. Ambas grabaciones pertenecían sin duda a una misma persona.

Brenda, de veintitrés años, madre de una pequeña de cuatro años, era pues la mujer que había hablado a la oficina del gobernador Beltrones.

Ella lo negó insistentemente, hasta en tres citatorios que le hizo la Fiscalía Especial.

Pero los peritajes de esta índole no suelen mentir. A Brenda se le pidió, el 18 de octubre pasado, leer en voz alta la transcripción de las palabras que la voz anónima había expresado desde un teléfono público de Hermosillo.

"Una polígrafa presente en el interrogatorio, Maura Ramírez González, experta en el detector de mentiras, ni siquiera tuvo que consultar el aparato. Era de tal manera evidente que Brenda se puso demasiado nerviosa y alteró las velocidades y los tonos de su propia voz. Aun así, los exámenes dieron positivo: idénticas palabras, pese al fingimiento que intentó la joven, pronunciadas por idéntica persona, fue la conclusión", reveló una fuente cercana a las averiguaciones.

Los peritos españoles no tuvieron a la vista a la exsecretaria de la PGR en Tijuana, pero les bastó escuchar los cassettes y observar filmaciones en video que les enviaron las autoridades mexicanas.

La pista está allí, intocada. Ya pasaron cuatro meses y nada se sabe del paradero de Brenda González Guerra.

Otro dato adicional es que hoy se ignora el paradero del amigo de Brenda, que de Baja California había sido trasladado a Sonora.

En efecto, el subcomandante Armando Gómez Gallardo, de treinta y tres años, es amigo y colaborador desde hace muchos años de Rodolfo García Gaxiola, comandante de la Judicial Federal a quien el jefe de la zona militar de Sonora acusó de proteger a las mafias del narcotráfico y hubo de ser removido.

Gómez Gallardo trabaja en localización de plantíos y cargamentos de mariguana; comanda un grupo operativo para investigar, localizar, aprehender y presentar a personas que están involucradas en el narcotráfico.

Su jefe García Gaxiola fue relevado de la delegación de la PGR en Sonora sin que se haya informado su nuevo destino. Y de allí habría salido ya también Gómez Gallardo.

La molestia de Manlio Fabio Beltrones

"El compañero de la señora cuya voz está grabada en el cassette (Brenda) se encuentra en Sonora, específicamente en la población de Naco. ¿Por qué, si ha sido identificado, no lo quiere la propia PGR?", preguntó el gobernador Beltrones a la Comisión Legislativa de seguimiento del caso Colosio el lunes 27 de febrero.

Presentes también el diputado Alfonso Molina Ruibal, presidente de la comisión de legisladores, y el senador Guillermo Hopkins, excoordinador de giras de campaña de Luis Donaldo Colosio, ambos sonorenses, escucharon una confesión de Manlio Fabio Beltrones.

Le había preguntado el perredista Ramón Sosamontes por qué pasaron varias semanas antes de que el gobernador ofreciera la grabación de la llamada telefónica a la Fiscalía Especial.

Porque Beltrones sospechaba que podría haber un manejo interesado y voltear contra él las investigaciones: "No me equivoqué, pues a las dos semanas que entregué el cassette, éste se filtró a la prensa".

En representación de la cámara de diputados estaban los perredistas Jesús Zambrano y Ramón Sosamontes, Ezequiel Flores por el Partido del Trabajo, y los priístas Samuel Palma, María Elena Irízar, Guadalupe Morales Ledezma y otros dos sonorenses: David Ernesto Trelles y Juan Leyva Mendívil.

"Hay una filtración sistemática e intencionada de documentos que no tenían por qué haber salido a la luz pública", se quejó Beltrones y pidió una averiguación.

La cinta con la grabación de la mujer se la ofreció el propio gobernador a la subprocuradora Islas. Pero a las dos semanas ya aparecía una información en *La Crónica*, de Mexicali, en donde se afirmaba que Beltrones era investigado por una llamada que se recibió en su oficina.

Beltrones comenzó a pensar en que había intimidación para que no aparecieran nuevos elementos en las pesquisas:

"La noticia del cassette parecía una amenaza para que yo no me volviera a meter en la investigación. Parecían avisarle a ella (la doctora Islas) para que no se metiera tampoco. También parecía un mensaje para todos aquellos que me hablaban tratando de ofrecerme algún indicio. Y resultaba un ejemplo para los demás: no te atrevas a presentar más pruebas porque puede ocurrir lo que pasó con Beltrones. Tendía a cercar el hecho de mi participación... en aclarar el cobarde crimen".

Así resume una crónica del semanario tijuanense *Zeta* lo que el gobernador de Sonora habría dicho, en tono de queja, a los legisladores.

Del aeropuerto a la PGR

Brenda y su amigo de la Judicial Federal trabajaron en el aeropuerto de Tijuana, en las oficinas que la PGR tiene allí para la detección y decomiso de drogas.

La joven tuvo instrucción secundaria, tomó cursos de cultura de belleza, y estudió la carrera de secretaria en San Ysidro, California. Su padre tenía una oficina de esas que en Tijuana se dedican a asesorar en matrimonios y divorcios. Brenda le ayudó unos pocos meses.

En la discoteca Baby Rock de esta ciudad conoció al agente del Ministerio Público Federal Humberto López, quien le ofreció trabajo en el aeropuerto, a partir de octubre de 1993, con Jesús Romero Magaña.

Dos meses y medio después, según lo que ella declaró en actas, se fue a trabajar con Salvador Gómez Ávila, subdelegado de Averiguaciones Previas de la PJF, en las oficinas de la PGR en Río Tijuana, de enero a mayo de 1994.

Brenda se enteró del asesinato de Colosio estando allí. Pero negó haber visto a Beltrones o haber recibido llamada alguna del gobernador.

Ante la Fiscalía rechazó haber sido ella la mujer que habló a las oficinas de Beltrones en Hermosillo, aunque aceptó que ha ido en muchas ocasiones a esa capital sonorense, pues su amigo Armando Gómez Gallardo fue transferido.

Gómez Gallardo fue interrogado también. Declaró que el día que ultimaron al candidato presidencial priísta en Tijuana, él se encontraba de vacaciones, en su natal Reynosa, Tamaulipas, con su esposa Lidia Angélica Benavides y sus hijos.

Se enteró del atentado por la televisión y continuó sus vacaciones hasta presentarse a laborar el 5 de abril, cuando se le ordenó dejar la comisión del aeropuerto y trasladarse a las oficinas de la PGR, con el comandante Raúl Loza Parra, mismo con el que había llegado a Tijuana.

–¿Y por qué ejerce usted funciones de comandante sin serlo?, le preguntó el agente del Ministerio Público a Gómez Gallardo.

"Que es la costumbre en todas las plazas de la Judicial Federal en toda la república; que a los jefes de grupo, que vienen siendo segundos subcomandantes, sus subordinados, por respeto y jerarquía, se dirigen a ellos como comandantes", se asentó en el acta la respuesta del jefe de grupo.

El administrador del aeropuerto de Tijuana es Roberto Alcides Beltrones Rivera, hermano del gobernador de Sonora. Se le ha mencionado insistentemente en las investigaciones del caso Colosio por varias razones:

Porque se atribuye a Manlio Fabio Beltrones el haber hecho un interrogatorio a Mario Aburto, señalado como el asesino de Colosio, fuera de las oficinas de la PGR, en la zona de playas de Tijuana. Se menciona la residencia de Alcides como el sitio al que habría sido llevado Aburto en la madrugada del 24 de marzo, pero esto ha sido negado por ambos hermanos en múltiples ocasiones.

Porque había maquinaria controlada por la administración del aeropuerto que hacía obras en Lomas Taurinas. El gobernador explicó a los legisladores, sobre este punto, que las obras eran parte de un programa de drenaje "previsto desde años atrás por Pronasol". Y Lomas Taurinas está junto al aeropuerto.

Porque Othón Cortés Vázquez, arrestado bajo el cargo de haber hecho el segundo disparo contra Colosio, tenía credencial para entrar y salir del aeropuerto cuantas veces quisiera, pero sin ser empleado del lugar.

Porque se insiste en que el jefe de Seguridad Pública del gobierno de Sonora, Armando López Ferreiro, quien acompañó a Beltrones a Tijuana hace un año, fue el encargado de interrogar y torturar a Aburto, autor confeso del asesinato de Colosio.

López Ferreiro, según algunas versiones, sería el misterioso sexto pasajero en el avión que llevó a Mario Aburto a México, cuya identidad los otros cinco jefes policiacos y militares dicen no recordar. También desmentida la versión por Beltrones, esta semana el fiscal Pablo Chapa Bezanilla dijo que ese pasajero ya estaba identificado "y no es policía".

Puesto que fue el jefe de la zona militar de Sonora quien acusó al delegado de la PGR en el estado, Miguel Ángel Cortés Ibarra y a su comandante Rodolfo García Gaxiola, de proteger acciones de los narcotraficantes, ambos fueron relevados en la segunda quincena de enero.

El nuevo delegado estatal es Miguel Ángel Cortés Ibarra, un abogado que ha hecho carrera en algunas dependencias castrenses. Fue agente del Ministerio Público, diputado por Veracruz, director de Comunicación Social de la Secretaría de Marina y oficial mayor del Tribunal Superior de Justicia Militar.

Desde que la comisión de diputados se entrevistó con el gobernador Beltrones han transcurrido tres semanas y se cree que el amigo y auxiliar de García Gaxiola desde hace más de diez años, el jefe de grupo Armando Gómez Gallardo, puede haber solicitado su salida de Naco, Sonora, frontera con Estados Unidos.

Si la llamada telefónica de la mujer que los peritos han identificado como Brenda fue falsa, se trataría de una maniobra de distracción de las averiguaciones.

Si tiene fondo de verdad, allí hay posibilidades de acercarse a los detalles y a los autores del complot del 23 de marzo de 1994.

El polémico cassette del gobierno sonorense abrió una posta cuyo seguimiento espera todavía una voluntad política. (José Reveles, *El Financiero*, 19 de marzo de 1995.)

m) Incapacidad sospechosa

El 23 de marzo de 1994 se realizó con éxito un operativo contra Luis Donaldo Colosio, candidato del PRI a la presidencia de la república. Antes, durante muchas semanas, fuerzas de diverso nivel actuaron y movieron peones y alfiles (incluyendo a elementos de la Policía Judicial Federal) para lograr su objetivo: Colosio tenía que morir en Tijuana. No en Culiacán o Guadalajara; la trampa se montó en Tijuana. El operativo estaba bien planeado: el "asesino solitario" causaría un inmenso daño a Ernesto Ruffo en lo personal ("Ruffo asesino") y al Partido Acción Nacional en lo general. Pero si esto fallaba –como sucedió gracias a Federico Benítez y David Rubí, quienes intervinieron a pesar de abiertas solicitudes en contrario de los priístas– quedaba todavía la posibilidad de acusar a "los priístas locales enojados".

Lo único que no debía permitirse era la discusión abierta sobre la responsabilidad de la cúpula del poder en el crimen. Nadie debería insinuar siquiera la probabilidad concreta de que la Banda de Los Pinos (de otra manera: "la Familia Feliz") hubiese planificado y facilitado el asesinato político. Esto era lo esencial; lo demás, secundario. Porque Los Pinos es la residencia del jefe del Poder Ejecutivo Federal; en 1994, de Carlos Salinas de Gortari.

La Familia Feliz: Raúl Salinas de Gortari, José Córdoba Montoya, Emilio Gamboa Patrón, Justo Ceja. También Manlio Fabio Beltrones y algunos más. El jefe, *capo di tutti capi*: Carlos Salinas. Un hombre ligado política, intelectual y amistosamente a Manuel Camacho Solís: el gran perdedor en el destape de noviembre de 1993; pero –a pesar de ello– colocado en el centro del escenario político, gracias a su papel de comisionado para la paz en la revuelta del EZLN. El mismo hombre que, unos cuantos días antes del "destape", había inaugurado en los nuevos edificios del Instituto Tecnológico de Monterrey, Campus México, una bella biblioteca y una estatua: "El Rey". Es natural: Diego de Montemayor-Monterrey-El Rey. A esa ceremonia asistió de urgencia el secretario de Educación Pública: Ernesto Zedillo. Luego se inició el rito, Luis Donaldo, candidato del PRI a la presidencia. Ya se sabe, eso no fue del agrado de Camacho. A pesar de ello, después del primero de enero (fecha de inicio de operaciones del TLC o NAFTA) ocuparía un prominente lugar: el hombre del diálogo y la paz.

Mientras tanto, Luis Donaldo luchaba por su candidatura. Después del seis de marzo y su definición en Cancún contra el narcotráfico, caminó por la Ruta del Pacífico. 23 de marzo: Lomas Taurinas. La campaña iba en ascenso; y un día antes, finalmente, Camacho había aceptado los hechos: Colosio era el candidato del PRI. Se salía de una estrategia (la de Salinas) y entraba a otra (la de Colosio). Luego: Tijuana.

Lomas Taurinas: ¿cuál es el papel de la Judicial Federal? Por lo pronto sabemos que Raúl Loza Parra –un comandante antes concentrado en Nuevo Laredo, donde había filmado la destrucción de edificios federales– ordenó se filmara el famoso video del asesinato. Públicamente se ha mostrado sólo una parte del video. Y hay otros videos los cuales no se conocen todavía en forma pública. Sabemos que Luciano Parada, jefe de la Judicial Federal en Tijuana, estuvo asignado a Matamoros. Y tres nombres más: primeros comandantes Eduardo Osorno Lara, Isaac Sánchez Pérez y Juan Benítez Ayala. Según boletín de prensa 248-93, los dos primeros comandantes fueron expulsados de la PGR por Jorge Carpizo y Jorge Carrillo Olea el 15 de junio de 1993. De cualquier forma regresaron a Tijuana en momentos clave; antes y después del homicidio. Juan Benítez Ayala, jefe policiaco federal al servicio de Juan García Ábrego (véase caso narcosatánicos-rancho Santa Elena), ahora "investiga" en Tijuana el asesinato político para Pablo Chapa Bezanilla.

Gracias a José Reveles ("La pista inexplorada: la grabación de Brenda", *El Financiero*, domingo 19 de marzo de 1995) ya hay más datos.

Como se recordará Brenda Alicia González Guerra (veintitrés años, una hijita de cuatro años, exsecretaria de Salvador Gómez Ávila, subdelegado de Averiguaciones Previas en Tijuana) habría llamado a Manlio Fabio Beltrones –gobernador de Sonora– para comunicarle que "ella conocía días antes del atentado contra Colosio y demandaba seguridad para comunicar lo que sabía. Se había enterado mediante su relación con un novio: Armando Gómez Gallardo, jefe del grupo de la PJF".

Armando Gómez Gallardo estaba destacado en el aeropuerto de Tijuana, administrado por Roberto Alcides Beltrones, hermano del gobernador de Sonora y de Orestes Beltrones, un propietario de aviones adornados con el logotipo del PRI. Gómez Gallardo está casado con Lidia Angélica Benavides; él es originario de Reynosa, Tamaulipas.

Armando Gómez Gallardo fue ayudante del subdelegado de la PGR (PJF) en Sonora, Rodolfo García Gaxiola. Otro García, Álvarez –Benjamín– fue subdelegado de la PGR bajo las órdenes de Joaquín Pérez Serrano (hombre de confianza de Jorge Stergios y, sobre todo, de Mario Ruiz Massieu). Otro García Gaxiola, el hermano menor, está conectado con el intento de asesinato de otro gran capo de la cocaína (Amado Carrillo) en el restaurante Bali-Hai.

Ahora, nos informa Reveles, el nuevo delegado estatal de la PGR en Sonora fue agente del Ministerio Público, diputado por Veracruz y director de Comunicación Social de la Secretaría de Marina (¿con Mauricio Schleske?).

Finalmente, después de peritajes que demostraron que ella sí había llamado a Manlio Fabio Beltrones, Brenda Alicia ha desaparecido. Al igual que Armando Gómez Gallardo.

¿Brenda Alicia González Guerra, novia de Armando Gómez, casado él con Lidia Angélica Benavides? Desde el primer momento que se hizo público el nombre de la joven, señalé (en *El Financiero* y en *Zeta*, de Tijuana) que debería investigarse si ella o sus parientes proceden de Tamaulipas. Ahora, gracias a José Reveles, la relación Brenda Alicia-Tamaulipas se hace evidente hasta para el procurador Lozano; hasta para Pablo Chapa. Hasta para el presidente Ernesto Zedillo y su jefe de Seguridad Nacional: Jorge Tello Peón. Y comienza a hacerse evidente –hasta para todos ellos– el papel jugado por la Policía Judicial Federal en el asesinato de Luis Donaldo Colosio. ¿O todavía para nuestras autoridades y responsables de la procuración de justicia no es evidente? ¿Necesitan más datos? ¿Cuántos más? Por ahora, ofrezco tres relaciones indirectas. Si el procurador y sus "investigadores" necesitan más, se les pueden proporcionar cuando lo deseen.

Primera. El cinco de abril de 1993, la prensa tamaulipeca celebraba una fuerte inversión canadiense en el sector agropecuario del estado. Eduardo Garza González (secretario de Fomento Agropecuario de Manuel Cavazos Lerma) promovía con el gobernador a Don L. Simon, presidente de Intergreen Agroenergy Corp., de Alberta, Canadá. Presente en la reunión, uno de los narcotraficantes más buscados de la frontera Texas-Tamaulipas: Javier González García, quien se presentaba como "inversionista de la ciudad de Mier". También asistieron Alfredo Cantú A.; Henry Peña Alanís; Marco Antonio Reséndez y Filiberto Flores Guerra, todos ellos altos funcionarios del gobierno del estado, la Secofi o del Banrural.

Segunda. 11 de noviembre de 1993; lugar: Brownsville, Texas. Ha muerto la señora Estela Ábrego, hija de Jesús Ábrego y Carmen Benavides. Casada con Albino García, hijo de Modesto García y Herlinda Cárdenas. Registraron a un hijo, Juan, el 9 de julio de 1945 como nacido el 13 de septiembre de 1944, en el rancho La Puerta, del municipio de Matamoros. A velar el cuerpo de la anciana asisten a la funeraria doscientas personas. Entre ellas:

Ernesto Peña B., Jesús Benavides F., Octavio Garza, Jorge Luis García González, Ramiro González, Hilda Guerra de Rodríguez, Augi Benavides, Blanca Rosa Benavides de Del Fierro, Laura Alicia González G., Alicia Garza, María del Carmen García de González, Catalina B. de González, Ema Lozano de Leal, Evangelina G. de Sosa, José García Guerra, y Norma e Hilda García Villarreal.

Tercera. Fuente: Pen-link Report (DEA): "material no clasificado"; según escrito de septiembre de 1994. Aparecen: Cándido Barrera González, María Irene Benavides, Eva Benavides Fuentes, A. Benavides Marroquín, Alicia Cárdenas Zárate, Brenda Garza, Alfredo Garza G., Octavio Barrera Barrera, Carlos Reséndez Bortolussi, G. González Benavides, Alicia González T., Brenda Garza de Moreno, Ricardo Rangel Guerra, Rodolfo García Villarreal, EGA Promotores: Av. Garza Sada 4580 Sur, Monterrey. Juan Reséndez Bortolussi (el 23 de marzo, dice, se quedó en La Paz y no asistió a Lomas Taurinas). También: Alberto Gómez G. Atención: "Dr. González"; 325-1280; Monterrey. No podía faltar Francisco Guerra Barrera. Y el número 277-1703. Presidencia de la República. Ahora el doctor Córdoba reconoce su relación con Bodenstedt. Pero el responsable de la seguridad nacional nada sabía de relaciones con el Cartel del Golfo (*Time*, marzo 17). Otro inocente engañado. Uff.

¿Qué temen en los círculos gubernamentales? ¿Se recuerda el incidente en CINTERMEX? Mario García Villarreal, relacionado políticamente con Tomás Yarrington Ruvalcaba, invitó a Humberto García Ábrego y a Francisco Javier Gamboa Berthaud a la cena con el candidato. Se le retiró la invitación al hermano de Juan pero no a Gamboa Berthaud. ¿Ni siquiera pueden investigar esto? ¿Será acaso que otros tamaulipecos —como Armando Valladares— están ahora cerca de Los Pinos? Bien: al menos digan exactamente qué hizo Sánchez Ortega (CISEN) en Lomas Taurinas. (EV, *El Financiero*, 26 de marzo de 1995.)

ANEXO II: WASHINGTON: 25 DE AGOSTO

Declaración pública

En unos momentos más presentaré, en el consulado de México en Washington, es decir, en territorio mexicano, frente a autoridades mexicanas y bajo las leyes mexicanas, un testimonio que aborda tres asuntos esenciales: la organización criminal de Juan García Ábrego, la protección de autoridades federales mexicanas a esta mafia multinacional y la posibilidad concreta de que estos mismos políticos —protectores de Juan García Ábrego— intervinieran en la planeación y ejecución del homicidio de Luis Donaldo Colosio.

Presentaré documentales públicas y privadas que ponen en evidencia la protección, complicidad o connivencia de autoridades federales que este Cartel del Golfo, el cual, junto con el de Amado Carrillo Fuentes, son los brazos operativos del Cartel de Cali, dirigido por los hermanos Miguel y Gilberto Rodríguez Orejuela.

Debo señalar que me encuentro en los Estados Unidos de América como periodista, sin ninguna protección del gobierno de este país, sin hacer intervenir a la justicia federal de esta nación, sin recibir apoyo ni dinero de ninguna autoridad. Mi documentación y mi propia persona, durante largas semanas, se han encontrado exclusivamente bajo mi responsabilidad. La razón es obvia: no confío en Janet Reno y mucho menos en la DEA. Y, si no fuese suficiente, éste es un asunto entre mexicanos.

El cobarde asesinato de Luis Donaldo Colosio tiene necesariamente, para una investigación madura e inteligente, tres hipótesis de trabajo: la del asesino solitario, la de los políticos priístas locales que se vengan de la pérdida de la gubernatura en Baja California y, la tercera, un complot de políticos federales al servicio de las grandes cabezas del narcotráfico, con las cuales, afirmo, Luis Donaldo Colosio nunca pactó.

La primera hipótesis nadie la cree. Mario Aburto Martínez no actuó solo; hay evidencias de que se presentó una acción concertada en la cual Mario Aburto, en todo caso, sería apenas un consciente ejecutor. La segunda hipótesis relacionaría a políticos priístas, como Xicoténcatl Leyva Mortera y Rodolfo Rivapalacio, como promotores del vil crimen. Si esto fuese cierto, llama la atención la conducta de la Procuraduría General de la República que no ha promovido, bajo las garantías necesarias, la declaración del hermano de Mario Aburto, quien debe conocer las amistades y relaciones del presunto homicida de Colosio. Es absolutamente indispensable obtener la declaración de Rafael Aburto Martínez para conocer de esas amistades y relaciones inmediatamente anteriores al homicidio ocurrido en Lomas Taurinas y, sobre esta base, obtener la cooperación de las autoridades de Estados Unidos para localizar y presentar ante autoridad mexicana competente a los amigos de Mario Aburto para que declaren con verdad lo que sepan.

La credibilidad de la investigación ha sido seriamente dañada por la presentación pública, después de los hechos de Lomas Taurinas, de un individuo cuyas características físicas poco tienen que ver con el personaje ensangrentado que se registra en videofilmaciones como el ejecutor de Luis Donaldo.

En mi opinión, un complot local no tiene sentido y, sobre todo, no tiene manera de ejecutarse. Para asesinar a un personaje de esas características es absolutamente indispensable la complicidad de autoridades federales que infiltran el aparato de seguridad del candidato a la presidencia de la república. Por ello, doña Olga Islas tiene que investigar la conducta de Domiro García Reyes, Fernando de la Sota, Jorge Vergara Verdejo y otros integrantes de la "seguridad" de Luis Donaldo Colosio. Llama la atención que solamente gracias a las investigaciones y publicaciones de periodistas como Dora Elena Cortés y otros colegas, han surgido estos nombres a la luz pública y, en función de ello, pareciera que se presenta un auténtico complot para evitar el conocimiento de quienes conformaban los equipos de Colosio, tanto de seguridad como de acción política. Por ello mismo, resulta conveniente preguntar: ¿qué papel desempeñaba en la campaña Raúl Zorrilla Cossío, exsubsecretario de Comunicaciones y Transportes, y por qué saldría del equipo de Colosio?

Como ciudadano mexicano, sujeto a las leyes de mi país, presento preguntas y documentales públicas y privadas que deben ser valoradas por la autoridad competente. Ése es mi deber y lo cumplo con responsabilidad y aceptando todos los riesgos. (EV, 25 de agosto de 1994, Washington, D. C.)

Declaración en 2827 16th Street N. W.: embajada de México, sección consular, en Washington, D. C.

En primer lugar quiero señalar que presentaré y le entregaré al señor cónsul copia fiel y exacta de un documento firmado por autoridad responsable de la PGR, donde se muestra que esta documentación fue entregada en su momento jurídico a las propias autoridades de la Procuraduría General de la República, es decir, con la excepción, con la sola excepción, de dos documentos o dos grupos de documentos que se refieren a mis notas entregadas a los señores procuradores doctor don Jorge Carpizo y doctor Diego Valadés y la documentación que corresponde a la Drug Enforcement Administration de Estados Unidos, con estas excepciones absolutamente toda esta documentación fue presentada en su momento y entregada en su momento a las autoridades de la Procuraduría General de la República. Tengo copia, tengo copia, en función de que tengo copia, en función de que ése era mi trabajo y en función de que yo tenía que responder del salario que el pueblo de México me pagaba como asesor personal de los señores procuradores Carpizo y Valadés. Estos dos grupos de excepción los entrego ahora ante un representante superior del gobierno de México, es decir, el señor cónsul de México en Washington, don Salvador Cassián, en los términos del código y de las leyes de mi país; por lo tanto, no están sujetos más que a verificación en relación con los señores doctor Jorge Carpizo y doctor Diego Valadés. En relación con el documento de la DEA que presentaré ante la fe pública del señor cónsul, no entregaré copia, conservaré bajo mi propia responsabilidad esa copia; sin embargo, algunos elementos de ese documento serán conocidos por el señor cónsul de México en Washington. De todo lo demás hay copia, de todo lo demás se entregó a la autoridad responsable; de todo lo demás existe en el archivo de la Procuraduría General de la República. He cuidado que estos documentos no circulen a la luz pública, que de ninguna manera se conozcan en función de que entiendo que sin tener el carácter de confidenciales, puesto que no hay ninguna indicación en ese sentido, comprenden asuntos de investigaciones federales que no deben ser del conocimiento público y que deben, necesaria y obligadamente por la ley, quedar bajo el criterio de la autoridad responsable de la persecución de delitos en este caso, concretamente, bajo la responsabilidad de los funcionarios de la Procuraduría General de la República. Presentaré al señor cónsul en su momento la documentación que ampara jurídicamente la entrega de este archivo. Y reitero que he procurado en la medida de mis posibilidades que no se dañe la investigación federal. Mi documentación comprende tres grupos de documentos: uno, relacionados directamente con la organización criminal de Juan García Ábrego, cabeza pública del Cartel del Golfo o Cartel de Matamoros; en segundo lugar, documentos que ponen en evidencia, en mi opinión, la protección o la complicidad de funcionarios de la Secretaría de Comunicaciones y Transportes con el llamado Cartel del Golfo o Cartel de Matamoros, y en tercer lugar, declaro ante el representante de las autoridades de mi país situaciones en relación con la campaña de Luis Donaldo Colosio, que fuera candidato del Partido Revolucionario Institucional a la presidencia de la república, que en mi opinión, y bajo reserva del criterio de evaluación de la autoridad competente, ponen en evidencia la infiltración en el aparato de seguridad y en el aparato de acción política del extinto Luis Donaldo Colosio, de personas relacionadas directa o indirectamente con el Cartel del Golfo o de Matamoros, dirigido por Juan García Ábrego. Estos tres grupos de documentos fortalecen en términos del código de procedimientos penales lo que se ha señalado en términos generales en relación con la misma existencia del Cartel del Golfo, con la protección o complicidad de autoridades federales, en particular de la Secretaría de Comunicaciones y Transportes, cuyo secretario de despacho es el señor don Emilio Gamboa Patrón, y también lo que se ha dicho en relación con el cobarde asesinato de Luis Donaldo Colosio. Vuelvo a decir que se trata de indicios de documentales públicas y privadas, que en mi opinión llegan a conclusiones pero que mi opinión es la de un ciudadano que no es autoridad para perseguir delitos y que no tiene ningún elemento para poder intervenir en el desarrollo de la averiguación previa relacionada con el asesinato de Luis Donaldo Colosio. Que por lo tanto, es el señor cónsul quien colocará estos elementos, estos indicios, estas pruebas, estas documentales públicas y privadas bajo la autoridad competente que es, en mi opinión, la señora doctora Olga Islas de González Mariscal. Paso a la presentación de las documentales. Me permito entregar al señor cónsul de México en Washington la investigación relacionada con Ricardo Aguirre Villagómez y elaborada y desarrollada por el señor agente del Ministerio Público Federal David E. Rozilio Oro; esta investigación relaciona de manera directa y contundente a Ricardo Aguirre Villagómez con Almacenes RyG y también con el lavado de dinero de las casas de cambio Colón, quienes fueran afectadas por la Procuraduría General de la República en función de los indicios conocidos que establecieron para el criterio de la Procuraduría delitos federales, y frente a los cuales se actuó conforme a derecho. Se hacen constar ciento treinta y ocho fojas. Se identifica como anexo 1 y corresponde a la investigación en contra de Ricardo Aguirre Villagómez, que realizó el ministerio público federal David Rozilio Oro, en relación con el lavado de dinero de la Casa de Cambio Colón.

Me permito entregar al señor cónsul la certificación con fecha 2 de junio de 1994, en donde se me recibe por autoridad responsable de la PGR el archivo de mi oficina como asesor personal de los señores procuradores que he mencionado en su momento y que incluye de manera particular los reportes de inteligencia del CENDRO, Centro Nacional Contra las Drogas, en relación con las relaciones o en atención a las relaciones de Marcela Bodenstedt con Emilio Gamboa Patrón, secretario de Comunicaciones y Transportes; solicito al señor cónsul que se me reciba y certifique este importante documento.

Que se identifica como anexo dos y consta de siete fojas. Debo señalar que dentro de esta documentación entregada a la autoridad competente, se encuentran también aparte de lo dicho de la señora Bodenstedt con Emilio Gamboa Patrón, lo que se refiere al Cartel de Ciudad Juárez, en lo particular las direcciones, recibos telefónicos y directorios de los integrantes de esa organización, en donde se hace evidente la participación de Juan Bustillos Orozco como persona relacionada de manera directa e inmediata con esta organización delictiva. También se encuentran diligencias varias como órdenes de cateo, actos de aprehensión, sobre la base de órdenes de aprehensión obsequiadas por autoridad judicial competente y otros actos de investigación de la oficina del asesor personal de los señores procuradores, en donde éste, el asesor personal, actuó conforme a la ley siempre, y en todo caso asistido por agentes del Ministerio Público Federal. Lo cual quiere decir que el asesor personal requirió siempre y en todo caso de la autoridad competente y responsable, es decir, el Ministerio Público Federal. Me permito entregarle. Se reciben documentos que se anexan como anexo dos, consistente de siete fojas del cual se entregará una copia al señor Valle a petición de él.

Me permito entregar memorándum del 20 de septiembre de 1993, escrito a mano, entregado al señor procurador general de la república y al señor Jorge Tello Peón, también autoridad superior de la PGR, con la lozalización de Juan García Ábrego en Monterrey, en Pesquería, y con la localización de Ricardo Aguirre Villagómez en Tamaulipas. Que se identifica como anexo tres, constante de tres fojas escritas a mano, escritos con pluma.

Me permito entregar otro anexo, con dos fojas útiles, escrito a mano, donde se señalan números telefónicos que corresponden a Miguel Rodríguez Orejuela, en la república de Colombia, a su contacto inmediato, llamada Comadre Pilar, en Medellín y en Cali, y que demuestran la relación directa entre Raúl Valladares del Ángel y el Cartel de Cali. Esta información es producto del cateo que se efectuó conforme a derecho, en la casa de Raúl Valladares del Ángel en la ciudad de Monterrey. En la averiguación previa se encuentran los originales de los directorios telefónicos. Y se identifica como anexo cuatro, consistente de dos fojas escritas a mano.

Me permito entregar reportes al señor licenciado Alejandro Alegre, en su tiempo director operativo del CENDRO, del representante del CENDRO en el grupo especial coordinado por mí, por el de la voz, y que se refieren a relaciones del Grupo Especial con la Drug Enforcement Administration y actividades de investigación desarrolladas básicamente durante el mes de septiembre de 1993 en la ciudad de Monterrey. Documento que se identifica como anexo cinco, con número de fojas, dieciséis fojas, escritas a máquina.

Entrego también la investigación desarrollada en Brownsville, Texas, por el Grupo Especial en relación con las propiedades inmobiliarias del Cartel del Golfo en este lugar, en una colonia denominada Rancho Viejo, en la misma ciudad de Brownsville, presuntamente propiedad como conjunto inmobiliario de Juan García Ábrego. Se identifica como anexo seis, constante de cuarenta y cuatro fojas escritas a máquina. Debo agregar que esta misma información sobre Rancho Viejo fue presentada al señor presidente de la república en su momento, por el señor procurador don Jorge Carpizo, quien luego retornó esta información a la oficina de su asesor personal. Presento al señor cónsul copia fiel y exacta de documentos notariales de la venta de un avión piper cherokee que fue entregado por el gerente, el señor Patricio Milmo, de Aerocentro, el día 26 de mayo de 1973, por la cantidad de trescientos mil pesos. Este mismo avión fue vendido al ciudadano de Estados Unidos domiciliado en la ciudad de Monterrey, Henry Max Moller Schellhammer en la cantidad de doscientos mil pesos, con fecha 18 de enero de 1979, quien a su vez traspasó los derechos de propiedad del avión a la empresa Almacenes Comerciales RyG, el 2 de octubre de 1989, por la cantidad de ochenta y siete millones cien mil pesos. Y que se identifica como anexo siete, consistente en cuatro fojas. Lo importante es que se establece esa relación directa de conocimiento entre Henry Max y Almacenes RyG. Henry Max es uno de los principales financieros de Juan García Ábrego.

Entrego al señor cónsul copia fiel y exacta de actuaciones judiciales en relación con la averiguación previa núm. 59-88-III radicada en el Juzgado Quinto de Jalisco, que involucra a Martín Becerra Mireles, cuyo verdadero nombre es Óscar Malherbe de León, también conocido como licenciado Martínez, y a Juan Guerra, donde debería decir Juan Nepomuceno Guerra, que jurídicamente no es lo mismo. Y en donde se expide orden de aprehensión contra Martín Becerra Mireles, Juan N. Guerra o Juan Guerra, en contra de Marcelino Barraza y en contra de Sergio Luis García, cuyo verdadero nombre es Luis Medrano García. Se identifica como anexo 8 constante en [*sic*] dieciséis fojas. En este mismo proceso se involucra judicialmente, penalmente, a Raúl Valladares del Ángel y a Carlos Reséndiz [*sic*] Bortolussi, prófugos de la justicia de Estados Unidos, quienes han sido detenidos y se encuentran sujetos a proceso en territorio mexicano. Lamentablemente el que esta situación se presente es para evitar que sean extraditados a los Estados Unidos, puesto que en este proceso todos los involucrados, con excepción de Raúl Valladares del Ángel, tienen amparos ejecutoriados.

Me permito entregar al señor cónsul la relación de policías judiciales del estado de Tamaulipas involucrados directamente en la averiguación previa 501-CS-90, que se refiere a múltiples asesinatos, alrededor de sesenta, cometidos por la organización delictiva, incluyendo la masacre realizada por elementos de esta organización en el ejido Los Arcos, localizado en Matamoros, Tamaulipas, en donde fueron asesinadas diecisiete personas, algunas de ellas quemadas vivas. Se identifica como anexo nueve, constante de seis fojas.

Como lo manifesté en su momento, la averiguación previa 501 se encuentra en manos de la Procuraduría General de la República, y ello ha sido certificado con la entrega de mi archivo. En relación con esa averiguación, con orgullo personal puedo declarar que a pesar de la lenidad o la complicidad del señor procurador de Tamaulipas, Raúl Morales Cadena, y sobre la base de las reformas publicadas en el Diario Oficial el 10 de enero de 1994, con la plena autorización del señor procurador general de la república ejercimos la atracción federal y cumplimentamos alrededor de quince órdenes de aprehensión, incluyendo a algunos fundadores y lugartenientes muy importantes de esta organización criminal multinacional. El ejemplar trabajo jurídico fue desarrollado por el señor agente del Ministerio Público Federal, Sergio Adame Ochoa. Entrego reporte de la Dirección del Penal de Almoloya sobre la visita de los agentes especiales Raúl Carballido, del Federal Bureau of Investigation, el señor Peter Hanna, del FBI, el señor Tony Tamayo, de la Drug Enforcement Administration, el señor Peter Reilly, de la Drug Enforcement Administration, y del señor Eduardo Martínez, agente especial de la DEA en México, en relación con una visita en ese penal a Luis Medrano García, quien fue trasladado por el de la voz a ese penal de alta seguridad desde el penal de Santa Adelaida, en Matamoros, que se identifica como anexo diez y que consta de veinticinco fojas.

Lo que prueba es el conocimiento de los Estados Unidos de la organización. O sea, la DEA y el FBI saben con plenitud la existencia y operación de la organización. No pueden hacerse tontos, ¿me explico?

Entrego al señor cónsul notas de inteligencia entregadas en su momento al señor procurador general de la república sobre nombres de personas y núcleos familiares relacionados directa e inmediatamente con la organización criminal conocida como el Cartel del Golfo o Matamoros.

Se identifica como anexo 11, constante [*sic*] de quince fojas.

Entrego al señor cónsul documento de inteligencia proporcionado al de la voz por el en ese entonces procurador general de la república, el doctor Jorge Carpizo, en relación con el Cartel de Matamoros, documento que sólo era conocido por las más altas autoridades de la Procuraduría.

La importancia de esto es que también la Procuraduría conocía la organización. No la inventé, ¿me explico?; no surgió de mi cabeza.

Es un documento de inteligencia, es lo que se entrega al señor procurador para que él dé instrucciones a quien debe darlas y que actúe conforme a derecho. Es un documento. Es un estudio, es un amplísimo estudio, medio falso porque también engañan al procurador.

Se identifica como anexo 12, constante [*sic*] de cincuenta y una fojas.

Entrego al señor cónsul un desarrollo del anterior documento, conocido como Caso Golfo 5, elaborado por un grupo especial de la PGR que tenía como objetivo desarrollar las investigaciones conducentes al conocimiento de la organización criminal. También ese documento sólo era conocido por las más altas autoridades de la Procuraduría General de la República.

Se identifica como anexo 13, constante [*sic*] de veintiuna fojas.

Entrego al señor cónsul reporte fechado el 6 de agosto de 1993, en Matamoros, Tamaulipas, sobre averiguaciones previas y procesos radicados en diversos juzgados en relación con diversos individuos de la propia organización criminal.

Se identifica como anexo 14 y consta de cuatro fojas.

Entrego también tarjeta informativa sobre la averiguación previa número 287-N-89 por los delitos contra la salud, violación a la Ley Federal de Armas de Fuego y Explosivos y los que resulten, inculpando a Juan García Ábrego y a los que resulten, que no pudo tener continuidad jurídica porque desaparecieron misteriosamente todas las pruebas y evidencias aseguradas en el cateo de que se trata, incluyendo cocaína y múltiples armas de fuego.

Se inició en Matamoros y desaparecieron en Matamoros.

Las había asegurado y desaparecieron de las oficinas de la Procuraduría ahí, en el viaje a México desaparecen las armas y desaparece la cocaína. Eran como seis kilos, cocaína de uso.

Se identifica como anexo 15, consistente en tres fojas.

En conocimiento del señor procurador general de la república, ordeno el inmediato cese del delegado de la PGR en Tamaulipas.

Cesado nomás, es muy complejo el problema. Esto es en 1989; estaba Piedad Silva Arroyo; permaneció Piedad en Tamaulipas, cuando se le entrega esto al señor procurador en los términos que puede actuar. No puede ir más allá. Es indignante. Se pierden los agentes, se pierden las armas, se pierde el dinero, se pierden las cajas fuertes.

Pilar [*sic*] Silva Arroyo, y luego dicen que no hay complicidad de la PGR.

Otro documento. Entrego parte informativo y balances jurídicos en relación con diversas órdenes de aprehensión, procesos penales y actividades de individuos de esta organización en donde se incluye, entre otros, a Eduardo Castillo Pérez, de quien más tarde hablaré.

Es la otra parte donde se muestra la complicidad de autoridades federales. Vas a ver lo que voy a decir. Documento que se identifica como anexo 16 de veintidós fojas.

Entrego al señor cónsul documentación relativa a órdenes de aprehensión obsequiadas en contra de Sergio Luis García o Luis Medrano García, donde por instrucciones precisas del señor procurador se cumplimentaron órdenes de aprehensión en contra de este peligroso criminal.

Esto es una muestra del trabajo. Hubo trampa; detiene a José Luis Medrano y a Torres [*sic*] de la Rosa, y le dice al procurador que ya están detenidos. Fue un dedazo de la DEA. El procurador me comunica la aprehensión de estos peligrosísimos sujetos. Es gente sin medida ni valor de la vida humana. Pero hacen trampa. René Paz Horta, actual director del CENDRO, era delegado metropolitano de la PGR. Entonces yo pido instrucciones al señor procurador y me dice intervén de inmediato en la preparación de este individuo, y te exijo que traslades a Luis Medrano García de Matamoros a Almoloya porque si yo dejo a Medrano en Matamoros, se fuga; es su rancho, y si yo no intervengo en la declaración preparatoria va a pasar lo que pasó, que consta de dos hojas. Yo no sé nada de nada y así se la toman. Viajo de Culiacán en el avión de la Procuraduría y me presento en la oficina de López de la PJF; para esos momentos ya se ha dado la instrucción de que le tomen lo más rápido posible la declaración preparatoria, y entonces lo presentan por posesión de armas, uno se fuga en Matamoros y el otro obtiene libertad bajo fianza. Uno fugado y el otro bajo libertad bajo fianza. Como yo tengo que atender las instrucciones de Carpizo, hago un operativo para trasladar a Medrano y para cumplir órdenes; Pérez de la Rosa, García Medrano [*sic*], que no son primodelincuentes, que son unos asesinos y ése es nuestro trabajo. Revisar, pensar, actuar para que estos individuos no salgan en libertad o no se fuguen, porque el señor René Paz Horta permitió una maniobra y porque las autoridades superiores de la Procuraduría trasladaron a Medrano a Matamoros. Y es entonces como Medrano está en la cárcel y es como Pérez de la Rosa está en la cárcel, con cinco o siete procesos que le encontré. Nada más quiero decirles, para que valoremos la clase de personas: estas gentes son responsables hasta del homicidio de una bebita de dos meses. Simplemente da órdenes de que le tomen la declaración preparatoria antes de que yo intervenga, y entonces lo presenta como primodelincuente. Libertad bajo fianza, como salió Alfonso de la Garza. No se puede hacer todo, hay cosas que tienen prioridades. Mi prioridad era capturar a esta gente.

Documento que se identifica como anexo 17, constante de tres fojas.

René Paz Horta ha declarado que él no sabe de lo que hablo. Si no sabe de lo que hablo es un mal funcionario, y si sabe de lo que hablo, aunque declare que no sabe de lo que hablo, entonces es un funcionario corrupto. No hay de otra.

Entrego al señor cónsul copia fiel y exacta de escritura pública que relaciona directa e inmediatamente, en términos al menos de conocimiento, a Juan García Ábrego y a Ricardo Aguirre Villagómez.

Documento que se identifica como anexo 18, consistente de cinco fojas.

Entrego copia de diversas actuaciones judiciales en relación con el cumplimiento de órdenes de aprehensión obsequiadas por distintos jueces en contra de Luis Medrano García, en donde también se inculpa a Javier Hernández Rivera, del cual luego hablaré, y a otros individuos operativos de dicha organización.

Documento que se identifica como anexo 19, constante [*sic*] de diecisiete fojas.

Presento al señor cónsul documentación relativa a la averiguación previa 507-CS-93, inculpando a José Ramírez Bolaños, en donde el juez Quinto de Distrito en el estado de Tamaulipas entrega auto de libertad a esta persona a las 23:00 horas del día 13 de septiembre de 1993, cuando el Grupo Especial lo presentó en el Segundo CERESO de Tamaulipas a las 23:20 horas.

Documento que se identifica como anexo 20, consistente de cuatro hojas.

Entrego también copia fiel y exacta del directorio público de Residencial Chipinque, tercer sector, en Monterrey, N. L., en donde se localizan algunas de las principales casas y domicilios de integrantes de esta organización, como el de Florencia 106, que corresponde directamente a Juan García Ábrego.

Documento que se identifica como anexo 21, consistente de siete fojas.

Entrego múltiples documentos debidamente identificados con su código, del CENDRO, sobre actividades y operaciones del Cartel del Golfo en distintas entidades de la república, que demuestran sin lugar a dudas, incuestionablemente, el pleno conocimiento de la Procuraduría General de la República sobre nombres, direcciones, teléfonos, identificaciones de los principales representantes de Juan García Ábrego en territorio nacional. Me permito resaltar la nota del día 3 de septiembre de 1993, en relación con Francisco Payán. En el reporte código DDE(S)-C4-N. L., núm. 003-016-93 de fecha 13 de septiembre de 1993, donde los compañeros del CENDRO dicen lo siguiente: Francisco Payán fue a un lugar no determinado a verificar la calidad de una partida de droga la cual le pareció de buena calidad; la droga en cuestión se encontraba enterrada.

En relación con las actividades de este individuo y sus socios, se han proporcionado regularmente los informes que han resultado de sus operaciones.

Se identifica como anexo 22, constante [*sic*] de cuarenta fojas.

Entrego nota al señor procurador de mi oficina, de mayo 18 de 1993, que da fundamento a la creación del Grupo Especial dirigido por el de la voz.

Se identifica como anexo 23, constante [*sic*] de cuatro fojas.

Presento al señor cónsul actuaciones judiciales en relación con la causa penal número 296-90, instruida en contra de Juan García Ábrego, por delito contra la salud, que incluye la resolución del juez competente decretando orden de aprehensión en contra del ciudadano colombiano Miguel Rodríguez Orejuela.

Gilberto y Miguel, Cartel de Cali. Pero esto prueba que a título de la justicia mexicana el Cartel de Cali tiene directa relación con Juan García Ábrego, y no estoy inventando. No es a título mío sino que es un acta judicial.

Se identifica como anexo 24, con cincuenta y siete fojas.

Le entrego al señor cónsul diversa documentación en relación de la averiguación previa citada anteriormente, 287-N-89, de la cual tuvieron conocimiento en su momento, en orden cronológico, los señores agentes del Ministerio Público Federal, José Piedad Silva Arroyo, Manuel Villegas Riache, Luis Ángel Siga Rodríguez, particularmente Guadalupe Gutiérrez López, alias el Rocky, actual funcionario superior de la Procuraduría General de la República, Juan Rebollo Rico, y Maximino Pérez Pérez y Enrique Martín del Campo.

No se expidió orden de aprehensión porque la averiguación fue invalidada por la desaparición de pruebas y de los agentes. También desaparecieron .

Se identifica como anexo 25, constante [*sic*] de cincuenta y seis fojas.

Pasamos al segundo grupo de documentos.

Entrego al señor cónsul reporte de la Dirección General de Control de Bienes Asegurados, en relación con el avión cessna turbo century, propiedad de Alfredo González Guerra. Lo que quiere decir esto es que la PGR conoce de Alfredo González Guerra. Tan lo conoce que le decomisó un avión.

(Es un piloto de Juan García Ábrego.)

Grupo II. Se identifica como anexo 1, constante de una foja.

Presento tres reportes que son ejemplo del trabajo de seguimiento de la PGR en relación con aeronaves sospechosas de pertenecer a organizaciones de narcotraficantes. Ello demuestra que la PGR tiene sistemas de seguimiento. No nada más vuelan así porque vuelan, hay reportes y la PGR sabe adónde van, quién pilotea y hasta el número de pasajeros, y de dónde vienen.

Se identifica como anexo 2 del grupo II, consistente de tres fojas.

Presento al señor cónsul todo el expediente del CENDRO, identificado con el número de código DDE(S)-C4-DF, núm. 11-140-93, donde se demuestra en forma incuestionable la relación de Marcela Bodenstedt Perlick con la organización de Juan García Ábrego, incluyendo los señalamientos hechos en este reporte de inteligencia en relación con específicas causas penales por delitos contra la salud. Deseo recordar que el señor doctor Mario Ruiz Massieu, subprocurador general de la república, ha aceptado públicamente que la señora Marcela se reunió con Emilio Gamboa Patrón, sobre la base de que esta señora, dado que don Emilio Gamboa Patrón es una persona muy interesada en el arte, le vendería una pintura. Deseo recordar que el señor Emilio Gamboa Patrón, actual secretario de Comunicaciones y Transportes, tiene bajo su responsabilidad institucional a la Policía Federal de Caminos, quien participa en forma cotidiana y sistemática en el combate al narcotráfico, y que por lo tanto don Emilio Gamboa Patrón está en absoluta responsabilidad institucional de conocer a los representantes de Juan García Ábrego y no puede alegar, bajo ninguna causa, desconocimiento de esta organización criminal delictiva y de sus lugartenientes. Quiero señalar que en esa documentación existe un párrafo que a la letra dice: Alejandro proporciona a Marcela los siguientes teléfonos: 515-0562 en Los Pinos, y 522-2318 en Palacio Nacional. Números correspondientes a Arturo Salgado Cordero, subjefe operativo del Estado Mayor Presidencial. Cabe recordar que Marcela tenía pendiente tratar el asunto de un muchacho, sobrino de Blanca, mismo que le encomendó Marcelino Guerrero. Ruego al señor cónsul reciba esta documentación.

Es identificado como anexo 3 del grupo II, constante [*sic*] de treinta y seis fojas.

(Trafica obras de arte con Juan Morales, dueño de un importantísimo hospital en Matamoros, y también tiene hospital en Monterrey. Cuando Juan Nepomuceno es detenido, él pide ser trasladado al hospital de este doctor.)

Ella es exagente de la Policía Judicial Federal; eso está perfectamente documentado en los reportes de inteligencia. Entra por recomendación de Miguel Aldana. Ella entró y operó y conoce los operativos, forma de actuar, y ella ya se relaciona directamente con la organización de García Ábrego. Y ello está demostrado en causas penales que la involucran, en donde debería tener orden de aprehensión y no la tiene. Y son causas relacionadas directamente con Medrano García, con De la Rosa, que están en prisión sujetos a proceso por delitos a la Salud.

Ella llega a ese nivel por recomendaciones al interior de la PGR, básicamente como el Cabezón Aldana. Ella llega para traer la charola. Lamentablemente para don Mario Ruiz Massieu y el señor Gamboa Patrón, ahí está documentado todo. Esperemos que la autoridad actúe conforme a derecho.

Entrego al señor cónsul diversos reportes del CENDRO, plenamente identificados en fecha y hora, que se refieren a aeródromos y pistas de Nuevo León, donde se identifica régimen de propiedad, permisos, características de las pistas y modificaciones. Presentaré algunos ejemplos. Reporte del aeródromo Salinas Hidalgo. Primer reporte de propietario no especificado. Datos de las pistas, coordenadas y características físicas. Primera identificación de propietario, 17 de marzo de 1993; datos del propietario: nombre, doctor Juan José de Olloqui Labastida; segundo propietario, fecha 21 de marzo de 1993, cuatro días después, propietario, Club Aéreo Francisco Lobo, número de permiso PRA MO 133, fecha de vencimiento de permiso 09-04-91. Tercer propietario: municipio de Montemorelos, 25 de junio de 1993; cuarto y último propietario, fecha 8 de julio de 1993; nombre del propietario: Óscar Salas Luna. Otro aeródromo: Fuentes; primer propietario, no identificado; siglas del aeródromo: PTS; características físicas de la pista. Primer propietario identificado, 17 de marzo de 1993, doctor Juan José de Olloqui Labastida, número de permiso PR AMO 409, fecha de vencimiento del permiso: 11 de septiembre de 1992. Segundo propietario identificado, 24 de marzo de 1993: Club Aéreo Francisco Lobo; tercer propietario identificado, 23 de junio de 1993: propietario municipio de Montemorelos. Último propietario identificado, 8 de julio de 1993, Óscar Sala Luna. Otro: aeródromo Palmito. Primer propietario, no identificado; características físicas de la pista; coordenadas. Primer propietario identificado, 17 de marzo de 1993: nombre, José Juan de Olloqui Labastida; segundo propietario, 24 de marzo: nombre, Club Aéreo Francisco Lobo; tercer propietario identificado, 23 de junio: municipio de Montemorelos. Cuarto propietario identificado, 8 de julio de 1993, Óscar Sala Luna.

Aeródromos Los Herreras. Primer propietario, no identificado; siglas LHR; características físicas de la pista. Primer propietario identificado, 17 de marzo de 1993: doctor José Juan de Olloqui Labastida; segundo propietario identificado, 24 de marzo 1993: Club Aéreo Francisco Lobo; tercer propietario identificado en el reporte, 23 de junio de 1993: municipio de Montemorelos. Cuarto propietario y último identificado, 8 de julio de 1993: Óscar Sala Luna. Otro: aeródromo Rancho el Rey. Primer propietario identificado: Octavio Barrera García; segundo propietario identificado: José Martínez Minor; permiso PR AMO 199, fecha del permiso: 13 de abril de 1991. Tercer propietario identificado: Henry Max Moller Schellhamm [*sic*]. Aeropuerto Agualeguas. Primer propietario identificado: Ayuntamiento Constitucional de Agualeguas, N. L.; siglas AGG, núm. de permiso: PU AMO 689, fecha de vencimiento del permiso: 12 de mayo de 1995; características físicas de la pista. Segundo propietario identificado, 17 de marzo de 1993, doctor José Juan Olloqui Labastida; tercer propietario, 24 de marzo de 1993: Club Aéreo Francisco Lobo; otro propietario identificado, 23 de junio de 1993: municipio de Montemorelos. Último propietario, 8 de julio de 1993: Óscar Sala Luna. Igual en aeródromo Linares, igual en aeródromo Montemorelos, igual aeródromo Los Ramones. Igual aeródromo Los Aldanas, igual aeródromo Galeana, igual aeródromo Cerralvo, igual aeródromo Chiclan.

Otro caso. Reporte del aeródromo Aeropuerto del Norte. Primer propietario: Sociedad Cooperativa de Consumo de Servicios Aéreos. Siglas: ADN; fecha de vencimiento del permiso: 4 de marzo de 1992; características físicas de la pista. Segundo propietario, 27 de marzo de 1993: doctor José Juan de Olloqui Labastida; siguiente propietario, cuatro días después, 24 de marzo, Club Aéreo Francisco Lobo; siguiente propietario: 23 de junio de 1993, municipio de Montemorelos; siguiente propietario, 8 de julio de 1993: Óscar Sala Luna. Igual, aeródromo La Ascención, igual aeródromo La Estrella, igual aeródromo Mier y Noriega, igual aeródromo Pilares, igual aeródromo Zaragoza, igual aeródromo Villa del Carmen, igual aeródromo Villa de Guadalupe, igual aeródromo Santa Rosa, igual aeródromo Santa Rita, igual aeródromo Sombreretillo, igual Rancho San Andrés, igual aeródromo Comitas, igual aeródromo Doctor Coss, igual aeródromo Doctor Arroyo, igual aeródromo Escalera, igual aeródromo Las Palmas, igual aeródromo El Pretil, igual aeródromo Lajitas, igual aeródromo Lampazos, igual aeródromo La Reforma, igual aeródromo Campo Nes 1, igual aeródromo Culebra, igual aeródromo Ciudad Anáhuac, igual Club Aéreo Francisco Lobo.

Otro caso. Reporte del aeródromo China. Propietario: Octavio Gerardo Barrera Ortega; siglas CIN, núm. de permiso: PU AMO 444, fecha de vencimiento del permiso: 17 de enero de 1995. Segundo propietario: 17 de marzo de 1993: José Juan de Olloqui Labastida; tercer propietario, 24 de marzo: Club Aéreo Francisco Lobo. Otro propietario, 26 de junio: municipio de Montemorelos; último propietario, 8 de julio: Óscar Sala Luna.

Otro caso. Mamulique. Laura Estela Barrera Lozano, siglas LEB, núm. de permiso: PR AMO 575, fecha de vencimiento del permiso: 1 de julio de 1993. Esta información fue entregada al señor presidente de la república, Carlos Salinas de Gortari, el 15 de octubre de 1993, y fue discutida por el señor presidente de la república con el señor doctor Jorge Carpizo MacGregor, y no sé más.

(Eso es nada más Nuevo León, en todo el estado.) Aparece como propietario y se discute que hay un acta de cesión. Son distintas coordenadas, distintas características.

Anexo 4 del grupo II, con ciento noventa y siete fojas.

Presento otra documentación al señor cónsul, donde se demuestra que personas con órdenes de aprehensión por delitos contra la salud son propietarias de aeronaves.

(Ese reporte lo hace el CENDRO y Comunicaciones y Transportes.) El caso de Eduardo Castillo es notorio. Si checas las licencias de pilotos, las propiedades de aeronaves y las órdenes de aprehensión, te van a saltar decenas de casos.

El documento se identifica como anexo 5 del grupo II, con treinta y una fojas.

Las treinta y una fojas corresponden a investigaciones de mi oficina en relación con personas directamente relacionadas con la organización criminal de Juan García Ábrego.

Otro documento. Donde se demuestra que personas con órdenes de aprehensión por delitos contra la salud son pilotos con licencia de la Secretaría de Comunicaciones y Transportes. Se trata del caso del señor Ricardo Barrera, quien llegó a Ciudad Juárez el 12 de enero de 1994, procedente de la pista de Paila, Quintana Roo., con un avión PA 32, aerocommander, con matrícula XB BVM, con número de licencia 19830, con destino final a El Paso, Texas, con un pasajero. Reporte de la Secretaría de Comunicaciones y Transportes.

Se identifica el documento como anexo 6 del grupo II, con dos fojas.

Presento a los ojos del señor cónsul documento, que no entrego, sobre la base de que el señor representante de mi país tiene fe pública donde le ruego al señor cónsul dé lectura a la parte de arriba y a este número en particular, con todo lo que implica; le ruego, señor cónsul, que dé usted lectura a esto y al número.

A petición del ciudadano Eduardo Valle doy lectura del documento fechado el 9 de diciembre de 1993, a las 22:30 horas. Drug Enforcement Administration.

Penlink Report Alphabetical List. Presidencia de la República, Phone 525 277-1703, domicilio calzada Molino del Rey Pue., Ciudad de México, Distrito Federal, página tercera.

Quisiera que el señor cónsul leyera la parte de arriba de este documento.

9 de diciembre de 1993, las 22:31 horas, Drug Enforcement Administration. Penlink Report, Numerical Phone List, página 001494.

Le ruego al señor cónsul le dé lectura a la parte de arriba de estos documentos.

Fecha 23 de octubre de 1993, a la hora 9:30, Drug Enforcement Administration. Penlink Report Dialed Frequency. Caso TD-87-0007, núm. 525 505 0802; siguiente número: Luis María, 525, tel. 507 6202; siguiente área 528, núm. 917 4330; siguiente número, área 528, núm. 917 6874; siguiente número con área 528, núm. 325 4884; siguiente con área 528, núm. 356 0590; siguiente con área 521, núm. 626 7352; siguiente con área 525, núm. 100 9593; siguiente con área 525, tel. 405 núm. 2308; siguiente con área 525, núm. 405 2319.

Ruego al señor cónsul certifique que los números no están repetidos, son hojas distintas y se trata de un reporte donde se asientan llamadas telefónicas de esos números y a esos números. Y que, por favor, el señor cónsul diga el número de páginas.

Se hace constar, a petición del señor Valle Espinosa, que los números citados son diferentes, aunque en ocasiones coincide la misma área. La relación de los citados números está contenida en cincuenta y tres hojas.

Permítaseme una subjetividad: la frecuencia, el alfabetical [*sic*] y numerical [*sic*] en distintas fechas demuestra que si la DEA no captura a Juan García Ábrego en Estados Unidos es porque no quiere capturarlo. Los señores saben en estos momentos dónde se encuentra y nosotros no podíamos capturarlo por lo que he narrado en mi carta.

Regreso al señor Valle las hojas en las que aparecen los números citados.

(Es un documento de especial cuidado.) Si este documento circula representa millones y millones de dólares para Juan Ábrego [*sic*] porque es todo, direcciones, teléfonos; prefiero conservar este documento, porque si lo entrego ve tú a saber en qué manos va a quedar y ve tú a saber qué precio le va a poner. No presento los discos con plena conciencia, porque si lo entrego ve tú a saber dónde va a ir a terminar, gente de Malherbe, de Francisco, importantísimo elemento que es usado para dos cosas: relaciones financieras y relaciones políticas, al más alto nivel. Como comprenderán, yo estoy en la obligación de no proporcionar este documento. Si el señor presidente de la república me pide esa documentación, yo se la entrego.

Quiero ser muy breve. Desde 1985 soy amigo de Luis Donaldo Colosio.

No hay tercer paquete de documentos, es simplemente una declaración. Fuimos diputados juntos en la LIII legislatura. Pongo de testigo al senador Héctor Terán y al señor diputado Encinas; también al señor senador Ángel Sergio Aguayo Mier. El señor candidato Luis Donaldo Colosio era obviamente del Partido Revolucionario Institucional. Yo no soy militante del PRI; toda mi vida he sido un hombre de izquierda; sin embargo, por amistad y por la convicción personal de que Luis Donaldo Colosio podría hacer cosas importantes por el país, le sugerí algunas ideas de manera permanente, sin tener un contacto cotidiano con Luis Donaldo Colosio. No es mi estilo, lo saben los compañeros aquí presentes, y en un momento determinado él fue nominado [*sic*] como candidato del PRI a la presidencia de la república. Luis Donaldo Colosio fue el conducto para hacerle llegar al señor presidente de la república alguna documentación y alguna información de la que ya he hablado en este lugar, bajo la reserva que nos hemos autoimpuesto todos, y cuando él fue nominado, [*sic*] dado que yo coordinaba el Grupo Especial de la PGR, le informé de acontecimientos que podían colocarlo a él en una muy difícil situación política. Por ejemplo: Colosio es invitado por empresarios regiomontanos a una comida; un miserable individuo de nombre Mario García invita a esta comida a un arquitecto que es lavadólares de García Ábrego, que se llamaba Gamboa Bertrau [*sic*], y en la primera mesa también va, está presente Humberto García Ábrego, hermano de Juan García Ábrego. Una foto del candidato del PRI a la presidencia departiendo con el hermano de Juan García Ábrego implicaba una inmensa responsabilidad política. El candidato fue alertado e inmediatamente, sin pensarlo siquiera, se les retiraron las invitaciones a estos individuos. El candidato, mi amigo, fue alertado de la personalidad de su coordinador de Eventos Especiales, don Raúl Zorrilla Cosío [*sic*], quien como funcionario superior, subsecretario de la Secretaría de Comunicaciones y Transportes, tiene una inmensa responsabilidad de lo que hemos visto en la protección de la propia Secretaría a este núcleo de narcotraficantes. Los señores funcionarios encargados de la averiguación previa a la cual estamos remitidos, deberían conocer si efectivamente Raúl Zorrilla Cosío [*sic*] iba a ser lanzado fuera del equipo de Luis Donaldo Colosio, porque todos sabemos, especialmente ustedes que son políticos, que Luis Donaldo Colosio iba a realizar profundos y muy importantes cambios en su equipo de trabajo. Entonces, valdría la pena saber qué cambios iba a realizar y en qué momento los iba a realizar. Enterado yo mismo de que Domiro García Reyes no cumplía en forma suficiente con la gran responsabilidad de darle seguridad a Luis Donaldo Colosio, enterado de que personas de un turbio historial policiaco, como Fernando de la Sota, o como Jorge Vergara Berdejo, se contaban dentro de la seguridad del candidato, me permití solicitar una audiencia con él. Hay fe pública: la agenda del propio candidato de que esta reunión con Luis Donaldo Colosio se celebraría el día 25 de marzo en Hermosillo, Sonora. Mario Aburto actuó antes. Mario Aburto y sus cómplices. Han agraviado al país, nos han mutilado, ese vil asesinato tiene que ser aclarado a costa de lo que sea. Yo ruego al señor Díaz de León, que nos aclaren quién era el equipo de Colosio, quién estaba en la seguridad de Colosio, quiénes actuaron en el aeropuerto de Tijuana, por qué se quedó la gente de mayor confianza de Colosio en el aeropuerto, que nos digan con precisión los señores funcionarios responsables quién era el elemento del EMP que controlaba el sonido en Lomas Taurinas y que aumentó el volumen al momento de los disparos contra Luis Donaldo. Creo que ellos pueden investigar. Tienen en sus manos el poder del Estado y pueden investigar. Y esperemos que cumplan su responsabilidad; yo sólo cumplo con la mía. Nada más. Preguntas de la representación social federal que solicita que conteste el testigo.

Pregunta primera. Que nos amplíe el declarante la información que tiene sobre el trabajo desarrollado por Raúl Zorrilla Cosío [*sic*] dentro de la campaña del candidato y por qué sabía que él iba a salir.

Respuesta: Por supuesto. Él era coordinador de Eventos Especiales. Una posición muy importante dentro de la campaña, y sabía que iba a salir porque nuestro colega José Ureña, en *La Jornada*, publica que iba a salir. Por supuesto, la fecha no la tengo aquí. Es una documental pública y se puede conseguir.

Segunda pregunta. El declarante ha citado los nombres del general Domiro García Reyes, jefe de Seguridad del candidato, del señor Fernando de la Sota Rodalléguez, encargado de Vallas y Seguridad de la campaña, y del comandante de la Federal de Caminos, Jorge Vergara Berdejo, encargado de Logística de la campaña, y ha hecho mención en el primero de ellos de que no cumplían con su función. Y en lo segundo, sus turbios antecedentes. Le solicitamos nos amplíe éste.

Respuesta: Tan no cumplía su función Domiro García Reyes que Luis Donaldo está muerto, y en relación con Fernando de la Sota, usted es funcionario de la OPRI, yo le ruego se dirija usted a don Ignacio Morales Lechuga para que conozcamos más a fondo los antecedentes de Fernando de la Sota, y en relación del tercer hombre, le ruego que se dirija, por ejemplo, a Félix Fuentes y a otro periodista, Francisco Cárdenas Cruz, que han ampliado no lo suficiente pero han ampliado los antecedentes del propio Vergara Berdejo.

Tercera pregunta. Mencionó el declarante haber solicitado audiencia con el licenciado Colosio, y que ésta le fue señalada para el 25 de marzo en la ciudad de Hermosillo, Sonora. ¿Con quién la solicito?

Respuesta: Tere Ríos, secretaria personal del candidato.

Cuarta pregunta. Menciona el declarante y pregunta quiénes son las personas de confianza de licenciado Colosio que se quedan en el aeropuerto y no van a Lomas Taurinas.

Respuesta: Es mi pregunta y usted es el coordinador jurídico de la investigación, pero le puedo decir, por ejemplo: Tere Ríos se queda en el aeropuerto, no la llevan a Lomas Taurinas. Alguien de Seguridad, aparentemente, según lo que se dice, el propio Vergara Berdejo, se queda en el aeropuerto.

Pregunta quinta. ¿Para qué solicitó usted la entrevista que manifiesta haber solicitado a la señorita Teresa Ríos y así entrevistarse con el licenciado Colosio Murrieta el día 25 de marzo de 1994?

Respuesta: Es muy sencilla. Es muy clara. Para incorporarme a su Seguridad.

Pregunta sexta. Si además del fin que acaba de mencionar el testigo, para ver al licenciado Colosio Murrieta, tuvo algún otro para esa cita que iba a tener con el licenciado Colosio.

Respuesta: Absolutamente ninguno.

Pregunta séptima. Que diga el testigo por qué quería incorporarse a la seguridad del licenciado Colosio Murrieta, como lo acaba de manifestar.

[Respuesta:] En función de reportes de diversos amigos y de diversos testigos de los actos de campaña de Luis Donaldo Colosio, el desorden y lo que estaba pasando en la campaña; el descuido profundo, grave, de la seguridad del candidato me indicaron a mí, como amigo del candidato, que lo más conveniente era simple y llanamente incorporarme a su campaña. Y vaya que cuesta trabajo decirlo y no soy policía.

Pregunta ocho: Que diga el testigo qué le iba a comentar al licenciado Luis Donaldo Colosio el día 25 de marzo de 1994.

Respuesta: El desorden en la seguridad de su campaña. Que no estaban cumpliendo las funciones que tenía asignadas, en primer lugar Domiro García Reyes. Y muchos más, por supuesto. Ya lo habían golpeado; llegaron a golpearlo y el señor Domiro García Reyes estaba pensando en la luna o qué; ya lo habían golpeado. Es público eso.

Pregunta nueve. Que nos diga el testigo si puede precisar en qué consistía el desorden que acaba de mencionar. Se enteró que existía en la campaña y seguridad del licenciado Luis Donaldo.

Respuesta: Artículos de Elías Chávez en *Proceso*, reportes de prensa, que también son documentales públicas.

Pregunta diez: Que nos diga el declarante si él acudió a los actos de campaña del licenciado Luis Donaldo Colosio Murrieta.

Respuesta: Como funcionario federal en funciones, el acudir a un acto partidario era simple y llanamente desacatar una ética profesional, y no podía acudir en mis funciones de funcionario a un acto partidario.

Pregunta once. Que nos diga el declarante si él personalmente comprobó que el desorden a que ha hecho mención existía en los actos de campaña del licenciado Luis Donaldo Colosio.

Respuesta: Lo comprobé de manera fehaciente por el dicho de los mejores reporteros de mi país, que cubrían la campaña del señor licenciado Luis Donaldo Colosio. Espero los llamen. Y también vuelvo a insistir en que los propios elementos de seguridad han declarado, y obra en autos, que ellos no tenían experiencia en la seguridad de un candidato.

Pregunta doce. Que diga el declarante si conoce o sabe las funciones que el general Domiro García Reyes llevaba a cabo en la campaña, y sus antecedentes dentro del Estado Mayor Presidencial.

Respuesta: Es público que el general Domiro García Reyes era el responsable general de la seguridad del candidato, incluyendo logística, todo lo que tiene que ver con un recorrido, con una presencia en actos políticos y, por supuesto, fungía como subjefe del Estado Mayor Presidencial en la Presidencia de la República, licenciado Carlos Salinas de Gortari.

Pregunta trece. Que nos diga el declarante, además de su profesión de periodista, cuáles eran las funciones que como asesor personal del procurador general de la república llevaba a cabo.

Respuesta: Asesorar al señor procurador en las distintas materias que él me encomendaba, y sólo en lo que él me encomendaba. Si él me preguntaba de Arellano Félix, yo daba mi opinión, o si me preguntaba sobre Amado Carrillo o si me preguntaba, por ejemplo, en el caso de los narcoperiodistas, en donde manifesté mi rechazo enérgico a la forma en que el señor procurador había abordado el asunto, o si él me preguntaba del Güero Camarón o si me preguntaba de cuestiones específicas, yo estaba en la obligación de responderle. Él considera que es indispensable que se forme un Grupo Especial para combatir a la organización García Ábrego, y en todas las actuaciones jurídicas, sin excepción, me hago acompañar de agentes del Ministerio Público Federal, no solamente para que den fe y para que ellos actúen en todos los actos, es notorio que yo estoy presente pero quien actúa es el Ministerio Público Federal.

Pregunta catorce: Que diga el declarante si, como lo refiere en la respuesta anterior, los operativos o comisiones que le encargara la PGR también se hacía acompañar de la Policía Judicial Federal.

Respuesta: En todos los casos, y sin excepción, y ello obra en los distintos expedientes relacionados con averiguaciones previas o con procesos penales. Es decir, qué agentes del Ministerio Público actuaban o qué agentes de la PJF plenamente identificados acompañaban al señor agente del Ministerio Público Federal.

Pregunta quince: Que nos manifieste el declarante sus conocimientos sobre materia de seguridad.

Respuesta: Le voy a dar una respuesta muy singular, pero de 1985 a 1988 sufrí tres atentados a balazos organizados por el comandante Estrella, por Zorrilla, el antiguo director de la Dirección Federal de Seguridad, y por fortuna para mí, y quizá para mis amigos, siempre fallaron los operativos. Le puedo decir que durante muchos años quienes militamos en organizaciones de izquierda, como el Partido Comunista, como el Partido Mexicano de los Trabajadores, el PMS, socialista en mucho menos sentido, hay que ser justos, sufrimos la persecución policiaca permanente, cotidiana y sistemática de la Dirección Federal de Seguridad, y de la propia Policía Judicial Federal. Y le puedo decir también al señor funcionario de la Procuraduría, que es público que, por ejemplo, yo desarrollé la investigación sobre el asesinato de Manuel Buendía, que ocurrió el 30 de mayo de 1984, y el 30 de mayo de 1985 yo señalé al asesino públicamente, y efectivamente después la Procuraduría actuó y el asesino es precisamente la persona que yo señalé como el asesino. José Antonio Zorrilla Pérez, director de la Dirección Federal de Seguridad. También puedo recordarle, con todo respeto, que mis artículos sobre tráfico de drogas, sobre la muerte de Camarena, sobre la muerte de Buendía, sobre Caro Quintero y Don Neto, sobre el Cartel de Guadalajara, el Cartel del Golfo concretamente relacionados a McAllen, Laredo, Brownsville y Matamoros, Reynosa y Nuevo Laredo, son conocidos de la opinión pública, y lo que no hizo la Procuraduría, por ejemplo, aclarar los movimientos de Rafael Caro Quintero, lo hice yo en artículos periodísticos. Yo no soy policía, soy periodista. Soy columnista político y estoy obligado por razones de mi profesión a investigar todos los días, a relacionar, a pensar qué detalle se conecta con tal detalle, y durante muchos años en *El Universal*, *unomásuno*, *El Financiero*, y en otros medios, esa experiencia de investigación se ha manifestado en mi profesión, y eso creo que es público y está a la vista de todos.

Pregunta dieciséis: Que nos diga el declarante si tuvo algún trato con el señor Domiro García Reyes.

Respuesta: Absolutamente no. Nunca, para nada.

Pregunta diecisiete: Que nos diga el declarante si conoce en persona al señor Domiro García Reyes.

Respuesta: Lo he visto en persona en Los Pinos.

Pregunta dieciocho: Que nos diga el declarante si platicó en Los Pinos con el señor Domiro García Reyes. En Los Pinos.

Respuesta: No, de ninguna manera; nunca he cruzado una palabra con el señor Domiro García Reyes.

Pregunta diecinueve: Que nos diga el declarante si sabe las técnicas que utilizaba el señor Domiro García Reyes en materia de seguridad.

Respuesta: Lo que yo me pregunto es si Domiro García Reyes utilizaba alguna técnica en materia de seguridad. Cuál seguridad. Pongo de testigo a don Alejandro Encinas, quien cuidó a Heberto Castillo; quien diseñó las técnicas en su campaña fui yo; a Heberto Castillo nunca le pasó, y se metió a la sierra y se metió adonde se tenía que meter, ya no digamos lo que le pasó a Luis Donaldo.

Pregunta veinte: Que diga el testigo si estudió para policía en alguna escuela.

Respuesta: De ninguna manera.

Pregunta veintiuno: Que nos diga él de cómo estaba formado el Grupo Especial que coordinaba en la Procuraduría General de la República.

Respuesta: cuatro agentes del MPF, varios segundos comandantes de la PJF, elementos del Instituto contra las Drogas, jóvenes, muy jóvenes, a los que yo entrené en materia de armas, de comunicación, de vigilancia, y elementos de la Policía Judicial Federal, agentes A, B y C.

Pregunta veintidós: Que nos diga si estudió la carrera de licenciado en derecho en alguna universidad.

Respuesta: Lo único que sé de derecho es lo que me enseñó Juan de Dios Castro y lo que aprendí en la legislatura a la hora de hacer leyes. Y también Gabriel Jiménez Reyes; creo que ellos pueden calificar mis pobres conocimientos del derecho. Y ellos también pueden verse en el Diario Oficial del Congreso de la Unión, en donde todo tipo de cuestiones, incluyendo sobre derecho penal, se presentaron, y ello obra como lo señala don Ángel Sergio Guerrero Mier en el Diario de los Debates de la LIII legislatura federal.

Pregunta veintitrés: Que nos diga el declarante si antes del 25 de marzo de 1994 que acaba de referir y durante ese mes, vio al licenciado Luis Donaldo Colosio Murrieta.

Respuesta: No en el mes de marzo; a Luis Donaldo lo vi en la Secretaría de Desarrollo Social, como puede constatar Alfonso Durazo, el coronel Germán Castillo y, por supuesto, Tere Ríos. En el mismo noviembre lo vi, y lo vi en octubre y algunas semanas antes también. Siempre en las oficinas de la Secretaría de Desarrollo Social y en las oficinas que él tenía en la colonia Del Valle, en Aniceto Ortega.

Pregunta veinticuatro: Que nos diga el declarante en qué momento se enteró por los conductos que ha mencionado, de que había desorden en la campaña del licenciado Colosio Murrieta.

Respuesta: Desde enero, gracias a Elías Chávez. Elías Chávez es uno de los reporteros políticos de mayor jerarquía y respetabilidad profesional en el país.

Pregunta veinticinco: Que diga el testigo si puede precisar lo que acerca del referido desorden de la campaña del licenciado Colosio Murrieta le refirió el señor Elías Chávez.

Respuesta: Está publicado en la revista *Proceso*, es cuestión de leer la documental. Eso es un desorden; están ocurriendo cosas graves. No sólo me lo dijo, está publicado. No recuerdo número de revista ni fecha, pero fue más o menos en enero. No como en el caso de Carlos Salinas, que le avientan palos en La Laguna, lo golpean a él en persona, físicamente, y eso ya es una muestra de la preocupación que todos podíamos legítimamente tener en relación con la seguridad de Luis Donaldo y otros candidatos.

Pregunta veintiséis: Que nos diga el declarante si puede precisar en qué fecha antes de la plática que tuvo con el señor Elías Chávez, ocurrieron los hechos que acaba de referir sobre golpes al licenciado Colosio Murrieta.

Respuesta: No lo recuerdo, insisto en que fue más o menos en el mes de enero. Hay que buscar el artículo y ver la fecha, no hay mayor problema.

Pregunta veintisiete: Entonces, ¿qué no platicó?

Respuesta: Que leí el artículo de Elías Chávez.

Pregunta veintiocho: Que nos diga el declarante, entonces, por qué hasta marzo 25 pretendía ofrecer sus servicios de seguridad al licenciado Colosio Murrieta.

Respuesta: Porque estaba desempeñando mis funciones como asesor personal del señor procurador general de la república y estaba desarrollando mi trabajo, pero cuando fue reiterada la publicación de diversas notas en *La Jornada*, en *Proceso* mismo, en *unomásuno* y en *El Universal*, de lo que estaba ocurriendo en la campaña, decidí integrarme al equipo de Luis Donaldo.

Pregunta veintinueve: Que nos diga el declarante por qué, sin ser policía ni haber estudiado para policía ni saber derecho, ni menos derecho penal, en alguna universidad, como lo acaba de manifestar, específicamente la carrera de licenciado en derecho, aceptó coordinar un grupo especial del cual ha referido constaba de agentes del Ministerio Público, técnicos en derecho penal, y de policías que habían estudiado la carrera de policía, y así realizar investigaciones oficiales, técnicas y especializadas en la Procuraduría General de la República.

Respuesta: Tengo tres respuestas a eso. La primera es muy sencilla; habría que preguntarle al señor presidente de la república, Carlos Salinas de Gortari, y al señor procurador general de la república en esos momentos, doctor Jorge Carpizo, qué calificaciones me dieron para poder encabezar un grupo de esta naturaleza. En segundo lugar, lo que yo he dicho es que quien podría calificar mis pobres conocimientos en derecho, incluyendo derecho penal, son gentes como Juan de Dios Castro, Gabriel Jiménez Remus, Santiago Oñate, y en tercer lugar, acepté porque fue una solicitud de una persona con una enorme dignidad y limpieza, como lo es Jorge Carpizo, con conocimiento del presidente de la república, y porque dada la situación del doctor Carpizo como procurador general de la república, era indispensable, en mi opinión, que él contase con personas de confianza para desarrollar las tareas de investigación e incluso de análisis jurídicos en la propia Procuraduría. Quisiera finalmente manifestar los resultados de mi labor. No perdí un solo amparo, nunca, nunca. Todos los amparos que promovió la organización García Ábrego los perdieron y, por supuesto, golpeamos a esa organización como nunca antes, no sólo al identificar personas, nombres, direcciones, teléfonos, métodos, mecanismos, sino, además, al llevar adelante decenas de aprehensiones, incluyendo a fundadores y lugartenientes de esta organización, y coordinando incluso a la Policía Judicial Federal en distintos lugares de la república, por ejemplo, en Quintana Roo. Durante quince días coordinamos a cerca de ciento veinte agentes de la Policía Judicial Federal, operativo que dio como resultado que fueran perdidas para esa organización dos toneladas de cocaína, en Oaxaca, y capturado uno de los hombres importantes de esta organización, con ochocientos kilos de cocaína en Veracruz. Es decir, en mi opinión, si bien no soy abogado, en opinión de otros quizá tengo la preparación física, intelectual y moral para enfrentarme al narcotráfico en mi país y a los políticos que lo protegen.

Siendo todo lo que tiene que declarar, previa lectura de su dicho, firma al margen para constancia legal, Miguel Eduardo Valle Espinosa; damos fe: Salvador Cassián Santos, cónsul general; Ángel Sergio Guerrero Mier, Héctor Terán Terán, senadores y testigos de asistencia; Jesús M. del Valle Fernández, Alejandro Encinas R., diputados y testigos de asistencia; Marco A. Díaz de León, coordinador de asesores de la PGR, Mario Croswell, director general de Investigación de la Subprocuraduría Especial, Gustavo González Báez, agregado PGR en la embajada de México, también como testigos de asistencia; Carlos Marín Martínez y José Reveles Morado, como testigos de asistencia del declarante. (25 de agosto de 1994.)

ANEXO III: BALANCES JURÍDICOS

a) Sobre localización de órdenes de aprehensión

En atención a sus instrucciones giradas el día 7 del año en curso, en las que ordena localizar diversas órdenes de aprehensión, me permito informar a usted lo siguiente:

Luis Medrano García o García Medrano, a quien se le instruye el proceso núm. 53-90 en el Juzgado Sexto de Distrito en Monterrey, N. L., por un delito contra la salud, se informa que al investigar en la Subdelegación de Procesos y Amparos, el C. licenciado Ignacio Montoya Rosales, encargado de esa oficina, manifestó que la orden de aprehensión en contra de Luis Medrano García no fue girada por el C. juez Sexto de Distrito en el estado, ya que el inculpado promovió amparo y se le concedió, declarando insubsistente la orden de aprehensión.

En relación a Juan García, a quien se le instruyó el proceso núm. 1-89 en el Juzgado Segundo de Distrito en el estado, nos informó el C. agente del Ministerio Público Federal adscrito al Juzgado Segundo, que la citada orden no existe.

Asimismo y con relación a la orden de aprehensión de Albino García Torres y otros, relacionado con el proceso núm. 67-87 que se instruye en el Juzgado Cuarto de Distrito de esta ciudad, por un delito contra la salud, se informa que la citada orden de aprehensión se negó por parte del juzgado, esto con fecha 28 de febrero de 1988.

Igualmente informo a usted que dentro del proceso núm. 53-90, que se instruye en contra de Luis Esteban García Villalón y Emilio López Parra, el primero director de Concertación y Enlace de la Policía Judicial Federal, y el segundo agente de la Policía Judicial Federal, destacamentado en el año de 1989 en la plaza de San Nicolás de los Garza, N. L., proceso en el que el agente del Ministerio Público Federal solicitó la aprehensión de Juan García Ábrego, Luis Medrano García, Óscar Malerba [*sic*] José Luis Sosa Mayorga (*a*) el Cabezón, Elías García (*a*) el Profe, y Sergio Gómez (*a*) el Contador, mismas órdenes que no fueron giradas, ya que se les concedió el amparo de la justicia federal.

Asimismo informo a usted que se continúan las investigaciones hasta obtener resultados positivos. (Oficio 1547-93, de Rafael Cubillo Segoviano, subdelegado estatal de la PJF, a EV; General Escobedo, N. L., 10 de julio de 1993.)

b) Relación de personas involucradas en los procesos penales radicados ante los Juzgados Cuarto y Quinto de Distrito en Matamoros que están resueltos, subjúdices o suspensos

1. Juan García Ábrego
2. Humberto García Ábrego
3. Sergio Garza Robles
4. Martín Becerra Mireles
5. José Luis Medrano González (*a*) el Negro
6. José Alonso Pérez de la Rosa (*a*) el Amable
7. Javier Hernández Rivera
8. Martín Lucero Arellano
9. José Luis Sosa Medrano
10. Guillermo Pérez Rodríguez
11. Sergio Balboa Peña (*a*) el Güero Balboa o Checo Balboa
12. José Luis Sosa Mayorga (*a*) el Cabezón
13. José Guadalupe Sosa Mayorga (*a*) el Pito [*sic*]
14. Manuel Gamboa
15. El Quince
16. José Luis Rivera Garza
17. Ricardo Ríos Prado
18. Eleazar Chávez Ortiz
19. Manuel Carrillo Aceves
20. José Salvador Mena Rodríguez
21. Natividad López González
22. Francisco Javier Álvarez Sánchez
23. Agustín Treviño Chávez (*a*) el Ravize

24. Olga Alicia Martínez Heredia
25. José Guadalupe Hernández Villarreal
26. José Joel Félix Mata
27. Miguel Acosta Reyes
28. Luis Ángel García Torres
29. Gerardo Reyes Treviño
30. Luis Medrano García
31. Luis Ángel García Torres
32. Alejandro García Gracia
33. Gerardo Ceniceros de los Santos
34. Blanca Flor Vela Garza
35. Alejandro Ceniceros de los Santos
36. Baldemar Medrano González
37. Marco Antonio Vela Garza
38. Elías García García
39. Enrique López Ocampo
40. Carlos Orduña Duque
41. Germán García Yépez
42. Dionisio Guajardo de la Fuente
43. Sebastián de los Reyes Guerrero
44. Enrique Ortiz Reyes
45. Juan Rubén Garnica Garza
46. Rigoberto Vargas Vargas
47. Sergio Martín Lee Fragoso
48. José Inés García Hernández
49. Susana Vázquez Melo

c) Proceso penal 20-988

Con fecha 2 de febrero de 1988, el agente del Ministerio Público Federal, José T. López Zamarripa, consignó la averiguación previa 23-988 por la cual ejercita acción penal en contra de Sergio Garza Torres, Martín Becerra Mireles, José Luis Medrano González, José Alonso Pérez de la Rosa, alias el Amable, y Javier Hernández Rivera, por los delitos de portación de arma de fuego de uso exclusivo del ejército, armada y fuerza aérea, contra la salud y acopio de armas.

El juez Cuarto de Distrito de Matamoros, Tamaulipas, radicó la averiguación bajo el número de proceso 20-988. Los indiciados rindieron declaración preparatoria aceptando la comisión de los delitos imputados. Pérez de la Rosa manifestó que el dueño del vehículo donde se encontraron las armas es José Cantú Izquierdo.

El 4 de febrero siguiente, el juez dictó auto de formal prisión en contra de los encausados, por los delitos citados. El 7 de junio, el fiscal federal formuló conclusiones acusatorias.

El 23 de ese mismo mes y año, se dictó sentencia imponiendo las siguientes sanciones:

Sergio Garza Torres, Martín Becerra Mireles y Javier Hernández Rivera: un año seis meses de prisión y cinco días de multa.

Luis Medrano González: dos años de prisión y cinco días de multa.

José Alonso Pérez de la Rosa, alias el Amable: tres años de prisión y cinco días de multa.

A todos se les aplicó el beneficio de la sustitución de la pena de prisión por condena condicional, y a Pérez de la Rosa, alias el Amable, por tratamiento en semilibertad, ingresando al CERESO de Matamoros los sábados a las ocho de la mañana, y saliendo los lunes a la misma hora.

Respecto del delito de contra la salud, cabe señalar que éste sólo fue imputado a José Luis Medrano González, quien demostró ser toxicómano. Y durante la instrucción solicitó tratamiento para rehabilitarse: por lo que al encontrar su conducta en lo previsto por la fracción 11 del artículo 194 del Código Penal Federal, el juez no hizo pronunciamiento alguno.

Se dejó abierta la causa penal respecto del inculpado José Cantú Izquierdo, aparentemente dueño del vehículo donde se encontraron las armas.

Con fecha 5 de agosto de 1988, el Ministerio Público adscrito formuló pedimento 181-88, a través del cual informa al titular del juzgado que se ha dictado sentencia en el proceso 210-988, instruido en ese mismo juzgado a José Alonso Pérez de la Rosa (*a*) el Amable, por el diverso delito de portación de arma de fuego de uso exclusivo del ejército, armada y fuerza aérea; y, por tanto, incumplió con lo preceptuado por el artículo 90 del Código Penal Federal, solicitando revoque el beneficio otorgado en la causa penal 20-988, sin que procediera su solicitud en virtud de que la sentencia dictada en el proceso mencionado en primer término no ha causado ejecutoria a la fecha.

El 17 de mayo de 1993, el fiscal federal solicita se gire orden de aprehensión en contra de José Cantú Izquierdo. En la misma fecha, el juez niega el obsequio, no obstante haber dejado abierto el expediente por la probable participación de éste en los hechos materia del proceso. El representante social interpuso apelación.

Se hacen las siguientes observaciones:

a) Aparece como abogado defensor particular de los ahora sentenciados el licenciado Agapito González Benavides.

b) No existen fotografías en ninguna de las fichas sinalégticas. Al respecto, el director interino del Centro de Readaptación Social, licenciado José Antonio Ceballos Ruiz, remitió al juez de la causa el oficio 736-988, de fecha 27 de mayo de 1988, informando que desde enero (de 1988) no cuenta con material fotográfico, sin que a la fecha se haya subsanado la falta.

c) El notario público núm. 110, de Matamoros, Tamaulipas, licenciado Alfonso V. Marín González, realizó las certificaciones de los documentos presentados por los enjuiciados.

d) Proceso penal 34-89

El agente del Ministerio Público Federal, licenciado José Piedad Silva Arroyo, inició la averiguación previa 31-989, con base en el parte informativo rendido por la Policía Judicial Federal, por el cual ponen a disposición a Martín Lucero Arellano, José Luis Sosa Medrano y Guillermo Valencia Guzmán, implicados en actividades de narcotráfico; al ser detenidos les fueron asegurados los siguientes objetos:

4 pistolas marca browning, calibre 9 mm;
1 envoltorio con 6 g de mariguana;
1 bolsa de polietileno con 500 g de mariguana;
2 "colillas" de cigarros de mariguana;
1 balanza de bronce marca india, con residuos de cocaína en los platos;
1 suburban chevrolet placas WP-0170;
1 buick riviera placas 440-CUD;
1 camaro chevrolet rojo, sin placas;
2 chevrolet pick up placas 2239-AP y W-9632;

* Copia fotostática de la Compañía de Teléfonos AT&T, a nombre de Guillermo Pérez Rodríguez;
* Fotostáticas del Registro Público de la Propiedad a nombre de Guadalupe Sosa Mayorga;
* Documentos varios.

El 13 de febrero de 1989, se consignó la averiguación previa, avocándose al conocimiento de la misma el juez Cuarto de Distrito de Matamoros, Tamaulipas. El 17 siguiente, dictó auto de formal prisión en contra de Luis Guillermo Valencia Guzmán y Martín Lucero Arellano, por la comisión de los delitos de contra la salud, en su modalidad de posesión, y auto de libertad con las reservas de la ley en favor de José Luis Sosa Medrano.

Por cuerda separada, con fecha 6 de octubre de 1989 gira orden de aprehensión en contra de José Luis Sosa Mayorga, alias el Cabezón, José Guadalupe Sosa Mayorga, Guillermo Pérez Rodríguez, Manuel Gamboa, Checo Balboa, el Negro, el Quince: la niega en contra de Juan N. Guerra.

El 14 de noviembre de 1989 se cumplimenta la orden de aprehensión de Sergio Balboa Peña, alias el Güero Balboa, y es puesto a disposición del juez Cuarto de Distrito de esta ciudad de Matamoros, Tamaulipas, quien decreta auto de formal prisión en su contra.

El 15 de enero de 1990, el procesado Sergio Balboa Peña promueve al amparo 42-90 contra el auto de formal prisión decretado en su contra, y el juez Sexto de Distrito del estado resuelve ampararlo. El 7 de mayo siguiente, el juez Cuarto de Distrito de Matamoros, Tamaulipas, interpone recurso de revisión.

El 26 de noviembre de 1990, Guillermo Valencia Guzmán promueve el amparo 473-90 ante el juez Quinto de Distrito del estado, para los efectos de que se dicte sentencia definitiva, con base en el artículo 20, fracción VIII.

El Ministerio Público Federal adscrito al juzgado formula conclusiones acusatorias en contra de Luis Guillermo Valencia Guzmán, Martín Lucero Arellano y Sergio Balboa Peña, alias el Güero Balboa o Checo Balboa; los dos primeros, por ser penalmente responsables de los delitos contra la salud, en sus modalidades de posesión de mariguana y cocaína; y del tercero, por el mismo delito en sus modalidades de tráfico y exportación de mariguana y tráfico de cocaína; solicita el decomiso de droga, vehículos, armas y demás objetos; asimismo solicita el decomiso de los bienes inmuebles afectos a la causa (*).

El 26 de marzo de 1991 se cumplimenta la orden de aprehensión decretada en contra del Negro, del que posteriormente se supo responde al nombre de José Luis Medrano González o José Luis Rivera Garza. El 28 siguiente, el juez resuelve dejarlo en libertad con las reservas de ley por falta de elementos para procesar. El Ministerio Público Federal adscrito apela el auto decretado. Se confirma el 19 de noviembre de 1991, con el toca 777-91-9-II.

En el mes de mayo de 1991, el director del CERESO municipal hace del conocimiento al juez de la causa, que los procesados Martín Lucero Arellano y Sergio Balboa Peña (*a*) el Güero Balboa o Checo Balboa, fallecieron con motivo de los hechos ocurridos dentro del penal. El 17 de mayo de ese mismo año, el juez declara sobreseída la causa únicamente por lo que hace a los ahora occisos.

El 2 de julio de 1991, se dicta sentencia en contra de Luis Guillermo Valencia Guzmán, imponiéndole nueve años de prisión y multa de un millón doscientos noventa y seis mil pesos: decreta el decomiso de la muestra de cocaína y armas afectas a la causa penal.

Por auto de fecha 4 de junio de 1992, el juez Cuarto de Distrito requiere al Ministerio Público Federal adscrito para que, dentro del término de tres días, ponga a disposición del órgano jurisdiccional los bienes inmuebles a que hace alusión en sus conclusiones, para estar en condiciones de determinar el destino legal de los mismos, ordenando se giren oficios al procurador general de la república y al magistrado del Segundo Tribunal Unitario, sin que a la fecha exista promoción al respecto.

e) Proceso penal 514-89

Agentes de la Policía Judicial Federal rindieron el parte informativo 1477, de fecha 13 de noviembre de 1989, por el cual ponen a disposición del Ministerio Público Federal investigador, a Sergio Balboa Peña, alias el Güero Balboa o Checo Balboa, Ricardo Ríos Prado, Eleazar Chávez Ortiz, Manuel Carrillo Aceves, José Salvador Mena Rodríguez, Natividad López González y Francisco Javier Álvarez Sánchez, por tener relación con el primero de los nombrados, el que viajaba a bordo de un vehículo pontiac con placas del estado de Texas, donde encontraron bajo el asiento trasero seis pistolas de diversos calibres.

Del informe se desprende que Sergio Balboa, siendo las 23:00 horas del día 11 de noviembre de 1989, efectuó disparos con una pistola calibre .38 super, en el cruce de las calles Álvaro Obregón y Claveles de esta ciudad, la cual se encontró oculta bajo el asiento trasero del vehículo, junto con las demás armas.

Según parte informativo 5593-89, el director de Seguridad Pública local hace del conocimiento al supervisor de Narcóticos, José Piedad Silva Arroyo, que Sergio Balboa tripulaba una camioneta ford, color verde, quien se dio a la fuga con rumbo desconocido, encontrando casquillos de las detonaciones efectuadas por éste en las calles Primera y Bravo. Posteriormente, la patrulla X-4 detuvo al Güero Balboa a bordo de un pontiac. Lo pasan a la patrulla y son perseguidos por una camioneta azul tripulada por el Ravize, quien dispara contra ellos. Logran detener a éste y a sus acompañantes: Manuel Carrillo, Eleazar Chávez, Ricardo Ríos, José Salvador Mena, Francisco Javier Álvarez y Natividad López.

El 14 de noviembre de 1989, Sergio Balboa Peña, alias el Güero Balboa o Checo Balboa, ratifica lo aseverado en el parte informativo que contiene su declaración rendida ante la Policía Judicial Federal, donde se asienta que las armas encontradas en el interior del vehículo que conducía son de su propiedad; en ampliación de declaración señala las propiedades de su familia, donde agrega que él únicamente tiene una camioneta pick up, misma que se encuentra en domicilio de su señora madre, Concepción Balboa de Peña.

Manuel Carrillo Aceves, Ricardo Ríos Prado y Eleazar Chávez Ortiz ratificaron sus declaraciones rendidas ante la Policía Judicial Federal y el agente del Ministerio Público Federal, que en lo sustancial dicen haber ido caminando sobre la Álvaro Obregón y se encontraron con José Pérez de la Rosa, alias el Amable, quien los invitó a dar la vuelta, y observaron que la patrulla X-4 llevaba detenido al Güero Balboa, por lo que le hicieron "el paro"; que el Amable habló con los patrulleros, pero éstos no le hicieron caso, por lo que hubo enfrentamiento a balazos y huyeron hacia una casa localizada en la colonia Veinte de Noviembre; se bajaron de la camioneta e ignoran el rumbo tomado por De la Rosa.

Ejercitada la acción penal, el juez Cuarto de Distrito de Matamoros, Tamaulipas, radicó la averiguación previa con detenido. Resolvió la situación jurídica de los indiciados y dictó auto de formal prisión en los términos siguientes: en contra de Sergio Balboa Peña, Manuel Carrillo Aceves, Ricardo Ríos Prado y Eleazar Chávez Ortiz, por ser probables responsables de los delitos; el primero, contra la salud, en sus modalidades de suministro gratuito, compra e introducción ilegal al país del psicotrópico denominado cocaína; portación de arma de fuego sin licencia, portación de arma de fuego de uso reservado, e introducción clandestina de armas de fuego al país; y de los últimos tres nombrados, por encubrimiento y contra la salud, en sus modalidades de suministro gratuito, compra e introducción al país de cocaína.

El juez de la causa resolvió, por cuerda separada, la orden de aprehensión solicitada en contra de José Alonso Pérez de la Rosa o José Pérez de la Rosa (*a*) Pepe Pinas o el Amable, y de Agustín Treviño Chávez, alias el Ravize, por ser probables responsables de los delitos de contra la salud, en sus modalidades de compra, posesión y suministro, e introducción de cocaína; acopio de armas de fuego, introducción clandestina de armas y asociación delictuosa. Asimismo decreta se suspenda el procedimiento hasta que se cumplimenten las órdenes.

El 23 de enero de 1990, Manuel Carrillo Aceves, Ricardo Ríos Prado y Eleazar Chávez Ortiz interpusieron recurso de apelación contra el auto de formal prisión.

El 8 de febrero de 1990, ponen a disposición del juez Cuarto de Distrito a José Alonso Pérez de la Rosa, alias el Amable. Al día siguiente se le dicta auto de formal prisión por los delitos de portación de arma de fuego sin licencia y desobediencia y resistencia de particulares. El procesado renunció al término para promover apelación. El 12 siguiente sale bajo caución de cinco millones de pesos.

Se hacen las siguientes observaciones:

a) Corre agregado a foja 142 de autos, oficio de la Secretaría de Gobernación, Dirección General de Prevención y Readaptación Social de la Dirección de Ejecución de Sentencias, Registro Nacional de Sentencias, exp. núm. 8-421.43-21765, donde se informe al juez no existir antecedentes penales a cargo de José Alonso Pérez de la Rosa, alias el Amable. El oficio de referencia fue firmado por "P. A." a nombre del doctor José Newman Valenzuela.

b) El 5 de marzo de 1990, el secretario de Acuerdos realiza certificación de la falta de firmas de los caucionados, incumpliendo con esta obligación y, por tanto, se gira orden de reaprehensión en su contra.

c) El 23 de octubre de 1990 el magistrado del tribunal unitario que conoció del recurso de apelación interpuesto por Manuel Ricardo y Eleazar, resuelve confirmarlo.

d) No existen fotografías de los procesados en sus respectivas fichas sinalégticas.

e) El licenciado Rubén Hiram González Barrera trabaja conjuntamente con el licenciado Rubén González Chapa, defensor particular de narcotraficantes.

f) El 10 de marzo de 1992, se anexa acta de defunción del procesado Sergio Balboa Peña, alias el Güero Balboa o Checo Balboa, muerto dentro del penal.

g) El 6 de julio de 1993, el licenciado Sergio Guadalupe Adame Ochoa, agente del Ministerio Público Federal de la adscripción, informa al titular del juzgado que el procesado José Alonso Pérez de la Rosa (*a*) el Amable, se encuentra a disposición del juez Sexto de Distrito de la ciudad de México. Por tanto, debe decretarse la continuación del proceso suspendido.

h) El juez gira exhorto a su similar en turno, para continuar con el proceso a través de esa vía. El juez Séptimo de Distrito de la ciudad de México es el exhortado.

f) Causa auxiliar 35-90

El 26 de mayo de 1990, la Policía Judicial Federal rinde parte informativo DIN-809-90, cuyo contenido se basa en la investigación realizada a Juan y Humberto García Ábrego. Se trasladan a diversos inmuebles propiedad de los citados, así como de familiares y personas relacionadas con ellos.

Se inicia la averiguación previa 148-N-990, que contiene las declaraciones de Olga Alicia Martínez Heredia, José Guadalupe Hernández Villarreal, José Joel Félix Mata y Miguel Acosta Raya. Se ejercita acción penal en contra de Juan García Ábrego por el delito contra la salud, en su modalidad de posesión de cocaína y mariguana, y de Luis Ángel García Torres, por los delitos de contra la salud, en la modalidad de posesión de cocaína, acopio de armas e introducción clandestina de armas, solicitando orden de aprehensión.

Se deja a disposición del juez de Distrito de Matamoros, Tamaulipas, en turno el estupefaciente asegurado durante la investigación, consistente en dos sobres de cocaína y dos paquetes de mariguana, armas de fuego y municiones, dos vehículos, nueve ranchos y la casa ubicada en la calle de Guerrero, entre la Dieciséis y la Dieciocho, propiedad de Luis Ángel García Torres.

El 17 de octubre de 1990, el juez Quinto de Distrito de esta ciudad radica la averiguación bajo el número de causa auxiliar 35-90. Decreta el aseguramiento de los objetos y bienes puestos a su disposición; por cuerda separada, obsequia la orden de aprehensión suspendiendo el procedimiento hasta su cumplimentación.

Con fecha 18 de febrero de 1991, Juan García Ábrego, Gerardo Reyes Treviño y Luis Medrano García promueven amparo 417-91 ante el juez Cuarto de Distrito de Monterrey, N. L., contra la orden de aprehensión.

El 18 de marzo siguiente, se concede el amparo a Juan García Ábrego. El 26 de marzo, el juez Quinto y el Ministerio Público Federal interponen recurso de revisión. Con fecha 25 de septiembre de 1991, el ad quem revoca el amparo y confirma la orden de aprehensión contra Juan García Ábrego.

Se hacen las siguientes [observaciones], con base en el amparo 85-91, del juez Cuarto de Distrito de Matamoros, Tamaulipas, por estar estrechamente relacionado con la presente causa:

a) El 24 de mayo de 1991, dentro del amparo 85-91, promovido con motivo del aseguramiento sufrido a varias de las propiedades de la familia García Ábrego, se dictó sentencia donde se niega el amparo y protección de la justicia federal a los quejosos.

b) Se interpuso revisión. Los magistrados del Primer Tribunal Colegiado del estado, por mayoría de votos, resuelven dejar insubsistente el aseguramiento decretado contra nueve ranchos propiedad de la familia García Ábrego.

c) Respecto del recurso de revisión interpuesto en el amparo 85-91, promovido en contra del aseguramiento decretado a las mismas propiedades aludidas en el párrafo que antecede, y otras más, no obra constancia que nos permita saber si se encuentra ya resuelto.

g) Proceso penal 87-90

Con fecha 21 de febrero de 1990, la Policía Judicial Federal rinde el parte informativo DIN-092-990, a través del cual pone a disposición del Ministerio Público Federal a Elías García García, Enrique López Ocampo, Carlos Orduña Duque, Germán García Yépez, Dionisio Guajardo de la Fuente, Sebastián de los Reyes Guerrero, Enrique Ortiz Reyes, Juan Rubén Garnica Garza, Rigoberto Vargas Vargas, Sergio Martín Lee Fragoso, José Inés García Hernández y Juana Susana López Melo, mismos que fueron detenidos con base en la investigación de los domicilios de estas personas, quienes se encuentran relacionadas con actividades de narcotráfico, así como los objetos que les fueron recogidos durante su detención.

El 23 de febrero, con las declaraciones de los detenidos se inicia averiguación previa número 59-N-90; se formaliza el aseguramiento de la droga y objetos, y decreta la libertad de Juana Susana López Melo, Sergio Martín Lee Fragoso y José Inés García Hernández, por falta de elementos para acreditar su participación.

El mismo 23 de febrero de 1990 se ejercita acción penal. El juez Cuarto de Distrito de Matamoros, Tamaulipas, radica la averiguación previa con el número de proceso 87-90; el 25 de febrero siguiente dicta auto de formal prisión en contra de los indiciados, por los delitos imputados.

El 27 de febrero de 1990 el Ministerio Público Federal investigador amplía el ejercicio de la acción penal en contra de Enrique López Ocampo, Germán García Yépez y Rigoberto Vargas Vargas, por la comisión de los delitos de estancia ilegal en el país, al ser de nacionalidad colombiana. El juez de la causa niega la ampliación, y el representante social solicita orden de aprehensión en contra de ellos.

El 25 de febrero de 1990, Enrique Ortiz Reyes y Juan Garnica Garza promueven amparo contra el auto de formal prisión. El 18 de marzo de 1991, el juez Quinto de Distrito de Matamoros, Tamaulipas, otorga el amparo, en virtud del cual se les deja en libertad.

El mismo 25 de febrero de 1990, Dionisio Guajardo de la Fuente promueve amparo contra le auto de forma prisión. El recurso se resuelve el 25 de septiembre de 1990; para el efecto de modificar el auto de formal prisión para que se dicte por el delito de encubrimiento. El 11 de octubre de 1990, el juez Cuarto de Distrito de Matamoros, Tamps., interpone recursos de revisión. El 30 de noviembre de ese mismo año se confirma lo ordenado por el tribunal.

El 4 de septiembre de 1990, se cumplimenta la orden de aprehensión girada en contra de Enrique López Ocampo, Germán García Yépez y Roberto Vargas Vargas. Se decreta su formal prisión por violación a la Ley General de Población.

Con fecha 17 de mayo de 1991, mueren dentro del CERESO municipal los procesados: Enrique López Ocampo, Germán García Yépez, Rigoberto Vargas Vargas, Elías García García, Sebastián de los Reyes Guerrero y Carlos Orduña Duque, con motivo de los hechos sucedidos dentro del penal.

El 10 de marzo de 1992, el juez del conocimiento decreta extinguida la acción penal dentro del proceso, por cuanto hace a los occisos.

El 27 de junio de 1993 se cumplimenta la orden de aprehensión girada en contra de Luis Medrano García; se decreta su formal prisión por los delitos de contra la salud, en sus modalidades de posesión, transportación, suministro, compra, comercio, venta, tráfico y exportación ilegal de cocaína y mariguana, así como por acopio de armas, usurpación de funciones y asociación delictuosa.

El 6 de julio de 1993, se cumplimenta la orden de aprehensión girada en contra de José Alonso Pérez de la Rosa, alias el Amable, y de Adolfo de la Garza, por estar a disposición del juez Sexto de Distrito de la ciudad de México. Por otra causa penal, el juez Cuarto de Distrito de esta ciudad de Matamoros, gira exhorto a su similar en turno de aquella entidad, a efecto de que, por esa vía, sea tomada su declaración preparatoria y se resuelva su situación jurídica por la causa penal 87-90. Tocó el turno al juez Séptimo de Distrito del Distrito Federal.

El 29 de julio de 1993 se recibió el exhorto diligenciado por el juez Séptimo de Distrito en el Distrito Federal, pero en razón de no haberse cumplido con todas las formalidades, éste se regresó nuevamente para que se efectúen.

El procesado Luis Medrano García se encuentra actualmente en el penal de alta seguridad de Almoloya de Juárez, a disposición del juez Cuarto de Distrito de Matamoros, Tamaulipas.

h) Proceso penal 185-90

El 15 de abril de 1990, la Policía Judicial Federal rinde el parte informativo número DIN-566-990, por el cual ponen a disposición de la autoridad ministerial federal a Gerardo Ceniceros de los Santos, Alejandro García Gracia y Blanca Flor de la Garza, así como armas y cartuchos encontrados.

Se inicia la averiguación previa 108-990, tomando declaración a los detenidos. Asegura las armas y cartuchos y, el 16 de abril de 1990, se ejercita acción penal y solicita en el mismo pliego orden de aprehensión en contra de Luis Medrano García, Baldemar Medrano González y Marco Antonio Vela Garza por el delito de acopio de armas.

El juez Cuarto de Distrito de Matamoros, Tamaulipas, radica la averiguación con el número de proceso 185-90. El 19 de abril de 1990, decreta formal prisión en contra de Gerardo y Alejandro, por los delitos imputados. Y libertad en favor de Blanca Flor de la Garza.

El 7 de febrero de 1991, Alejandro García Gracia queda en libertad por amparo concedido en su favor por el juez Quinto de Distrito de Matamoros, Tamaulipas.

El 16 de marzo de 1992, se dicta sentencia definitiva a Gerardo Ceniceros de los Santos, imponiéndole seis años de prisión y multa de un millón ochenta mil pesos.

El 28 de junio de 1993, se cumple la orden de aprehensión en contra de Luis Medrano García; se decreta su formal prisión por el delito de acopio de armas. Actualmente se encuentra recluido en el penal de alta seguridad de Almoloya de Juárez, a disposición del juez de la causa.

i) Proceso penal 296-90

El 13 de marzo de 1990, la Policía Judicial Federal rinde parte informativo en relación a tener conocimiento de que en domicilio ubicado en avenida México núm. 50, segunda sección del Fraccionamiento Río de esta ciudad de Tamaulipas, se encontraba droga.

El Ministerio Público Federal, licenciado Enrique Castañeda Luna, adscrito al Juzgado Cuarto de Distrito, a través del oficio 1004-90, de fecha 16 de marzo de 1990, solicitó orden de cateo, efectuándose en la misma fecha.

En el interior de uno de los clóset del domicilio cateado, se encontró una bolsa de polietileno con medio kilo de mariguana.

Se inició la averiguación previa núm. 139-N-90, por delito contra la salud; se giró oficio al director del Registro Público de la Propiedad del estado, a fin de saber el nombre el propietario. El 16 de mayo siguiente, el jefe de la Oficina Fiscal, Javier Múzquiz Cantú, informó que el predio de referencia tiene la clave catastral 22-01-11-147-025, a nombre de Juan García Ábrego, y ahí mismo aparece que el 11 de abril de 1988 éste efectuó venta del inmueble a Ricardo Aguirre Villagómez, sin que se haya actualizado la venta en el impuesto predial.

El 21 de junio de 1990, el juez de Distrito decretó el aseguramiento judicial del inmueble, ordenando exhorto a su similar de Ciudad Victoria, Tamaulipas, a efecto de realizar inspección de los libros del Registro Público de la Propiedad para verificar que dicho inmueble no sea objeto de gravamen, cancelación, inscripción o traspaso.

Hasta el 2 de marzo de 1992, el juez Cuarto de Distrito resuelve obsequiar la orden de aprehensión solicitada el 21 de junio de 1990. La última actuación fue con motivo de la solicitud de copias certificadas de la orden de referencia, entregando las mismas al agente del Ministerio Público Federal, licenciado Armando Salvador Orozco Santillán, con fecha 26 de mayo de 1993.

j) Amparo directo 85-91

Por escrito de fecha 27 de septiembre de 1990, el señor Humberto García Ábrego en su nombre, y en representación de Juan Humberto García Carriedo, Estela Margarita García Carriedo, Juan Carlos García Bazán y, como apoderado de Francisco Javier García Flores, Juan Alonso Loera, Albino García Cárdenas, Rosa Elia García Ábrego, Blanca Estela García Ábrego, Josué García Ramírez, Gerardo Calvo Juárez, Cesáreo Loredo López, Juan Alonso Sepúlveda, Juan Héctor García Benavides, Gaspar Acevedo García, Enrique Ortiz Castillo, Felipe Alonso Caballero Olivella, Juan García Ábrego, Carmen Olivella Zamora, Margarita Carriedo de García, así como de los menores Pedro Albino García Olivella, Ivette del Carmen García Olivella, Juan Humberto García Carriedo, Estela Margarita García Carriedo y Juan José García González, interpuso recurso de amparo contra la desposesión, confiscación, cateo, aseguramiento, secuestro, incautación, decomiso y adjudicación de los siguientes bienes:

1. Fraccionadora Valle Alto, S. A. de C. V.;
2. Tingsa [*sic*] Inmobiliaria, S. A. de C. V;
3. Casa ubicada en calle Nápoles núm. 13, del Fraccionamiento Río de esta ciudad de Matamoros;
4. Casa ubicada en calle Guerrero núm. 172, entre la Dieciséis y la Dieciocho de esta ciudad;
5. Terreno y construcción que ocupa la compañía denominada Fletes Uribe Alanís, ubicada en el sendero nacional de esta ciudad;
6. Cuenta bancaria núm. 51502-4, de Bancomer, S. N. C.;
7. Cuenta bancaria núm. 515430-7, de Bancomer, S. N. C., que corresponde a la empresa Tingsa [*sic*] Inmobiliaria, S. A. de C. V.;
8. Cuenta bancaria núm. 7720078, del Banco Internacional, S. N. C.;
9. Casa ubicada en calle Francisco Villa núm. 25, del Fraccionamiento Las Palmas de esta ciudad;
10. Rancho El Dorado, ubicado en el kilómetro 35 de la carretera San Fernando-Reynosa, municipio de Reynosa, Tamaulipas;
11. Rancho El Lucero, ubicado en el kilómetro 37 de la carretera San Fernando-Reynosa, municipio de Reynosa, Tamaulipas;
12. Rancho El Coyote o Los Pericos, o Rancho Alegre, ubicado en el kilómetro 60 de la carretera San Fernando-Reynosa, municipio de Reynosa, Tamaulipas;
13. Rancho La Herradura, ubicado en la carretera Soto La Marina, municipio de Tamaulipas;
14. Rancho Las Agujas, ubicado en el kilómetro 10 de la carretera Soto La Marina, municipio de Tamaulipas;
15. Rancho Valle Verde, ubicado en el kilómetro 40 de la carretera Soto La Marina-La Pesca, municipio de Tamaulipas;

16. Rancho Dos Hermanos, ubicado en el kilómetro 20 de la carretera Soto La Marina, municipio de Soto La Marina, Tamaulipas;

17. Rancho El Culebreno, ubicado a la altura del kilómetro 25 de la carretera a San Fernando-Reynosa, municipio de Méndez, Tamaulipas;

18. Rancho El Ganadero, ubicado en los municipios colindantes con el de Soto La Marina-La Pesca, municipio de Soto de Marina, Tamaulipas;

19. Rancho El Centenario, ubicado en el kilómetro 132 de la carretera Victoria-Tampico;

* Vehículos de motor como camionetas, tractocamiones, sesgadoras, aplanadoras; bodegas, almacenes, plantas eléctricas, radiotrasmisores, tanque de turbosina, hangares, ganado, pastizales y demás objetos e implementos de la agricultura y ganadería de cada uno de los ranchos asegurados.

El juez Segundo de Distrito de Monterrey, N. L., admitió la demanda de amparo; solicitó los informes justificados a las autoridades mencionadas como responsables de los actos reclamados; una vez recibidos la autoridad jurisdiccional se declaró incompetente, remitiendo al Juzgado Cuarto de Distrito de Matamoros, Tamaulipas, quien no obstante haberse negado a la competencia del presente asunto, finalmente se abocó a su resolución. Dictó sentencia el 24 de mayo de 1991, negando el amparo y protección de la justicia federal a los quejosos. El 26 de junio siguiente, interpusieron recursos de revisión.

El Primer Tribunal Colegiado de Ciudad Victoria, Tamaulipas, tuvo por radicada la revisión bajo el toca 59-91, y por ejecutoria de 10 de septiembre de 1992, se declaró insubsistente el acuerdo de aseguramiento materia del amparo.

Cabe hacer la siguiente observación:

El tribunal de alzada resolvió el amparo por mayoría de votos, toda vez que el magistrado Aurelio Sánchez Cárdenas emitió voto particular en el sentido de no estar de acuerdo con el fallo, que de manera sintética se basa en los siguientes razonamientos jurídicos:

a) No debió otorgarse la revocación del amparo porque a quienes favorece indudablemente están relacionados al narcotráfico.

b) No puede sostenerse que los quejosos sean terceros extraños, por ser familiares de los procesados Juan y Humberto García Ábrego y dedicarse éstos a las actividades del narcotráfico.

c) Antes de acudir al juicio de garantías, los quejosos estaban obligados a agotar los recursos ordinarios que sobre el particular establece el Código de Procedimientos Penales, por lo que procedía sobreseer el juicio en su totalidad, con base en lo previsto por la fracción XIII, del artículo 73 de la Ley de Amparo, en relación con la fracción III, precepto 74 del mismo ordenamiento legal.

d) Se considera que el aseguramiento de los inmuebles de referencia no es definitivo para los efectos de la procedencia de la acción constitucional, pues se trata de una providencia precautoria, por lo que tampoco procedía el juicio de garantías contra este tipo de actos.

e) La medida decretada por el juez Cuarto de Distrito de Matamoros, Tamaulipas, y la depositaria otorgada en favor del fiscal federal de su adscripción no tienen una ejecución que sea de imposible reparación, ya que en la sentencia definitiva se resolverá concluyentemente si se levanta o no el aseguramiento.

Observaciones generales:

Derivadas de la revisión general efectuada a los antecedentes procesales de referencia, es de concluirse lo siguiente:

Estado general de los expedientes:

Se revisaron nueve expedientes integrados ante los Juzgados Cuarto y Quinto de Distrito de Matamoros, Tamaulipas, constantándose que no se encuentran debidamente foliados, sellados y rubricados ni aparecen glosadas diversas actuaciones judiciales tales como exhortos, acuerdos, órdenes de cateo y autos donde se obsequian las órdenes de aprehensión solicitadas conforme lo señala el artículo 18 del Código Federal de Procedimientos Penales.

Además, se comprobó que existen lapsos prolongados sin actuar, en contravención a los plazos y términos previstos en las leyes.

Intervención ministerial:

Las actuaciones y diligencias practicadas por el agente del Ministerio Público Federal investigador carecen de técnica jurídica. Verbigracia: no funda ni motiva correctamente el cuerpo del delito ni la presunta responsabilidad.

Asimismo, el investigador no cumple con lo establecido en la circular C-04-93 emitida por el C. procurador, al no auxiliarse de la Policía Fiscal para el éxito de los aseguramientos decretados.

k) Sobre orden de aprehensión contra Juan Nepomuceno Guerra o Juan N. Guerra o Juan Guerra

Enterado por el FBI de que uno de los seudónimos usados por Óscar Malherbe de León es Martín Becerra Mireles o Martín Becerra, di instrucciones de que se buscase en archivos si existía orden de aprehensión contra Malherbe en su modalidad de Martín Becerra Mireles.

Existe.

Y en la misma orden se menciona a Jun N. Guerra [*sic*] o Juan Guerra; contra Sergio Luis García (obviamente Luis Medrano García) y otras personas.

El día de mañana dos agentes del Ministerio Público Federal adscritos a esta oficina estarán en Guadalajara para sacar fotocopia de todo el expediente radicado en el Juzgado Quinto en Guadalajara, Jalisco, como proceso penal 59-88-III. De esta manera procederemos a enviar una copia a usted y a estudiarlo. *Queremos saber, además, cuál fue la razón de que esa orden de aprehensión no se diera por cumplimentada cuando Juan. N. Guerra fue consignado en octubre de 1991.*

Sabemos, por otra parte, que –al menos– Javier Hernández Rivera se encuentra en Monterrey, trabajando en asuntos de narcotráfico con Carlos Reséndez. ¿Por qué se encuentra en libertad? Ésas son preguntas que responderemos conociendo el proceso. (Memorándum de EV a Jorge Carpizo, 9 de diciembre de 1993.)

l) Sobre procesos penales contra José Alonso Pérez de la Rosa, alias el Amable

Con relación a los diversos procesos penales instruidos en contra de *José Alonso Pérez de la Rosa* (a) *el Amable*, nos permitimos informarle lo siguiente:

En atención al *proceso penal 514-89*, instruido contra el procesado en cita, en el Juzgado Cuarto de Distrito en materia penal, con sede en Matamoros, Tamaulipas, por los delitos de portación de arma de fuego sin licencia y resistencia de particulares, el juez de la causa le concede el beneficio de la libertad provisional, pero en virtud de que el referido procesado dejó de firmar, se le revoca su libertad provisional con fecha 19 de abril de 1990, girándose orden de reaprehensión.

Con fecha 6 de julio de 1993 se le comunica al C. juez instructor, que el procesado en comento se encuentra detenido en el interior del Reclusorio Preventivo Norte de esta ciudad, a disposición del C. juez Sexto de Distrito del Distrito Federal, por lo que con esa fecha se cumplimenta la orden de reaprehensión.

Con fecha 27 de julio de 1993, el juez instructor le concede el beneficio de la libertad caucional, mediante la exhibición de una caución de cincuenta mil nuevos pesos.

Referente al *proceso 87-90*, instruido en contra del multicitado procesado, en el mismo Juzgado Cuarto de Distrito en Matamoros, Tamaulipas, por los delitos contra la salud, en su modalidad de posesión y tráfico de cocaína, se cumplimenta por reclusión la orden de aprehensión el día 6 de julio de 1993.

En consecuencia, el juez del conocimiento gira exhorto a su homólogo en esta ciudad, correspondiéndole al C. juez Séptimo de Distrito resolver la situación jurídica del Amable, resolviendo libertad por falta de elementos para procesar en favor del indiciado en cita. La representación social federal impugna dicha resolución y hasta el momento se encuentra pendiente de tramitarse dicha apelación.

Relativo al *proceso penal 62-93*, instruido en el Juzgado Sexto de Distrito en materia penal de esta ciudad, por los delitos de asociación delictuosa y portación de arma de fuego reservada al uso exclusivo del ejército, armada y fuerza aérea mexicana, con fecha primero de julio de 1993 se le decreta la formal prisión por los delitos enunciados, y al mismo tiempo dicho juzgado pretende declinar competencia en favor del C. juez de Distrito en turno de Ciudad Juárez, Chihuahua.

Del problema competencial, la Primera Sala de la Suprema Corte de Justicia de la Nación resuelve con fecha 19 de noviembre de 1993 la competencia en favor del Juzgado Sexto de Distrito en materia penal en el Distrito Federal.

Posteriormente se cumplimenta la orden de aprehensión de fecha 6 de febrero de 1992, librada por el Juzgado Segundo de Distrito en Nuevo Laredo, Tamaulipas, dando origen al *proceso penal 198-93*, instruido por los delitos contra la salud, en su modalidad de venta de mariguana.

Consecuentemente, el juez de la causa gira exhorto a su homólogo en esta ciudad, a fin de resolver la situación jurídica del procesado mencionado con antelación, y es así como el juez Onceavo de Distrito del Distrito Federal, con fecha 30 de octubre de 1993, le dicta formal prisión por el delito antes citado.

Contra el auto de formal prisión, el procesado promueve amparo número 842-93 ante el Juzgado Primero de Distrito en materia penal en esta ciudad de México, D. F., estando pendiente de resolverse dicho amparo.

Por último y en atención de investigaciones realizadas, se logró instaurar el *proceso número 278-93*, en el Juzgado Tercero de Primera Instancia de Ciudad Victoria, Tamaulipas, del fuero común, por los delitos de homicidio y asociación delictuosa; en consecuencia, dicho juzgado gira exhorto a su homólogo de primera instancia en esa ciudad, a fin de que resuelva la situación jurídica del Amable. (Oficio 2-012-94, de Misael Castillo Bonilla y Gabriel Ramos, de la PGR, a EV; 5 de enero de 1994.)

m) Sobre procesos penales contra José Alonso Pérez de la Rosa, alias el Amable

Por medio del presente y con relación a los procesos penales instruidos en contra de José Alonso Pérez de la Rosa (*a*) el Amable, en distintos Juzgados de Distrito en materia penal, me permito informarle lo siguiente:

Con relación al proceso 198-93, éste fue originado por la averiguación previa núm. 36-992, la cual fue consignada ante el C. juez Segundo de Distrito en materia penal, con sede en Nuevo Laredo, Tamaulipas, radicándose bajo la causa auxiliar 21-92, y en fecha 6 de febrero de 1992 se libró orden de aprehensión en contra del indiciado en cuestión, cumplimentándose la misma en el mes de octubre del año próximo pasado, asignándose la causa penal 198-93.

El C. juez instructor de la causa, con fecha 18 de octubre de 1993 gira exhorto al C. juez Onceavo de Distrito en materia penal, con sede en esta ciudad, a fin de resolver la situación jurídica del procesado en cita.

Con fecha 30 de octubre de 1993, el juez exhortado resuelve la situación jurídica del Amable, decretándole en el auto de plazo constitucional formal prisión por un delito contra la salud, en su modalidad de venta de mariguana. Es de hacerse resaltar que el multicitado procesado, al rendir su declaración preparatoria, se negó a declarar; actualmente la defensa promovió la ampliación de declaración preparatoria, sin que hasta el momento el juez de la causa haya resuelto tal petición.

Contra el auto de formal prisión, el procesado promueve juicio de garantías núm. 842-93, ante el Juzgado Primero de Distrito en materia penal, con sede en esta ciudad, sin que hasta el momento se haya resuelto dicho amparo.

Con relación al proceso penal núm. 62-93, instruido en contra del ya referido procesado en el Juzgado Sexto de Distrito en materia penal en el Distrito Federal, se suscitó un problema competencial entre dicho juzgado y el Juzgado Sexto de Distrito de Ciudad Juárez, Chihuahua, a quien le declinaba competencia.

Con fecha 19 de noviembre de 1993, la Primera Sala de la Suprema Corte de Justicia resuelve el problema competencial, y concede la competencia al C. juez Sexto de Distrito en materia penal, con sede en el Distrito Federal, notificándosele dicha resolución a la representación social federal el 22 de diciembre del próximo pasado.

Con relación al proceso penal 59-88-III, instruido en el Juzgado Quinto de Distrito con sede en Guadalajara, Jalisco, el juez de conocimiento, con fecha 22 de octubre de 1991, resuelve librar orden de aprehensión en contra de Sergio Luis García, de cuyas actuaciones se desprende que la media filiación de éste corresponde a la de Luis Medrano García, así como en contra de Martín Becerra Mireles, quien por información se sabe que corresponde a la identificación de Óscar Malherbe. (Oficio 2-008-94, de EV a Jorge A. Stergios, coordinador zona norte, Subprocuraduría de Delegaciones y Visitaduría; 5 de enero de 1994.)

n) Sobre órdenes de aprehensión contra Juan García Ábrego

Por medio del presente me permito informarle a usted respecto de las órdenes de aprehensión libradas en contra de *Juan García Ábrego*, como probable responsable en la comisión de diversos ilícitos, derivadas de las siguientes causas auxiliares:

35-90, instrumentada en el Juzgado Quinto de Distrito de Matamoros, Tamaulipas, en la cual, con fecha 9 de noviembre de 1990 se libró orden de aprehensión en contra del indiciado en cita, como probable responsable de los delitos de *contra la salud*, en su modalidad de posesión de cocaína y de mariguana.

296-90, instruida en el Juzgado Cuarto de Distrito en Matamoros, Tamaulipas, de donde se desprende que en fecha 30 de marzo de 1990 se libró orden de captura en contra del multicitado indiciado, como probable responsable de un delito *contra la salud*, en su modalidad de posesión de mariguana.

Causa penal 87-90, diligenciada actualmente en el mismo juzgado que el anterior, en la cual se encuentra relacionado y recluido en el Centro Federal de Readaptación Social de Almoloya de Juárez, Estado de México, el procesado *Luis Medrano García*, y en fecha 7 de marzo de 1990 se libró orden de aprehensión en contra de Juan García Ábrego como probable responsable de los delitos de *contra la salud*, en sus modalidades de compra, posesión, suministro, comercio, venta, tráfico, transporte, acondicionamiento y exportación ilegal de cocaína y mariguana, *usurpación de funciones* y *acopio de armas de fuego*.

Por otro lado, no omito manifestarle a usted la relación de procesos en los que se encuentra relacionado *Luis Medrano García*, quien actualmente se encuentra recluido en el CEFERESO de Almoloya de Juárez, Estado de México, y con los siguientes procesos:

87-90, instruido en el Juzgado Cuarto de Distrito en Matamoros, Tamaulipas, como probable responsable de los delitos de *contra la salud*, en sus modalidades de compra, posesión, suministro, comercio, venta, tráfico, transporte, acondicionamiento y exportación ilegal de cocaína y mariguana, *usurpación de funciones* y *acopio de armas de fuego*.

59-88-III, seguido en el Juzgado Quinto de Distrito en Guadalajara, Jalisco, como probable responsable de un delito *contra la salud*, en sus modalidades de posesión y suministro de cocaína, y posesión y compra de mariguana.

Nota: Actualmente se está avanzando en la cumplimentación de la orden de aprehensión derivada de la causa auxiliar 35-90 en contra de *Luis Medrano García*, quien también se hace llamar *Luis Ángel García Torres*. (Oficio 2-028-94, de EV a Marcos Castillejos Escobar, subprocurador de Control de Procesos; 17 de enero de 1994.)

ñ) Sobre otra formal prisión a Luis Medrano García

Informo a usted que el 29 de enero de 1994, el juez Tercero de Distrito en el Estado de México dictó auto de formal prisión en contra de Sergio Luis García o Luis Medrano García, como presunto responsable del *delito contra la salud, en las modalidades de posesión de cocaína y de compra de mariguana en grado de tentativa*.

Dictó auto de libertad por suministro de cocaína y posesión de mariguana. Todo ello en relación con la causa penal 59-88-III remitida a Toluca por el juez Quinto de Distrito del estado de Jalisco.

Por ello se afirma que el punto IX del Programa de Trabajo 1994 (Nuevo León-Tamaulipas) de esta oficina, en lo relacionado con Luis Medrano García, se ha cumplido en principio.

Nos preparamos para cumplir en forma inmediata con el punto VIII (seguimiento del proceso del fuero común por homicidio y asociación delictuosa) contra José Pérez de la Rosa. Para ello buscamos que sea trasladado por nosotros *y con motivo de procedimientos federales* —ya que una vez más no contamos en forma positiva con el procurador de justicia de Tamaulipas— a Matamoros, y allá tomarle la declaración preparatoria en relación con el fueron común.

Ello urge pues sabemos que Pérez de la Rosa puede lograr su amparo de la justicia federal en contra de la orden de aprehensión. (Memorándum de EV a Diego Valadés, primero de febrero de 1994; se remitió copia a Marcos Castillejos, subprocurador de Control de Procesos.)

o) Negativa de amparo al Amable

Informo a usted que el día 16 de febrero, el juez Primero de Distrito en materia penal del Distrito Federal negó el amparo y protección de la justicia federal a José Pérez de la Rosa (*a*) el Amable, en relación con la orden de aprehensión que por homicidio y asociación delictuosa tiene pendiente en el Juzgado Tercero del fuero común en Matamoros, Tamaulipas.

Estudiamos la resolución y trabajamos en dos líneas:

a) Enviar a Almoloya a esta persona para cumplir una condena por PAREA.

b) Tramitar (con el valioso apoyo del licenciado Marcos Castillejos) el exhorto para la declaración preparatoria y el auto de formal prisión. (Memorándum de EV a Diego Valadés, 18 de febrero de 1994.)

p) Sobre mandamientos judiciales pendientes de ejecutar

Por este conducto hago referencia a su atento escrito fechado el 17 de febrero del año en curso, en el sentido de que no existe registro alguno de mandamiento judicial pendiente de ejecutarse en contra de los C. C. *Miguel Rodríguez*, *Luis Medrano García*, *José Luis Sosa Mayorga*, *Juan García Ábrego* y *Adolfo de la Garza* o *Adolfo Garza*.

Al respecto, me permito puntualizar que sí existen mandamientos judiciales pendientes de ejecutar y que anoto a continuación:

1. Proceso núm. 34-89, delito contra la salud, inculpado: *José Luis Sosa Mayorga* (*a*) el Cabezón; Juzgado Cuarto de Distrito en materia penal, en Matamoros, Tamaulipas; orden de aprehensión fechada el 26 de marzo de 1989, pendiente de ejecutar.

2. Proceso núm. 84-89, delito contra la salud, inculpado: *José Luis Sosa Mayorga* (*a*) el Cabezón; Juzgado Cuarto de Distrito en materia penal, en Matamoros, Tamaulipas; orden de aprehensión fechada el 16 de abril de 1989, pendiente de ejecutar.

3. Proceso núm. 35-90, delito contra la salud; inculpados: *Juan García Ábrego, Luis Ángel García Torres*; Juzgado Quinto de Distrito en materia penal, en Matamoros, Tamaulipas; orden de aprehensión pendiente de ejecutar en el ejido El Ebanito.

4. Proceso núm. 148-89-I, delito contra la salud; inculpado: *José Adolfo Garza Robles* (*a*) el Borrado, o *Juan Salazar*; Juzgado Sexto de Distrito en materia penal, en Reynosa, Tamaulipas; orden de aprehensión pendiente de ejecutar.

5. Proceso núm. 62-93, delito asociación delictuosa y otros; inculpado: *José Adolfo de la Garza Robles* (*a*) el Borrado; Juzgado Sexto de Distrito en materia penal, en el Distrito Federal (Reclusorio Norte); orden de aprehensión pendiente de ejecutar; fecha: 11 de enero de 1994.

6. Proceso núm. 185-90, delito acopio de armas; inculpados: *Luis Medrano García* y *Baldemar Medrano González*; Juzgado Cuarto de Distrito en materia penal, en Matamoros, Tamaulipas; orden de aprehensión pendiente de ejecutar.

Me permito también señalar que existen otros procesos en los que están involucrados estos delincuentes de la organización criminal multinacional que dirige públicamente JGA, por quien la institución ofrece una recompensa de tres millones de nuevos pesos.

Estoy absolutamente seguro de que en este caso, como en el de los hermanos Arellano Félix, el Güero Palma y Amado Carrillo Fuentes, procederá una revisión inmediatamente de los archivos para poder mejorar sustancialmente el trabajo de nuestra institución, objetivo que ha sido mencionado por el C. procurador general de la república. (Oficio 2-072-94, de EV a Rosa Evangelina Cardozo Martínez, fiscal especial de Control de Mandamientos Judiciales; 18 de febrero de 1994; se remitió copia a Marcos Castillejos, subprocurador de Control de Procesos.)

q) Sobre procesos penales contra José Alonso Pérez de la Rosa, alias el Amable

En relación con los procesos penales instruidos en contra de *José Alonso Pérez de la Rosa* (a) *el Amable*, tanto del fuero federal como del orden común, me permito informarle lo siguiente:

En el estado de Tamaulipas, en el Juzgado Cuarto de Distrito en materia penal, con sede en Matamoros, se le instruyen las siguientes causas penales:

1. *Causa penal 20-88*, instruida en su contra como presunto responsable de los delitos de acopio de armas y portación de arma de fuego reservada para el uso exclusivo del ejército, armada y fuerza aérea, habiéndose dictado sentencia en fecha 27 de junio de 1988 en contra del encausado en cita y demás coprocesados. Condenando a José Pérez de la Rosa a cumplir tres años de prisión y pago de cinco días de multa, otorgándosele el beneficio de semilibertad, consistente en recluirse los fines de semana en el centro penitenciario, habiéndosele revocado dicho beneficio el 23 de diciembre de 1993 en virtud de que no cumplió con tal obligación, ordenándose su reaprehensión.

Como consecuencia, se promovió a fin de dar por cumplimentada dicha orden de reaprehensión, y en fecha 17 de enero del año en curso se cumplimentó con reclusión, en la inteligencia de que dicho sentenciado se encuentra actualmente recluido en el interior del Reclusorio Preventivo Norte de esta ciudad.

2. *Proceso penal 514-89*, iniciado por los delitos de portación de armas de fuego sin licencia y resistencia de particulares, habiéndose dictado auto de formal prisión el 9 de febrero de 1990, y consecuentemente se le concede la libertad provisional, la cual es revocada por no cumplir con las obligaciones que le impone el artículo 411 del Código Federal de Procedimientos Penales, ordenándose su reaprehensión.

Con fecha 6 de julio de 1993 se da por cumplimentada, por reclusión, la orden de reaprehensión, y en fecha 27 de julio del mismo año el juez de la causa le concede libertad caucional mediante la exhibición de cincuenta mil nuevos pesos; dicha resolución de libertad no fue recurrida por el agente del Ministerio Público Federal adscrito. Actualmente dicho proceso de encuentra en periodo de instrucción.

3. *Proceso penal 87-90*, instruido por los delitos de contra la salud, en sus modalidades de posesión y tráfico de cocaína, habiéndose librado orden de aprehensión el 7 de marzo de 1990, la cual fue cumplimentada por reclusión el 6 de julio del año próximo pasado.

El juez de la causa giró exhorto núm. 43-93 a su homólogo en esta ciudad, a fin de resolverle situación jurídica al procesado en cita, correspondiéndole al juez Séptimo de Distrito en materia penal de esta ciudad resolver su situación jurídica, dictándole *auto de libertad por falta de elementos para procesar*. Ante esta situación, el Ministerio Público Federal adscrito interpuso recurso de apelación, el cual no ha sido tramitado en virtud de que hasta el momento no se le ha notificado al procesado en cita de dicho recurso. Por lo que esta unidad a mi cargo tramitó el exhorto correspondiente ante el C. Juez Tercero de Distrito de esta ciudad, el cual ya notificó de dicho recurso de apelación al multicitado procesado y estamos en espera de la devolución de dicho exhorto, a fin de dar continuidad con el recurso de apelación.

4. *Proceso penal 278-93*, instruido en el Juzgado Tercero Penal de Primera Instancia en Matamoros. El Ministerio Público del fuero común, con fecha 9 de diciembre, inició la averiguación previa núm. 672-91 por el delito de homicidio, cometido en agravio de *Américo Barrera* y de la menor *Beatriz Adriana Galván Orozco*, hechos ocurridos en las calles de Jornaleros y 27 núm. 115, de la colonia Obrera en Matamoros, Tamaulipas (fojas 1 a 120).

Posteriormente de las investigaciones se pudo establecer que los probables responsables de estos hechos eran: José Alonso Pérez de la Rosa (*a*) el Amable, Arcadio Pérez González (*a*) el Callo [*sic*], y Andrés Arriaga Espinoza, y en consecuencia se ejercitó acción penal en su contra en fecha 8 de septiembre de 1993, como probables responsables de los delitos de homicidio y asociación delictuosa (fojas 111 a 120).

La anterior averiguación previa fue radicada en el juzgado antes citado en fecha 10 de septiembre de 1993, misma fecha en que se libra orden de aprehensión en contra de los antes indiciados (fojas 136 a 146).

Ante tal circunstancia, el procesado en cita, con fecha primero de octubre de 1993, interpone demanda de amparo, quedando radicado el amparo 1068-93-I en el Juzgado Séptimo de Distrito en esta ciudad, en cuya resolución de fecha 15 de los corrientes el juez amparista resuelve en el punto primero lo siguiente: "Primero. [...] La justicia de la unión no ampara ni protege a José Pérez de la Rosa [...]".

Actualmente estamos dentro del plazo que la ley concede para interponer recurso de revisión contra dicha resolución, ya sea por la defensa o por esta representación social federal.

Como consecuencia, el juez Tercero de Primera Instancia, con fecha 11 de septiembre de 1993, gira el exhorto núm. 25-93 a su homólogo de esta ciudad, a fin de cumplimentar la orden de aprehensión en contra de José Alonso Pérez de la Rosa (*a*) el Amable, tomar declaración preparatoria y resolver situación jurídica del mismo (fojas 154 a 159).

Con fecha 21 de septiembre de 1993, la juez veintiuno penal del fuero común de esta ciudad recibe dicho exhorto radicándolo en su juzgado bajo el número de partida 158-93 (foja 168), en el cual obsequia la cumplimentación de la orden de aprehensión solicitada por la autoridad exhortante; y en cuanto a la recepción de declaración preparatoria y resolver la situación jurídica del procesado, argumentó lo siguiente: *"No ha lugar de acordar de conformidad, toda vez que la ley reglamentaria del artículo 119 constitucional no faculta a la autoridad exhortada a la realización de dichas diligencias [...]"* (foja 171).

Por otra parte, la juez exhortada, al ser señalada como autoridad responsable dentro de juicio de garantías núm. 1068-93-I, al rendir sus informes previo y justificado, señaló como cierto el haber cumplimentado la orden de aprehensión dictada por la autoridad exhortante y por lo que hace a resolver la situación jurídica de José Alonso Pérez de la Rosa (*a*) el Amable, señaló lo siguiente: *"No se acordó favorable, en atención a que dichas diligencias son sustanciales para el negocio que dio origen al exhorto, y de practicar la suscrita, equivaldría a una verdadera prórroga de jurisdicción, lo que en materia penal no cabe [...]"* (foja 122), y al respecto arguyó la siguiente jurisprudencia: "*Facultades del juez exhortado.* Por medio de exhortos sólo pueden practicarse diligencias por encargo del requiriente, pero sin que el requerido pueda dictar resoluciones sustanciales en el negocio que dio origen al exhorto, porque ello equivaldría a una verdadera prórroga de jurisdicción, que no cabe en materia penal. Quinta Época: tomo XX, página 526, Córdova, Francisco R.".

Posteriormente, en fecha 8 de febrero del año en curso, el juez Cuarto de Distrito dentro del proceso 514-89 ordenó el traslado de José Alonso Pérez de la Rosa (*a*) el Amable, del Reclusorio Preventivo Norte de esta ciudad al Centro de Readaptación Social núm. 2 del ejido de Santa Adelaida, en Matamoros, obviamente con la anuencia de las autoridades que tienen a su disposición al encausado en cita; y así, el C. juez Tercero de Primera Instancia de Matamoros, en fecha 9 de febrero, concedió su anuencia, dando oportunidad de realizar las diligencias a que se contrae el artículo 19 constitucional, dentro de la causa penal 278-93 (anexo copia).

Cosa que no fue así respecto de la C. juez Sexta de Distrito en esta ciudad, que también lo tiene a su disposición dentro del proceso penal núm. 62-93, negando su anuencia en proveído de fecha 11 de febrero del año en curso (anexo copia).

En conclusión, por una parte la C. juez Veintiuno penal del fuero común (autoridad exhortada) no tomó declaración preparatoria ni resolvió situación jurídica, argumentando que tales diligencias no se las faculta la ley reglamentaria del artículo 119 constitucional, aunado a que en sus informes previo y justificado, rendidos al C. juez de Distrito amparista (Séptimo de Distrito del Distrito Federal) negó haber recepcionado tales diligencias, en virtud de que éstas son sustanciales y, de hacerlo, estaríamos frente a una verdadera prórroga de jurisdicción.

Por otra parte, la C. juez Sexta de Distrito del Distrito Federal no dio su anuencia para ser trasladado dicho procesado, a fin de recepcionarle su declaración preparatoria y resolver su situación jurídica dentro del proceso penal 278-93-I, toda vez que dichas diligencias se pueden realizar mediante exhorto.

De lo anterior se ve claramente que existe contradicción en los criterios de la C. juez Veintiuno de lo penal y la C. juez Sexta de Distrito, ambas del Distrito Federal y, como consecuencia, se decretó la suspensión del procedimiento en la causa penal 278-93-I.

En esta ciudad se está tramitando un proceso en contra del indiciado en cita, el cual es el siguiente:

6. *Proceso penal 62-93-I*, instruido en contra del procesado en cita por los delitos de portación de arma de fuego de uso reservado, radicado en el Juzgado Sexto de Distrito del Reclusorio Norte de esta ciudad, y por asociación delictuosa. Con fecha primero de julio de 1993, se decretó auto de formal prisión por los delitos que se le imputan; el procesado en cita solicitó se le concediera libertad provisional, la cual le fue negada con fecha 11 de febrero del año en curso, por lo que interpuso el juicio de amparo núm. 590-93-B por dicha negativa, conociendo del mismo el Juzgado Noveno de Distrito en materia penal en el Distrito Federal. El amparo se conce-

dió para el efecto de que el C. juez de Distrito en materia penal en el Distrito Federal admitiera y resolviera el incidente de libertad planteado. Dicho amparo fue notificado al ministerio público federal, quien recurrió el 17 de agosto de 1993 dicha resolución, conociendo del mismo el Segundo Tribunal Colegiado dentro de la Toca 538-93, resolviéndose con fecha 19 de noviembre del 93 en la Primera Sala de la Suprema Corte de Justicia de la Nación, en el sentido de que el conflicto debería resolverlo el Juzgado Sexto de Distrito en materia penal en el Distrito Federal.

El 11 de febrero de 1994 se admite escrito del defensor, por el que promueve incidente de libertad bajo caución, el cual se deja insubsistente en virtud de que el procesado cuenta con antecedentes penales como son todas las causas anteriormente señaladas.

7. *Proceso 198-93*, radicado en el Juzgado Segundo de Distrito en Nuevo Laredo, Tamaulipas, en contra del multicitado procesado, por el delito contra la salud, en su modalidad de venta de mariguana, dictándole con fecha 30 de octubre de 1993 el aquo auto de formal prisión por dicho ilícito; actualmente se encuentra en el periodo de instrucción, pero el procesado, a través de la defensa, solicitó ampliación de la declaración preparatoria, de la cual hasta la fecha no se ha resuelto absolutamente anda. (Oficio 2-082-94, de EV a Marcos Castillejos, subprocurador de Control de Procesos; 28 de febrero de 1994.)

ANEXO IV: TLALIXCOYAN, VERACRUZ

El 7 de noviembre de 1991, en Tlalixcoyan, Veracruz, en el lugar conocido como La Piedra, ocurrió un grave incidente entre tropas del ejército nacional y elementos de la Procuraduría General de Justicia. Casi una decena de jóvenes, integrantes de la Policía Federal, fueron masacrados. Recibieron el "tiro de gracia". El procurador general de la república era Ignacio Morales Lechuga, y su hombre de mayor confianza, el licenciado Federico Ponce Rojas. Por primera vez, la opinión pública mexicana conocía de un "enfrentamiento" de esta extraordinaria gravedad. Se fugó información que comprometía seriamente a los mandos del ejército mexicano en la región. Ponce Rojas fue defenestrado rápidamente de su posición, pues se le consideró responsable de las filtraciones. Morales Lechuga duró un año más como procurador federal. Fue sustituido por Jorge Carpizo MacGregor quien, como presidente de la Comisión Nacional de Derechos Humanos, había conocido del caso. Varios oficiales del ejército fueron castigados.

El operador de la radio central de la Policía Judicial Federal escribió un detallado reporte de los hechos, a partir de las 5:20 de la mañana, tal y como fueron trasmitidos. El reporte del operador termina a las 13:30 horas. Todavía hoy se discuten el incidente y sus responsabilidades implícitas. El reporte de radio es un elemento que –sin duda alguna– puede ayudar en forma decisiva a aclarar lo realmente sucedido. Lo reproduzco exactamente, tal como fue escrito; corrijo puntuación y ortografía a propósito. Pudiera ser que el operador de la radio no esté registrado. La PJF no está tan organizada como pudiera pensarse. Él, en algún momento, podría autentificar el original que poseo.

Algunas claves del antiguo código de la PJF:

"Lima": funcionario de la PGR; en general, agente del Ministerio Público Federal.

"Lima 36": funcionario superior de la PGR en la ciudad de México.

"Halcón 9": funcionario de la Dirección de Intercepción Aérea.

"103": agente de la Policía Judicial Federal.

"50 del 38": negativo en la descripción o el contacto.

"Un 63 y un 64": un hombre y una mujer.

"Un 42": un vehículo.

"Yanki": comandante de la PJF en la plaza.

"Lima 5 y Halcón 2": funcionarios superiores de la PGR en México.

5:20

Entra Lima 36 acompañado de Halcón 9.

5:32

103 Monroy hace comunicación al 103 Alejandro Narváez López, placa 5522, de Veracruz, Veracruz, al cual se le pone en conocimiento de que abra el aeropuerto y estén en alerta de apoyo para un operativo posible y que su comandante haga comunicación con Lima 36.

5:40

103 Monroy hace comunicación con el 103 Alberto Moya, placa 3479, y se le indica que su comandante haga comunicación con Lima 36, que abran el aeropuerto de Tampico y que la gente esté lista para dar apoyo a elementos de esta Procuraduría.

5:45
Se reportó el 103 Narváez de Veracruz, manifestando que su comandante está enterado y se dirige en esos momentos al aeropuerto.

6:10
Reporta 103 Narváez de Veracruz, Veracruz, que ya se encuentra abierto el aeropuerto y el personal listo para cualquier orden.

6:27
Lima 36 comunica al comandante Marco de Veracruz, Veracruz, que posiblemente aterrice en ese aeropuerto un avión cessna 210 monomotor.

6:32
Se reporta el comandante de Veracruz con Lima 36.

6:40
Le reportan de Veracruz a Lima 36 que el Blanco se volvió a levantar; que siempre no bajó.

6:45
A Lima 36 le reportan que el Blanco ya bajó en el lugar llamado La Piedra, Veracruz.

6:47
Lima 36 hace comunicación con la 103 Beatriz Sánchez (6011 A) de Veracruz, y se le comunica que el avión sospechoso bajó en La Piedra y los pilotos se dieron a la fuga. Que también hay un segundo avión con matrícula N68KA con ocho elementos a bordo, armados, mismos que son elementos de la PGR.

7:05
Habla el 103 Guadalupe Ruiz con Lima 36, comunicándole que el ejército está tiroteando al citation y le pegaron; se encuentra tirando combustible.

7:11
El turbocommander de Tapachula se encuentra haciendo intento por bajar.

7:17
Monroy hace comunicación con el ejército de la 26ª Zona Militar de Veracruz, Veracruz, con el subteniente Cholo Herrera, y éste a su vez comunica al general de división, diplomado de Estado Mayor, Alfredo Morán Acevedo, con Lima 36, y le hace saber del avión sospechoso que aterrizó en una pista de La Piedra, Veracruz, del cual los pilotos se dieron a la fuga. Pero que hay un segundo avión con ocho elementos armados de la PGR. Contestando el general que el personal con el segundo avión, y con prepotencia, sin quererse identificar le tuvieron que tirar. Que salía con cien elementos al lugar de los hechos.

7:26
El comandante Solís de Tampico se reporta y se le indica que es 50 del 38, que se puede retirar con su personal.

7:28
Lima 36 habla con el licenciado Carrillo Olea para ponerle en conocimiento de los hechos en La Piedra, Veracruz.

7:32
Lima 36 se comunica con el general Vaca.

7:35
Comunica 103 6011 de Veracruz que veinte elementos del ejército tienen rodeado a un 103.

8:00
Le informan a Lima 36 de Veracruz que el C. Delegado está enterado de los hechos y se dirige al lugar.

8:05
Nuevamente comunica 6011 de Veracruz que dos camiones del ejército tienen en su poder a un elemento 103. Los camiones con veinte o veinticinco elementos del ejército.

8:10
El citation informa que del Blanco, aparte de los pilotos, bajaron un 63 y un 64, los cuales salieron huyendo al lado opuesto de los pilotos, cuando se dieron cuenta de que los seguían.

8:15
Se le comunica a Lima 36 que el C. procurador ya tiene conocimiento de los hechos y está hablando a la 1º Zona Militar.

8:17
Se le informa a Lima 36 que el licenciado Vázquez Chelius salió para el lugar de los hechos y que además salió el teniente Eduardo Moreno con ocho elementos.

8:29
Comunica J. Guadalupe Ruiz Sánchez a Lima 36 que sale por tierra el licenciado del MPF Héctor Sánchez León, y que el otro citation ya se levantó.

8:45
Carlos Ascencio hace comunicación con Lima 36 y le informaron que un vecino del lugar, con domicilio conocido en La Palma, Veracruz, de nombre Jacobo Hernández, le manifestó al licenciado Vázquez Chelius que desde las 5:30 horas escuchó ruidos extraños en el lugar.

8:58
La 103 Beatriz Sánchez informa a Lima 36 que el tiroteo ya se acabó.

9:02
El licenciado Vázquez Chelius le informa a Lima 36 que está próximo al lugar y que se escucha el tiroteo.

9:06
La 103 Beatriz Sánchez le informa a Lima 36 que el nombre del lugar de los hechos es Tlalixcoyan, Veracruz. Asimismo le ordena Lima 36 a la 103 que un propio en un 42 salga a recoger al aeropuerto de Veracruz a Halcón 2 para trasladarlo al lugar indicado.

9:15
Lima 5 hace comunicación con Lima 36 en estas oficinas, y Lima 36 le informa los hechos actuales.

9:25
El licenciado del MPF, Fernando Vázquez Chelius, le informa a Lima 36 que en esos momentos se encuentra en el lugar de los hechos y lo están desarmando por órdenes (por elementos del ejército y por órdenes) del comandante de la zona, Alfredo Morán Acevedo. Toda esta comunicación se llevó a cabo por medio de teléfonos celulares. El del licenciado Vázquez Chelius: 28-1350; Héctor Sánchez León (MPF): 91-29-28-0677; Marco Antonio Muñoz Valdez: 28-1378; comandante PJF, Yanki jefe de la Plaza.

9:48
La 103 Beatriz de Veracruz comunica a Lima 36 que Yanki Marco Antonio Muñoz Valdez ya se encuentra también en el lugar de los hechos y también es desarmado por elementos del ejército.

10:22
Reportan que del lugar se retiran cuarenta elementos del ejército. Y hace la observación el licenciado Vázquez Chelius, de que el general Alfredo Morán se encuentra muy nervioso y que a los 103 los masacraron y les pegaron tiros en la cabeza; los siete muertos son todos mexicanos 103 de la PJF.

10:32
Informa la 103 Beatriz Sánchez de Veracruz que siendo las 9:40 llamó el jefe de Seguridad Pública de Tierra Blanca, Veracruz, José Alonso Quintero, que tenía información con relación al respecto; que se comunicaran con él por vía telefónica. Que también salieron hacia el lugar ambulancias de todas las instituciones de Veracruz, Veracruz.

11:05
Le informan a Lima 36 que la pareja que se dio a la fuga y que viajaba a bordo del Blanco, aparte de los pilotos, era un hombre de color negro y una mujer rubia. Asimismo le informan los nombres de los elementos caídos, los cuales son: Francisco Zuviri Morales, Roberto Javier Olivo Trinker, Miguel Márquez Santiago, Juan José Arteaga Pérez, Abel Acosta Pedraza, Óscar Errez Sánchez, Ernesto Medina Salazar.
Mismos que en señal de rendición agitaban playeras blancas, haciendo caso omiso los elementos del ejército y los mataban impunemente.

13:30
El capitán Bárcena Quoqui informa a México que el helicóptero VH1, por motivo de mal tiempo, tuvo que regresarse a la altura de Orizaba.

México, D. F., 7 de noviembre de 1991

ANEXO V: RANCHO LORETO

a) Informe de actividades

En atención a la superioridad, me permito informar a usted que se dio cumplimiento a la localización y ubicación del rancho Loreto, para lo cual se tomó la brecha que se encuentra ubicada aproximadamente a diez km del retén Las Norias y a un km antes del rancho San Felipe, esto en dirección de San Fernando a Ciudad Victoria, del lado izquierdo.

Siendo las 12:00 horas del día jueves 9 de septiembre, al entrar a la brecha antes señalada, nos percatamos de que se encontraba en el lugar un helicóptero de Pemex con matrícula XE HEC, frente al negocio El Rivereño, el cual abastece de gasolina a los habitantes de la región.

Prosiguiendo con la localización, por desconocimiento del terreno seguimos una brecha incorrecta, debido a que en el rancho San Isidro se formaba una "Y", llegando así hasta el rancho Palo Blanco, aproximadamente a ocho km del rancho San Isidro; una vez percatados de esta equivocación se retomó el camino correcto.

A la altura del señalamiento del rancho Picacho se ponchó una llanta del vehículo en el cual nos trasportábamos, trasladándonos hasta el rancho Temascal, siendo auxiliados ahí por el encargado de éste, reincorporándonos a la localización tres horas después, teniendo que regresar a San Fernando debido a que ya había anochecido y se dificultaba la visibilidad, tomando otro camino que nos fue mostrado por el encargado del Temascal. Más o menos a la altura del rancho Puerto Los Ébanos, alcanzamos a distinguir a lo lejos unas luces que presumiblemente era una pista desarmable [*sic*], ya que se encontraban alineadas paralelamente; continuando llegamos a la carretera veinte km de distancia hacia San Fernando.

Al día siguiente ubicamos el cruce del rancho Loreto a sesenta y dos km aproximadamente del negocio El Rivereño, en el cual se encontraba un señalamiento que decía: Rancho Loreto doce km; del mismo modo, a unos cien metros del lado derecho de éste, se encontraban unas cinco casas, y a unos seis km del señalamiento topa el camino con la entrada de un rancho al cual entramos, y nos dirigimos a lo que parecía ser la construcción principal, la cual contaba con una malla de aproximadamente dos metros y medio de altura y tres antenas trasmisoras; percatándose de nuestra llegada, salió una persona de unos veintiocho años de edad, 1.75 de altura, complexión regular, tez blanca, cabello castaño claro; como seña particular tiene una mancha en el lado derecho, al parecer una quemadura, vistiendo ropa casual y portando un radio de telecomunicaciones; dirigiéndose a nosotros y cuestionando a quién se buscaba, se le comunicó que nos dirigíamos al rancho San José, por lo que nos informó que éste pertenecía al señor José Benavides, y que de parte de quién se le iba a buscar. Inmediatamente de decirnos esto, se comunicó por el radio con el encargado del rancho San José. Al escuchar que se informaba de nuestra llegada, comentamos que habíamos solicitado informes de dicho rancho, puesto que nos lo habían dado de referencia para poder llegar al rancho La Florida, lugar al cual nos dirigíamos realmente, solicitándole nos ubicara, puesto que desconocíamos el lugar en donde nos encontrábamos, y nos dijo que estábamos en el rancho Loreto, posteriormente señalándonos que nos habíamos equivocado de camino, mostrándonos el camino correcto. Al salir del rancho nos dimos cuenta de que había un corral, un depósito de agua con un papalote, y un vehículo marca caprice color guinda, vidrios polarizados, de placas núm. 446-JJV; siguiendo el camino indicado por esa persona, nos dimos cuenta de que éste se encontraba en muy malas condiciones, por lo que ya no pudimos continuar, regresándonos y volviendo a pasar por el rancho Loreto; encontrándose todavía ahí la persona que nos orientó, le comentamos del mal estado del camino, lo que nos había obligado a regresar. Tomamos la brecha en dirección a la carretera a Tampico, siendo aproximadamente 37.5 km de recorrido, saliendo entre el kilómetro 21 y 22; de ahí nos dirigimos ocho km hacia la carretera a Ciudad Victoria y nos dirigimos a San Fernando.

Nota: Se nos hizo el comentario de que, al parecer, el propietario del rancho Loreto es el señor Luis Villalón. (Informe de actividades de los agentes de la PJF [se omiten los nombres por seguridad]; Matamoros, Tamaulipas, 12 de septiembre de 1993.)

b) Localización de Ricardo Aguirre y Luis E. García Villalón

En dos ocasiones la DEA de Houston, Texas, señaló la posibilidad de que Ricardo Aguirre se encontraba en el rancho Loreto.

Se hizo una cuidadosa investigación confidencial y resulta positiva, al menos, la localización de García Villalón en el rancho Loreto, y posible la de Ricardo Aguirre (uno de los principales tesoreros de JGA).

Además, como ganancia extra, sabemos ahora que otro de los principales narcotraficantes de la región (José Benavides) es localizable en el rancho San José, contiguo al Loreto. (Memorándum de EV a Jorge Carpizo y Jorge Tello Peón, 20 de septiembre de 1993.)

Anexo VI: Amado Carrillo Fuentes

Se rinde parte informativo

Nos permitimos informar a usted que, continuando con la Campaña Permanente contra el Narcotráfico y con motivo de la presentación de *Amado Carrillo Fuentes*, se nos ordenó asimismo la localización y presentación del piloto aviador *Gerardo Maciel Brunswick*, gerente general y apoderado de la empresa *Taxi Aéreo del Centro Norte, S. A. de C. V. (Taxceno)*. Realizado lo anterior, entrevistamos al capitán *Gerardo Maciel*, quien nos informó que en el hangar de Aerolíneas Ejecutivas se encontraban las aeronaves sabre liner 80, matrícula XA ROD, y lear jet 25, matrícula XA LSQ, y en su interior se encontraba copia del protocolo donde se acredita la propiedad de la sociedad antes referida, y además de encuentran los nombres y datos relacionados con los socios que componen dicha sociedad, pudiendo establecer en dicho documento, de fecha 7 de julio de 1988, mismos que a continuación se describen: el señor *Miguel Meza Lara*, señor *Silverio Leyva Pérez*, señor *Tiburcio Leyva Pérez*, señora *Sonia Barragán Pérez* y el señor *Enrique Pulido Arellano*, por lo que, por instrucciones superiores, se aseguraron primeramente en dicho hangar las aeronaves descritas. Continuando con la investigación, el capitán *Maciel* nos señaló que en la ciudad de Torreón, Coahuila, se encontraba la casa central y oficinas de la compañía, lugar donde, con la presencia del Ministerio Público Federal, fue asegurada la compañía en cuestión, así como dos aviones más: un cessna 421, matrícula XA JCB, el cual se encuentra en el hangar que la compañía tiene en el aeropuerto de Torreón, por estar en reparación los motores de dicha aeronave, con el mecánico en aviación señor *Nicanor Anaya*, y el avión P-31, matrícula XA PEG, y una tercera aeronave con matrícula XA POT, marca cessna 206, misma que ya se encuentra asegurada en los hangares de la PGR de Ciudad Juárez, Chihuahua. También se logró el aseguramiento de dos vehículos terrestres, una camioneta chevrolet cheyenne, modelo 1987, placas CV-5191, con RFA 8457791, color beige con guinda, y un volkswagen sedán 1984, se ignoran las placas al momento, color verde, y el personal de esta empresa, siendo éstos el capitán *Luis Padilla Moreno*; el capitán *Francisco Manuel Herrera la Rue*; *Servando Castillo de la Cruz*, auxiliar de mantenimiento; *Irene Galindo Sánchez*, sobrecargo; *María de Lourdes Torres Romero*, secretaria, y *Antonio del Valle Ruiz*, gestor. En esta ciudad se logró asegurar la casa habitación propiedad de *Juan Carlos Barrón Ortiz*, ubicada en la calle de Madrid número 402, fraccionamiento San Isidro, en Torreón, así como el vehículo que se encontraba en el domicilio citado, marca new yorker, modelo 1988, color guinda, RFA 8399335. Asimismo se logró el aseguramiento de las personas que se encontraban en el domicilio, que responden a los nombres de *Miguel Meza Lara*, *Jorge de la Fuente Beltrán*, *Gregorio de la Fuente Contreras* y *Sonia Sánchez Solórzano*. Continuando la investigación, se asegura otra propiedad en la ciudad de Guadalajara, Jalisco, en las calles de Rinconada de Acueducto núm. 740, fraccionamiento El Palomar; esta casa, ubicada en un predio con una extensión de más de cinco mil metros cuadrados y valuados aproximadamente, la propiedad y enseres, en más de tres millones ochocientos mil pesos. Pudiendo establecer en el acta constitutiva de la empresa motivo de esta investigación, que la señora *Sonia Barragán Pérez* fungía como tesorera, y el señor *Miguel Meza Lara*, como presidente del consejo de administración, quienes al tener en frente al asegurado *Amado Carrillo Fuentes*, manifestaron, sin temor a equivocarse, que a este señor lo conocían con el nombre de *Juan Carlos Barrón Ortiz*, y que también era propietario de la casa ubicada en las calles de Madrid núm. 402, del fraccionamiento San Isidro, del vehículo referido, y de los enseres y muebles que en éstas se encontraban, así como las armas ahí localizadas y aseguradas: una pistola gold coup national match, calibre 45, matrícula FN19977, dorada; una pistola marca smith & wesson, calibre nueve milímetros, A366367, modelo 59; una pistola browning nueve milímetros, con número de matrícula 245PX76729; otra pistola 357 magnum, con número de matrícula K74076, plateada; otra pistola browning nueve milímetros, número de matrícula 245PV52739; otra pistola de calibre nueve milímetros, con matrícula 245PP76304; y otra pistola más, que se aseguró a *Miguel Meza Lara* al momento de su detención, calibre 38 especial, matrícula 526801, la cual traía portando a la cintura al momento de su detención; así como cuatro cargadores de radio portátil de marca standard, y seis baterías recargables para radios referidos, marca batari BP11; agregando *Miguel Meza Lara*, quien los guió hasta la casa ubicada en Guadalajara, Jalisco, que también *Amado Fuentes Carrillo* o *Juan Carlos Barrón Ortiz* era propietario de la casa asegurada en Guadalajara, Jalisco. Tanto el capitán *Gerardo Maciel Brunswick* como *Miguel Meza Lara*, reconocen a la señora *Sonia Barragán Pérez* en la foto anexa, como la esposa de *Amado Carrillo Fuentes* o *Juan Carlos Barrón Ortiz*, a quien se le aseguró, precisamente en este lugar, encontrándose únicamente él, ya que la citada *Sonia*, en el momento del aseguramiento, se encontraba fuera del domicilio conyugal. Como no fue posible su aseguramiento, y hasta el momento se encuentra prófuga, la unión matrimonial de los antes mencionados se confirma con la copia certificada del acta de matrimonio del Registro Civil, inscrita en el libro uno del Archivo General del Registro Civil, de la foja 61, quedando asentada en el acta 01, levantada por el oficial primero del Registro Civil, *Alberto López Cortez*, con residencia en Huitzila, municipio de Teúl de González Ortega, Zacatecas, en la cual se contienen los datos de los contrayentes, de sus padres y de sus testigos, firmada dicha acta por el C. oficial del Registro Civil, *Pablo Rivas Cornejo*, en donde aparecen los nombres de los contrayentes como siguen: *Amado Carrillo Fuentes* y *Sonia Barragán Pérez*, en el municipio de Teúl de González, Zacatecas; matrimonio que se llevó a cabo bajo el régimen de sociedad conyugal. *Gerardo Maciel*, al preguntársele cómo inició su relación con la compañía citada, nos manifestó que hace aproximadamente año y medio, cuando trabajaba con la compañía *Comesa* y realizaba un vuelo privado a la citada señora *Sonia*, le propuso la posibilidad de formar un taxi aéreo en la ciudad de Guadalajara, Jalisco, por lo que le pidió se informara sobre una concesión con este objeto, teniéndole la respuesta de que en Guadalajara no era posible pero que, en cambio, sí había posibilidades de una concesión de la ciudad de Torreón, Coahuila, por lo que le informó el detalle sobre la existencia de una compañía con problemas financieros, y que los propietarios estaban ofreciendo en venta dicha concesión. Acto seguido, la señora *Sonia* acepta las condiciones de compraventa y le propuso al capitán *Maciel* que se encargara de la organización y compra de la concesión y que, una vez finiquitado el trámite, le propuso se desempeñara como gerente general y apoderado de la empresa que se forma denominada *Taxis Taxceno*, instruyéndolo para la adquisición de diversas aeronaves. Hasta ese momento la compañía no tenía en operación las mismas que se describen en la primera parte del aseguramiento. Al manifestarnos el capitán *Maciel* la forma en que operó la compañía, nos informa que, después de comprar las primeras tres aeronaves, las empezó a operar en renta, pero posteriormente la señora *Sonia* le ordenó que adquiriera equipo para mejorar el servicio, por lo que, después de negociar en diversas ocasiones con Air Siesta Inc., se adquirieron las tres aeronaves que a continuación mencionamos: lear jet 250 XA ESQ; sabre liner 80, XA ROD, y sabre liner 75A, careciendo de matrícula nacional por llevar todavía la norteamericana; dicha aeronave se encuentra en Dallas, Texas, en reparación de interiores y pintura. A partir del inicio de las operaciones de la compañía *Taxceno*, el equipo empezó a operar normalmente, pero después de tres o cuatro meses de iniciadas las operaciones, la citada *Sonia Barragán Pérez* empezó a solicitar vuelos de carácter personal, mismos que, por supuesto, no eran cobrados, efectuándose a diferentes ciudades y realizados una o dos veces por semana a las siguientes ciudades: México, Distrito Federal; Guadalajara, Jalisco; Monterrey, Nuevo León; Reynosa, Tamaulipas; Ciudad Juárez, Chihuahua; Puerto Vallarta, Jalisco; Cancún, Quintana Roo; Cumpas, Sonora; Acapulco, Guerrero; Durango, Durango; Chihuahua, Chihuahua; Ojinaga, Chihuahua; Mazatlán, Sinaloa. Que en estos vuelos se hacía acompañar por diversas personas, pero en forma regular por el que conoció como *Juan Carlos*

Barrón Ortiz, y que en alguna ocasión le ordenó la citada *Sonia Barragán Pérez* que, cuando el señor *Juan Carlos Barrón Ortiz* le solicitara alguna aeronave, estaba facultado para ordenarle esto y todo lo relacionado con la compañía *Taxceno*. Que cuando se compró el avión cessna 421, la citada señora le ordenó que tratara de obtener permiso para usar la matrícula XA JCB, y asimismo con el sabre liner 60 le solicitó la matrícula XA ACF. Que posteriormente ordenó se cancelara esta última por la que expresamente le indicó: XA CCB. Todo esto nos permite establecer la relación e injerencia del citado *Amado Carrillo Fuentes* o *Juan Carlos Barrón Ortiz* en *Taxceno, S. A. de C. V.*, ya que en el número aparecen las iniciales, en la matrícula, de *Juan Carlos Barrón*, y en el segundo las de *Amado Carrillo Fuentes*, y en la sustitución de la matrícula de esta última, las iniciales de la hija de ambos: *Claudia Carrillo Barragán*. Que sobresalen algunos vuelos que solo hizo el señor *Juan Carlos Barrón*, y entre éstos uno que hizo a Ciudad Juárez, Chihuahua, en donde lo esperaba el capitán *Alfredo Reyes* (a) *el Monstruo*, a quien conocía por ser un individuo ampliamente reconocido en el medio de la aviación, y a quien saludó cuando llegó al citado aeropuerto, y se percató de que, cuando bajó el señor *Juan Carlos Barrón*, fue recibido efusivamente, retirándose juntos del lugar, y que volvió a ver al citado capitán *Reyes* en el aeropuerto de Torreón, cuando éste llegaba, y le solicitó ayuda para reparar su avión, que había sufrido desperfectos en su vuelo, de visita a esta ciudad, con el propósito de entrevistarse, según le dijo, con el señor *Juan Carlos Barrón*. En otro vuelo que hizo a Ojinaga, Chihuahua, en donde se presentó un incidente al atorarse una pala de la hélice, levantando un alambre de púas que estrelló las dos micas de enfrente, quedándose en este lugar el citado *Juan Carlos*, y regresando el capitán *Maciel* a Torreón para reparar el avión. Y que uno de los últimos vuelos que hizo para ellos fue el que hicieron al certamen Miss Universo, a Cancún, Quintana Roo, por el mes de mayo del presente año.

Que a *Miguel Meza Lara* le consta su relación en la siembra, cultivo, cosecha y tráfico de enervantes que éste realizaba en diversos estados de la república, o sea *Amado Carrillo Fuentes*. Que data su conocimiento de estas relaciones del año de 1984 cuando, después de contraer matrimonio con *Sonia Barragán Pérez*, se trasladó a la ciudad de Ojinaga, Chihuahua, a trabajar como chofer del conocido narcotraficante *Pablo Acosta*, quien operaba en sociedad con su sobrino *Pablo Acosta*, y después de trabajar dos años con ellos, se separó, tres meses antes de que los mataran en un enfrentamiento con la Policía Judicial Federal en donde, como ya se dijo, perdiera la vida; y desde entonces el citado *Amado Carrillo* controla y domina el tráfico de mariguana por esta frontera, ocupando la sierra que colinda entre el estado de Sonora con Chihuahua, para la siembra de dicha droga, y trayéndola en avionetas hasta Parral, Chihuahua, de donde es trasladada a la ciudad de Ojinaga e introducida a los Estados Unidos de Norteamérica. Y que el principal lugarteniente que tiene el citado *Amado Carrillo Fuentes o Juan Carlos Barrón Ortiz* lo es el capitán *Alfredo Reyes Estrada* (a) *el Monstruo*, quien es el que se encarga de hacer todas las operaciones relacionadas con el narcotráfico. Y que asimismo prestó su nombre para que apareciera en el acta constitutiva de la empresa *Taxceno, S. A. de C. V.*, en la ciudad de Torreón, Coahuila; empresa que se fundó con las ganancias producidas por el narcotráfico, así como la casa de Torreón, Coahuila, donde fue detenido, y en la cual se encontraron una pistola calibre 45; una calibre 357 magnum; cuatro pistolas calibre nueve milímetros, y otra pistola calibre 38 especial, que traía fajada a la cintura al momento de su detención, y que todas las armas, incluyendo la del declarante, son de su patrón *Juan Carlos Barrón Ortiz* o *Amado Carrillo Fuentes*.

Amado Carrillo Fuentes o *Juan Carlos Barrón Ortiz*, al ser interrogado, manifestó tener sus domicilios en Fony Anitum, domicilio conocido, colonia Nogales, en Ciudad Juárez; en avenida Madrid 402, fraccionamiento San Isidro, en Coahuila; en las calles de Rinconada y Acueducto núm. 740, en el fraccionamiento El Palomar, en Guadalajara, Jalisco; casado por el régimen de sociedad conyugal, con *Sonia Barragán Pérez*; que utiliza los nombres ya mencionados; que desde el año de 1984 se dedica a las actividades relacionadas con la compraventa, transportación y tráfico de mariguana, de la sierra y municipios aledaños, a Parral, Chihuahua y al estado de Chihuahua, llevándolos a los ranchos ubicados en Villa Ahumada, denominado El Jagüey, para introducir la mariguana por la frontera de Ciudad Juárez, Chihuahua, y por la frontera de Ojinaga, Chihuahua, llevando la mariguana al rancho El Suspiro, ubicado en la misma ciudad y a orillas del río Bravo, de donde también la introducen al lado americano. Que en ocasiones, a últimas fechas, a la frontera e Coahuila, a un lugar denominado la Sierra del Carmen, del mismo municipio, por la Vaquilla, que se encuentra también pegada al río Bravo. Que en sus inicios prestó sus servicios para *Pablo Acosta Villarreal* y un sobrino de éste, *Vicente Acosta Sánchez*, narcotraficantes famosos en el área de Ojinaga y la frontera con Estados Unidos, mismos que en el año de 1976 fueron muertos en un enfrentamiento con la Policía Judicial Federal; y que a la muerte de éstos, *Juan Carlos Barrón Ortiz* o *Amado Carrillo Fuentes* empezó a florecer en el narcotráfico debido a las amplias y buenas relaciones que tenía, y utilizando aviones tanto de su propiedad como de *Guadalupe Vega* (a) *el Cepillo*, coordinando los operativos de compraventa, transportación y tráfico de mariguana su lugarteniente, el capitán *Alfredo Reyes Estrada* (a) *el Monstruo*; que con el producto de las actividades del narcotráfico, el de la voz compró las casas de las ciudades de Torreón, Guadalajara y Ciudad Juárez, Chihuahua, y creó Taxi Aéreo del Centro del Norte, S. A. de C. V., *Taxceno*, a través de su esposa *Sonia Barragán Pérez*, y utilizando como prestanombres a otras personas, entre las cuales se encuentra *Miguel Meza Lara* y su esposa, *Sonia Barragán Pérez*; y que, asimismo, es propietario de los aviones que forman la citada empresa. Que también recuerda que en el mes de julio de este año le fue asegurada una avioneta en la cual transportaba mariguana, en la población de Aldama, Chihuahua, y cuya matrícula es XB SUC, cessna 206. Que respecto a las armas que fueron aseguradas en su domicilio de la ciudad de Torreón, Coahuila, y que quedó asentado, consistentes en siete pistolas: una de calibre 45; otra de calibre 357 magnum; cuatro pistolas de calibre nueve milímetros, y otra de calibre 38 especial, manifestó que eran de su propiedad y que la treinta y ocho especial se la había dado a *Manuel Meza Lara* para que la trajera siempre portando y vigilara la casa de su propiedad ya mencionada. (Oficio 1026, de Juan Manuel Pozos García, director de Investigación de Narcóticos, a Fausto Valverde Salinas, director general de Investigación y Lucha contra el Narcotráfico; México, D. F., 21 de agosto de 1989; se remitió copia a Javier Coello Trejo, subprocurador de Investigación y Lucha contra el Narcotráfico, y al agente del Ministerio Público Federal.)

ANEXO VII: EL CARTEL DE CIUDAD JUÁREZ

a) Informe sobre Frank Carvajal Paternina

En relación al servicio denominado Palo Alto, me permito informar a usted que el señor *Frank Carvajal Paternina* y su esposa, *Azul Messer*, quienes viven en avenida Lomas Anáhuac núm. 711, torre E, departamento 1202, del Conjunto Residencial Frondoso, en el municipio de Huixquilucan, México, y sus teléfonos 2-51-55-38 y 5-96-40-84.

Dichas personas vivieron anteriormente en Saturnino Herrán 60, departamento 502, de México, D. F., y con teléfono 5-93-83-45, y hasta donde se sabe, dicho inmueble todavía es de su propiedad.

Sus padres son el señor *Julio Carvajal Manrique* y la señora *Paternina*, quienes viven en la ciudad de Miami, Estados Unidos, y en donde tienen una oficina en la misma ciudad, con el teléfono 95-305-6663326, donde se supone es la matriz de la Corporación Cóndor, empresa dedicada a diversos negocios como son beneficiadoras de café, aerotaxis, inmobiliarias, casa de cambio, productos pesqueros y la representación del aditivo Dural para diversos países en América Latina y el Japón; además, tienen oficinas filiales en Cancún, Quintana Roo, Acapulco, Panamá, Toluca, Ciudad del Carmen, y propiedades en República Dominicana y Honduras.

Su casa de Frondoso también se maneja como oficina matriz en México, auxiliada por su esposa *Azul Messer*.

En Toluca tiene la empresa de aviación Cóndor, que supuestamente es de aerotaxis, en el aeropuerto de esa ciudad; sin embargo, únicamente la utilizaron, hasta ahora, para importar el avión citation III, con matrícula XA FCP, ya que dicha aeronave sólo la han ocupado para uso personal del citado *Frank* y sus invitados, teniendo instalaciones de oficina y hangar en dicho lugar.

En Acapulco tiene oficinas ubicadas en Costera Miguel Alemán, núm. 78, departamento 16, a nombre de *Cóndor, S. A. de C. V.*, y en donde sólo manejan transferencias provenientes de Miami y la compraventa de terrenos e inmuebles, intercambiando documentación con las demás filiales, aparentando un movimiento de empresa.

En Cancún, Quintana Roo, tienen una oficina que les administra una casa de cambio, una inmobiliaria, y sirve de enlace con la oficina que tienen en Panamá; en dicha ciudad tienen los siguientes domicilios:

Tarpa, Casa de Cambio, S. A. de C. V., domicilio en Boulevard KuKulcán, kilómetro 8.5, Zona Turística.

En el teléfono 4-2159, a nombre de *Rubén Munguía Torres*, con domicilio en Margaritas núm. 24, departamento 8, retorno 10, supermanzana 24.

En el teléfono 4-3672, a nombre de *Víctor Berny Amézquita*, y con domicilio en Sunyaxchén núm. 39 y 40, supermanzana 24, Amigo Hoteles.

En el teléfono 3-2500, a nombre de *Mario Bolio Granja*, con domicilio en Yaxchilán, sin número, en donde se localiza al uruguayo *Miguel Ríos*, y quien al parecer también responde al nombre de *Mario*, teniendo como administrador en la ciudad de Cancún al señor *Carlos Velasco*.

También en esta ciudad tiene una casa que, según sus pretensiones, vale *cuatro millones de dólares*, y que dicha casa perteneció al expresidente *Luis Echeverría*, y actualmente la está vendiendo a una princesa árabe.

En Ciudad del Carmen, Campeche, tiene una sociedad con el señor al que únicamente se conoce como *Don Ramón*, y en donde al parecer se encuentra asociado en el negocio denominado Productora Isleña de Mariscos, y en donde además cuenta con inmuebles y diversos predios. Esta persona, o sea, *Don Ramón*, comentó que sirvió durante veinte años con la mamá del señor presidente.

En Panamá tiene, a nombre de Administración Corsu, S. A, ubicada en la calle 56 de Abel Bravo, una de sus principales filiales y oficina de enlace con Colombia, para no tener que recibir llamadas en forma directa y, a su vez, para recibir transferencias de dinero que posteriormente hacen llegar hasta los beneficiarios del narcotráfico; el administrador en este lugar se hace llamar *Gustavo Blanco*, y al parecer dicha persona proviene del medio político de nuestro país, pues habla de haber trabajado en la Secretaría de Turismo.

En Honduras, su padre tiene una propiedad que se dedica al beneficio del café, siembra y plantaciones, que valúan en más de *dos millones setecientos mil dólares*, propiedad que actualmente tratan de vender o encontrar quien se las administre.

En República Dominicana dice tener una finca con un valor de más de *trescientos mil dólares*, y que trata de vender por alguna relación que dicha finca tiene con los problemas que actualmente vive el narcotráfico en Colombia.

Frank actualmente dice ya estar nacionalizado en México y dedicado a los negocios, entre otros a la representación del aditivo anticontaminante Dural, y que trata de introducir a nivel de gobierno por medio de conocidos que lo están conectando con el hermano del señor presidente, señor *Raúl Salinas*, quien a su vez lo recomendaría al secretario de Sedue y al director de Pemex.

Pero, además, dentro de sus actividades mantiene comunicación y contacto continuo con diversos personajes para preparar actividades de tráfico de estupefacientes provenientes de Colombia, pero a raíz de los problemas suscitados en dicho país, les ha sido muy difícil llevarlas a cabo como estaban acostumbrados anteriormente, por lo que ha estado poniéndose de acuerdo con tres diversos grupos para continuar con dichas actividades de narcotráfico que tendrían su meta en los Estados Unidos, utilizando nuestro país como puente para lograr su objetivo. (Informe de [se suprime el nombre por seguridad], 27 de septiembre de 1989.)

b) Parte informativo del 8 de diciembre de 1989

Para todos los efectos legales procedentes, túrnese el presente parte informativo a la Dirección General de Procedimientos Penales en Delitos Relacionados con Estupefacientes y Psicotrópicos, de la Procuraduría General de la República, para que se continúe con la indagatoria correspondiente, quedando a su disposición, en los separos que ocupa la Dirección General de Investigación de Narcóticos, ubicada en las calles de López núm. 14, colonia Centro de esta ciudad, a los que dijeron llamarse: Guillermo Gurrola Gutiérrez, Gerardo Gurrola Gutiérrez, Renato Gurrola Gutiérrez, Felipe Gurrola Gutiérrez, Gabriel López Amarillas, César López Amarillas, Luis Sánchez Clavijo y Juan José Rincón Cardona, ambos originarios de la república de Colombia, Renato García Madueño, Julián González Esparza, Alfonso Jiménez Mora, José Arcadio Valenzuela Aguirre, Alfredo Márquez Espinoza, Juan González de León, Antonio García García, Francisca Monarrez Arrieta, Lorena Mireya Montoya Rivera, Francisco García Heng y Rafael García Heng, certificados médicos de integridad física de cada uno de los presentados, acta de Policía Judicial Federal de los mismos, sobres de pertenencias debidamente cerrados y firmados, bolsas de diferentes tamaños y colores, conteniendo en su interior un polvo blanco y cristalino con las características propias de la cocaína, con un peso aproximado de tres toneladas ciento noventa y tres kilos; asimismo, bienes muebles e inmuebles que fueron asegurados en presencia del C. agente del Ministerio Público Federal, quedando a su disposición en la ciudad de Gaudalajara, Jalisco, la casa marcada con el número 2793 de la colonia Residencial Victoria, la casa marcada con el número 51761 de la calle Luigi Pirandello de la colonia Jardines de Universidad, y la casa de calle Pompeya número 2566, colonia Providencia, así como el rancho denominado Durazno, ubicado en el kilómetro nueve de la carretera Zapotlanejo-Irapuato, aclarando que la casa de la calle Brillante es propiedad de Cleto Valle García y de Ramón Valle García o Avilés; la casa de la calle Luigi Pirandello, así como la de la calle Pompeya son propiedad de Fernando García Sánchez o René Calderón Quintero, el rancho el Durazno también es propiedad de éste. De igual forma, en la ciudad de Guadalajara, quedan a su disposición el vehículo de la marca chrysler tipo phantom modelo 1987, placas JPN-654, del estado de Jalisco, una camioneta ram charger modelo 1989, con plazas VJF-469 del estado de Sinaloa, una camioneta marca chevrolet tipo pick up modelo 1989, con núm. de RFA 9716496, una camioneta custom doble rodada, una camioneta de color azul, tipo custom, modelo 1988, con placas JY-2750; asimismo nos permitimos informarle que mediante diligencias de Ministerio Público Federal se siguen asegurando bienes muebles e inmuebles en los estados de Jalisco, Nayarit y Sinaloa, y en su oportunidad, mediante fe ministerial, se pondrán a su disposición; queda asegurada y a su disposición la pista denominada El Llano, en el estado de Nayarit, así como cuarenta lámparas de campo de la marca águila negra, mismas que iluminaban la pista referida, y en estas oficinas físicamente quedan a su disposición un radio trasmisor de base móvil de la marca icom 144 mhz, FM, transceiver JC 228H, con micrófono, número de serie 07553, sin base ni antena, un radio trasmisor portátil marca kenwood TH215A, con pantalla digital, sin antena ni batería, con número de serie FCC-ID.ALH9TKT-215A. (Informe de Fausto Valverde Salinas, director general de Investigación de Narcóticos, 8 de diciembre de 1989.)

c) Informe sobre Frank Carvajal Paternina

Continuando con la investigación del conocido narcotraficante Frank Carvajal Paternina, de origen colombiano pero actualmente de nacionalidad mexicana, y que por recientes investigaciones pudimos establecer sus nexos con el también narcotraficante mexicano Rafael Muñoz Talavera, quien fuera detenido recientemente en Ciudad Juárez, Chihuahua, relacionado con la incautación de veinte toneladas de cocaína en la ciudad de Los Ángeles, California, Estados Unidos, por lo que el citado Frank decide marcharse de nuestro país y establecerse en París, Francia, saliendo vía México-Madrid el día primero de octubre del presente, y ordenando antes de salir a su piloto privado, señor Víctor Manuel Suárez Velázquez, que trasladara el avión de su propiedad, jet cessna citation III, matrícula XA FCP, a los Estados Unidos de Norteamérica para su venta, ocurriendo lo primero el día 4 de octubre vía México-Laredo-Dallas; todo esto en prevención de los problemas surgidos con los implicados y con motivo de la citada incautación, retornando a nuestro país su esposa, la señora Azul Messer Taubig, el miércoles 8 del presente, supuestamente para hacerse cargo de todos los asuntos de su esposo para posteriormente retornar a su lado para informarle del estado que guardan las cosas aquí, quien en ese momento se encontraba en la ciudad de Pisa, Italia; y es el sábado cuando trasciende que el señalado sufrió un infarto en aquella ciudad, siendo trasladado a un hospital donde fallece, sin poder evitarlo por su contundencia, motivo por el que la viuda se pone en contacto con los padres del occiso en Miami, Florida, para trasladarse en un avión particular XA PSD rentado, primero a recoger a ellos en esa ciudad, y después a Italia para hacer los trámites legales paras traer a nuestro país su cadáver y darle sepultura en esta ciudad.

En el curso de la investigación se estableció que el hoy occiso mantenía relación con el doctor Enrique Faiques Segovia, quien a su vez mantiene relación de diferentes negocios con Rafael Muñoz; el doctor Faiques es de origen colombiano y actualmente es esposo de una funcionaria de la embajada de Colombia en nuestro país, sabiendo que él se desempeña en una clínica hospital en Ciudad Satélite, Naucalpan, Estado de México.

Informo a usted que, de acuerdo con nuestras investigaciones y la actividad de la esposa del hoy occiso, cabe pensar que el citado Frank Carvajal, en contubernio con sus amigos y su esposa, tratan de aparentar su muerte con el fin de evitar la acusación legal y la incautación de bienes detectados en nuestro país, por la evidente relación que el citado tenía con su socio, el ahora procesado Rafael Muñoz Talavera.

Por lo anterior y acatando órdenes superiores, se tratará de identificar plenamente el cadáver a su llegada a nuestro país, todo esto apoyado en nuestro conocimiento de que la señora Azul Messer regresó a México con instrucciones de su esposo de asegurar diferentes documentaciones que acreditan la propiedad de su avión y muebles, predios y empresas, además de tener conocimiento de que su esposo se dedicaba a las actividades del narcotráfico y, en el mismo sentido, obviamente el doctor Enrique Faiques Segovia.

Asimismo informo a usted de las anomalías detectadas en la salida del avión XA PSD, ya que se declaraba la salida de la señora Patricia Carvajal, cuando en realidad salieron la señora Azul Messer Taubig, Cristina Taubig Solís y el piloto Víctor Manuel Suárez Vázquez, y desde luego los pilotos que guiarían la nave, sobre todo porque dicha salida fue autorizada por las autoridades aeropuertuarias y de inmigración, y los citados pilotos solicitaron la dispensa de revisión de la Policía Judicial Federal adscrita al aeropuerto satélite, y ante la negativa se logró la detección antes descrita.

También, de última hora, nos están informando que el cadáver del citado no viajará en el avión de referencia sino por vuelo comercial de Lufthansa vía Roma-Frankfurt-México.

Las propiedades detectadas del occiso en México son: dos departamentos en esta ciudad, uno de ellos con valor de cuatrocientos cincuenta mil dólares; una empresa de aerotaxis, Aviación Cóndor, con hangar y oficinas en Toluca, ya que el único avión con que cuenta se encuentra en Estados Unidos; oficinas de Corporación Cóndor en Acapulco, en donde además existen departamentos y predios; una casa en Cancún, que fuera propiedad del licenciado Luis Echeverría y que está valuada en cuatro millones de dólares; una empresa de alimentos nutritivos del mar en Ciudad del Carmen, Campeche, y en donde además tiene varias propiedades; una residencia de descanso en Puerto Vallarta, Jalisco; cuentas bancarias y cajas de seguridad, así como varios vehículos de modelo reciente. Se tiene conocimiento de que tiene otra oficina en la república de Panamá; una beneficiadora de café con bodegas, y tierras de cultivo en Honduras, así como una finca en República Dominicana. (Informe de [se suprime el nombre por seguridad], 15 de noviembre de 1989.)

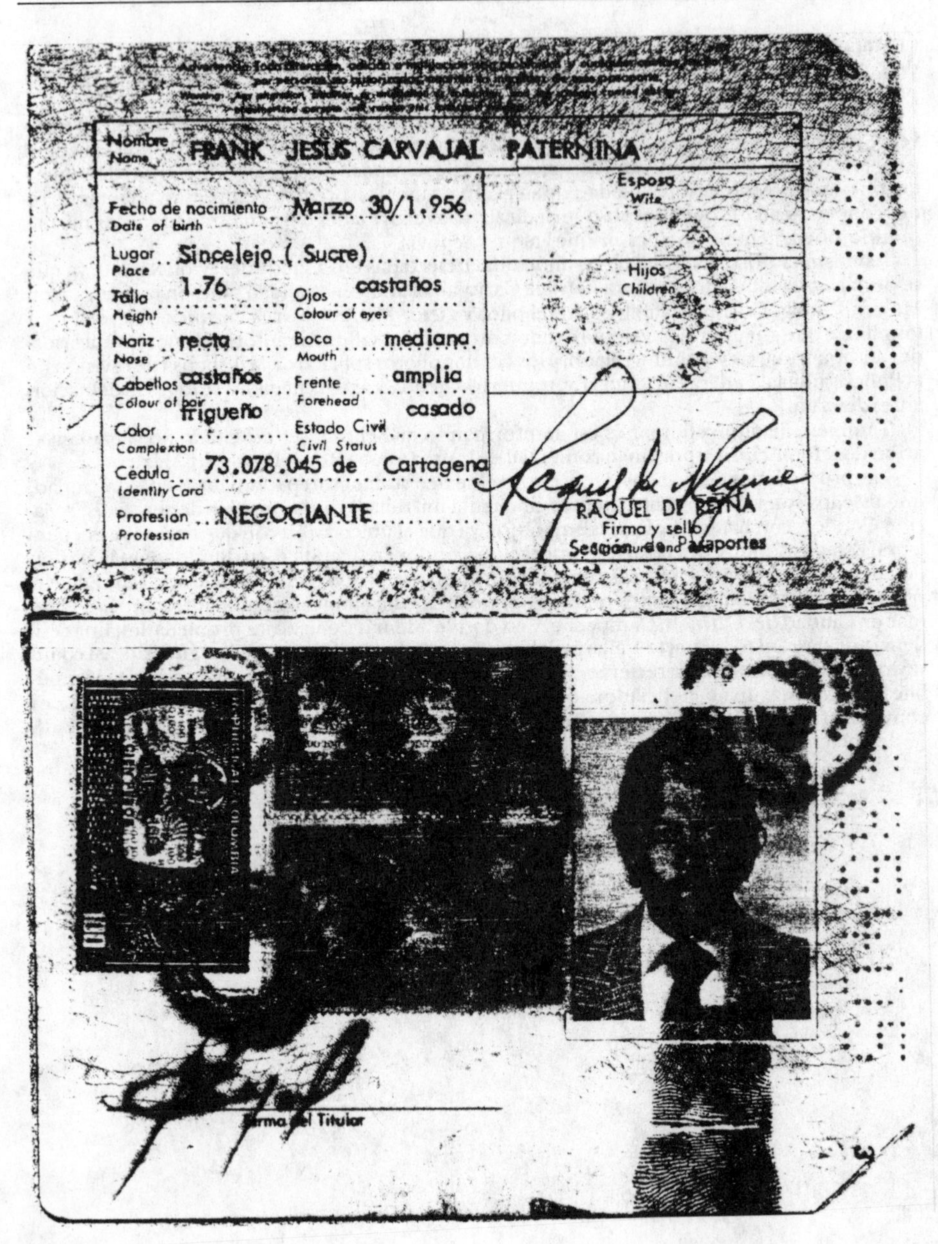
Nombre / Name: FRANK JESUS CARVAJAL PATERNINA

Fecha de nacimiento / Date of birth: Marzo 30/1.956

Lugar / Place: Sincelejo (Sucre)

Talla / Height: 1.76 — Ojos / Colour of eyes: castaños

Nariz / Nose: recta — Boca / Mouth: mediana

Cabellos / Colour of hair: castaños — Frente / Forehead: amplia

Color / Complexion: trigueño — Estado Civil / Civil Status: casado

Cédula / Identity Card: 73.078.045 de Cartagena

Profesión / Profession: NEGOCIANTE

Esposa / Wife

Hijos / Children

RAQUEL DE REYNA

Firma y sello

Sección de Pasaportes

Firma del Titular

Anexo VIII: Documentación entregada en la PGR

Averiguación previa 672-91 del fuero común (fotocopia simple)
Amparo 2100-90 derivado de la causa auxiliar 35-90
Averiguación previa 507-CS-93 (4 legajos)
Averiguación previa 278-N-89: algunas actuaciones
Órdenes de cateo (varias)
Actas de aseguramientos
Cateo de las casas 1 y 2 de Jardines de la Montaña
Copia certificada de la averiguación previa 87-90
Actuaciones diversas de la averiguación previa 29-93
Oficios de diligencias varias
Averiguación previa 059-N-990; proceso penal 87-90 original
Exhorto 24-93
Averiguación previa 29-93: algunas diligencias
Averiguación previa 451-CS-90: comparecencia
Actuaciones proceso penal 87-90
Averiguación previa 36-992
Averiguación previa 451-93 contra la salud
Declaración preparatoria de Luis Medrano, causa penal 185-90
Querella de Hacienda al Amable, por contrabando
Presentación del Quince, causa penal 34-89
Expediente Rancho San Juan, de Humberto García Ábrego
Pesquería, Nuevo León (localización)
Expediente Investigación del Tío y la empresa Cuprum
Relación de direcciones de gente relacionada con la organización y fotografías de domicilios de personas presuntamente relacionadas con la organización
Múltiples direcciones de personas relacionadas con la organización
Expediente sobre Horacio González Serna, "Manuel Castillo", operador de importancia en la organización García Ábrego
Directorio del tercer sector de Residencial Chipinque
Casa de Carmen Olivella (esposa de JGA)
Fotografías de domicilios varios en Monterrey
Fotografías y mapas del Cubano, operador internacional de JGA
Investigación Rancho El Rey, propiedad de Octavio Barrera Barrera
Investigación sobre avión cherokee PA-28-235, a nombre de Henry Max Moller Schellhammer, financiero principal de JGA
Domicilios en el Distrito Federal: Mozambique 89, Óscar Malherbe de León
Investigación de diversos domicilios ligados directamente con Óscar Malherbe
Relaciones de Marcela Bodenstedt con Emilio Gamboa Patrón
Marcela (*a*) Eva
La 501 en relación con JGA se encuentra en poder del licenciado Sergio Guadalupe Adame Ochoa, agente del Ministerio Público Federal
Residencia en construcción en Ciudad Méndez, Tamaulipas, de la señora Esmeralda Garza Borrego (amante de JGA)
Domicilios en Tamaulipas
Recibos telefónicos de Guadalupe Garza
Domicilios relacionados directamente con la organización Matamoros

Investigación "El Muertero, Matamoros"
Domicilios del Cabezón y Medrano, y el Amable en Tamaulipas
Personas relacionadas directamente con la organización en Matamoros
Recibos telefónicos de Matamoros
Investigación sobre Transportes López Ochoa
Investigación sobre David García (*a*) la Mugre
Directorio del cateo a los Conejos Alanís Govea
Directorio del cateo a José Guadalupe Cantú
Diversa documentación sobre narcotráfico en Tamaulipas
Libro catastral de Valle Alto, Matamoros
Investigación sobre Cobre de Pasteje
Investigación Villa Corzo, Chiapas
Los Ábrego en Querétaro
Red el Amable en el Estado de México y el Distrito Federal
Investigación sobre narcotráfico en San Lucas, Michoacán y Matehuala, San Luis Potosí
Investigación en Tuxpan, Veracruz
Investigación del CENDRO sobre Rafael Chao y Rafael Reséndez en relación con JGA
La Churumbela en relación con el Borrado
Documentación relativa al proceso 20-88, de Martín Becerra Mireles, (*a*) Óscar Malherbe, Javier José Rivera
Documentación relativa a Valladares del Ángel
Documentación relativa a Salvador Guajardo
Documentación relativa a Ricardo Castillo Gamboa
Informe del CENDRO sobre Francisco Payán Quintero (narcotraficante)
Documentación del CENDRO relacionada con JGA
Direcciones y recibos telefónicos en Ciudad Juárez
Direcciones y fotografías en Cancún, Quintana Roo, relacionadas con Rafael Aguilar Guajardo
Relación de telefónos en Cancún
El Cubano Ramón Luis Crespo
Investigación de Pablo Bush en Cancún
Investigación de José Higinio Álvarez Valencia
Domicilios investigados en Cancún
Investigación del asesinato de Rafael Aguilar Guajardo

Estudios fotográficos sobre:
José Pérez de la Rosa, el Amable
Negocios en McAllen, Texas, de la organización
Cancún, propiedades del Cubano
Fotos de La Banda
Cateo en Praga, Monterrey
Irapuato y Matamoros (varias)
Banda Nevares y Escamilla (fotocopia de fotos)
Luis Medrano
Baldemar González Medrano
El Amable (varias)
Fotos cateo de Dante Sánchez del Castillo
Cateo del Amable, Puebla, Huejotzingo

Rubén Sánchez del Castillo
Aviones de la organización
Rancho El Texano
Propiedades de Elías Ruiz
Cateo en Ejército Nacional al Amable
Más fotos de Cancún
Primer cateo en Ejército Nacional al Amable
Hacienda Huejotzingo
Rafael Olvera, Rubén Hernández y Eduardo Castillo (fotocopia)
Ampliación de fotografía con Juan Nepomuceno Guerra, Albino García, señor Salinas, JGA, Juan José García González, Carlos Arturo Guerra Velasco y los Dávila, entre otros
Fotocopia de estudio fotográfico del cateo a Jardines de la Montaña

Una camiseta en el cateo a Jardines de la Montaña
Fotos del cateo a Jardines de la Montaña
Placas (metálicas) de autos y playera PJF en el cateo a Jardines de la Montaña
Cateo Tajín, placas y gorra de la PGR; placa para auto, de leyenda "diputado federal", un pasaporte a nombre de Lucenilla Salcido, José María
Orden de cateo a Jardines de la Montaña
Una charola del congreso, del C. diputado Gustavo Gómez Pérez, en el cateo de Tajín
Informe CENDRO, marzo de 1993
Informe CENDRO (general)
Copia simple del proceso penal 62-93, cuatro tomos
Copia simple de la orden de cateo, con anexo de orden del juez relacionado con la 59-N-93
Fotografías del cateo a Jardines de la Montaña
Desglose de la averiguación previa; diversas copias simples: 10A-1934-93-II, Delegación Benito Juárez
Informe de la Mercedes Benz
Documentación Stop Car Wash (propiedad del hermano de Óscar Malherbe)
Tarjetero del mismo cateo
Carpeta directorio gris del cateo a Valladares del Ángel
Block con cheques en blanco a nombre del Centro Automotriz Río
Cateo a Erasmo Alanís, pasaporte a nombre de Octavio Ruiz y Judith Salinas, con orden de pago de Judith Salinas de Ruiz, acompañada de una guía telefónica
Cateo a Ibarra Silva, con dos agendas directorio; tarjetón de circulación y factura del auto suburban 1987, y calcomanía 1988, Chih. Méx. DG-7621, y tarjetón de circulación
Documentación varia a nombre de José Pérez de la Rosa
Recibos telefónicos de Robledo Gutiérrez, Antonio
Tarjetas de circulación de Alfonso Garza Sada: 801-CZY y LGA-9842
Tarjeta de circulación de Vázquez Torres, Daniel: 654-LFF
Licencia a nombre de Angélica Chávez Chávez
Copia sobre aviones de El Paso Aero Inc., simples
Estudio fotográfico de aviones (varios)
Recibos telefónicos varios, del cateo a Tajín
Tarjeta de circulación KL18187, de Ana Alicia González Márquez
Cuenta bancaria del Amable; varios documentos y estados de cuenta con bauchers
Copias certificadas (cinco) del acta de matrimonio a nombre de José Pérez de la Rosa con Ana Alicia González Márquez

81, 82, 83 y 84 registros de armas de fuego, a nombre de Guadalupe Cantú Ramírez
Los pasaportes a nombre de Alfonso García Sandoval, Valle Leyva, Fortino y Rivera Cárdenas, Claudia
Diversa documentación de cateo a Tajín

2 de junio de 1994. Se recibe copia de la presente, que consta de siete fojas útiles escritas por un solo lado, mediante la cual el licenciado Eduardo Valle dice entregar los asuntos, fotografías y papeles que en ella se mencionan; esto a reserva de verificar el contenido que señala el licenciado Valle Espinosa. (Con firma de recibido.)

ANEXO IX: BÚHO: EL DELINCUENTE

Los insoportables de la semana

Eduardo Valle Espinosa, alias el Búho, político perredista. La confusa actuación de Eduardo Valle en el ámbito universitario se caracterizó por sus ataques contra maestros progresistas, así como su acción concertada con personajes destacados del porrismo.

En 1987 [*sic*], el Búho encabezó un movimiento contra la doctora Ifigenia Martínez de Navarrete, recién designada directora de la Facultad de Economía, acusándola de poco preparada, funcionalista y "cepalina". El 14 de marzo de aquel año convocó a un referéndum para rechazarla, y al fracasar éste intenta un nuevo plebiscito y luego un paro, ninguno de los cuales tiene eco entre los estudiantes.

El 20 de 1967 [*sic*], ante veintitrés asistentes, se autonombra "presidente del comité ejecutivo de la Sociedad de Alumnos", buscando que se le mantuviera el subsidio que le anterior director, luego de muchas presiones, el peor de los estudiantes de la época fue premiado con una plaza académica.

Quienes fueron sus compañeros (que comprenden varias generaciones debido a su retraso académico) recuerdan que, extrañamente, el Búho siempre encontraba motivos para combatir a los profesores más progresistas, a varios de los cuales "destituyó". En particular, se recuerdan sus ataques contra don Manuel López Gallo.

Pero lo que reveló la verdadera personalidad de Eduardo Valle Espinosa fue su cobarde campaña contra el rector Pablo González Casanova. En una maniobra de pinza, PGC sufrió durante meses, por un lado, las acciones de los porristas. Por el otro, los ataques del Búho. A cada atentado porrista correspondía una denuncia que lo acusaba de "tolerar el porrismo".

Lamentablemente, pocos escucharon en aquel tiempo las advertencias de Gastón García Cantú, quien descubrió el complot y lo denunció enérgicamente en reuniones fuera de la Ciudad Universitaria, ya que el campus estaba ocupado por Castro Bustos y Mario Falcón.

Logrado el propósito de que renunciara González Casanova, y estando la policía a punto de aprehender a Mario Falcón (luego que éste, en plena explanada, ante cientos de testigos, asesinara fríamente a dos estudiantes de ingeniería), aparece el Búho ayudando a huir a Falcón, ocultándolo en su casa y tratando de llevarlo a la embajada de Perú para aislarlo como "refugiado político".

El Búho nunca pudo explicar qué hacía con su supuesto enemigo, por qué lo ayudaba y el origen de los fondos con que lo protegía... por no hablar de quienes le ayudaron a conseguir un pasaporte para Falcón.

Como consecuencia, Eduardo Valle fue repudiado en los círculos universitarios, tuvo que abandonar la UNAM para dedicarse a la política partidista, a la cual previamente había calificado de "colaboracionista" y "aperturista".

(Pero, claro, nunca faltan los tontos útiles que dan crédito a las calumnias de Valle Espinosa, un provocador quemado, que en diferentes épocas, además de a Ifigenia Navarrete [*sic*] y González Casanova, también atacó a Jesús Reyes Heroles y Leopoldo Zea.)

Pero habría más:

Finalizaba el mes de junio de 1993, cuando Eduardo Valle se apersonó ante el gobernador de Tamaulipas, Manuel Cavazos Lerma, con el cuento chino de que en su papel de asesor de la Procuraduría General de la República estaba en aquel estado para proceder penalmente contra el presunto narcotraficante Juan García Ábrego, supuesto jefe del Cartel de Matamoros.

Por principio de cuentas, el Búho le pidió al gobernador que le asignara veinticinco auxiliares, los cuales ya colaboraban con él, pero sin nombramiento: lo que vulgarmente se conoce como "madrinas"; cuando el procurador de Justicia del estado conoció la lista de estos colaboradores por poco se infarta al descubrir que por lo menos nueve de ellos tenían antecedentes penales, entre ellos uno por homicidio y dos por narcotráfico.

Por supuesto, el procurador se niega a extender los nombramientos y le propone al Búho auxiliarlo con elementos de la Policía Judicial del estado, lo que Valle rechaza alegando que esa corporación estaba coludida con el narcotráfico.

Ya instalado el Búho en Matamoros, se atendió a cuerpo de rey. Se alojó durante más de seis meses en el lujoso motel residencial, en el cual ocupó hasta ocho cuartos, según él por motivos de seguridad.

Meseros, botones y personal administrativo coinciden en señalar al Búho como "hombre en extremo alcohólico y drogadicto". Aseguran que frecuentaba el bar Royalty, donde se emborrachaba y acostumbraba a sacar en forma violenta a muchachas que trabajaban ahí, llevándolas, con el auxilio de sus guardas y lujo de fuerza, a una casa asegurada que se hallaba a su disposición del Juzgado Cuarto de Distrito.

También era cliente asiduo de restaurantes de categoría, como García's y Drive Inn. En este último protagonizó varios incidentes violentos. Hay varios testigos de cómo lesionó a un capitán de meseros, cuando éste tropezó con la mesa de Valle y casi la volcó. El detalle es, según los testigos, lo que encendió el furor de Valle, es que sobre la mesa había cuatro líneas de polvo blanco que desaparecieron en el piso.

Públicamente, Valle Espinosa gritaba que "Matamoros es un pueblo de mafiosos, y todos son narcotraficantes".

El 23 de septiembre de 1993, Valle Espinosa casi provoca un duelo a balazos, al lanzar amenazas e injurias contra el señor Eduardo Larrazolo Rubio. Días después, en completo estado de ebriedad, irrumpió con sus aguerridos comandos en el Club de Tiro de Matamoros, A. C., a los socios que allí se encontraban en compañía de sus familias, mujeres y niños. Exigió a todos que les mostraran sus permisos para armas y, al contestarles que la documentación la tenían en sus automóviles, se negó a permitirles ir por ella "porque podrían esconder algo". Ordenó a sus secuaces registrar a todos y, como no encontró nada anormal, se contentó con comerse los alimentos y apurar las bebidas que llevaban las familias.

En los últimos días de agosto, Valle, siempre alcoholizado, pasó frente a una casa en cuyo frente se encontraba un vigilante armado. Se metió en ella gritando que era una casa de narcotraficantes. Y tuvo que venir el jefe de la Policía Preventiva, Sergio Puig, a sacarlo explicándole que la casa era de Tomás Yarrington, presidente municipal de Matamoros.

Para no cansarlo: de las veinticinco casas cateadas en Matamoros por iniciativa de Eduardo Valle y el agente del Ministerio Público Federal, Sergio Guadalupe Adame Ochoa, en ninguna encontraron armas de fuego o drogas. Cabe destacar que en todos los casos se solicitaba la orden de cateo con carácter de urgente, pero que siempre pasaban varios días para que llegara el Ministerio Público a efectuar la diligencia. Los que saben de esto aseguran que ese lapso servía para que los agentes negociaran con los moradores de la residencia y éstos tuvieran tiempo de sacar todo lo comprometedor.

Como colofón de la actuación de Eduardo Valle Espinosa, alias el Búho, en Matamoros, Tamaulipas, sirva lo expresado por el licenciado Fermín Rivera Quintana, juez Quinto de Distrito en Matamoros: "Los fiscales especiales enviados por la PGR a esta ciudad están incurriendo en serias irregularidades en el desempeño de sus funciones". (Nota de Gilberto D'Estrabau, *El Sol de México*, 10 de septiembre de 1994.)

El segundo disparo. La narcodemocracia mexicana,
escrito -y vivido- por Eduardo Valle, el Búho,
pone el dedo en la llaga en un tema de discusión
y aclaración impostergable de la agenda nacional.
Lleno de gran convicción y valentía
este es un testimonio fresco, revelador y responsable.
La edición de esta obra fue compuesta en fuente
newbaskerville y formada en 11:12. Se tiraron
15 000 ejemplares, más sobrantes para reposición,
y fueron impresos en este mes de agosto de 1995
en los talleres de Litográfica Ingramex, S.A. de C.V.
que se localizan en la calle de Centeno 162,
Colonia Granjas Esmeralda, en la ciudad de México, D.F.
La encuadernación de los ejemplares se hizo
en los mismos talleres.